ISBN 978-0-332-68180-1
PIBN 10987787

Joannes Lydus

IOANNIS LYDI

DE MAGISTRATIBUS POPULI ROMANI

LIBRI TRES

EDIDIT

RICARDUS WUENSCH

LIPSIAE
IN AEDIBUS B. G. TEUBNERI
MCMIII

LIPSIAE: TYPIS B. G. TEUBNERI.

FRANCISCO SKUTSCH

S

Ioannis Lydi, qui floruit inter scriptores aevi Iustiniani, aetatem tulerunt opera tria, quibus ipse inscripsit *περὶ μηνῶν*, *περὶ διοσημειῶν*, *περὶ ἀρχῶν τῆς Ῥωμαίων πολιτείας*. quorum de ostentis librum insigni studio secundisque curis Curtii Wachsmuth restitutum ante hoc lustrum edidit bibliotheca Teubneriana; quattuor abhinc annis commentariorum de mensibus fragmenta a me edita prelum Lipsiense reliquerunt; restabat igitur, ut tertium horum operum, quod est de magistratibus populi Romani, ex eadem officina in lucem proferretur. iam cum huius recensionem ante aliquot annos promissam aequo lectori hodie proponam, par est pauca praemonere de illius operis fatis deque consilio editionis meae.

Ac primum quidem, quo tempore libros de magistratibus conscripserit Ioannes, necesse est quaeramus. scimus ad componendos commentarios accessisse Lydum ipsius testimonio (de mag. infra p. 119, 11), postquam muneribus publicis, quibus per quadraginta annos interfuerat, se abdicavit. cum idem Secundiano consule (511 p. Chr. n., de mag. p. 113, 7) ad ineundum cursum honorum se accinxerit, apparet anno 551 initium scribendi eum fecisse. itaque tum de mensibus agere exorsus est, quo opere Musis primitias a Lydo oblatas esse et inde intellegitur, quod ad libros *περὶ διοσημειῶν* postea demum se accessurum esse promittit (de mens. p. 132, 1 editionis meae), et inde, quod in opere de magistratibus conscripto decies recurrit ad opus illud *περὶ μηνῶν* (p. 1, 9 al.). sed utrum ostenta insecuta sint an magistratus, ambigitur; tamen illis secundum locum tribuendum esse puto considerans ordinem singulis libris datum in codicibus manu scriptis. quod si conceditur, tertio loco ponendi sunt libri de magistratibus tres, quorum tertium post annum 554 confectum esse demonstratur commemorata expeditione quae contra Francos parabatur (p. 145, 6; v. H. Gelzer apud Krumbacherum, *Gesch. der byz. Litt.*[2] p. 934). quin etiam maiore temporis spatio post hunc annum elapso ad describendos Romanorum magistratus Lydum se convertisse censebat Zachariae de Lingenthal (*Ztschr. der Savigny-Stiftung für Rechtsgeschichte, Roman. Abt.* XII 1892 p. 77 sqq.), qui verba de imperatore consulatum gesturo (infra p. 63, 19) ὅταν κοσμεῖν τὴν τύχην ἐθελήσοι propter futurum tempus accepit de imperatore, qui, cum Lydus scriberet, consulatum omnino non gessisset; itaque cum Iustinianus consul quartum fuisset anno 534, septendecim annis ante prima Ioannis studia, opus de magistratibus ei tempori tribuit Zachariae, quo Iustinus minor, Iustiniani successor, imperator quidem fuisset, sed consulatum nondum suscepisset, h. e. anno 565. quae opinio haud firmo nititur argumento: neque enim formam illam ab ἐθέλειν deductam, quali est arte grammatica sermo Lydianus, premere licet, cui ὅταν ἐθελήσοι non idem valet atque *cum (primum) voluerit*, sed nihil est nisi *quandocumque (iterum) volet*. huc accedit, quod compluribus locis non Iustinum, sed Iustinianum illi aevo imperare expressis verbis Lydus testatur (p. 144, 8 al.), denique quod extremis libri secundi paragraphis, quibus magistratuum Romanorum fata ad ipsius scriptoris tempora deducuntur, in eodem Iustiniano finem facit expositio neque ad heredem eius descendit: unde apparet, intra annum 554 et Iustiniani mortem (565) librum περὶ ἀρχῶν confectum esse. iam vero alterum praesto est argumentum, quo accuratius definiri possit, quando magistratuum studio se dare coeperit Lydus. postquam enim affirmavit (p. 8, 17) computari a C. Iulii Caesaris nece, quam anno 45 a. Chr. n. putat patratam, usque ad Constantinum imperatorem annos trecentos sep-*tuaginta quinque* — qua re ad annum p. Chr. n. 330

ducimur, quo a. d. V. Id. Maias Byzantium oppidum suo nomine consecravit Constantinus (Th. Preger Herm. XXXVI 1901 p. 336) —, pergit Ioannes a Constantino (h. e. ut diximus a consecrata Constantinopoli) computans annos ducentos viginti quattuor menses septem usque ad mortem Anastasii imperatoris. id si verum esset, mortuus esset Anastasius anno 554 mense Novembri, qui re vera obiit anno 518 p. Chr. natum. tam gravem errorem calculi in temporibus, quibus ipse interfuit, committere Lydus nullo pacto potuit; neque quidquam superest, siquidem hunc annorum numerum explicare volumus, nisi ut illo loco ea verba excidisse putemus, quibus iustus numerus continebatur et indicabatur computum addi ab Anastasii morte usque ad id ipsum tempus, quo scribebat auctor. quare in notis paginae 8 subiectis desiderari dixi verba ⟨ρπη' καὶ μέχρι τοῦ νῦν ἔτη⟩, quibus suppletis evadit haec sententia: *computantur a Constantino* (Mai. 330) *ad Anastasii mortem* (518) *anni ⟨centum octoginta octo et ad hunc diem anni⟩ ducenti viginti quattuor menses septem.* unde operis de magistratibus compositionem institutam esse apparet a Lydo mense Novembri anni p. Chr. n. 554, et consumptum ab eo quadriennium fere ad conficiendos priores illos περὶ μηνῶν et περὶ διοσημειῶν commentarios. sed quando librum περὶ ἀρχῶν finierit, haud aeque certum est; neque tamen eum ultra Iustiniani tempora processisse me putare modo significavi.

Quicumque Iustiniani res gestas accuratius perlustraverit, imperatorem id praecipue egisse animadvertet, ut orbi terrarum persuaderet, Byzantinorum regnum idem esse atque veterum Romanorum imperium, ipsosque Byzantinos vita moribus institutis veteres Romanos referre. quare mirum non est, quod ii quoque, qui illo imperante Byzantii viri docti habebantur, Romanorum antiquitati studebant et, quidquid e Latinorum usu in Byzantinorum consuetudinem transiit, laudibus celebrabant. exemplum huius studii manifestum est ἡ περὶ ἀρχῶν πολιτικῶν συγγραφή Lydiana, qua nexum, qui inter magistratus et

Romanorum veterum et Byzantinorum recentiorum intercedat, lectorum oculis subicere auctor nititur, dum singulorum munerum institutionem iura insignia fata ab Aenea usque ad Iustinianum nominatim persequitur. quo facilius ea disquisitio ad cursum temporis accommodaretur, initio libri primi Romanorum historiam in sex partes digessit (p. 8, 9): ab Aenea ad Romulum, a Romulo ad Brutum, a Bruto ad C. Iulium Caesarem, a Caesare ad Constantinum, a Constantino ad Anastasium, ab Anastasio ad Iustinianum. quam partitionem ita erat observaturus, ut primo secundoque libro ternas partes absolveret, priore libro magistratus inde ab Aenea usque ad Caesarem per regum liberaeque rei publicae tempora (v. p. 53, 16), libro altero officia imperatorum[1]) aetate addita usque ad praetorem Iustinianum (p. 86, 5). sed materia nimis crescente his duobus tertium adiunxit librum singularem *περὶ τῆς τῶν ὑπάρχων τάξεως* (p. 57, 25 78, 17), quo officia eparchis subdita enarraret. atque re vera Lydum initio duobus libris rem institutam fuisse absoluturum et aliquanto postea addito tertio consilium mutasse inde apparet, quod quae de officiis eparchorum a Constantino et Arcadio abolitis narrantur § 10—12 libri alterius, ad verbum congruentia in libro tertio recurrunt, § 40—42. quae repetitio ita videtur explicanda: Ioannem, cum librum alterum exararet, consilium libri tertii conficiendi, cui ea expositio multo melius conveniebat, nondum cepisse, conscripto autem postea libro tertio illa priore loco non expunxisse. quod si semel perspeximus, facile nobis explicabitur aliorum quoque locorum in disponenda materia levis inconcinnitas: scilicet ne his quidem locis ultimam manum auctor admovisse videtur; ut p. 58, 1 lector relegatur ad p. 94, 19, de quo spatio *μικρὸν ὕστερον* dicitur, quod dici minime potest.

Eodem modo cave explices, quod narratio haud recta

---

1) licet iam p. 51, 14 Titi imperium contra reliquorum locorum consilium commemoretur.

via ad finem deducitur, immo plurimis varii argumenti excursionibus interrumpitur: nam id omnino Lydo moris fuisse iam alio loco monuimus (de mens. praef. p. LXXIX). quo fit, ut praeter necessaria adnotationes grammaticas philosophicas historicas addat, ita ut mirum in modum tertio illo libro non tam de officiis eparchorum, quam de rebus Byzantii recentiore tempore gestis agat et desinat in laudes Iustiniani atque Theodorae (v. p. 7, 25). atque hac ipsa rerum varietate Ioannem gavisum esse ex eo qui praemissus est ipsi operi conspectu apparet (p. 3—7), in quo plus spatii tribuitur excursionibus quam narrationi (v. c. p. 7, 10—15). iam si quaerimus, quo tempore hic rerum laterculus compositus sit, argumento nobis sunt verba p. 7, 6 *περὶ τῆς εὐτυχεστάτης βασιλείας Ἰουστινιανοῦ τοῦ ἀηττήτου βασιλέως*: tali adulatione eum tantum afficere solebant auctores Byzantini, quo regnante ipsi vitam agebant. quod si verum est, regnante Iustiniano index ille est confectus, id est ipsius Lydi temporibus. neque quidquam est, quod impediat, quominus eum huic auctori tribuamus. immo vero, cum inter omnes constet *prooemium* illud, quod in primi libri fronte positum est ipsumque indicem praecedit, a Lydo confectum esse (p. 1, 8 *ἐν τῇ πρώτῃ τῆς περὶ μηνῶν γραφείσης ἡμῖν πραγματείας ἴσμεν μνημονεύσαντες*), necessario conspectum illum eidem auctori adscribemus cui ea quae et antecedunt et subsequuntur.

Sed restat ut de illo *prooemio* pauca dicamus. quae hodie legimus verba eius servata quid sibi velint aut quo modo coniuncta sint cum sequentibus, haud ita clare dispicimus. neque id mirum est, quoniam temporum iniquitate mutilata videntur esse. hoc inde concluditur, quod ad voculam *Ἐτρούσκους* (p. 1, 5) in margine eius codicis, qui unus nobis est servatus, additur *δωριως ετρα η εθνη*. cum enim plerisque notis margini adspersis repetatur sententia quaedam notabilior ex ipso verborum contextu deprompta, sumamus necesse est Etruscorum nomini Lydum olim addidisse *τὸ τῶν Ἐτρούσκων ἔτυμον*, quod a Doriensium ἔτρα (*gentes*) derivabat: quae deductio postea ab altero librario in margine repetita, ab altero in ipso verborum contextu deleta est. habemus igitur hodie *prooemium* illud non integrum, sed decurtatum. iam si quaerimus, quid Lydum exposuisse in prooemio quale olim fuerit putemus, mea quidem sententia iudicabimus, enuntiata illa, quibus auctor se a libro περὶ μηνῶν ad ἀρχὰς πολιτικὰς spondet transiturum esse (p. 1, 2—2, 8), fragmenta esse epistulae cuiusdam nuncupatoriae. dedicatione enim frontes librorum hodie mutilos Lydum ornasse conici potest ex eo, quod Suidas (s. v. Ἰωάννης Φιλαδελφεὺς Λυδός) eos dedicatos fuisse tradit Gabrieli eparcho, quem Gabrielem in nostro opere laudat Ioannes p. 126. itaque si recuperare vis consilium Philadelpheni, quod secutus et *prooemium* scripserit et rerum indicem, in memoriam tibi revoces epistulas illas nuncupatorias singulis Papinii Statii Silvarum libris praemissas, quibus cui dedicati sint quidque contineant, aperte indicatur.[1])

Habemus igitur Lydi de magistratibus libros et ab auctore ad umbilicum non adductos et a librariis aliqua ex parte decurtatos. sed ferocius etiam in illos caeca Fortuna insaeviit. nam saeculis VII et VIII plerosque Lydi codices omnino interiisse demonstravit C. B. Hase (Io. Laur. Lydi de mag. rei p. Rom. ed. Io. Dom. Fuss p. XVI sq.), quocum bene convenit, quod paucos testes habemus, qui posteriore tempore opus illud Lydianum inspexerint. inter quos eminet Photius patriarcha, qui Bibliothecae codicem CLXXX Ioanni dedicavit. cuius verba, cum nostrorum quoque temporum memoria digna sint, repetere liceat: ἡ . . περὶ πολιτικῶν ἀρχῶν τοῖς περὶ τὰ τοιαῦτα μάλιστα φιλοτιμουμένοις οὐκ ἄκομψον παρέχεται τὴν ἱστορίαν. κέχρηται δ' οὗτος ὁ συγγραφεὺς τροπαῖς κατακόρως καὶ πολλαχοῦ μὲν ψυχρῶς ἄγαν καὶ παραβόλως, ἔστι δ' ἔνθα οἰκείως καὶ ἐπαφροδίτως. κἂν

1) alia similia enumerata invenies apud R. Graefenhain *de more libros dedicandi* (Diss. Marp. 1892) p. 34. praeterea Lydo *regestorum usum familiarissimum* fuisse scimus, v. infra p. 107, 21.

τοῖς ἄλλοις δὲ πολλὴν νοσεῖ τὴν ἀνωμαλίαν, ὑπερόπτης ἐν οἷς οὐ δεῖ, καὶ κατεπτηχὼς πάλιν ἐν οἷς μὴ δεῖ, κόλαξ τε τῶν περιόντων ἀπροφάσιστος, καὶ τῶν ἀποιχομένων καὶ παρ' ὧν οὐ νομίζει δίκην ὕβρεως πράττεσθαι, εἰς τὸ φορτικώτατον τοὺς μώμους καταχέων. καὶ λέξει μὲν ἔστιν οὗ κέχρηται λογάδι τε καὶ ἐς τὸ ἠττικισμένον ἀνηγμένῃ, ἔστι δ' ὅπου χαμαιπετεῖ τε καὶ παρεωραμένῃ καὶ μηδὲν ἐχούσῃ τῶν ἐκ τριόδου πλέον. ἀλλ' ἐν μὲν τῇ περὶ διοσημειῶν *καὶ* περὶ μηνῶν *συγγραφῇ τούτου γε ἕνεκα οὐ μάλα ἄν τις ἴσως αὐτὸν νεμεσήσῃ· ὅτε δὲ καὶ* πολιτικὰς ἀρχὰς *ἀναγράφων, καὶ δὴ καὶ ἱστορικοὺς διεξιὼν λόγους, ἀλλὰ καὶ εἰς ἐνίων ἐγκώμια καθιεὶς ἑαυτόν, τῆς αὐτῆς ἐστι φίλος ἀνωμαλίας περί τε τὴν λέξιν καὶ τὸν νοῦν καὶ τὴν σύνταξιν τῶν γεγραμμένων, εἰς οὐδεμίαν λοιπὸν συγγνώμην ὁρῶ τὴν τοιαύτην πλημμέλειαν ἀναφερομένην.*

Praeter Photium librum de magistratibus inspexit et commemoravit Constantinus Porphyrogenitus, qui de Thematibus (Corpus Script. Hist. Byz. vol. III) p. 17 haec habet:

οἱ δὲ λεγόμενοι τουρμάρχαι *εἰς ὑπουργίαν τῶν στρατηγῶν ἐτάχθησαν. σημαίνει δὲ τὸ τοιοῦτον ἀξίωμα τὸν ἔχοντα ὑφ' ἑαυτὸν στρατιώτας τοξοφόρους πεντακοσίους καὶ πελταστὰς τριακοσίους καὶ δεξιολάβους*[1]) *ἑκατόν. οὕτως γὰρ κεῖται ἐν τῇ βίβλῳ Ἰωάννου Φιλαδελφέως τοῦ καλουμένου Λυδοῦ.*

Atque haec in libro de magistratibus, qualem hodie habemus, nullo loco leguntur, unde Hase (l. c. p. XXVII) coniecit, excidisse ea cum duobus illis foliis, quae in codice post verba *δουκιναρίους κεντιναρίους* (I 48 p. 51, 3) perierunt. quamvis id fieri potuisse praefracte negare nolim, tamen monuerim, haec fortasse omissa esse a librario inter legionum partes, quae inde a p. 46, 22 enumerantur, ubi alia quoque in brevius videntur contracta. hic facile inseres:

---

1) de hac voce videas Woelfflini Arch. f. lat. Lex. XII 1902 p. 581.

τουρμάρχαι οἱ εἰς ὑπουργίαν τῶν στρατηγῶν ταχθέντες, ἔχοντες ὑφ' ἑαυτῶν στρατιώτας . . . ἑκατόν.

sed utut hoc se habet, certe Constantino gratias agimus, quod nobis *ἀπόσπασμα* servavit e libro primo Lydiani operis avulsum. alterum vero quod praeter illud ferebatur fragmentum (Hase p. XLVII) inter Lambecii notas Codino adspersas: '*ex Ioannis Lydi libro περὶ ἀρχῶν πολιτικῶν haec (ratio) habetur ἐδόκει μὲν μηκέτι . . . ὀνομάζειν αὐτούς*' mero Lambecii errore huic operi tribuuntur; excerpta enim sunt e libro de mensibus (v. de mens. p. 15, 1 app. editionis meae). habemus igitur libri de magistratibus fragmentum unum genuinum, alterum spurium. quae hoc praefationis loco commemorasse satis habeo.

Haud ita multo post Constantini Porphyrogeniti tempora, qui vixit initio saeculi decimi (Krumbacher l. c. p. 252), scriptus est is qui fere unicus in censum vocandus est, cum de libro *περὶ ἀρχῶν* agitur, codex *Parisinus supplementi graeci* 257 a possessore nomen adeptus *Caseolinus*. Licet de hoc codice saepius actum sit, ab Hasio l. s. p. LXI sqq., a Curtio Wachsmuth in praefatione libro de ostentis Lydiano praemissa p. IX sqq., a me in edendo libro de mensibus p. VI sqq., tamen res postulare videtur, ut hoc loco fusius de eo disseram. nam quod nonnulla nova habeo, quae nunc sum prolaturus, insigni liberalitati virorum Francogallorum nobilissimorum et doctissimorum Omont et Delisle debeo, qui, quae est eorum eximia comitas, codicem Caseolinum Vratislaviam miserunt, ubi eum denuo commodissime inspicere possem: quorum summae erga me benevolentiae gratias hoc loco itero quam maximas.

Codex Caseolinus, in editione dictus *O*, membranaceus, initio et in fine mutilus, foliorum hodie centum[1]), scriptura

1) Hase l. c. p. LXXVI folia superesse CII contendit, nec tamen recte. cuius error eo ortus est, quod libro de ostentis *folia XXXVII tribuit; sunt* XXXV.

quae minuscula vocatur satis nitida est exaratus. ipse litterarum ductus persimilis est codicis Parisini graeci 1853 Aristotelis opera complexi, quem Henricus Omont saeculo decimo tribuit (*Facsimilés des plus anciens manuscrits grecs pl.* XXX); eorum, quorum aetatem accuratius novimus, proxime accedit ad Caseolinum codex Coislinianus 28, qui anno 1056 in monasterio quodam Athoo est confectus (*Facsimilés des manuscrits grecs datés pl.* XXIV), ita tamen ut accuratius utrumque codicem consideranti Caseolinus paullo antiquiorem habitum prae se ferre videatur, qualem anno fere millesimo deberi nostro iure sumere possumus.

Ipsa codicis folia 27 × 19, 5 centimetros alta et lata sunt, quorum 19 × 14 cm scriptura sunt expleti. leguntur in singulis paginis versus singuli et triceni, uno tenore continuati neque in binas columnas digesti. verba nondum omnia certis inter se distant intervallis, notae quibus efficitur ut facilior evadat lectio rarius occurrunt. ab eodem qui verborum textum confecit margini notae quaedam adscriptae sunt litteris quas vocant uncialibus; idem raras correcturas intra versum addidit ex archetypo quo utebatur depromptas (v. c. p. 19, 6 *ταχέων O, βραχέων corr. O*; p. 43, 17 *ἄρα O, ὥρα corr. O* al.). occurrit praeterea altera manus, quae recentiore tempore suo Marte locos corruptos est aggressa (v. c. p. 6, 7 *ἐπένθησαν O*; *ἐπενοήθησαν* O_2 al.), cuius correcturas coniecturarum tantum loco habebimus, cum emendationes ab ipso librario factae (*corr. O*) lectionis traditae fidem sibi postulent.

Codex *O*, quali hodie habitu est, continet foliis 1—35 librum de ostentis, foliis 36—98 librum de magistratibus, foliis 99 et 100 fragmenta quaedam e libro de mensibus servata: olim tria illa Lydiana opera integra est complexus. neque praeteream codicem antea misere lacerum eo quod proximum praeteriit saeculo denuo conglutinatum esse; Hasius enim eam partem, qua *ἀρχαὶ* continebantur, qualis anno fere 1811 erat, ita describit (l. s. p. LXXV): 'subsunt libri de magistratibus folia LIX consuta, IV. separata, summa LXIII.' cum haec denuo consuerentur, errore operarii postrema folia locum inter se mutaverunt, ita ut quae nunc sint folia 96^{rv}, 97^{rv}, 98^{rv} hoc ordine sint legenda 98^{vr} 96^{rv} 97^{vr}, id quod sententiarum nexus iam a primo editore Fussio intellectus demonstrat. folia inde a 35 [1]) usque ad 95 per quaterniones sunt composita, quorum integri sunt quaterniones primus et secundus (f. 35 usque ad f. 50) et quaterniones inde a quarto usque ad septimum (57—88); quaternionis vero tertii duo folia e medio resecta sunt (post f. 52; p. 51, 3), quaternionis octavi ultimum folium, quod post f. 95 collocandum erat, hodie perperam collocatum duodecentesimum [2]) habetur. restant duo folia separata (f. 96, 97), quae quantam eorum quae amissa sunt partem effecerint, parum constat; extremo folio 97 desinit servati codicis ultima pagina. sed haud ita multum in fine desiderari laterculo rerum notabilium p. 7, 23 docemur: nihil enim deficit praeter laudationem Theodorae, quam facillime restituere nobis possumus, cum reliquarum Lydi laudationum recordamur, et praeter descriptionem morbi letiferi Byzantinos tum acerbissime vexantis, cuius descriptio a Procopio confecta felici casu nobis servata est (de bello Pers. II 22). quae praeterea exciderunt post p. 51, 3 de custode urbis deque praetoribus conscripta, aliqua ex parte restitui possunt respectis eis locis, quibus eadem materia attingitur (p. 60, 25 93, 3 95, 23). in universum igitur si rem spectamus, foliis illis pessum datis iacturam haud ita gravem fecimus. sed accedit, quod

---

1) f. 35 primum quaternionis folium est, quare hic nominandum erat, licet ipsum de magistratibus opus a f. 36 incipiat.

2) f. 99. 100 sola supersunt e libro de mensibus, qui quondam initium totius voluminis occupavit. haec folia, cum opusculum *περὶ μηνῶν* ederem (p. 165 sqq.), inspexi; nunc, cum denuo has paginas perlustrarem, inveni legendum esse p. 171, 21 *διακρίνειν δοκεῖ βιαίως α<ὐτ>ὸν ὁ <υἱὸς>*, *p. 172, 3 οὗτος pro αὐτὸς*, p. 173, 10 *ἀπευκ<ταῖ>ον*.

pluribus locis scriptura e codice plane evanuit, aut data opera erasa (p. 99, 12) aut vini madore corrupta (ut p. 161, 23 164, 9 165, 11 al.). talium lacunarum duo quidem genera sunt: nam aut ipse Fussius, primus editor, litterarum ductus quales essent dispicere nequivit, sed coniectura restituit: ibi uncos adposui in editione duplices [[]]; aut litterae post illius tempora pallidiores factae oculos meos effugerunt licet a Fussio lectae: ibi eius lectione confisus quae ipse dinoscere non potueram, uncis notavi simplicibus [].

Atque haec hactenus de codicis *O* habitu ut ita dicam exteriore; iam audiamus Hasium de ipsius librarii indole disserentem. qui p. LXXII ita de incuria eius conqueritur: 'confunduntur non modo ι et ει, ι et η, η et ει, item β et υ, ε et αι, ο et ω, υ et οι, quae sunt menda vulgaria: sed interdum etiam, quod rarius vidi .., υ atque οι, ει atque η, imo, quod rarissimum est .., σ et ϑ, item ου et ω. alterum genus errorum non tam est ex pronunciatione et incogitantia, quam ex inscitia scribae natum: quae quanta fuerit, inde potest cognosci, quod genitivos plurimos cum accusativis confudit, accusativos cum nominativis, quodque omnino in clausulis casibusque vocum prorsus iacet. nec minus in reduplicationibus perfectorum, in nominibus propriis, in vocabulis reliquis, in apicibus, in spiritibus: quod voces omisit lineasque integras: .. ut perspicuum sit, neque regulas grammaticae probe tenuisse eum, neque quid exararet, semper intellexisse. tametsi codicem, unde suum duxerit, magnae vetustatis suspicor fuisse, saeculi fortasse VII, literisque ideo maiusculis. nam primo, ν ἐφελκυστικὸν multis vocibus adhibetur, etiam sequenti consonante ... id opinor eum non temere, sed ad exemplum sui codicis fecisse. deinde voces latinas, si quae occurrunt, literis maiusculis scripsit. unde coniicio, in antiquiore illo graeca quoque fuisse maiusculis.[1]) sed

---

1) quod demonstratur p. 51, 10, ubi inter duo verba latina graeca quoque TOYCΔ litteris scripta sunt maiusculis, demon-

pro graecis maiusculis calligraphus scripturam ligatam sui saeculi substituit: pro latinis non item, quod nesciebat scripturam ligatam latinam: quare litteras latinas qua forma erant in antiquo codice, eadem expressit in suo. postremo, multa sunt eius menda, quae facilius admittuntur, si habes ante oculos codicem maiusculae scripturae, quam si ligatae. . . (p. 16, 21) scripsit *προβατορεύεται*, quia in *ΠΡΟΣΑΓΟΡΕΥΕΤΑΙ* facile confunduntur *Σ* et *B*, *Γ* et *T*. (p. 39, 3) *λύλος* pro *ΑΥΛΟΣ* ratione simili. (p. 84, 6) *ῥονεῖσι·* quippe in *ΙΩΝΙΣΙ* primum *I* habuit pro *P*. eiusdemmodi innumera sunt. quibus rebus omnibus inducor ut credam, saec. circiter VII., ut praescripsi, fortasseque satis bonae notae fuisse illum codicem, unde noster manavit.' quod si verum est — neque habeo, cur dubitem — codex, cui originem debet Caseolinus ad ipsius archetypi quam proxime accedit tempora. hoc tamen iterum monere liceat, archetypi illius verba interdum a librariis consulto decurtata esse; id iam, cum librum *περὶ μηνῶν* ederem, eram suspicatus (praef. p. IX), nunc ex glossa illa, de qua supra p. IX dixi, recte mihi videor conclusisse.

Sed iam argumentis probandum est, codicem *O* re vera unicum esse, quo in edendo libro de magistratibus nitamur. quod demonstrari eam ob rem necessarium est, quia alterum quoque eiusdem operis exemplar ad nostra tempora pervenit. eius primam notitiam dedit G. A. Rhallis Atheniensis in libro qui inscribitur *Σύνταγμα τῶν θείων καὶ ἱερῶν κανόνων . . ἐκδοθὲν ὑπὸ Γ. Α. Ῥάλλη καὶ Μ. Πότλη* vol. I (Athenis 1852) praef. p. 10: *εἰς τὴν βιβλιοθήκην τοῦ ἐν μακαρίᾳ τῇ λέξει μητροπολίτου Ἀργολίδος, πρώην Αἰγίνης, Κυρίου Γερασίμου ἀνεύρομεν κειμήλιον ὄντως . . . κώδικα χειρόγραφον, περιέχοντα ὁλοσχερὲς τὸ Σύνταγμα τοῦ Πατριάρχου Φωτίου μετὰ τοῦ νομοκάνονος καὶ τῶν ἐξηγήσεων τοῦ Ζωναρᾶ καὶ Θεοδώρου τοῦ Βαλσαμῶνος. ὁ*

---

stratur praeterea capitum titulis eodem modo exaratis. qui tituli additi sunt fortasse ad exemplum codicis Iustiniani, qui *anno 529 erat confectus.*

κῶδιξ οὗτος συγκείμενος ἐκ 490 φύλλων ὡραίου χάρτου, καθαρώτατα καὶ μετὰ πλείστης ἐπιμελείας τε καὶ κομψότητος γεγραμμένος κατηρτίσθη ἐν Τραπεζοῦντι κατὰ τὸ σωτήριον ἔτος ,αψοθ' τὴν 21 τοῦ Ἰουνίου. contineri autem eodem codice Lydi quoque ἀποσπάσματα ipse Rhallis mense Decembri anni 1879 communicavit cum viro doctissimo Zachariae de Lingenthal, qui inspecto Athenis[1]) apud Rhallem libro haec fere exposuit (*Monatsberichte der Kön. Akad. Berlin* 1880 p. 79—81): 'insunt in codice praeter reliqua libri secundi de caerimoniis aulae Byzantinae fragmenta et exemplar quamvis mutilum libri de magistratibus Lydiani e codice Caseolino depromptum anno 1765 mense Iulio. folio huius partis 1ʳ legitur Ἰωάννου Λαυρεντίου Φιλαδελφέως τοῦ Λυδοῦ περὶ πολιτικῶν ἀρχῶν, f. 1ᵛ Πίναξ τῶν περιεχομένων ἐν παλαιοτάτῳ ἐλλειπεῖ τε καὶ διεφθαρμένῳ μεμβρίνῳ βιβλίῳ κεφαλαίων τῆς περὶ διοσημείων πραγματείας. Περὶ τῶν ἡλιακῶν καὶ σεληνιακῶν διοσημειῶν ἐξ αὐτῶν καθολικῶν ἀποτελεσμάτων. ἀρχή· ἰστέον ἐν πρώτοις κτλ.' enumerantur tali modo tituli et initia capitum quorundam e Lydi de ostentis libro deprompturum (IX XXVII XXXIX XLII XLIII LIII LIX editionis Wachsmuthianae), quae si cum lectione in singulis codicibus servata contuleris, non iam dubitabis, quin deprompta sint e codice Caseolino. sed redeamus ad Lingenthalium, qui narrat, finito capitum conspectu subsequi haec verba: μεθ' ἃ εἵπετο ἡ παροῦσα περὶ πολιτικῶν ἀρχῶν πραγματεία, καὶ αὕτη ἀτελὴς ἐξίτηλος καὶ περὶ τὴν ὀρθογραφίαν χωλαίνουσα, ἀντιγραφεῖσα ὡς ἦν ἐφικτὸν κατὰ τὸ ,αψξε' ἔτος κατ' ἀρχὰς τοῦ ἰουλίου. f. 2 continentur μαρτυρίαι quaedam παλαιῶν περὶ τοῦ συγγραφέως[2]), f. 3 demum incipit liber de magistratibus περὶ ἐξουσιῶν· ἱερέας γενέσθαι (cf. p. 1, 2). neque id Lingen-

1) ubi tum asservabatur, quare hunc codicem Atheniensem appellabimus.

2) in horum testium numero Photius quoque est, qua re explicatur, unde nomen Lydi hauserit librarius in codice Caseolino non servatum; cf. Zachariae de Lingenthal loco *supra p. VI laudato*.

thalium fugit, lectiones huius exemplaris proprias adeo consentire cum correcturis, quas O_2 manus intulit in codicem Caseolinum, ut proximum esset conicere, eundem virum et correxisse Parisinum et scripsisse exemplar Atheniense, quod etsi verum esse certis argumentis demonstrari non potest, tamen veri est quam simillimum. sic Hasius quoque librarium O_2 fuisse 'Graecum aliquem saeculi XVI vel XVII' ex scriptura collegerat (p. LXXIV); qua tamen minime impedimur, quominus correctorem ad s. XVIII relegemus. exempla consensus codicis Atheniensis et librarii O_2 a Caseolino dissentientium Lingenthal duo — nam in tertio quodam erravit — pro multis haec notavit:

p. 11, 18 ἐκείνου *O*, ἐκεῖνο O_2 *Ath.*

p. 17, 16 θυριοὺς *O*, θυρεοὺς O_2 *Ath.*

certissime autem eo demonstratur Atheniensem exscriptum esse ex ipso Caseolino, quod plurimas lacunas exhibet easque illis ipsis locis, quibus iam Fussii temporibus litterae codicis Caseolini vini madore deletae evanuerant. eius rei Zachariae exemplum affert hoc (infra p. 22, 3, quod inspicias velim): ἐπ' ἄκρον δὲ τοὺς δακτύλους .... σφίγγον ἱμάντων ἑκατέρωθεν .... τὸ ψάμα τοῦ ποδὸς ἑλκομένων ἐπὶ τὸ στη ..... των ἀλλήλοις καὶ διαδεσμούντων τὸν πόδα .... δακτύλων ἐμπρὸς καὶ ἐξόπισθεν διαφαίνεσθαι .... ὅλον δὲ τὸν πόδα τῇ περισκελίδι διαλάμπειν καμ ..... αὐτῆς ἐπὶ τὸν κάμπον οἱονεὶ τὸ πεδίον χρει .... ἐπὶ γὰρ τοῦ πεδίου κτλ. talem consensum litterarum in utroque deficientium explicare nullo modo poteris, nisi sumas Atheniensem deductum esse e Caseolino iamiam magna ex parte pessum dato.

Desinit exemplar Rhallianum in verba ὥστε καὶ σύντονον ἐντρέχειαν οἱ τότε (p. 104, 24) languescente librarii studio eodem modo, quo correctoris O_2 indiligentia codicis folia 78^v—87^r (p. 119, 14—142, 21) et folia 90 sqq. (inde a p. 150, 2) praetermisit. sed ex iis, quae supersunt, Zachariae nonnullos locos affert, quibus Atheniensis codex discrepet a Caseolino eiusque correctore. qui si graviores essent, sententiam modo constitutam labefactarent: quare singulos accuratius consideremus necesse est. sunt autem hi:

p. 1, 15 *ἐπὶ τῆς πρώτης ἱστορίας O*; *ἐπὶ τῇ πρώτῃ τῆς ἱστορίας Ath.*, quae est coniectura e trivio arrepta librarii Atheniensis.

p. 53, 11 *ἄπει O, ἀπείῃ* O_2, *ἀπίει Ath.*; hanc quoque pro emendatione habeo in locum aperte corruptum intrusa.

p. 9, 2 *ἔτυχεν O, ἐτέλεσε Ath.*; quam mutationem labente librarii memoria ortam esse arbitror.

p. 47, 10 *ἀνδραβάται O, ἀνδραλλάται Ath.*; nova lectio nata est e minuscula litterae *β* forma non satis intellecta.

p. 8, 8 *υἱὸς O, υἱὸς θεοῦ Ath.*; hoc loco iterum demonstratur, eum qui Rhallianum exemplar confecit, ante oculos habuisse Caseolinum ab O_2 correctum; additur enim ab O_2, id quod e Fussii editione sumere non potuit de Lingenthal, item *θεοῦ* ad *υἱός*.

Quae cum ita sint, codex Caseolinus ut qui Atheniensis exemplaris sit archetypus, unicus nobis de libro *περὶ ἀρχῶν* testis audiendus est.

Iam vero videamus, nonne praeter integros codices alia habeamus subsidia, quibus partes quaedam operis Lydiani servatae nobis sint. nam libro de mensibus id accidisse scimus (v. eius editionem p. X), ut propter variam et multiplicem Lydi doctrinam singula capita transferrentur in codices medii aevi miscellaneos. sed hoc, quantum ego vidi, in opusculo *περὶ ἀρχῶν πολιτικῶν* non plus semel factum est. invenitur enim in codice Parisino supplementi graeci 607 A saeculi X, quem edidit Max. Treu (*Excerpta anonymi Byzantini*, Progr. Ohlaviae 1880), f. 63ʳ tractatus quidam *περὶ Ἴστρου τοῦ ποταμοῦ* e variis pannis consutus; cuius verba f. 64ᵛ *οὗτος ὁ Ἴστρος — καλοῦσι πατρίως* exscripta esse e libro de mag. p. 120, 20 sqq. monui in praefatione libro *περὶ μηνῶν* praemissa p. XVIII. ipsum consensum huius auctoris, qui saeculo decimo Lydi opus in manibus habuit, cum Philadelpheni verbis notavi in apparatu p. 121 subiecto.

Difficilior oritur quaestio, cum de alio consensus genere agitur, quod existere manifestum est inter librum *περὶ ἀρχῶν* et *glossas* quas vocamus *basilicon*. tribus enim saeculis post Iustiniani aevum Lydique obitum collectio nova iuris Romani, immo Byzantini, graeca lingua est instituta, quam *τὰ Βασιλικὰ* appellare consuevimus (Krumbacher l. s. p. 606). sed cum voces latinae in his basilicis obviae graecis illorum temporum hominibus in dies magis essent inauditae, vocabularia confecerunt iurisconsulti, quibus quae latina essent graece redderentur. haec glossaria primus typis mandavit Carolus Labbaeus, qui e variis codicibus manu scriptis collegit *Veteres glossas iuris verborum quae in Basilicis reperiuntur*, quas primum publici iuris fecit Parisiis anno 1606 in calce *Observationum et emendationum in synopsin basilicon*, iterum anno 1679 *Glossariis latino-graecis et graeco-latinis* in fine addidit; reliquas editiones enumeratas invenies ab H. Haupt, Mus. Rhen. 1879 XXXIV p. 507. quarum glossarum magna pars adeo consentit cum verbis a Lydo adhibitis, ut aut et Lydum et glossaria ex uno eodemque fonte hausisse, aut glossas e Lydo exscriptas esse necessarium sit. sed ut iudicium de ea re ipse ferre possis, glossarum notabiliorum subiungam conspectum:

αἴδες οἱ ναοί = Lyd. p. 36, 6.

ἀνδαβάται κατάφρακτοι = Lyd. p. 47, 10 (*ἀνδραβάται O*).

ἀντικένσορις ἀντιγραφεύς = Lyd. p. 115, 9.

*βενεφικιάλιοι οἱ ἐπὶ θεραπείᾳ τῶν *μεταράνων* (l. *βετερανῶν*) *τεταγμένοι* = Lyd. p. 47, 16 (*μετεράνων O* lectione eodem modo depravata).

βετράνος τουτέστι τηρῶν: videas Lyd. p. 49, 7, ubi iuncti laudantur *βετερανοὶ τίρωνες*.

ἐκσικετάριοι ὑποδέκται τοῦ σίτου = Lyd. p. 101, 9 (*ἐκσκεπτάριοι O* recte).

κάγκελλον ἀντὶ τοῦ δικτύισκον ὑποκοριστικῶς· ὅτι κάσσεις Ῥωμαῖοι τὰ δίκτυα λέγουσι, καὶ ὑποκοριστικῶς κάγκελλον. ἔνθεν καγκελλάριοι ἐκ (l. *ἐπ'*) *αὐτῷ ἑστηκότες· δύο δὲ οὗτοι μόνοι* = Lyd. p. 125, 10 sqq.

κεσίτωρ κατ' ἐπέκτασιν καὶ συλλαβῆς προσθήκην οἱονεὶ τιμωρός = Lyd. p. 28, 17 *ὁ μὲν γὰρ κυαίστωρ ζητητής ἐστιν ἐπὶ χρήμασιν, ὁ δὲ κατ' ἐπέκτασιν καὶ συλλαβῆς προσθήκην ἐπ' ἐγκλήμασιν.* ib. p. 28, 9 *κυαισίτωρ δὲ ὁ τιμωρός.* haec glossa, nisi Lydi verbis explicetur, omnino non intellegitur.

κῆνσον καὶ ῥεγεστὰν τὴν ἀπογραφὴν τῶν ἀρχαίων ἀντὶ τοῦ ὑπογραφέως = Lyd. p. 85, 22 *κῆνσον μὲν τὴν ἀπογραφὴν τῶν ἀρχαίων, ῥέγεστα δὲ* ⟨*τῶν πραττομένων*⟩ *λέγουσι, καὶ σκρῖβαν μὲν ἐκείνῳ ἀντὶ τοῦ ὑπογραφέα . . ὑπηρετεῖσθαι διώρισε.* quo loco glossas haustas esse ex ipso Lydi opere, e glossario haustas non esse putabimus propter mentionem trium vocabulorum in unum redactam.

κιρκήτορες οἱ περὶ τοὺς μαχομένους περιϊόντες καὶ χορηγοῦντες ὅπλα αὐτῶν μήπω ἐπιστάμενοι μάχεσθαι = Lyd. p. 49, 5 (*αὐτῶν*, qua voce sententia turbatur, deest in *O*).

κλιβανάριοι ὁλοσίδηροι· κλίβανα γὰρ οἱ ῥωμαῖοι τὰ σιδηρᾶ καλύματα καλοῦσι ἀντὶ τοῦ καλαμῆνα = Lyd. p. 48, 25 (*κηλίβανα*, quod verbum sibi finxit Lydus, et *κηλάμινα* — an *κηλέμινα*? — recte habet *O*).

κομενταρίσιοι τοὺς ἐπὶ τῶν ὑπομνηματογράφων ὁ νόμος καλεῖ = Lyd. p. 90, 23. verba *ὁ νόμος καλεῖ* magis Lydi quam lexicographi stilo conveniunt.

κομενταρίσιοι οἱ νῦν χαρτουλάριοι οἱ ταῖς ἐγκληματικαῖς ὑπηρετοῦντες δίκαις, ὑπασπιζόντων αὐτῶν ἀπλικιταρίων κουβικουλαρίων. κομενταρίσιος ὁ ὑπομνηματογράφος = Lyd. p. 93, 11 *ἀπλικιτάριοι . . καὶ καβικουλάριοι* (sic *O*, *κλαβικουλάριοι* corr. Fussius) . . *ὑπασπίζουσι . . τοῖς κομμενταρισίοις, οὓς ὑπομνηματογράφους ἡ τάξις Ῥωμαίων ὠνόμασεν, . . .* (*οἳ*) *ταῖς ἐγκληματικαῖς ὑπηρετοῦνται δίκαις.* ea quae apud Lydum non leguntur *οἱ νῦν χαρτουλάριοι* postea addita esse ipsa voce *νῦν* demonstratur. notes verborum ordinem *ἐγκληματικαῖς ὑπηρ. δίκαις* scriptori artem rhetoricam amplexo convenientem, a glossariorum sermone vulgari abhorrentem.

κουσπάτορες φυλακισταί· κούσπους γὰρ ξυλόποδας καλοῦσι = Lyd. p. 48, 1 (*ξυλοπέδας O*), qui hoc loco ποδοκάκας quoque commemorat, de quibus glossa est ποδοκάκη . . παρὰ Ῥωμαίοις καλεῖται κοῦσπος.

μάγιστρος ὀφφικίων ὄνομα οὐδὲν ἧττον τῶν ἡγουμένων τῶν αὐλικῶν καταλόγων διασημαίνει = Lyd. p. 80, 2 τὸ γὰρ μάγιστρος ὀφφικίων ὄνομα οὐδὲν ἧττον (sic *O*, ἢ τὸν corr. Gu. Kroll.) ἡγούμενον τῶν αὐλικῶν καταλόγων σημαίνει, ubi et Lydus et glossae eadem corruptela ἧττον laborant, glossae autem vocem ὄνομα e loco corrupto receperunt plane supervacaneam.

μάγκιψ ὁ τεχνίτης τοῦ δημώδους ἄρτου = Lyd. p. 92, 12 οἱ τοῦ δημώδους καὶ ἀνδραποδώδους ἄρτου δημιουργοί. cf. de mens p. 100, 21 τεχνῖται τοῦ ἀνδραποδώδους ἄρτου.[1])

ὀπτίονες αἱρετοὶ ἢ γραμματεῖς = Lyd. p. 47, 4.

πεκούνια χρήματα = Lyd. p. 24, 26.

ποστοῦμος ὁ μετὰ τὴν τελευτὴν τεχθεὶς παῖς = Lyd. p. 26, 4.

πριμοισκρίνιοι οἱ πρῶτοι τῆς τάξεως = Lyd. p. 90, 21.

πριμοσκουτάριοι ὑπερασπισταί, οἱ νῦν λεγόμενοι προτέκτορες = Lyd. p. 48, 22 (προτικοκτ . . *O*).

προβατορίαι συστάσεις καὶ ἀποδείξεις = Lyd. p. 88, 18.

πρόκουλος ὁ μακράν τις (sic) τῆς πατρίδος γεννηθείς cf. Lyd. p. 26, 3.

ῥεγενδάριοι οἱ τὸν δημόσιον δρόμον ἰθύνοντες = Lyd. p. 91, 1.

σέκρετον δικαστήριον cf. Lyd. p. 156, 15.

σκουβίτορες οἱονεὶ φύλακες ἄγρυπνοι, οὓς πρῶτον μετὰ Ῥωμύλου Τιβέριος Καῖσαρ ἐξεῦρε = Lyd. p. 17, 24 (σκουβήτορες eandem formam insolitam habet *O*; πρῶτος μετὰ Ῥωμύλον recte *O*). vide glossam ἐξκουβίτορες τῶν παρεξόδων τοῦ παλατίου ὑπάρχοντες φύλακες = Lyd. p. 21, 11.

---

1) nam et opusculum de mensibus in suum usum adhibuerunt hi lexicographi. cuius rei unum proferam exemplum: μαπαρίους . . . ὅτι εἰώθησαν ἐν τῷ θεάτρῳ οἱ ὕπατοι εὐωχεῖσθαι πρότερον καὶ μετὰ τὴν εὐωχίαν ῥίπτειν τὰ τῶν χειρῶν ἐκμαγεῖα, ἅπερ τῇ ῥωμαϊκῇ φωνῇ μάππα λέγεται· καὶ ταῦτα ἀναλαμβανόμενα (l. -νος) ὁ ἐπὶ τοῦτο τεταγμένον (l. -νος) ὡς σύνθημα εὐθὺς τὸν ἀγῶνα ἐπετέλεσε = Lyd. de mens. p. 6, 2. *cum glossa* μαϊουμᾶς conferas Lyd. de mens. p. 132, 20.

σκρινιάριοι οἱ χαρτοφύλακες .... σκρίνιον δὲ δρυφακτικὴν λάρνακα καλοῦσι Ῥωμαῖοι = Lyd. p. 123, 14 (δρυφακτην *O*, corr. Fussius).

σουβαΐουβος ὁ τοῦ βοηθοῦ βοηθός. cf. Lyd. p. 72, 22 σουβαδιοῦβαν ... ὑποβοηθόν.

τεμποραλία πρόσκαιρος, καὶ ἡ ἐμπρόθεσμος = Lyd. p. 71, 4 τεμποραλίας ἀντὶ τοῦ ἐμπροθέσμους. utroque loco suppleas δίκην vel δίκας.

τίτλος ἡ προγραφὴ τῶν ἀξιωμάτων = Lyd. p. 23, 1.

φλαμβουλάριοι ὧν ἐπὶ τῆς ἄκρας τοῦ δόρατος φοινικᾶ ῥάκη ἐξήρτηνται = Lyd. p. 49, 1 (ἐξήρτηντο *O*).

Quicumque hos locos accuratius perlustraverit, dubium non esse fatebitur, quin glossae illae exscriptae sint e libro Lydiano. immo hoc quoque affirmare poterimus, codicem Lydi, ex quo fluxerunt, quam proxime accessisse ad Caseolinum, quippe qui s. v. *βενεφικιάλιοι* eadem corruptela qua *O* laboraverit (*μετερανων*), tamen illo paullo meliorem fuisse, cum nonnullis locis lectionem genuinam servaverit (s. v. *ἀνδαβάται*, s. v. *πριμοσκουτάριοι*, s. v. *σκρινιάριοι*). neque mirum est, quod opere *περὶ ἀρχῶν* glossatores usi sunt; cur enim Lydi opus praeteriret lexicographus, qui vel ex martyrum actis hausit (s. v. *Δάν*)? itaque hae *γλῶσσαι βασιλικῶν* diserto nobis testimonio sunt, per medium aevum Constantinopoli librum *de magistratibus* a viris doctis esse lectitatum; cui rei hoc quoque convenit, quod Suidas, cum vocabulum *ἀτραβατικαὶ* explicaret in glossario, eodem modo Lydi libro *περὶ ἀρχῶν* (p. 21, 18) usus est, quo librum *περὶ μηνῶν* adhibuit (p. 133, 2) ad describendum *Μαιουμᾶν*.

Sed exacto Byzantinorum aevo novis quae sequebantur saeculis nulla Lydiani libri notitia videtur fuisse. primus in vitam eum revocavit librarius ille, qui anno 1765 Trapezunte *τὸ παλαιὸν ἐλλειπές τε καὶ διεφθαρμένον βιβλίον* invenit et descripsit. at denuo in oblivionem recidit Ioannes Philadelphenus, donec viginti annis post archetypum illud exemplar, quod interea Trapezunte Byzantium *pervenerat*, repertum est in bibliotheca Constantini Morusi, qui id dono dedit Francogallorum legato G. A. de Choiseul-Gouffier (Hase p. LXI sqq.). a quo Parisiorum in urbem delatus codex post multa rerum discrimina primum editus est addita versione latina anno 1812 curante Ioanne Dominico Fuss (*Joannis Laurentii Lydi Philadelpheni de magistratibus reipublicae romanae libri tres nunc primum in lucem editi et versione notis indicibusque aucti a Joanne Dominico Fuss.* Parisiis MDCCCXII), cui editioni praefationem omni laude dignam praemisit Car. Ben. Hase (*Prologus in librum Joannis Lydi de magistratibus romanis, sive commentarius de Joanne Laurentio Philadelpheno Lydo eiusque scriptis*): huic libro quid debeamus facile aestimabit, qui quot locis Hasii memoria excitanda fuerit, perpendet. ipse Fussius prooemium, quo consilium editionis exponeret, scripsit paucis verbis absolutum, quorum haec est summa: 'prima mihi cura fuit, textum, quoad fieri posset, integrum tradere. huic ingratissimo muneri pro viribus satisfacere cupiens, investigandis literarum reliquiis, comparando et coniectando plurimum temporis insumsi: quo quidem id assecutus sum, ut nonnisi paucissima omiserim aut manca reliquerim, neque tamen, quod maxime cavendum putabam, temere quidquam in textum receperim. nec minorem curam textus emendationi impendi, multo difficiliori, tum quod uno tantum codice utebar, tum quod orationis distinctionem aut nullam aut perversam plerumque reperiebam. vitia autem multiplicis generis passim tot occurrebant, ut sicubi sive mendam non deprehendero, sive minus recte emendavero, vel propter corrigendorum ingentem copiam ab aequis lectoribus veniam sperare ausim.' atque hanc veniam Fussio quivis facile concedet, qui suis oculis miseram codicis Caseolini condicionem contemplatus erit: immo admiratione dignus est, qui tot tantisque difficultatibus impeditus in Lydi verbis restituendis tantum profecerit. sed cum editori emendationes ipsi editioni insertae — quas infra littera *F* notavi — non sufficerent, paullo post corollarium quoddam composuit, cui inscripsit

J. D. Fuss ad Carolum Benedictum Hase epistola, in qua Joannis Laurentii Lydi de magistratibus reipublicae romanae opusculi textus et versio emendantur, loci difficiliores illustrantur (Leodii 1820). haud rarae in eo libello inveniuntur emendationes, quas inter notas criticas recepi, ubi eas prolatas invenies additis *F ep* litteris.

Ei qui post Fussium ad edendum Lydi reliquias se accinxit, Immanuelem Bekkerum dico (in *Corpore scriptorum historiae Byzantinae, Ioanne Lydo,* Bonnae 1837 p. 119 sqq.), haec Fussii epistula nota non erat, quo factum est, ut ipse saepius de suo eandem, quam *F ep,* proferret correcturam. omnino autem Bekkeri recensio, qualis illius ratio in scriptoribus edendis erat, haud ita multum ultra Fussium progressa est in emendandis restituendisve verbis Lydianis. quam secure enim ille rem gesserit, vel ex eo elucet, quod versionem latinam integram desumpsit ex editione principe, ne iis quidem locis mutatam, quibus ipse emendatione aliqua in graecum textum recepta novam sententiam constituit. neque tamen infitias eo coniecturis Bekkerianis — quas littera *B* signavi — compluribus locis veram lectionem restitutam esse, quam Fussius desperatam reliquerat.

Nemo autem mirabitur factum esse his duabus editionibus, Fussiana atque Bekkeriana, ut in dies cresceret virorum doctorum studium in Ioanne Philadelpheno eiusque scriptis collocatum. itaque plurimi homines tam philologi quam iuris consulti inde ab initio saeculi XIX dissertationibus suis cum restituendis tum interpretandis verbis Lydianis operam dederunt. sed singulos hoc loco enumerare longum est. unum tamen moneam, neminem, quicumque altius in hoc studium descenderit, non dubitasse, num omnes lectiones codicis Caseolini ita traditae essent ab editoribus, ut firmo fundamento uteremur disserentes de Lydiano opere *περὶ ἀρχῶν*: quare nova editione opus esse videbatur.

Itaque cum ego ad hunc librum denuo edendum adirem, primum erat, ut lectiones codicis O quam diligentissime et accuratissime enotarem. quod cum facere coepissem, mox intellexi tam difficilem esse huius exemplaris lectionem temporis iniquitate corrupti, ut se nullo loco errasse pro certo affirmare nemo, qui quidem sapiat, possit. sic ego quoque, ut quondam Fussius, lectoris benevoli veniam peto, sicubi litterarum vestigia perscrutatus verum non ero assecutus. sed correxi quoque centum fere locos, quibus corruptela inerat eo exorta, quod quid in *O* fuisset, recte antea intellectum non erat. omnes vero eiusmodi correcturas in apparatu enotare necesse non videbatur, immo hoc praefationis loco lectorem monuisse satis habui, ubicumque dissentio a Fussii editione nullo explicationis verbo addito, id me fecisse nixum lectione codicis *O* genuina nunc demum in lucem revocata. quomodo vero litteras signaverim in codice hodie evanidas, quas Fussius agnoverit quasque non agnoverit, supra dixi p. XV.

At non solius Caseolini auxilio adiutus a Fussii Bekkerique sententia recessi, sed pluribus etiam locis verborum contextum ab illis, ut erat, relictum corrigere studui. qua in re librarii *O* indolem respexi, quae qualis fuerit, ex Hasii commentario supra (p. XV) allato intelleximus. cum enim ille neque in grammaticis neque in orthographicis rebus sibi constitisset, et omissis singulis verbis saepissime peccasset, latissimus emendatori campus patebat. utque a mendis omittendo ortis incipiam, lacunas tali modo natas plures indicavi, quas pro meo ingenio explere temptavi, additis, ut supplementa possent cognosci, uncis angulatis ⟨⟩.

Iam de Ioannis Philadelpheni et orthographica et grammatica ratione pauca erunt dicenda. qua in re ita a se ipsum dissentire modo diximus codicem Caseolinum, ut eum pro duce non nisi perraro habere possimus. atque si prius ad scribendi rationem nos convertimus, in graecis quidem vocabulis scribendis quomodo Lydi aetate egerint viri docti, haud ignoramus, quare eas quae ab illorum norma discrepant lectiones, facili opera cognoscere atque *corrigere possumus*; quin etiam eas, quas e Byzantinorum mutata pronuntiatione, Itacismum dico similia, exortas esse manifesto videbam, in apparatum singulis paginis subiunctum non recepi nisi eis locis, de quibus quomodo corrigi deberent, poterat dubitari. tali modo p. 1, 9 *πραγματίας* *O* pro *πραγματείας*, p. 4, 12 *συγκλιτικοὶ* *O* pro *συγκλητικοί*, p. 5, 7 *τηρόνων* *O* pro *τιρώνων*, p. 6, 16 *πολεμηταῖον* *O* pro *πολεμητέον* non enotavi, sed p. 9, 27 *τὸν* . . *νόμον* extare in *O* addidi, cum haec lectio primo oculorum aspectui placere posset, licet accuratius intuenti emendatio *τῶν νόμων* necessaria videatur. praeterea saepius a librario Caseolino recessi in ponenda *ν* littera quae vocatur *ἐφελκυστική*, quam ad nostram consuetudinem ante vocalem et in pausa posui, reliquis locis omisi; itemque in addendis apicibus et spiritibus non illum secutus sum, sed nostrates. in diiungendis denique enuntiatis uberius distinctionibus, quam vulgo philologis licet, usus sum; neque id temere feci, sed quia necessarium ducebam in Lydi verbis obscuris interdum et admodum intricatis, quae singulis enuntiatorum partibus non discretis intellegi omnino non possunt.

At difficilior quaestio est de voculis latinis, quas Ioannes in suum usum transtulit. in horum scriptura constituenda cum aliis libris multum adiuvamur tum dissertatione Turicensi, quam Theodorus Eckinger anno 1892 conscripsit *Die Orthographie lateinischer Wörter in griechischen Inschriften*: leges enim ab illo statutas sequi nobis licet, ubicumque inconstantia codicis Caseolini normam scribendi non suppeditat. tali modo, ut unum proferam exemplum, cum librarius nullo loco sibi constiterit in exarandis casibus obliquis latinorum nominum in *or, ōris* desinentium, modo *πραίτωρα* modo *πραίτορα* exhibens, Eckingerum (p. 51) secutus omnibus locis littera *ω* spreta vocalem brevem restitui. ubi vero non una sola eiusdem vocis latinae forma poni potuit, quippe quae Eckingero teste apud varios Graecos varie scriberetur, eam lectionem praetuli, quae saepius in codice Caseolino reperiebatur, verbi causa *Δομιτιανός* (ita *O* p. 51, 16 75, 13 110, 23), non Δομετιανός scripsi (ut *O* p. 74, 22 110, 15). reliqui sunt loci, quibus neque codicis *O* lectionibus neque Eckingeri libro ulla lex data erat: his eam semper verborum contextui formam inserui, quae quam proxime distaret a Latinorum scriptura. eius generis est Romanorum *nomenclator* graece redditus per νωμενκλάτωρ (p. 93, 18 νωμεν . . ατορες duabus tantum litteris evanidis, unde hanc nominis formam reliquis locis restitui), νωμενκυλάτωρ (p. 93, 22), νωμενκολάτωρ (p. 107, 12). qua in re minime sum nescius, et Latinorum nonnullos scripsisse *nomenculator* (Georges *Lexikon der lat. Wortformen* s. v.) et in *glossis* illis *veteribus verborum iuris* inveniri νομεγκουλάτωρ. sed νωμενκλάτωρ ideo praetuli, quia Lydus ut qui intimam linguae latinae notionem affectaret, in scribendis Romanorum vocibus artius se ad Latinorum orthographiam videtur applicasse quam reliqui Graeci; ita semper πρίγκεψ scripsit (v. c. p. 100, 5), non πρίγκιψ, p. 38, 15 καλένδαις, non καλάνδαις (Eckinger p. 18). ceterum moneam, me, ubicumque lectio in codice *O* tradita defendebatur aliorum scriptorum testimoniis neque tamen stare poterat, cum non conveniret reliquo usui Lydiano, scripsisse in apparatu *mutavi*, non scripsisse *correxi*.

Atque haec satis dicta sint de scribendi ratione Lydiana; iam ad eiusdem usum loquendi transeamus, qui et ipse multis locis turpiter iacet. cum vero tres ut ita dicam gradus habeamus, per quos traditio Lydiana ad nos descenderit, nempe autographum a Philadelpheno anno 554 scriptum, archetypum codicis *O* saeculo VII exortum, codicem Caseolinum anno fere millesimo exaratum, difficilius est diiudicatu, quasnam lectiones a solita dictione alienas Caseolino, quas archetypo, quas ipsi Lydo vindicemus. nulla enim causa est, cur hunc scriptorem in componendis verbis et struendis enuntiatis omnino numquam errasse sumamus, quippe cui Photius (v. supra p. XI) expressis verbis tribuat τὸ χαμαιπετὲς καὶ παρεωραμένον καὶ μηδὲν ἔχον τῶν ἐκ τριόδου πλέον, quo τὸ ἐς τὸ ἡττικισμένον ἀνηγμένον studium turpiter foedetur. quae non solum ad illius stilum quadrant, sed ad artem quoque grammaticam; ita ut Photii verbis paulisper immutatis affirmare possimus, studuisse quidem Ioannem Attice loquentium *τῇ τέχνῃ*, sed nequaquam omnibus locis eam assecutum formas addidisse sermonis illorum temporum cotidiani. quae si vera sunt, non omnes *ἀνωμαλίας* in codice Caseolino obvias librario deberi censebimus, sed e parte eas ipsi Lydo tribuemus. cum vero ad hunc diem certam normam non habeamus, qua qui *σολοικισμοὶ* saeculi sexti[1]), qui sint decimi, accurate dirimatur, in eiusmodi distributione editoris arbitrium aliquatenus dominari certum est: quare nimiam fiduciam non habeo, me omnibus locis verum invenisse, sed hoc tantum spero fore, ut erroribus meis alii quoque ad indagandam veritatem impellantur. omnino autem rem ita egi, ut eas lectiones sermoni vulgari proprias, quas saeculo sexto iam extitisse constat, tamquam ab auctore profectas relinquerem intemeratas, eas vero, quae posteriorem saperent aetatem, pro interpolatis haberem. iam hanc meam rationem exemplis illustrabo. ac primum quidem nonnullas lectiones proferam, quibus ipsum Lydum ex Atticistarum cothurno descendisse ad sermonem vulgarem putaverim. harum pleraeque item leguntur apud eos scriptores, qui primi orationem cotidianam libris scriptis intulerunt, auctores dico Novi Foederis, quorum graecitatem optime illustravit Frid. Blass (*Grammatik des Neutestamentlichen Griechisch*, edit. alt.); quare eum saepius in his quae iam sequuntur testem citabo.

ed. p. 13, 10 *ῥεραβδωμένος O*. reduplicatio insolita, quam iam Boissonadius, id quod in editione monui, defendit. v. Blass p. 40, 6.

---

1) quorum ipse Lydus plures affert: p. 14, 14 *τοῦφα* (de hoc vocabulo dixit I. G. Kempf, Romanorum sermonis castrensis reliquiae, Ann. phil. suppl. XXVI p. 368), p. 21, 23 *παραγαύδης*, p. 26, 22 *Ζικκᾶς*, p. 59, 5 *σημέντα*, p. 64, 16 *περσίκιον*, p. 69, 1 *μαντίον*, p. 69, 21 *καρτάλαμον*, p. 70, 6 *καλαμάριον*, p. 88, 24 *πριβατωρίαι*, p. 107, 1 *ἀδσηκρῆτις*, p. 155, 25 *σανδόνας*. quae mihi enotanda esse duxi, ut grammaticis nostris materiam praeberem *fortasse haud ingratam*.

p. 11, 16 21, 25 *λεξογράφος* O, *λεξικογράφος* coni. Bekker, *λεξιγράφος* L. Dindorf. ego codicis lectionem duobus locis obviam retinui, et quia vox ad analogiam *σιλλογράφος ἱστοριογράφος* aliorum videtur conformata, et quia, id quod ipse Dindorf monuit, in Procli schol. Hes. Op. 631 item recurrit *λεξογράφος* (v. Poet. min. gr. ed. Gaisford II 362).

p. 24, 9 *ἀνεῳχθεισῶν* O. Blass l. s. p. 39, 2: *Das syllabische Augment (ist) . . . bei ἀνοίγω . . . zwar geblieben, hat sich aber, weil unverstanden, in die Modi . . eingedrängt.*

p. 34, 8 *θάτερος* O. quod non in *ἕτερος* mutavi, quia *θάτερον* iam Luciano notum fuisse constat e Pseudolog. 29.

p. 35, 8 *τογατηφόρος* O, quod Fussius in suspicionem vocavit; sed insolitae formae causa fuit vox similis *χλαμυδηφόρος*.

p. 105, 24 *παριστᾶν* O, 169, 22 *ἀνιστᾶν* O. de verbo *ἱστάω* usurpato pro *ἵστημι* v. Blass p. 50.

p. 113, 6 *ἕνα καὶ εἰκοστὸν* O, ut *πεντεκαιδέκατος* Blass p. 36.

p. 114, 17 *ἑτέρων δύο μόνων* O (hoc loco et aliis). vide Blass ib.

p. 120, 14 *μετὰ Ῥοδανὸν* O, *cum Rhodano*. hoc loco aliisque (v. c. 155, 8 *μετὰ τὸν Ἕρμον*, 164, 10 *μετὰ θεὸν*) accusativus casus post *μετὰ* eadem vi usurpatur, qua veteres adhibebant genetivum. qui usus cum saepius reperiatur e corruptela codicis explicari non potest.

p. 123, 21 *φίλτρας* O, *φίλτρα* scripsi. sed nunc dubius haereo, nam fortasse de metaplasmo cogitandum est, ita quidem, ut pluralem numerum *φίλτρα* pro singulari habuerint et inde denuo pluralem deduxerint recentiores Graeci.

p. 132, 8 *οὐ γὰρ ἄν τις ἐπιδείξει* O. optativus modus, quem fortasse exspectas, necessarius non est; Blass p. 210.

p. 135, 9 141, 23 *πείθειν* cum dativo habet O (*persuadere alicui*), cui lectioni non tam librarii neglegentia quam auctoris videtur inesse, qui hanc *φράσιν* sibi finxerit e passivo *πείθεσθαί τινι* (*oboedire alicui*).

p. 146, 5 al. *ἐν* cum dativo *O* pro *εἰς* coniuncto cum accusativo casu; ita veteres *ἐν* et *εἰς* saepissime inter se commutasse docet Blass p. 124.

p. 148, 8 *ἐξοιδημένος O*, *ἐξῳδημένος* Fussius. vide, an necessario, cum hebeti loquendi sensui fortasse *ἐ* in *ἐ-ξοιδημένος* pro augmento fuerit.

p. 160, 25 168, 7 *ἀμύνην O* pro *ἄμυναν*, quod bis corrigere ausus non sum; e contrario p. 40, 8 *ἥττας* scripsit Lydus.

p. 166, 6 *στομυλοτέρως O*, v. *περισσοτέρως* Blass 35.

Quibus locis omnibus lectionem codicis *O* meam feci, quia tales *σολοικισμοὺς* saeculo sexto libenter tribuerim. iam vero unum exemplum afferam, ut videas, quales sint lectiones, quas cum s. X. ortas putem, reiecerim. p. 22, 8 pro *ἔμπροσθεν* legitur in codice *ἐμπρός*. hoc vocabulum Neograecis usitatissimum esse, haud nescio, tamen *ἔμπροσθεν* scripsi cum Fussio, quia aliis locis hoc genuinum veterum vocabulum legitur (v. c. p. 169, 5). cuius generis errores sunt plurimi.

Sed haec suffecisse putaverim ad probandam rationem, quam in adhibendis codicis Caseolini lectionibus sum secutus. de reliquis subsidiis, quae ad restituenda verba Lydiana prompta sunt, brevis ero; neque enim sunt maioris momenti. correctoris O_2 lectiones nullius codicis auctoritate nixas XVIII. demum saeculo deberi supra diximus (p. XVIII), quare de his recentibus docti cuiusdam Graeculi coniecturis severum examen institui. quo facto gravissimas, quibus quidem verba corrupta certe corrigantur, in textum recepi; nonnullas praeterea speciosiores, de quibus fortasse potest cogitari, in apparatum relegavi, reliquas omnino neglexi. nec magis lectionem codicis Atheniensis, quippe qui exemplar admodum recens ipsius Caseolini esset (p. XIX), in editione mea curavi. *glossis basilicon* lectionem archetypi Lydiani saepius servatam esse monui (p. XXIII). sed cum hi loci in Caseolino corrupti iam pridem virorum doctorum sagacitate essent emendati, glossas *illas in apparatu* critico non protuli, quoniam id sine ampliore verborum copia fieri non potuit. Parisini denique codicis suppl. gr. 607 A, testis minime spernendi, lectionem suo loco adieci (p. 121, 3, v. supra p. XIX), itemque, ubi aliorum auctorum verba a Ioanne proferuntur, eorum librorum lectiones apposui, ut de ratione, quam secuti talia et Philadelphenus afferret et Caseolinus servasset, iudicium ferri posset (v. c. Aristophanis p. 15, 22, Euripidis p. 148, 18 155, 3, Sophoclis p. 9, 25). praeterea paucis verbis moneam, virorum quoque doctorum, qui post repertum codicem Caseolinum artem criticam in libro de magistratibus exercuerunt, emendationes in editione proferri: quorum primos nomino Fussium et Bekkerum editores, deinde Ludovicum Dindorf, qui in Henrici Stephani Thesauro graecae linguae denuo recensendo compluribus locis menda Lydiana tetigit (quas correcturas in apparatu nomine tantum eius notatas reperies, nam in Thesauro sub voce emendata evoluto facile inveniuntur), tum Langium Osannum Reuvensium, qui locum notissimum de comoedia (I 40) ipsis nostris diebus in Hermanni Reichii libro qui inscribitur Mimus saepius laudatum dedita opera illustraverunt (p. 41, 11 sqq.). sed tot sunt qui locis interdum satis reconditis operis de magistratibus verba corrupta sanare studuerunt, ut ne quos praetermiserim valde verear; tamen si tale quid acciderit, lectores neglegentiam meam benigne excusaturos esse spero reputantes, pretium temporis in quaerendis coniecturis consumpti inventis non semper aequari. paucas praeterea huius generis dissertationes, quamvis inscriptiones noverim, ipsas tamen nullo modo assequi potui; inter has est Crameri *supplementum ad B. Briss opus de verborum significatione* (Kiliae 1813), laudatum a Fussio in epistula p. 34.

Sed priusquam a verborum contextu, qualis in editione constitutus est, decedam, paucos locos breviter percenseam, qui vel defensore vel interprete egere mihi videantur. sunt autem hi:

p. 2, 1 locum obscuriorem latine ita reddam: *quare ne quis me, quid quondam tradiderim, ignorare iudicet, nisi forte a certa ratione dissentientia praestaturus laudem in convicium mutare cupiat.*

p. 8, 6 Lydi verba sic intellego: *is autem Aeneas erat, quem propter venustatem et robur corporis maioris cuiusdam quam hominis filium esse putabant.*

p. 11, 25 legitur, *Quirinum* a *Curibus* deducendum esse: quamvis id a veterum doctrina abhorreat, error tamen non a librario, sed ab ipso Lydo commissus est, qui duas grammaticorum etymologias miscuit: *Quirites* a *Curibus* (Serv. Aen. VII 710), *Quirinus* a *curi,* Sabinorum hasta (Macr. Sat. I 9, 16). quare ne ipsum auctorem corrigamus cavendum est.

p. 14, 22 *δὲ κουρίωνας O*, *δεκουρίων O* in margine. in Paterni tactici verbis *δεκουριῶνας* scribendum esse eam ob rem putaveram, quod nobis traditur, illos eosdem fuisse atque peditum centuriones, unde eos Paterno equitum praepositos fuisse conieceram, qui decuriones appellantur. aliam explicandi viam, quae nunc magis placet, ingressus est Kuebler apud Pauly-Wissowam (IV 1837), qui *δὲ κουριῶνας* retinet: *Curia ist . . für das Heer gleichbedeutend mit* centuria, *und darauf mag es beruhen, dass Paternus bei Laur. Lyd. de mag. I 9 und Paul. p. 49* centurio *und* curio *gleichsetzen und dass Dionys (II 7)* curiones *übersetzt φρατρίαρχοι καὶ λοχαγοί.*

p. 15, 17 *ἐν τοῖς περὶ μηνῶν . . τεθεῖσιν O*, *συντεθεῖσιν* coni. Gu. Kroll. haud necessario: sunt enim *τὰ ἐν γράμμασι τεθέντα* (Plat. Leges VII p. 793 B).

p. 17, 19 *γλοβᾶρε τὸ ἐκδεῖραι O*, ubi *glubere* dicendum erat. sed cave hoc mutes: eiusmodi errores Philadelpheno familiares sunt.

p. 18, 16 *ἀττήνσους O*, *ἀκκήνσους*, quod sensus postulat, Fussius coniciebat. sed re vera Lydum *ἀττήνσους* scripsisse demonstratur eo, quod inter se coniunguntur *ἀττηνσίων* (p. 18, 11) et *ἀττήνσους*. ceterum monere licet, totam hanc paragraphum 13 postea a Lydo textui esse *insertam*. hoc inde concludo, quod subiectum verbi παραδέδεωκε in prima paragrapho 14 positi ὁ Ῥωμύλος est qui commemoratur in fine paragraphi 12.

p. 18, 25 extremam paginam vertas: *nihil nisi coronam rex retinuit magistro equitum non concessam, (quam tamquam) privilegium nullius alius heri ipsi sibi (servavit).*

p. 19, 8 *καὶ μᾶλλον*, quod scripsi pro *ἢ μᾶλλον O*, germanice vertam *auch wohl;* nam *μᾶλλον* Lydo interdum idem esse quod nostratibus vocem *wohl* pluribus locis demonstratur, v. c. p. 17, 12 *καὶ πανάληθες μᾶλλόν ἐστι.* cf. Blass p. 144.

p. 21, 18 *ἀτραβαττικάς O.* ne scribam *ἀτραβατικάς* formam vulgarem, impedior verbis appositis *ὠνόμαζον .. ἐκ τοῦ χρώματος*, unde apparet, Lydum eam voculam derivasse ab *ater* et *βάπτω*, ita ut esset *ἀτραβαπτικάς*.

p. 24, 10 *τοῦ μείζονος* significare videtur *nobilioris*, ut p. 116, 8 *τῆς μείζονος Ῥώμης*.

p. 26, 14 *πειναγύιος* (*Πινάριος F*) *δὲ ὁ πειων* (*πεινῶν F*) *καὶ στάτης ὁ εὐῆλιξ καὶ φαῦστος καὶ φλάβιος ὁ εὔνους O.* in quibus *Πεινάριος* retinui, quia *ἀπὸ τοῦ πεινᾶν* id nomen derivatur: vulgata enim fabula Pinarii sero ad Herculis cenam venerunt (*extis adesis* Liv. I 7, 13). pro *στάτης* scripsi *Στάτιος* cum litterarum ductui melius conveniens quam Fussii *Βάλης* tum eo commendatum, quod in *Tractatu de praenominibus*, quem in calce Valerii Maximi vulgo edunt, c. III iuncti leguntur: *Statius a stabilitate, Faustus a favore praenomina ceperunt.* quamquam et Lydus et huius tractatus auctor anonymus ad unum eundemque fontem redeant, in explicandis tamen praenominibus inter se discrepant: quare post *Φαῦστος*, quod proximum erat, *ὁ εὐδαίμων* inserere non dubitavi. alio modo rem gerere possis, si in sequentibus deleas *καὶ Φλάβιος*, ita ut restent *Φαῦστος ὁ εὔνους = Faustus a favore.* sed hoc ut est violentius, ita minus placet.

p. 27, 12 *μετὰ τούτους* in Iunii Gracchani verbis referenda sunt ad Romulum et Numam Pompilium, quorum mentionem apud Gracchanum obviam non exscripsit Lydus. *qua re intellecta* mutare noli.

p. 32, 11 εἰ.. πρὸ πάσης τάξεως τὴν μητέρα περι[illegible] ται: *si prius non magistratus* — quod facere debebat — *sed matrem salutasset.* si ita vertas, Bekkeri coniecturam πρὸ πάσης πράξεως mecum spernes.

p. 32, 21 μήποτε ex Bekkeri sententia restitutum hoc loco sensum habet *fortasse;* v. Steph. Thes. V 1008.

p. 33, 14 ῥάβδον ἐξηρτημένην ἡνίας *O*, ῥάβδου ἐξηρτημένην ἡνίαν coni. *F.* sed coniectura opus non est, dummodo vertas *manubrium lora pendentia habens.*

p. 34, 6 ut intellegas quid hae βροῦται sint (Germanorum *Braut*), inspicias G. Gundermanni dissertationes (Klugii *Ztschr. für deutsche Wortforschung* I. 1901 p. 240 sqq., Woelfflini *Arch. für Lexicogr.* XII p. 411).

p. 37, 2 διατεθέντα *O* aperte corruptum; διατιθέναι scripsi ut esset infinitivus finalis (Blass p. 227) pendens e προεστάμενον: *praepositum, ut regeret.*

p. 41, 11 τό τετίνιος *O*, τότε Τιτίνιος scribendum esse in propatulo est. quo facilius huius τότε initio novae paragraphi positi relationem invenias, intellegas necesse est eodem modo quo supra p. 18, 16 nonnulla eorum quae praecedunt postea a Lydo esse intrusa: referendum enim est τότε ad verba ἀνθιππάρχης προεχειρίσθησαν p. 40, 19, ita ut Titinium vixisse Ἀννίβου ἐνσκήψαντος τῇ Ἰταλίᾳ dicat Lydus, qui illum bello Punico secundo fabulam docuisse legerit. haec notitia fortasse in definienda Titinii vera aetate alicuius pretii erit (v. Schanz, *Gesch. d. röm. Litt.* I^2 p. 102). praeterea moneam illud τότε nullo modo referri posse ad eam quae proxime antecedit institutionem censurae, nam eam Ioannes Appii Claudii temporibus factam esse putavit (v. p. 44, 11).

p. 42, 6 πυθαγόρων *O*, unde μυθηγόρων scripsi. quod vocabulum quamvis aliis locis non occurrat, tamen inseramus necesse est, quia vocem aliquam a μῦθος deductam desideramus; fabulae enim comicae Lydo μῦθοι sunt (p. 41, 11 μῦθον ἐπεδείξατο). quae conicere possis μιμηγόρων μιμολόγων alia latius recedunt a litteris traditis.

p. 42, 18 Τοῦρνος nomen quod est in O tangere noli, *v. Schanz l. s.* II *2* p. 164.

p. 43, 11 vertas: *Philoxenus dixit: 'nepos etiam dissolutus, quod et ipsum tropice est accipiendum.' et quantum ad cognoscendam originem* (θεωρίαν), *fortasse Graecis* (h. e. *Philoxeno*) *concedendum est, Romanos* τὸν σκορπίον *nepam vocare, tamquam pedibus privatum.*

p. 48, 2 πεδῶν *O,* ποδῶν coni. *B.* sed πεδῶν hoc loco latina vox *pedum* est.

p. 48, 25 κηλίβανα *O.* quod in κλίβανα corrigere noli: finxit enim consulto Ioannes hanc formam, ut eam a *celandi* verbo deduceret.

p. 49, 21 Κλαυδιανὸς ὁ Παφλαγὼν (vel potius παμφλαγών, ut tunc pronuntiabant) *O.* ne omnia quae de hoc poetae celeberrimi ἐθνικῷ prolata sunt a viris doctis (v. Th. Birt in editione Claudiani p. IV), repetam, breviter dicam, quid ipse Birtium secutus sentiam: ὁ Παφλαγὼν convicium est eiusdem generis cuius infra ὁ Λαιστρυγών (p. 151, 5), exortum ex Aristophanis Equitibus (v. 2 al.) et per saecula in rhetorum scholis propagatum eodem modo, quo *Phalaris Busiris Sardanapalus* (p. 148, 25) similia. ut autem Claudianum ita increparet, et alias et hanc causam habuit homo Byzantinus, quod ille Stiliconem laudaverat, virum postea proditionis accusatum ab aulicis Byzantinis capitisque damnatum (Th. Mommsen Herm. XXXVIII 1903 p. 109).

p. 54, 24 τοῖς αὐτοῦ τρόποις ἀπήγετο: *moribus eius seducebatur* h. e. *corrumpebatur.*

p. 61, 10 ⟨ἀλλὰ καὶ πραίφεκτος πραιτωρίων⟩: ita sententiam mancam explevi; praecedit enim οὐ μόνον γὰρ λέγεται πραίφεκτος πραιτωρίου et antea dictum erat, τὴν αὐλὴν non solum singulari numero πραιτώριον, sed etiam plurali dici. πραιτωρίων autem πραίφεκτος Latinorum est *praefectus praetoriarum* scil. *cohortium*, quod ipse Lydus confirmat dicens ἡγεμὼν τῶν πραιτωριανῶν, ὑπακουομένου ταγμάτων.

p. 65, 7 Μυσίαν scripsit *O* (itemque p. 119, 23 121, 13 128, 8), cum Μοισίαν in animo habuisset Lydus. sed illud mutare noli, nam Dioni quoque Cassio Moesia *est* Μυσία ἡ ἐν Εὐρώπῃ (XLIX 36).

p. 70, 25 ita accipio: *lex erat .. ut qui ex sententia summi magistratus in provinciis iudicia ferrent, si provocatio esset facta, causas secundum legem de provocatione latam intra statutum tempus ad summum magistratum mitterent; qui vero in iudiciis urbanis (ἀρχαιοτικῶν ad urbem principalem pertinentibus) ex horum iudiciorum sententia, ad imperatorem.*

p. 73, 19 ἀμισσιωνάλιος *O.* est *admissionalis,* correctura opus non est. vide Thes. ling. lat. I 748.

p. 75, 2 *παρὰ τοῖς τῶν ὅπλων στρατεύμασιν O.* ne quid mutetur, subaudiatur quod oppositum est *τὰ αὐλικὰ στρατεύματα* (v. p. 78, 21).

p. 82, 1 vertas: *eos fama sola ferri arguens; neque enim tales sunt, quales fama praedicat.*

p. 85, 22 *κῆνσον ἀπογραφὴν τῶν ἀρχαίων O, ἀρχείων* coni. *B.* sed dictae sunt *ἀρχαῖα* pecuniae, quas nos vulgari sermone *capitalia* vocamus.

p. 93, 4 haec subesse verbis obscuris putaverim: *reliquos ordines ad eparchiam pertinere cognosci potest e codicillis ex aula de eis profectis, qui de variis titulis (ordinum aulae subiectorum) loquuntur, de illis vero silent.* quoniam de eis siletur, ad aulam non pertinent; quae ad aulam non pertinent, eparcho sunt.

p. 98, 3 *ῥέκινον* quod in *O* corruptum legitur, mutavi in *ῥεκιτᾶτον.* an forte scribendum *ῥέκαυτον* (*ἀποχῆς εἶδος gloss.*)? —

p. 103, 1 *μονόμισσα O, μανούμισσα* coni. *F,* qui non intellexit Lydo priorem huius vocis partem *μόνος* esse; pergit enim hanc esse *τὴν καθάπαξ ἀνάπαυλαν.*

p. 135, 3 verba ut nunc leguntur ita intellego: *irata tamen Fortuna commodo administrationis se prospecturam esse simulans nervos reipublicae solvit.*

p. 141, 26 *διεσύρη λαλούμενά τε καὶ τυπούμενα καὶ ἁπλῶς ἠρτημένα: trahebantur tam omni genere actionum — et colloquiis et epistulis (τυποῦν sigillum epistulae imprimere) — quam eo quod nulla arte adhibita in suspenso relinquebantur.*

p. 148, 10 μαξιλλοπλουμάκιον O. ego non cum Fussio

facio, qui hanc vocem non satis intellectam temere mutat. recte autem Ch. Diehl vertisse videtur *aux lourdes mâchoires,* nam πλοῦμος Byzantinis pro *plumbo* dicitur, ita ut μαξιλλοπλουμάκιος sit *homo plumbearum maxillarum.*

p. 148, 16 περιηχηθεὶς κτλ: *nam cum illam infernalem larvam chorus circumsonuisset, dictum esse ab Euripide eqs.* — ib. v. 20 οὐδὲν κοινόν, οὐδὲν μέσον, ἀλλ' ἔπαρχος .. χρηματίζων: *non communem, non medium, sed (summum) titulum habens eparchi.*

p. 149, 13 voce ἀπόπτου quam restitui indicatur Petronii gemmas propter pulchritudinem et pretium e privatorum hominum oculis fuisse remotas.

p. 150, 5 ὁ δὲ Πετρώνιος τῆς οἰκείας περιουσίας πρῶτον ὁρῶν τὸν θεόν. haec una dictio e duabus conflata est: aut enim erat dicendum ὁ δὲ Π. πρῶτον ὁρῶν τὸν θεόν, aut ὁ δὲ Π. τῆς οἰκείας περιουσίας πρότερον ὁρῶν τὸν θεόν.

p. 151, 11 Νόμον consulto a maiuscula littera incipere iussi, quia rectius egissent editores, si observato sententiarum nexu ante Νόμον paragraphi initium statuissent (v. p. 158, 26).

p. 152, 6 ἔξαλιον, quod in ἔξαλιρον mutavit, *O.* ἐξαλεύρου scripsi ut esset quod sensus postulat *tritico consitum.* exempla adiectivorum ab ἐξ- incipientium et abundantiam significantium affero ἔξαιμων ἔξοινος ἔξυγρος.

p. 152, 12 πρὸς τὸ χρειῶδες ὑπὸ τῶν κοινῶν γενομένη: *sumptus factus ab aerariis singularum civitatum necessitate coactis.*

p. 164, 14 το .... παν *O,* τό[[δε τὸ]] πᾶν supplevi dictionem philosophorum Lydo notissimam, cf. de ost. p. 109, 13 Wachsm.[2]: τόδε τὸ πᾶν. simili modo de mens. p. 57, 15, ubi ego τὸ δὲ πᾶν scripseram et Gu. Kroll (*Berl. philol. Wochenschr.* 1899 p. 613) τὸ δὴ πᾶν coniecerat, scribendum esse patet τόδε ⟨τὸ⟩ πᾶν.

p. 166, 23 vertas: *iamque Speciosus artificium id esse intellegens eo, quod saepius iterabatur* eqs.

sed iam me contineam uberius de Lydi verbis restituendis disserentem. superest ut pauca dicam de conspectu auctorum ab illo prolatorum, quem plurimis paginis subiectum invenies. varia autem ratio est, qua in adhibendis aliorum verbis Ioannes utitur. interdum enim eis quae deprompsit nomen auctoris omnino non additur. ut unum exemplum proferam: non omnes, qui p. 155, 3 legerint *ἐκκαλύπτουσαι, ὅσα καλύπτειν ὄμματ' ἀρσένων ἐχρῆν*, primo obtutu videbunt, repeti Hecubae Euripideae v. 570. talia fragmenta anonyma, quot assequi potui in libro de magistratibus, in ima pagina ad suos auctores relegavi. tamen id ut facerem, non in omnibus mihi contigit; imprimis doleo, quod ad herum nondum deducti sunt hi versus:

p. 65, 3 *ἀρχὴν ὅσσα λέλογχεν ἔχει τέλος*

p. 149, 17 *ὤρτο πόλις πτήξασα καὶ ὄμμασι πήξατο χεῖρας*

p. 160, 10 *ἔστι δίκη νέμεσίς τε κακοῖς κακότητα φέρουσα.*

quorum auctores ut reperiant alios fortunatiores fore spero; proximum est ut sumamus, uni eidemque poetae hos versus tribuendos esse illis temporibus per se notissimo. sed praeter eos alii loci inveniuntur, quibus Lydiana verba consentiunt cum dictis veterum isque consensus non ita est explicandus, ut sciens Philadelphenus illorum verba repetiverit: de his locis in editione nihil adnotavi, quoniam de iis tum agendum erit, cum de Lydi studiis rhetoricis quaeretur. eius generis sunt p. 143, 3 *ἔδει δὲ χρημάτων καὶ οὐδὲν ἦν ἄνευ αὐτῶν πραχθῆναι τῶν δεόντων* (Demosth. Olynth. I 20) et p. 153, 15 *ἐξ ἑκατέρας ὠχριῶν νόσου* (Iuv. II 50 *et morbo pallet utroque*). ceterum moneam, utrumque consensum iam a Fussio esse notatum.

multo autem saepius una cum aliorum scriptorum verbis eorum proferuntur nomina, interdum arte rhetorica circumscripta; veluti Vergilius Lydo audit *ὁ Ῥωμαίων ποιητής* (p. 35, 20) vel *ἡ παλαιότης* (p. 25, 1). ubi horum auctorum loci ad verbum accurati repetuntur, facile reperiebantur et notabantur in apparatu, servatorum librorum prolati secundum editiones vulgatas, deperditorum ad fragmentorum collectiones. sed sunt eae quoque mentiones, quibus aut verborum ordo turbatus aut sententiarum vis paulisper sit declinata ab Ioanne: his in apparatu praefixi notam *cf.*, qua exprimitur, illos locos in animo habuisse Lydum, sed labente memoria aliisve de causis non recte protulisse. aut denique in nominandis auctoribus plane erravit noster, ut qui v. c. p. 50, 3 Arrianum *ἐν τοῖς περὶ Ἀλεξάνδρου* dixisse autumet, Bessos eosdem esse quos Triballos, id quod verum non est. his locis omnino silet auctorum conspectus editioni additus; quid enim diceret? simili modo p. 49, 13 nubes testium evocatur tacticorum, qui *βετερανοὺς τοὺς ἐγγεγηρακότας τοῖς ὅπλοις* dixerint, inter quos veteres sunt Graeci, quos vocabulo *veteranus* nullo loco usos esse certissimum est. sed apud Renatum quoque ibidem nominatum, cuius librum servatum habemus (*Flavi Vegeti Renati epitoma rei militaris* ed. C. Lang[2] Lips. 1885), quantum equidem video, de *veteranis* nihil legitur. quae cum ita sint, sumendum est totum illum tacticorum scriptorum conspectum non tam ad hanc unam vocem *veteranus* pertinere quam ei glossario praefixum fuisse, e quo Lydus glossas militares paullo antea (p. 46, 22 sqq.) obvias hauserit. de singulis denique auctoribus, qui hunc conspectum efficiunt, fusius disseruere H. Koechly et W. Ruestow, *Griechische Kriegsschriftsteller* II, 1, 82 not. 193. inter quos ut scriptores tactici prorsus ignoti sunt Catilina Patro Iulianus, reliquorum alia quoque librorum vestigia tenemus; de Celso autem, qui praeter p. 49, 13 bis nominatur (p. 122, 5. 20), R. Reitzenstein (*de scriptorum rei rusticae qui intercedunt inter Catonem et Columellam libris deperditis.* diss. Berol. 1884. c. VI *de A. Cornelio Celso* p. 31 nota 50) haec disserit: 'Eundem Celsum num ex Ioh. Lydo de mag. III 33 et 34 iure colligatur post annum 814 librum singularem edidisse equidem dubito. nam quae de Corbulone ibi traduntur, non uno errore foedata, num ex eodem Celso, quem antea

Lydus commemoravit, petita sint, aut si ei debentur, num ille *ἐγκυκλίου* operis auctor etiam hunc singularem librum composuerit, quis diiudicabit?' —

Plane idem, quod in tacticorum indice vidimus, Lydum eruditione gloriantem in unum locum testes collegisse quoscumque novisset, quamvis iis nihil umquam cum re tractata commune fuisset, accidit in conspectu chronographorum, quem p. 8, 11 inseruit Catonem Varronem Africanum Castorem Eusebium laudans; de his fusius scripsit H. Gelzer loco in editione laudato, qui omnino neque de Castore neque de Eusebio cogitari posse demonstravit.

Simili modo, ut plurimorum auctorum Romanae quoque nationis libros perscrutatus esse videretur, Lydus variorum virorum iuris consultorum verba tamquam ex ipsorum operibus deprompta affert. sed accuratius inspicienti dubium non erit, quin Lydus recentissimas tantum collectiones[1]) adierit, Digesta dico et Iustiniani codicem. cuius rei manifestum argumentum est p. 27, 9 sqq., ubi Iunii Gracchani et Ulpiani memoriam evocans utriusque dicta ad verbum transtulit e Digestorum libro I c. 13, quo iidem auctores eodem modo coniuncti leguntur. quae cum ita essent, satius duxi, in auctorum iurisconsultorum conspectu ipsos Corporis Iuris civilis locos, quos Philadelphenus exscripsit, quam fragmentorum collectiones Bremeri vel Huschkii afferre. hoc quoque addam, aliis locis nominari legem aliquam in Theodosianum codicem receptam, in Iustiniano omissam (p. 66, 17 111, 10 129, 20), aliis *νόμον* quendam commemorari tamquam qui olim viguerit (vide indicem I s. v. *νόμος*): hac in re Lydo fidem nullam esse, quippe qui labente memoria res toto coelo divisas miscuerit, per litteras benigne me monuit Theodorus Mommsen.

Restat ut eos nominatim enumerem Lydi auctores,

---

1) licet aliter iudicet Schrader in ephemeride *Kritische Zeitschrift für Rechtswissensch.* 1826, 2 p. 146 seqq.

quorum scripta hodie sunt derperdita nec, quae ex iis reliqua sunt, ita congesta, ut ad fragmentorum aliquam collectionem lectores possint religari. sunt autem hi:

Aemilius in commentario Sallustii historiarum p. 93, 22. de hoc loco videas Teuffel-Schwabe *Gesch. d. röm. Litt.* § 205, 7. est Aemilius Asper, v. Goetz apud Pauly-Wissowam s. Aemilius 29.

Apuleius in Erotico qui dicitur p. 155, 20. deest inter Apulei fragmenta ab Hildebrandio congesta editionis maioris II p. 636.

Aristophanes Byzantius *ἐν τῇ ἐπιτομῇ τῶν ἐν ἰχθύσι φυσικῶν* p. 154, 15. cuius libri pars nobis servata edita est a Spyr. Lambro in *Supplemento Aristotelico* I, 1 Berol. 1885: sed hic locus e parte hodie deperdita desumptus est.

Arrianus *ἐπὶ τῆς Ἀλανικῆς ἱστορίας καὶ .. ἐπὶ τῆς ὀγδόης τῶν Παρθικῶν* p. 142, 18. desideratur inter Arriani reliquias, F H G III 588.

Asper p. 13, 21 v. Aemilius.

Capito p. 1, 18. hic locus omissus est a Martino Hertz, Sinnius Capito, Berol. 1845, p. 9 sqq. fragmenta Capitonis afferente, v. Wachsmuthium, Lyd. de ost.[2] praef. p. XXV.

Cornelius Nepos p. 154, 17. deest inter auctores Lydus apud C. Halmium, Cornelii Nepotis quae supersunt p. 121 frg. 19, quamvis Lydi auctor fuerit Plinius Nat. hist. IX 61 ibi laudatus.

Diogenianus *ὁ λεξογράφος* p. 11, 16 21, 25. de Diogeniano videas Naberum, *Photii Patriarchae lexicon* vol. I p. 18—24. in eis quas hodie Diogeniani glossas habemus utraque, quam laudavit Lydus, deest.

Fonteius p. 1, 13 67, 18 130, 21. vide de eo Wachsmuthium, Lyd. de ost.[2] praef. p. XXVI.

Laberius p. 154, 18. deest apud Ribbeckium, com. Rom. fragm.[3] 364, ubi illud Laberii fragmentum profertur e Plinio N. H. IX 61.

Lepidus *ἐν τῷ περὶ ἱερέων* p. 22, 15. deest F H G *IV 439.*

Herennius Philo p. 17, 9. inter ea quae huius habemus *περὶ διαφόρως σημαινομένων* (Ammonius ed. Valckenaer p. 155 sqq.) de diversa *Varronis* nominis significatione nihil dicitur. cf. Lyd. p. 27, 1, ubi eadem doctrina omisso Herennii nomine repetitur.

Philoxenus p. 43, 10. nihil repperi in *Glossariorum latinorum* volumine II, ubi glossae quae Philoxeno tribuuntur sunt collectae.

Pisander p. 155, 9. desideratur hoc fragmentum apud Kinkelium, Epicorum graecorum fragmenta p. 249.[1])

Polemo in commentariis ad Lucanum conscriptis p. 136, 10. v. Teuffel-Schwabe § 303, 8.

Sallustius *ἐπὶ τῆς πρώτης ἱστορίας* (p. 1, 15), h. e. ubi de antiquissima romanae gentis historia agit, in prooemio libri primi, ni fallor. quare haec verba Maurenbrecher inter Sallustii fragmenta recipere debebat. nam ut eius frg. 11 libri primi: *dum grave bellum cum Etruria positum est,* sic nostro loco de insignibus quibusdam a Tuscorum gente per imitationem tractis dicitur.

Serenus Sammonicus eiusque *variae quaestiones* p. 121, 10. cf. Teuffel-Schwabe § 374, 4.

M. Terentii Varronis laudantur scripta: 1. *τὰ πρὸς Πομπήϊον γεγραμμένα* p. 11, 21 h. e. *Εἰσαγωγικὸς ad Pompeium,* Teuffel-Schwabe § 166, 4 extr. 2. *Εἰκόνες* p. 17, 6 = *Imaginum* libri XV. 3. *ἐν βιβλίῳ πέμπτῳ περὶ Ῥωμαϊκῆς διαλέκτου* p. 69, 23, ubi de *lingua latina* V 116 cogitavit Lydus, sed rem, dum de suo addit, obscuravit et corrupit. 4. *ἐπὶ τῶν ἀνθρωπίνων πραγμάτων* p. 167, 13, de quo *rerum humanarum* loco dixit Io. Frid. Schultze, Quaest. Lydian. (diss. Gryph. 1862) p. 35. praeterea Varro bis laudatur nulla operis inscriptione adiecta: p. 1, 14, et p. 8, 12: utrumque locum e Varronis *de gente populi Romani* libris fluxisse mecum putabis, si huius

1) sed est, quod sero vidi, vicesimum alterum inter Pisandri fragmenta collecta in calce Hesiodi Lehrsiani (Parisiis 1862) p. 11.

operis fragmenta ab H. Kettnero congesta (*Varronische Studien* p. 63 sqq.) perlustraveris.

Sed iam caveamus oportet, ne, dum fusius de illo auctorum conspectu loquimur, deferamur ad quaestionem longe aliam, quosnam auctores Lydus ipse inspexerit, quorum mentionem apud alios repertam nullo examine facto in suum usum transtulerit: nam ad hanc quaestionem solvendam si accederemus, fines praefationi concessos longe transgrederemur.

Ipsam editionem meam, de cuius consilio satis dictum est, subsequuntur indices auctorum glossarum nominum. de iis nihil habeo quod proferam, nisi eos ad exemplum libri de mensibus (p. 185—202) esse confectos. reliqua explanare notis p. 171 additis temptavi.

Iam ad finem perducto prooemio superest, ut gratias agam quam maximas tribus viris doctissimis iisdemque amicissimis, Guilelmo Kroll, Theodoro Preger, Francisco Skutsch, qui plagulas, ut e prelo prodibant, indefesso studio correxerunt. quibus quid ipse Lydi contextus debeat, facile cognosces, cum criticum quem vocamus apparatum inspexeris non semel illorum nominibus ornatum.

Editis tali modo denuo omnibus quae aetatem tulerunt operibus ab Ioanne Philadelpheno confectis, res monet, ut his novis editionibus adhibitis — Wachsmuthiana περὶ διοσημειῶν, meis περὶ μηνῶν et περὶ πολιτικῶν ἀρχῶν — accuratius inquiramus in Lydi vitam studia libros fontesque. neque indignus auctor, cui tale studium contingat: qui gravissimus est non propter sui ipsius pretium, sed propter veterum eruditionem, quam multis locis solus e Byzantinis nobis servavit. hanc igitur disquisitionem de Ioanne Lydo denuo instituendam me, si vita et otium suppeditent, suscepturum et quoad potero absoluturum esse spondeo.

Conspectus eorum editionis locorum, qui in praefatione tractantur

(Romanis numeris praefationis, arabicis editionis paginae indicantur).

1, 2	X. XVII	*14, 22*	XXXIII	*28, 9*	XXI
5	IX. XVI	*15, 17*	XXXIII	*17*	XXI
8	IX	*22*	XXXII	*32, 11*	XXXIV
9	V. XXVII	*16, 21*	XVI	*21*	XXXV
13	XLII	*17, 6*	XLIII	*33, 14*	XXXV
14	XLIII	*9*	XLIII	*34, 6*	XXXV
15	XIX. XLIII	*12*	XXXIV	*8*	XXX
2, 1	XXXII	*16*	XVIII	*35, 8*	XXX
8	X	*19*	XXXIII	*20*	XXXIX
3, 1	IX	*24*	XXII	*36, 6*	XX
4, 12	XXVII	*18, 11*	XXXIII	*37, 2*	XXXV
5, 7	XXVII	*16*	XXXIII. XXXV	*38, 15*	XXVIII
6, 7	XIII	*25*	XXXIV	*39, 3*	XVI
16	XXVII	*19, 6*	XIII	*40, 8*	XXXI
7, 6	IX	*8*	XXXIV	*19*	XXXV
10	IX	*21, 11*	XXII	*41, 11*	XXXII. XXXV
23	XIV	*18*	XXIII. XXXIV	*42, 6*	XXXV
25	IX	*23*	XXIX	*18*	XXXV
8, 6	XXXIII	*25*	XXX. XLII	*43, 10*	XLIII
8	XIX	*22, 3*	XVIII	*11*	XXXVI
9	VIII	*8*	XXXI	*17*	XIII
11	XLI	*15*	XLII	*44, 11*	XXXV
12	XLIII	*23, 1*	XXIII	*46, 22*	XI. XL
17	VI	*24, 9*	XXX	*47, 4*	XXII
9, 2	XIX	*10*	XXXIV	*10*	XIX. XX
25	XXXII	*26*	XXII	*16*	XX
27	XXVII	*25, 1*	XXXIX	*48, 1*	XXI
11, 16	XXX. XLII	*26, 3*	XXII	*2*	XXXVI
18	XVIII	*4*	XXII	*22*	XXII
21	XLIII	*14*	XXXIV	*25*	XXI. XXXVI
25	XXXIII	*22*	XXIX	*49, 1*	XXIII
13, 10	XXIX	*27, 1*	XLIII	*5*	XXI
21	XLII	*9*	XLI	*7*	XX
14, 14	XXIX	*12*	XXXIV	13	XL

49, 21	XXXVI
50, 3	XL
51, 3	XI. XIV
10	XV
14	VIII
16	XXVII
53, 11	XIX
16	VIII
54, 24	XXXVI
57, 25	VIII
58, 1	VIII
59, 5	XXIX
60, 25	XIV
61, 10	XXXVI
63, 19	VI
64, 16	XXIX
65, 3	XXXIX
4	VIII
7	XXXVI
66, 17	XLI
67, 18	XLII
69, 1	XXIX
21	XXIX
23	XLIII
70, 6	XXIX
25	XXXVII
71, 4	XXIII
72, 22	XXIII
73, 19	XXXVII
74, 22	XXVIII
75, 2	XXXVII
13	XXVII
78, 17	VIII
21	XXXVII
80, 2	XXII
82, 1	XXXVII
85, 22	XXI. XXXVII
86, 5	VIII
88, 18	XXII
24	XXIX
90, 21	XXII
23	XXI
91, 1	XXII
92, 12	XXII
93, 3	XIV
93, 4	XXXVII
11	XXI
18	XXVIII
22	XXVIII. XLII
94, 19	VIII
95, 23	XIV
98, 3	XXXVII
99, 12	XV
100, 5	XXVIII
101, 9	XX
103, 1	XXXVII
104, 24	XVIII
105, 24	XXX
107, 1	XXIX
12	XXVIII
21	X
110, 15	XXVIII
23	XXVII
111, 10	XLI
113, 6	XXX
7	V
114, 17	XXX
115, 9	XX
116, 8	XXXIV
119, 11	V
14	XVIII
23	XXXVI
120, 14	XXX
20	XIX
121, 3	XIX. XXXII
10	XLIII
13	XXXVI
122, 5	XL
20	XL
123, 14	XXIII
21	XXX
125, 10	XX
126, 14	X
128, 5	VIII
8	XXXVI
129, 20	XLI
130, 21	XLII
132, 8	XXX
135, 3	XXXVII
9	XXX
136, 10	XLIII
141, 23	XXX
26	XXXVII
142, 18	XLII
21	XVIII
143, 3	XXXIX
144, 8	VI
145, 6	VI
146, 5	XXXI
148, 8	XXXI
10	XXXVII
16	XXXVIII
18	XXXII
25	XXXVI
149, 13	XXXVIII
17	XXXIX
150, 2	XVIII
5	XXXVIII
151, 5	XXXVI
11	XXXVIII
152, 6	XXXVIII
12	XXXVIII
153, 15	XXXIX
154, 15	XLII
17	XLII
18	XLII
155, 3	XXXII. XXXIX
8	XXX
9	XLIII
20	XLII
25	XXIX
156, 15	XXII
160, 10	XXXIX
25	XXXI
161, 23	XV
164, 9	XV
10	XXX
14	XXXVIII
165, 11	XV
166, 6	XXXI
23	XXXVIII
167, 13	XLIII
168, 7	XXXI
169, 5	XXXI
22	XXX

ΙΩΑΝΝΟΥ ΛΥΔΟΥ

ΠΕΡΙ ΑΡΧΩΝ

ΤΗΣ ΡΩΜΑΙΩΝ ΠΟΛΙΤΕΙΑΣ

ΛΟΓΟΙ Γ′

TABULA CODICUM EDITIONUM NOTARUM

O codex Caseolinus Parisinus supplementi graeci 257 s. X/XI, cf. praef. p. XII

O_2 codicis Caseolini corrector s. XVIII, cf. praef. p. XVIII

F editio J. D. Fussii, Parisiis 1812, cf. praef. p. XXIV

F ep eiusdem Fussii ad C. B. Hase epistola, Leodii 1820, cf. praef. p. XXV

B editio Imm. Bekkeri, Bonnae 1837, praef. p. XXV

L. Dindorf: Dindorfii emendationes in Stephani Thesauro Graecae linguae denuo edito publici iuris factae, cf. praef. p. XXXII

⟨ ⟩ verba a codice omissa, quae necessario adduntur, cf. praef. p. XXVI

[ ] litterae codicis hodie deletae sed a Fussio agnitae, cf. praef. p. XV

⟦ ⟧ litterae iam pridem deletae et coniecturis restitutae, cf. praef. p. XV

<ΠΡΟΟΙΜΙΟΝ.>

Ἱερέας γενέσθαι τὸ πρὶν τοὺς ὕστερον ἄρχοντας τοῦ Ῥωμαίων πολιτεύματος οὐδενὶ τῶν πάντων ἠγνόηται, Τυρρηνοῦ ⟨τοῦ⟩ ἐπὶ τὴν ἑσπέραν ἐκ τῆς Λυδίας μεταναστάντος τοὺς τότε καλουμένους Ἐτρούσκους — ἔθνος δὲ ἦν Σικανόν — τὰς Λυδῶν τελετὰς διδάξαντος· οὓς ἐκ τῆς θυοσκοπίας Θούσκους συμβέβηκε μετονομασθῆναι· καὶ τούτων εἰς πλάτος ἐν τῇ πρώτῃ τῆς περὶ μηνῶν γραφείσης ἡμῖν πραγματείας ἴσμεν μνημονεύσαντες. τὰ γὰρ ἐπίσημα τῶν ἀρχόντων ἀπὸ Θούσκων λαβὼν ὁ βασιλεὺς Νουμᾶς τῇ πολιτείᾳ εἰσήγαγεν, ὥσπερ καὶ τῶν ὅπλων τὸ δύσμαχον ἀπὸ Γαλατῶν. καὶ μάρτυρες μὲν τούτων ὅ τε Καπίτων καὶ Φοντήϊος, ἐξ ὧν καὶ ὁ διδασκαλικώτατος Βάρρων, Ῥωμαῖοι πάντες, μεθ' οὓς Σαλλούστιος οὗτος· ὁ ἱστορικός, ἐπὶ τῆς πρώτης ἱστορίας σαφῶς ἀναδιδάσκει. ὥστε ὑπόλοιπον περὶ τῶν πολιτικῶν ἀφηγήσασθαι ἐξουσιῶν, καθότι ἀπὸ ἱερατι-

v. 8 de mens. p. 16, 16 13 Capito: Iurisprudentiae Antehadrianae quae supersunt ed. Bremer II, 1 p. 287

v. 1 *Προοίμιον* addidi 2 *τοῦ αὐτοῦ περὶ ἐξουσιῶν* | *ἱερέας O* 4 *τυρρηνους O*, corr. *F* | *τοῦ* add. Gu. Kroll et Th. Preger 5 ad vocem *Ἐτρούσκους* in margine additur *δωριως ετρα η εθνη O* 13 *φωντήϊος O*, corr. Gu. Schmitz Mus. Rhen. N. S. XI 299 14 *οὐάρρων O*, *Βάρρων* scripsi ut est aliis locis (v. p. 8, 12 al.) 15 *σαλουστιος O*, mutavi ad p. 93, 23 \ *ἱστοριῶν* coni. *F* 17 *καὶ ὅτι O*, *καὶ* delebat F in editione et retinebat *in epistula p. 11*, *καθότι* coni. B

κῆς τάξεως ἐπὶ τὸ πολιτικὸν μετεφύησαν σχῆμα. μὴ οὖν ἡμᾶς ἀλλοίους πρὸς τὰ πάλαι δοθέντα κρίνοι τις, πλὴν εἰ μὴ τυχὸν ἀπηχὲς λογικῆς ἀσφαλείας ὑφιστάμενος φθόνῳ τὸν ἔπαινον μεταβάλοι. ὅτι δὲ καὶ Γρακχιανός τις πάλαι περὶ τούτων ἔγραφεν, ἴσμεν τοὺς νομογράφους ἀναφέροντας· οὐδαμοῦ δὲ τὰ γραφέντα φέρεται ἴσως αὐτά, πάντως δὲ καὶ αὐτὰ τοῦ χρόνου τεκόντος ἅμα καὶ κρύψαντος.

v. 6 *οἱ νομογράφοι*: Ulpianus dig. I 13,1; vide infra p. 27,9

v. 4 *γραχχιανὸς O*, corr. *F*

ΠΕΡΙ ΠΟΛΙΤΙΚΩΝ ΑΡΧΩΝ

Κεφάλαια τοῦ πρώτου λόγου.

⟨α΄.⟩ πόσος ἀνύεται χρόνος ἀπὸ τῆς Αἰνείου ἐπὶ τὴν Ἰταλίαν παρόδου ἕως κτίσεως Ῥώμης, καὶ πόσος ἀπ' αὐτῆς γέγονεν ὁ τῶν ῥηγῶν, καὶ πόσος ὁ τῶν ὑπάτων ἕως Καίσαρος, καὶ ἐξ αὐτοῦ πόσος ἄχρι Κωνσταντίνου, ἐξ οὗ πόσος ἄχρι τῆς Ἀναστασίου βασιλέως τελευτῆς (p. 8, 3—9, 11).

β΄. τίς ἡ διαφορὰ τοῦ ῥηγὸς καὶ τοῦ τυράννου καὶ τοῦ βασιλέως, καὶ Καίσαρος καὶ αὐτοκράτορος ἀξίωμα τί σημαίνει ⟨καὶ τί⟩ τὸ Κυρίνου ὄνομα (p. 9, 12—11, 17).

γ΄. ὅτι Ῥωμύλος καὶ οἱ κατ' αὐτὸν τῇ Αἰολίδι ἐφθέγγοντο φωνῇ (p. 11, 17—12, 6). ὅτι οὐ δεῖ τοὺς Ῥωμαίων βασιλέας δεσπότας ἀποκαλεῖν (p. 12, 7—12, 27). περὶ τῶν ἐπισήμων τοῦ ῥηγός (p. 13, 1—13, 14). τί ἐστι τόγα καὶ τραβαία (p. 13, 14—13, 19). διὰ τί Ῥωμαῖοι τὴν βασιλέως καθέδραν σόλιον προσαγορεύουσιν (p. 13, 19—14, 5).

δ΄. διὰ τί τὰς λοφιάς τινες τούφας καλοῦσιν (p. 14, 6—14, 18).

ε΄. διὰ τί τὰς ἀσπίδας σκοῦτα καὶ κλίπεα καὶ πάρμας οἱ Ῥωμαῖοι καλοῦσι καὶ τίς ἡ διαφορὰ τούτων (p. 14, 19—16, 24). ὅτι ἀπὸ Αἰνείου παρέλαβεν ὁ Ῥωμαϊκὸς στρατὸς οὕτω στέλλεσθαι, ὡς ἔτι καὶ νῦν οἱ

v. 3 α΄ addidi 5 αὐταῖς O, corr. F 11 καὶ τί addidi | κύριον O, corr. F collata p. 11, 15

καλούμενοι ἐκσκουβίτορες (p. 16, 25—18, 10). *διὰ τί τὴν βασιλικὴν ὑποζύγιον βασταγὴν ἀττηνσιῶνα καλοῦσι* (p. 18, 11—18, 19).

ϛʹ. πρώτη προαγωγὴ ὁ ἵππαρχος, καὶ ὅτι εἰς τόπον αὐτοῦ ὁ τῶν πραιτωρίων ὕπαρχος προεβλήθη (p. 18, 20—20, 19).

ζʹ. δευτέρα προαγωγὴ οἱ πατρίκιοι, καὶ τίνος χάριν πάτρης κονσκρίπτους αὐτοὺς ἡ ἀρχαιότης ἐκάλεσε. ποῖον εἶδος χιτῶνος ὁ λεγόμενος παραγαύδης· ἐν ᾧ καὶ περὶ τῶν λεγομένων καμπαγίων (p. 20, 20—22, 26). *τί σημαίνουσιν οἱ λεγόμενοι τίτλοι, καὶ ὅτι φιλότιμοι ἐτύγχανον οἱ πάλαι συγκλητικοί* (p. 23, 1—24, 17). *πόθεν διώνυμοι καὶ τριώνυμοι οἱ ἀρχαῖοι ἐχρηματιζον* (p. 24, 18—27, 6).

ηʹ. τρίτη προαγωγὴ οἱ κυαίστορες, καὶ ὅτι ἕτερον μὲν κυαίστωρ, ἕτερον δὲ κυαισίτωρ (p. 27, 7—31, 5). *περὶ τῆς ὑπατείας καὶ τῶν αὐτῆς ἐπισήμων* (p. 31, 6—34, 11).

θʹ. τετάρτη προαγωγὴ ἡ κληθεῖσα δεκανδρικὴ ἐξουσία (p. 34, 12—36, 13).

ιʹ. πέμπτη προαγωγὴ ἡ καλουμένη δικτατοῦρα, καὶ τί σημαίνει τὸ ὄνομα, πόσοι τε γεγόνασιν οἱ πάντες δικτάτορες, καὶ ἕως τίνος (p. 36, 14—40, 26).

ιαʹ. ἕκτη προαγωγὴ ἡ καλουμένη κηνσοῦρα· ἐν ᾧ καὶ περὶ κωμῳδίας καὶ τραγῳδίας, καὶ πότε Ῥωμαίοις ἐγνώσθησαν (p. 41, 1—42, 20). *διὰ τί Ῥωμαῖοι*

v. 1 *εκσκουβιτορι* alteram tertiamque syllabam in rasura habet *O*, extremam corr. *F* 15 *κυεστορες O*, *κοαίστορες* O_2, *κυαίστωρες F*; eadem varietas in eo nomine saepius occurrit. 19 *τετάρτη O*, *πέμπτη* corr. *F* suo iure, nam quarta promotio *ὑπατείας* est 21 *πέμπτη O*, *ἕκτη* corr. *F* 24 *ἕκτη O*, *ἑβδόμη* corr. *F*

τοὺς ἀσώτους ἅμα καὶ τοὺς ἐγγόνους ὁμωνύμως καλοῦσιν πατρίως νέπωτας (p. 42, 21—44, 17).

ιβ'. ἑβδόμη προαγωγὴ ἡ δημαρχία (p. 44, 18—45, 26). *πότε ἐδόθη τοῖς στρατιώταις τὰ λεγόμενα καπητὰ καὶ διὰ τί καπητὰ λέγεται* (p. 46, 1—46, 13). *περὶ τῶν ἐν ὅπλοις ταγμάτων τε καὶ ὀνομάτων καὶ βαθμῶν καὶ τῶν λεγομένων τιρώνων* (p. 46, 13—51, 3).

ιγ'. ὀγδόη προαγωγὴ οἱ πραίτορες, καὶ ὅτι ὁ τῆς πόλεως καθ' ἡμᾶς ὕπαρχος εἷς ἐτύγχανεν τῶν πάλαι πραιτόρων, φύλαξ πόλεως χρηματίζων (51, 4—51, 20, ubi duo folia desunt in codice).

ιδ'. ἐνάτη προαγωγὴ ὁ τῶν νυκτῶν ὕπαρχος (p. 52, 1—53, 22).

Λόγος Β'.

α'. περὶ Καίσαρος καὶ τῶν Καίσαρος ἐπισήμων (p. 54, 2—56, 9).

β'. περὶ Αὐγούστου καὶ ὅτι πρῶτος αὐτὸς ἐκβαλὼν τὴν ἵππαρχον ἐξουσίαν τὴν πραιτωριανὴν ἐπαρχότητα προεβάλετο (p. 56, 10—58, 7).

γ'. περὶ τῶν βασιλικῶν στολῶν (p. 58, 8—59, 11).

δ'. περὶ τοῦ ἐπάρχου τῶν πραιτωρίων καὶ τῆς πειθομένης αὐτῷ τάξεως (p. 59, 12—68, 8). *περὶ τῶν ἐπισήμων τῆς ἐπαρχότητος καὶ τῶν αὐτῆς μεγίστων δικαστηρίων* (p. 68, 9—75, 19). *ὅτι οὐκ ἦν ἀνέκαθεν πραιτώριον ὡρισμένον τῇ πρώτῃ τῶν ἀρχῶν* (p. 75, 20—78, 19).

ε'. περὶ τοῦ μαγίστρου, καὶ τίνα πρῶτον προαχθῆ-

v. 1 *ἐγγώνους O*, corr. *F* 3 *ἑβδόμη O*, ὀγδόη corr. F 8 *ὀγδόη O*, *ἐνάτη* corr. *F* 10 πραιτορίων O, corr. F cp. p. 12 12 *ἐνάτη O*, *δεκάτη* corr. *F* 18 ἵππαρχον O F cp., ὕπαρχον O, F

ναι ἡ ἱστορία ἀναφέρει (p. 78, 20—80, 24). ὅτι οἱ καθ' ἡμᾶς λεγόμενοι μαγιστριανοὶ τὸ πρὶν φρουμεντάριοι ἐκαλοῦντο (p. 81, 1—82, 10).

ϛʹ. περὶ τοῦ ἐπάρχου Σκυθίας καὶ τοῦ Ἰουστινιανοῦ πραίτορος καὶ τοῦ μαγίστρου τῶν κήνσων καὶ τοῦ κυαισίτορος, καὶ ὅτι οὐ πρώτως αἱ ἀρχαὶ αὗται ἐπενοήθησαν, ἀλλ' ἠμελημέναι ἀνεκλήθησαν (p. 82, 11—86, 8).

⟨Λόγος Γʹ.⟩

ζʹ. περὶ τῆς τάξεως τῶν ἐπάρχων καὶ τῶν ἐν αὐτῇ καταλόγων, ἠθῶν τε καὶ σχημάτων καὶ γραμμάτων, καὶ τῶν ἄλλων τῆς ἀρχαιότητος γνωρισμάτων καὶ ἐκ ποίων αἰτιῶν ἠμέληται (p. 87, 2—120, 6).

ηʹ. διὰ τί τὸν ποταμὸν νῦν μὲν Ἴστρον, νῦν δὲ Δανούβιον συμβαίνει προσαγορεύεσθαι (p. 120, 7—121, 12). πῶς Πέρσαις πολεμητέον κατὰ τοὺς τακτικούς (p. 121, 13—123, 6).

θʹ. πότε καὶ τίνος χάριν ἐξηυρέθη τὸ τῶν σκρινιαρίων σῶμα (p. 123, 7—124, 12). πόθεν εἰσηνέχθη τὸ τῶν καγκελλαρίων ὄνομα, καὶ διὰ τί οὕτως ὠνομάσθησαν (p. 124, 13—126, 24). ἐκ ποίων αἰτιῶν ὑπεσύρη ἡ τάξις, καὶ ὅτι Ἀναστάσιος ὁ βασιλεὺς διὰ Μαρίνου αἴτιος τούτου (p. 126, 25—135, 11).

ιʹ. πόθεν Δουρράχιον ἡ πάλαι Ἐπίδαμνος (p. 135, 11—135, 17).

ιαʹ. ὑποτύπωσις τῆς Ἀναστασίου βασιλείας (p. 135, 17—140, 19).

v. 6 αὗται *O*, αὐταὶ *F*, αὗται scripsi 7 ἐπένθησαν *O*, ἐπενοήθησαν coni. O_2 *F*; fortasse ἐπήνθησαν 9 Λόγος Γʹ addidi 22 στασιος οβ in rasura *O*

ιβ'. διὰ τί Πέρσαι Ῥωμαίους παρὰ τὴν παλαιότητα χρυσίον ἐφ' ἑκάστης ὥσπερ ὀφειλόμενον εἰσπράττουσιν (p. 140, 20—142, 23). περὶ τοῦ πτώματος Ἀντιοχείας τῆς πρὸς Δάφνην καὶ τῆς Περσῶν ἐφόδου (p. 143, 1—144, 7).

ιγ'. περὶ τῆς εὐτυχεστάτης βασιλείας Ἰουστινιανοῦ τοῦ ἀηττήτου βασιλέως καὶ ὅσοις ἀγαθοῖς τὰ Ῥωμαίων ἐκόσμησε καὶ ὅπως ἐν βραχεῖ Λιβύην ὅλην Ῥωμαίοις ἀπέσωσεν (p. 144, 8—145, 25).

ιδ'. περὶ τῶν παρὰ τὴν βασιλέως εὐμένειαν οὐ καλῶς τοῖς πράγμασιν ἀποχρησαμένων, ῥᾳστώνῃ δὲ συζησάντων (p. 146, 1—161, 7)· ἐν ᾧ καὶ περὶ ἀσωτίας καὶ τοῦ λεγομένου ἀκκηπησίου (p. 154, 5—154, 22). ποῖον εἶδος ἐσθήματος ὁ λεγόμενος σάνδυξ καὶ πόθεν οὕτως ὠνομάσθη (p. 154, 23—155, 26).

ιε'. περὶ τῆς κακοδαιμονίας τοῦ δήμου, καὶ ὅπως ἐνέπρησε τὴν πόλιν· ἐν ᾧ καὶ περὶ τοῦ λεγομένου Ζευξίππου, καὶ τίνος χάριν οὕτως ὠνομάσθη (p. 161, 8—164, 9). ὅπως ὁ βασιλεὺς μετὰ τοῦ θεοῦ καὶ τὸ πρῶτον ἱερὸν καὶ πᾶσαν ὁμοῦ τὴν πόλιν ἀνέστησεν (p. 164, 10—164, 16, ubi codex lacunis laborare incipit). περὶ τῶν εὐσεβῶς καὶ δικαίως τὰς ἀρχὰς διανυσάντων (p. 164, 17—170, 13, quo loco codex omnino deficit). περὶ τῆς εὐσεβοῦς βασιλίδος Θεοδώρας, καὶ ὅπως τὰ κοινὰ ὠφέλησεν.

ις'. περὶ τοῦ ἀπευκταιοτάτου λοιμοῦ, καὶ ὅπως ἀπεπαύσατο.

v. 2 ὀφειλόμενοι *O*, corr. *F* 12 περὶ ἀσωτίας bis scriptum *O*, alterum delent *F* cp. p. 12, *B* 14 λεγόμενοσανδυξ *O*, corr. *F* e III, 64 15 οὗτος *O*, corr. *F*

ΠΕΡΙ ΑΡΧΩΝ ΤΗΣ ΡΩΜΑΙΩΝ ΠΟΛΙΤΕΙΑΣ

⟨ΛΟΓΟΣ ΠΡΩΤΟΣ⟩.

1. *Ἐγχειροῦντί μοι περὶ τῶν ἀρχῶν τῆς Ῥωμαίων πολιτείας διαλαμβάνειν, ἀξιόλογον εἶναι παρέστη προοίμιον δοῦναι τῷ λόγῳ ἀπὸ τοῦ πρεσβυτάτου καὶ τιμιωτάτου πάντων. Αἰνείας δὲ ἦν οὗτος, ὁ διὰ κάλλος καὶ ῥώμην ψυχῆς τε καὶ σώματος, κρείττονος ἢ κατὰ ἀνθρώπους εἶναι νομισθεὶς υἱός.*

2. *Ἀνύονται τοιγαροῦν ἐκ τῆς Αἰνείου ἐπὶ τὴν Ἰταλίαν παρόδου ἕως τοῦ πολισμοῦ τῆς Ῥώμης ἐνιαυτοὶ ἐννέα καὶ τριάκοντα καὶ τετρακόσιοι κατὰ Κάτωνα τὸν πρῶτον καὶ Βάρρωνα, τοὺς Ῥωμαίους· κατὰ δὲ Ἀφρικανὸν καὶ Κάστορα ⟨καὶ⟩ τὸν Παμφίλου ἔτη ζ' καὶ ι' καὶ υ'. ἀπὸ δὲ τοῦ πολισμοῦ μέχρι τῆς ἐκβολῆς τῶν ῥηγῶν διέδραμεν ἔτη τρία καὶ τεσσαράκοντα καὶ διακόσια. οἱ δὲ τῶν ὑπάτων ἄχρι Καίσαρος τοῦ πρώτου ἐνιαυτοὶ ε' — ἢ κατ' ἐνίους ἓξ — καὶ ξ' καὶ υ'. ἀπὸ δὲ Καίσαρος ἕως Κωνσταντίνου διαγέγονεν ἔτη τριακόσια ἑβδομήκοντα πέντε· ἐξ αὐτοῦ δὲ ἄχρι τῆς Ἀναστασίου τοῦ βασιλέως τελευτῆς ἔτη σκδ' πρὸς μησὶν*

v. 11 Cato orig. l. I frg. 17, H. Peter Hist. Rom. rell. p. 56 not. 12 Africanus: v. H. Gelzer, *Sextus Iulius Africanus und die byzantinische Chronographie* I 222

v. 1 *περὶ ... πολιτείας* *O* in marg. 2 *Λόγος Α'* add. *F* 8 post *υἱὸς* addit *θεοῦ* O_2 11 *υλθ* *O* in marg., ubi singuli huius loci numeri repetuntur 13 *κάστορα τὸν O*, *καὶ* add. *F* 17 *ἐνιαυτοῦ O*, corr. *F* 20 post *ἔτη* haec fere interciderunt: *ρπη' καὶ μέχρι τοῦ νῦν ἔτη*, quae iam exciderant, cum anni ab *Aeneae* adventu ad Anastasii mortem computarentur (p. 9, 5).

ἑπτά· ἐξ ὧν ἄν τις ἐννέα ἐξέλοι ἐνιαυτούς, οὓς ἐπὶ τῆς ἱερᾶς Ῥώμης ἔτυχε βασιλεύσας Κωνσταντῖνος. συνάγεται δὴ ἀπὸ τοῦ πολισμοῦ τῆσδε τῆς εὐδαίμονος πόλεως πέντε καὶ δέκα καὶ διακόσια ἔτη πρὸς μησὶν ἑπτά. συνέλοι οὖν ἄν τις ἀπὸ Αἰνείου ἕως τῆς Ἀναστασίου τοῦ χρηστοῦ τελευτῆς τοὺς πάντας ἐνιαυτοὺς ἓξ καὶ τεσσαράκοντα πρὸς ἑπτακοσίοις καὶ χιλίοις πρὸς μησὶν ἑπτά, ὡς Ἕλληνες οἴονται κατὰ πάντας τοὺς ἑκατέρας φωνῆς συγγραφέας. τούτων οὕτως ἡμῖν σὺν ἀληθείᾳ τεθέντων, καιρός ἐστιν περὶ τῶν ἀρχῶν, ὡς εἴρηται, τοῦ καθ' ἡμᾶς διαλαβεῖν πολιτεύματος.

3. Ῥωμύλος τοίνυν ὀκτὼ πρὸς τοῖς δέκα ἔτεσι γεγονὼς σὺν τῷ ἀδελφῷ Ῥέμῳ τὴν μητέρα τῆς βασιλείας Ῥώμην ἐδείματο. ὄνομα δὲ τῆς ἀρχῆς αὐτῶν, ὃ Ἰταλοὶ λέγουσι ῥήγιον οἷον τυραννικόν· οὐδὲ γὰρ βασιλείας Ῥωμαϊκῆς ἐννόμου ἐστὶ σημαντικόν, ὥς τινες ὑπολαμβάνουσι, τὸ ῥήγιον ὄνομα· ὅθεν οὐκέτι μετὰ τὴν ἐκβολὴν τῶν ῥηγῶν παρὰ Ῥωμαίοις καίτοι βασιλευομένοις ἐχρημάτισεν. ἕτερον γὰρ τὸ τῆς ἐννόμου βασιλείας καὶ ἕτερον τὸ τυραννίδος καὶ ἄλλο τὸ τῆς αὐτοκρατορίας ἀξίωμα· καὶ ὅπως, διὰ βραχέων ἐρῶ. βασιλεύς ἐστιν ὁ τῶν ἑαυτοῦ ὑπηκόων πρῶτος ψήφῳ ἐπιλελεγμένος ἐπὶ βάθραν τινὰ ὥσπερ καὶ κρηπῖδα, τύχης κρείττονος ὑπὲρ τοὺς ἄλλους λαχών· ὡς Σοφοκλῆς περὶ Αἴαντος εἶπεν, ἔχειν αὐτὸν βάθραν τῆς ἀγχιάλου Σαλαμῖνος. ἴδιον δὲ βασιλέως ἐστὶ τὸ μηδένα καθάπαξ τῶν τοῦ πολιτεύματος νόμων σαλεύειν, ἀλλ' ἐγκρατῶς

v. 24 Soph. Ai. v. 135

v. 2 ἔτυχεν *O*, ν in corr. 23 ἐπιβάθραν coni. B 25 βάθρα *O*, βάθραν coni. O_2 *F*, βάθρον Soph. 27 τὸν ... νόμον O, corr. F

τὴν ὄψιν τῆς ἑαυτοῦ πολιτείας βασιλείᾳ διατηρεῖν· καὶ μηδὲν μὲν κατ' αὐθεντίαν ἔξω τῶν νόμων πράττειν, τὸ δὲ τοῖς ἀρίστοις τοῦ πολιτεύματος συναρέσκον ψήφοις οἰκείαις ἐπισφραγίζειν, πατρὸς ἅμα καὶ ἡγεμόνος στοργὴν περὶ τοὺς ὑπηκόους ἐνδεικνύμενον, ὁποῖον ἡμῖν θεὸς καὶ καιροῦ δεξιότης ἐχαρίσατο. ἀλλ' οὐχ οὕτως ὁ τύραννος τοὺς ὑπ' αὐτῷ πεσόντας διαθήσεται, πράξει δὲ κατ' ἐξουσίαν ἀλόγως, εἴτι καὶ βούλεται, μηδὲ νόμους τιμᾶν ἀξιῶν μηδὲ γράφειν μετὰ βουλῆς ἀνεχόμενος, ταῖς δὲ οἰκείαις ὁρμαῖς ἐξαγόμενος. ἔστι γὰρ βασιλέως μὲν τρόπος ὁ νόμος, τυράννου δὲ νόμος ὁ τρόπος.

4. Τὸ γὰρ τῶν Καισάρων ἤγουν αὐτοκρατόρων ἐπώνυμον οὐδὲ βασιλείας ἀλλ' οὐδὲ τυραννίδος ἐστὶ σημαντικόν, αὐταρχίας δὲ μᾶλλον καὶ αὐθεντίας τοῦ διοικεῖν τοὺς ἐξανισταμένους κατὰ τῶν κοινῶν θορύβους ἐπὶ τὸ κάλλιον ἐπιτάττειν τε τῷ στρατεύματι, πῶς ἂν δέοι μάχεσθαι τοῖς ἐναντίοις. imperare γὰρ τὸ ἐπιτάττειν παρ' Ἰταλοῖς λέγεται, ἔνθεν ἰνπεράτωρ. ὅτι δὲ βασιλείας οὐκ ἔστι σημαντικὸν τὸ αὐτοκράτορος ἢ Καίσαρος ὄνομα, δῆλον ἄντικρυς τῷ καὶ τοὺς ὑπάτους καὶ μετ' ἐκείνους τοὺς Καίσαρας τὸ τῶν λεγομένων ἰνπερατόρων ⟨ὄνομα⟩ ἀξίωμα τῆς ἐπωνυμίας λαβεῖν. οὐδὲ γὰρ ἐπισήμοις τυραννικοῖς φαίνεται χρησαμένη ἡ τῶν Καισάρων ἀρχή, ἀλουργίδι δὲ μόνῃ τὴν Ῥωμαίων βουλὴν ἀναβαίνουσα καὶ τὰς ἐν ὅπλοις δυνάμεις, αὐτοκρατῶς, ὡς ἔφην, ἰθύνουσα. ταύτῃ καὶ πρίγκιπας αὐτοὺς ἐκάλεσαν Ῥωμαῖοι, οἱονεὶ πρώτην κεφαλὴν τῆς

v. 4 *οἰκίοις O*, corr. *F* 8 *ειτι O*, *ὅ,τι* coni. *B* 17 ΙΜ-ΡΕΓΑΠΕ cod. 20 *τὸ O*, *τῷ* corr. *F* 22 *ὄνομα* addidi | *τῆς ἐπωνυμίας O*, *ἐπωνυμίαν* coni. *F* ep. p. 13 25 *ἀναβαίνουσαν O*, corr. *F*

πάσης πολιτείας. τὸ γὰρ Καίσαρος ὄνομα γένους ἐστὶ δεικτικὸν ἀπὸ τοῦ πρώτου Καίσαρος, ὥσπερ Φαβίων καὶ Κορνηλίων καὶ Φλαβίων καὶ Ἀνικίων, τούτου πρότερον παρὰ βαρβάροις ηὑρημένου. Αἰγύπτιοι μὲν γὰρ ἀπὸ τοῦ πρώτου Φαραῶνος τούς σφων βασιλέας ἐπεφήμιζον Φαραῶνας, καὶ Πτολεμαίους ἀπὸ τοῦ πρώτου. ἐφυλάχθη οὖν παρὰ Ῥωμαίοις ἡ τοιαύτη τῶν Καισάρων εὐταξία ἄχρι Διοκλητιανοῦ, ὃς πρῶτος στέφανον ἐκ λίθου τιμίας συγκείμενον τῇ κεφαλῇ περιθεὶς ἐσθῆτά τε καὶ τοὺς πόδας ψηφώσας ἐπὶ τὸ βασιλικόν, ἢ τάληθὲς εἰπεῖν ἐπὶ τὸ τυραννικὸν ἔτρεψεν, ἀνεμετρήσατό τε τὴν ἤπειρον καὶ τοῖς φόροις ἐβάρυνεν.

5. Ὥστε τύραννος ἦν ὁ Ῥωμύλος, πρῶτον μὲν τὸν ἀδελφὸν ἀνελὼν καὶ τὸν μείζονα, καὶ πράττων ἀλόγως τὰ προσπίπτοντα. ταύτῃ καὶ Κυρῖνος προσηγορεύθη, οἱονεὶ κύριος· κἂν εἰ Διογενιανῷ τῷ λεξογράφῳ ἄλλως δοκῇ· οὐδὲ γὰρ ἀγνοήσας ὁ Ῥωμύλος, ἢ οἱ κατ' αὐτόν, δείκνυται κατ' ἐκεῖνο καιροῦ τὴν Ἑλλάδα φωνήν, τὴν Αἰολίδα λέγω, ὥς φασιν ὅ τε Κάτων ἐν τῷ περὶ Ῥωμαϊκῆς ἀρχαιότητος, Βάρρων τε ὁ πολυμαθέστατος ἐν προοιμίοις τῶν πρὸς Πομπήϊον αὐτῷ γεγραμμένων, Εὐάνδρου καὶ τῶν ἄλλων Ἀρκάδων εἰς Ἰταλίαν ἐλθόντων ποτὲ καὶ τὴν Αἰολίδα τοῖς βαρβάροις ἐνσπειράντων φωνήν. ἡ γὰρ γραμματικοῖς παρὰ ταύτην εἰσαγομένη ἐτυμολογία, μετὰ συγγνώμης, βεβίασται. ἀπὸ

v. 19 Cato Orig. l. I frg. 19, H. Peter, Hist. Rom. rell. p. 57

v. 6 πρώτου Πτολεμαίου coni. *B* 9 συνκείμενον *O*, συγκείμενον O_2 12 φόρ. οις una littera erasa *O* 16 λεξογράφω *O*, λεξικογράφῳ coni. *B*, λεξιγράφῳ L. Dindorf 18 ἐκείνου *O*, ἐκεῖνο corr. O_2*F* 21 πομπήιον *O*, Πομπώνιον coni. L. H. Krahner de Varronis antiqu. p. 20, sed vide Fr. Ritschl, op. III 376. 470 22 ἀλκάδων *O*, corr. F

Κύρεως γάρ, πολίχνης Σαβίνων, οὕτως αὐτὸν παρονομασθῆναι βούλονται, καίπερ οὐχ ὁρμώμενον ἐκεῖθεν, ἐπὶ δὲ τοῦ Παλατίνου βουνοῦ τεχθέντα τε παρὰ ταῖς ὄχθαις τοῦ Τιβέριδος καὶ τραφέντα ἐκεῖ. κυρίους γὰρ ἑαυτοὺς καὶ δεσπότας, ἀλλ' οὐ βασιλέας, τύραννοι φιλοῦσι καλεῖσθαι.

6. Κρεῖττον δὲ βασιλείας τὸ Καίσαρος ἀξίωμα, ὅτι καὶ δοῦναι βασιλέας πάλαι τοῖς ἔθνεσιν ἐπ' ἐξουσίας εἶχε. μισητὸν γὰρ καὶ Ῥωμαϊκῆς ἐλευθερίας ἀλλότριον, δεσπότας, ἀλλὰ μὴ βασιλέας, τοὺς κρατοῦντας ὀνομάζειν· καθότι δεσπότης ὄνομα κοινόν ἐστιν αὐτοῖς καὶ τοῖς ἕνα δραπέτην κεκτημένοις, τὸ δὲ βασιλέων αὐτῶν καὶ μόνων. καὶ δῆλον ἄντικρυς, ὅτι Ῥωμαίοις ἔθος dominos τοὺς τυραννήσαντας ἀποκαλεῖν, ὡς δὴ Σύλλαν καὶ Μάριον, καὶ δομινατιῶνα τὴν τυραννίδα· ὡς καταρρίπτουσι τὴν βασιλέων μεγαλειότητα οἱ πονηροὶ κόλακες, ἐξ ἀμαθείας δούλων αὐτοὺς πρωτεύειν εἰσάγοντες. ὅτι δὲ ἀληθές, ἔξεστι καὶ ἐκ τούτων λαβεῖν. Αὔγουστός ποτε ἢ τάχα Τιβέριος ὁ μετ' αὐτὸν πρὸς ἑνὸς τῶν κολάκων δεσπότης ὀνομασθείς, ἐξαναστὰς ἀφῆκε τὸν σύλλογον, ἀπαξιώσας, ὡς ἔφη, δούλοις διαλέγεσθαι. ἀλλ' ἤδη πρότερον ὥσπερ ἐν τιμῇ τῆς ὕβρεως εἰσαχθείσης, ἀνέχεται ἡ τοῦ ἡμερωτάτου βασιλέως ἡμῶν ἐπιείκεια, καίπερ ὑπὲρ πάντας τοὺς πώποτε βεβασιλευκότας μετριάζοντος, καὶ δεσπότης, οἷον πατὴρ ἀγαθός, ὀνομάζεσθαι· οὐχ ὅτι χαίρει, ἀλλ' ἐρυθριᾷ μᾶλλον, τοὺς τιμᾶν οἰομένους δοκεῖν μὴ προσίεσθαι.

v. 8 επεξουσιας O, ἐπ' ἐξουσίας corr. F ep. p. 13 13 μόνον O, μόνων coni. F | domiNOS cod. 24 ἐπιεικια O, corr. O_2
27 προσειεσθαι O, προσίεσθαι corr. O_2

Περὶ τῶν ἐπισήμων τοῦ ῥηγός.

7. Καὶ πρὸ Ῥωμύλου ἐπίσημα τῆς Λατίνων βασιλείας ἦν θρόνος δρύφακτος καὶ στολὴ ἡ λεγομένη παρ' αὐτοῖς τραβαία· ποδαπὴ δέ τις ἦν, μικρὸν ὕστερον ἐρῶ. ὅθεν ὁ Ῥωμαίων ποιητὴς ἐν βιβλίῳ ἑβδόμῳ τῆς Αἰνηΐδος τὴν Λατίνου διαγράφων βασιλείαν θρόνου καὶ τραβαίας διαμέμνηται. τῷ γε μὴν Ῥωμύλῳ καὶ στέφανος ἦν καὶ σκῆπτρον ἀετὸν ἔχον ἐπ' ἄκρου καὶ φαινόλης λευκὸς ποδήρης, ἀπὸ τῶν ὤμων ἔμπροσθεν μέχρι ποδῶν πορφυροῖς ὑφάσμασιν ῥεραβδωμένος — ὄνομα δὲ τῷ φαινόλῃ τόγα, οἱονεὶ σκέπασμα, ἀπὸ τοῦ τέγερε κατ' ἀντίστοιχον· οὕτω γὰρ τὸ σκέπειν Ῥωμαῖοι καλοῦσι — καὶ ὑπόδημα φοινικοῦν· κόθορνος ὄνομα αὐτῷ κατὰ τὸν Κοκκήϊον. καὶ κοινὸν ἦν τουτὶ τὸ σχῆμα τῆς λεγομένης τόγας αὐτῷ τε τῷ λεγομένῳ ῥηγὶ τοῖς τε ὑπηκόοις ἐπ' εἰρήνης· ἡ μέντοι τραβαία μόνου τοῦ ῥηγὸς ἐτύγχανε παρατοῦρα, οἱονεὶ στολὴ ἐπίσημος. χιτὼν δὲ ἦν καὶ περιβόλαιον ἡμικύκλιον, ὃ πρῶτον Ἀγαθοκλέα τὸν Σικελίας τύραννον ἐξευρεῖν λόγος. τὸν δὲ θρόνον σόλιον ἐπιχωρίως ὠνόμαζον ἀντὶ τοῦ σέλλιον κατ' ἀντίστοιχον, ὥς φησιν ὁ Ῥωμαῖος Ἄσπρος· ἢ καὶ ἄλλως σόλιον ἀντὶ τοῦ σόλιδον ἐκάλουν, οἱονεὶ ὁλόκληρον. στέλεχος γὰρ ἁδρὸν εἰς κυτίδα καὶ καθέδρας τύπον ἐξορύττοντες ἀπετέλουν βῆμά τι ⟨τῇ⟩ βασιλείᾳ,

v. 5 Verg. Aen. VII 169. 188 14 Cass. Dion. l. I frg. 6, 1[a] (ed. Boissevain I p. 10)

v. 4 τραβαβαια *O*, corr. O_2 7 τραβεα *O*, τραβαίας O_2 10 ῥεραβδόμενος *O*, ῥεραβδώμενος O_2, ἐρραβδωμένος *F*, ῥεραβδωμένος corr. Boissonade Anecd. gr. III 133 11 τῶ φαινόλης O, corr. *F* 14 κοκκηον *O*, κοκκιον O_2, corr. B 24 βήματι βασιλέα *O*, βήματι βασιλεια manus quaedam recentior nullo alio

ἵνα ὥσπερ ἔν τινι θήκῃ κατησφάλισται τὸ σῶμα τοῦ βασιλέως, ἔκ τε νώτου ἔκ τε πλευρᾶς ἑκατέρας μηδεμιᾶς ἁρμογῆς ἢ προσθέτου ξύλου σφίγγοντος τὴν καθέδραν, ἅπαξ ὁλοτελῆ καὶ ὁλόκληρον τυγχάνουσαν. ταύτῃ σόλιον τὸν βασιλέως θρόνον ἐκάλουν.

8. Πρὸς τούτοις ἡγοῦντο τοῦ Ῥωμύλου πελέκεις δυοκαίδεκα πρὸς τὸν ἀριθμὸν τῶν γυπῶν, ὧν εἶδεν ἀρχόμενος θεμελιοῦν τὴν πόλιν. Πρίσκου δὲ Ταρκυνίου τοῦ ῥηγὸς ὕστερον Θούσκους καὶ Σαβίνους πολέμῳ νικήσαντος προσετέθησαν τοῖς τῆς βασιλείας γνωρίσμασι δόρατα ἐπιμήκη, ὡσαύτως τὸν ἀριθμὸν δυοκαίδεκα, ἀκροξιφίδας μὲν οὐκ ἔχοντα, ἠωρημένας δὲ λοφιάς· καλοῦσι δὲ αὐτὰς οἱ μὲν Ῥωμαῖοι ἰούβας, οἱ δὲ βάρβαροι τούφας, βραχύ τι παραφθαρείσης τῆς λέξεως· βήξιλλα πρὸς τούτοις οἱονεὶ δόρατα μακρὰ ἐξηρτημένων ὑφασμάτων — φλάμμουλα αὐτὰ ἀπὸ τοῦ φλογίνου χρώματος καλοῦσι —, περὶ ὧν ἐν τοῖς περὶ μηνῶν γραφεῖσιν ἡμῖν ἀποχρώντως ἀνήνεκται.

9. Τοιαῦτα μὲν τὰ ἐπίσημα τῆς τότε βασιλείας· περὶ δὲ τῆς ἐν ὅπλοις στρατιᾶς Πάτερνος ὁ Ῥωμαῖος ἐν πρώτῃ τακτικῶν αὐτοῖς ῥήμασι καθ' ἑρμηνείαν ταῦτά φησιν· 'ὁ Ῥωμύλος δεκουριῶνας τῶν ἱερῶν φροντιστὰς προεστήσατο, τοὺς αὐτοὺς καὶ κεν-

v. 18 de mens. p. 17, 16

loco obvia, quae ne ipsius Fussii sit vereor, qui *βῆμα τῇ βασιλείᾳ* coniecit; *βῆμα τι βασιλέως* coni. Th. Preger, *βῆμά τι* ⟨*τῇ*⟩ *βασιλείᾳ* scripsi

v. 6 *ἥγοντο O*, *ἡγοῦντο* corr. *F*; vide infra p. 33, 10 *πελέκεις ἡγούμενοι* 12 *εἰωριμένας O*, corr. O_2 18 *ανηνεκται O*, *ἀνενήνεκται* coni. *B* 19 post *βασιλείας* paragraphos distinguit *F* 20 *στρατείας O*, *στρατιᾶς* O_2 saepius 22 *δὲ κουρίωνας O*, *δεκουρίων O* marg., *δεκουριῶνας* scripsi 23 *κεντουρίωνας* et p. 15, 4 *κεντουρίωνα O*, *κεντυρίων O* marg., unde *κεντυρίωνας* et *κεντυρίωνα* O_2

τουριῶνας τῶν πεζικῶν ταγμάτων ὀνομάσας. τρισχιλίων γὰρ ὄντων πεζῶν ἀσπιδιωτῶν ἑκάστης ἑκατοντάδος ἡγεμόνα προὔθηκεν, ὃν Ἕλληνες μὲν ἑκατόνταρχον, Ῥωμαῖοι δὲ κεντουριῶνα καλοῦσιν· ὡς εἶναι τοὺς πάντας ἑκατοντάρχους λ' καὶ τοσούτους δὲ μανιπλοῦς οἱονεὶ σημειοφόρους. ἐκ δὲ τῆς στρατιᾶς τριακοσίους σκουτάτους' — ὡς Ῥωμαῖοί φασιν ἀντὶ τοῦ ἀσπιδιώτας — 'πρὸς φυλακὴν ἰδίαν ἀφώρισε·' — καὶ μικρὸν ὕστερον εἰρήσεται, τί μέν ἐστι κλιπεᾶτος, τί δὲ σκουτᾶτος στρατιώτης — 'προστέθεικε δὲ καὶ τριακοσίους ἱππότας ταῖς δυνάμεσι, Κελερίῳ τινὶ οὕτω καλουμένῳ τὴν φροντίδα τούτων παραδούς. ταύτῃ συνεκδοχικῶς ἅπας ὁ στρατὸς κελέριοι τότε προσηγορεύθησαν. ἐν τρισὶ δὲ ἑκατοντάσι συναγομένης τῆς ἱππικῆς δυνάμεως, τρισὶν ἐπωνύμοις αὐτὰς διέστειλε, Ῥαμνίτας καὶ Τιτίους ἰστῶν καὶ Λούκερας'. τὰς δὲ αἰτίας τουτωνὶ τῶν ὀνομάτων ἐν τοῖς περὶ μηνῶν, ὡς εἴρηται, τεθεῖσιν ἡμῖν ἀποδεδώκαμεν.

10. *Εἰπεῖν δὲ καιρός, τί διαφέρει σκοῦτον κλιπέου. σκοῦτον τοίνυν οἱ Ῥωμαῖοι καλοῦσι τὸ ἰσχυρὸν ἅμα καὶ ἰσχνόν, ὅπερ Ἕλληνες στιπτὸν ὀνομάζουσιν ἀντὶ τοῦ στιβαρόν, ὡς Ἀριστοφάνης ἐν Ἀχαρνεῦσι 'στιπτοὶ γέροντες, Μαραθωνομάχοι πρίνινοι'. ταύτῃ καὶ σκουτλᾶτα τὰ ἰσχνά τε καὶ στεγνὰ καὶ κοῦφα τῶν ἐσθημάτων καλοῦσιν οἱ Ῥωμαῖοι. τοιαύτη δὲ ἡ τῆς ἀσπίδος*

v. 17 de mens. p. 17, 4 22 Aristoph. Acharn. 180 sq.

v. 7 *σκορτάτους O*, corr. *F* 12 *συνεκδοχικῶς*: *χι* in correctura *O* 17 *τεθεῖσιν O*, *συντεθεῖσιν* coni. Gu. Kroll, *Berl. philol. Wochenschr.* 1899 p. 613 22. 23 *στιπτοὶ γέροντες πρίνινοι ἀτεράμονες Μαραθωνομάχαι* Aristoph. 24 *ἰσχὰ O*, corr. O_2 | *στυγνά O*, *στεγνὰ* corr. B

κατασκευή· ἀβαρὴς μὲν γάρ ἐστιν, ὡς ἰσχνή, καρτερωτάτη δὲ καὶ ταῖς πληγαῖς οὐκ εὐχερῶς ἐνδιδοῦσα. κλίπεον δὲ Ῥωμαῖοι τὸν θυρεὸν καλοῦσιν ἀπὸ τοῦ κλέπτειν καὶ καλύπτειν τὸν ἐπιφερόμενον αὐτόν. Ἑλλήνων γὰρ ἴδιον καὶ μόνων ἀσπίσι τροχωτάταις ἐν πολέμῳ χρῆσθαι, βαρβάρων δὲ θυρεοῖς· πρὸς γὰρ τὸ κατεπεῖγον τῆς μάχης τὰς θύρας ἀνασπῶντες ὡς σκεπάσμασιν αὐταῖς εἰώθασι χρῆσθαι.

11. Ἔστι δὲ καὶ ἕτερον εἶδος ἀσπίδος βραχυτέρας, ἃς πεζομαχεῖν οἱ ὑπὲρ Ἴστρον οὐκ ἰσχύοντες ἐπὶ τῶν ἵππων κομίζουσι· πάρμαν αὐτὴν Ἰταλοὶ καλοῦσιν, ὡσεὶ πέλτας οἱ Σκύθαι. ἀγκίλιον πρὸς τούτοις τοῖς ἀρχαίοις γέγονεν — οὐδὲ γὰρ νῦν — εἶδος ἀσπιδισκαρίου, ἐξ οὗ καὶ ἀγκίλας τὰς δορικτήτους γυναῖκας ὠνόμασαν. τὴν γὰρ ἀρέσκουσαν αὐτῷ τυχὸν γυναῖκα ὁ στρατιώτης ἔσκεπε τῷ ἀγκιλίῳ ἐπὶ τῆς ἐφόδου, ὡς μὴ βλάπτοιτο πρός τινος, οἷα φυλαττομένη τῷ σώσαντι. ταύτῃ καὶ σέρβους τοὺς δούλους ἀπὸ τοῦ φυλαχθῆναι ἐκ τοῦ πολέμου Ἰταλοὶ καλοῦσι· τοὺς δὲ μὴ δορικτήτους, ἀλλ' ἐλευθέρους μὲν τὴν τύχην, δι' ἔνδειαν δὲ δουλεύοντας φαμούλους, ὅτι φάμις ὁ λιμὸς προσαγορεύεται· ἀγκίλια δὲ ἐξ Ἑλληνικῆς, ⟨κυρίως δὲ⟩ Αἰολικῆς σημασίας εἴρηται ὡσανεὶ ἀμφίλεια· τὰ γὰρ πελτάρια τῶν Ἀμαζόνων τοιαῦτα.

12. Στολὴ δὲ τότε παντὶ τῷ Ῥωμαϊκῷ στρατεύματι μία· περικεφαλαία χαλκῆ καὶ θώραξ κρικωτὸς καὶ ξίφος

v. 2 καὶ πέον *O*, κλίπεον corr. *F* 5 τροχωτάταις *O*, βραχυτάταις coni. *F* ep. p. 15 *B*, τροχωταῖς L. Dindorf 6 θυραίοις *O*, corr. *F* 16 σώσαντι ταύτην· καὶ *O*, quod correxi 21 προβατορεύεται *O*, corr. *F* 22 κυρίως δὲ addidi | σημασίας bis scriptum est in *O* 23 αμφιλια *O*; ἀμφὶ λεῖα, *forte scribendum* ἀμφίλεια *F*

πλατύ, κολοβόν, ἠωρημένον ἐπὶ τοῦ εὐωνύμου μηροῦ, καὶ ἀκόντια ἐπὶ τῆς δεξιᾶς δύο, γλωχῖνας πλατεῖς ἔχοντα, περικνημίδες τε ὑφανταὶ μέλαιναι καὶ ὑποδήματα τοῖς ποσίν, ἅπερ Ἕλληνες μὲν ἀρβύλας, Ῥωμαῖοι δὲ γάρβουλα καὶ κρηπῖδας ὀνομάζουσιν· οὐχ ἁπλῶς πως οὐδὲ ἀλόγως· ἐν γὰρ ταῖς εἰκόσι Τερέντιος ὁ ἐπίκλην Βάρρων — τὸ δὲ Βάρρωνος ἐπώνυμον τὸν ἀνδρεῖον κατὰ τὴν Κελτῶν φωνήν, κατὰ δὲ Φοίνικας τὸν Ἰουδαῖον σημαίνει, ὡς Ἑρέννιός φησιν — Αἰνείαν οὕτως ἐσταλμένον εἰς Ἰταλίαν ἐλθεῖν ποτε ἀνεγράψατο, ἰδὼν αὐτοῦ τὴν εἰκόνα, ὡς εἶπεν, ἐκ λίθου λευκοῦ ἐξεσμένην ἐπὶ κρήνης ἐν τῇ Ἄλβῃ. καὶ πανάληθές μᾶλλόν ἐστι· καὶ γὰρ ὁ Ῥωμαίων ποιητὴς ἐν τῷ πρώτῳ τῆς Αἰνηΐδος οὕτως ἐσταλμένον αὐτὸν καὶ πλανώμενον σὺν Ἀχάτῃ ἐν τῇ Λιβύῃ εἰσήγαγε. σάρακας δὲ ἐπ' εἰρήνης θηρείους ἐξ ὤμων ἄνωθεν ἕως κνημῶν ἐξηρτημένας περιετίθεντο, κοσμοῦντες αὐτῶν τοὺς λεγομένους ποδεῶνας, καὶ γλόβας αὐτοὺς ὀνομάζοντες οἱονεὶ δοράς, ὅτι γλοβᾶρε τὸ ἐκδεῖραι Ῥωμαίοις ἔθος καλεῖν. καὶ οὐ τοῖς στρατιώταις οὕτως ἐστάλθαι μόνοις ὁπλοφοροῦσι νόμος, ἀλλὰ καὶ αὐτοκράτορσι. τῶν δὲ νῦν στρατιωτῶν βαρβάρους ζηλωσάντων, ἐκείνων δὲ αὐτούς, παρὰ μόνοις τοῖς τοῦ παλατίου φύλαξι — λέγονται δὲ παρὰ Ῥωμαίοις ἐκσκουβίτορες οἱονεὶ φύλακες ἄγρυπνοι,

v. 14 cf. Verg. Aen. I 312

v. 1 *ἑωρημένον* *O*, corr. O_2 2 *γλοχιναι πλατυς* *O*, corr. O_2 5 *γάρβουλα* *O*, *γαρβατινας* aut *γαλλικας* coni. *F* ep. p. 15 9 *ερέννιοι* *O*, corr. *F* 12 *ἐξεσμένης* *O*, corr. *F* | *κρίνης* *O*, corr. *F* 15 *σάρακας* *O*, *σάρρακας* coni. *F* 16 *θυριοὺς* *O*, *θυρεοὺς* O_2, *θηρείους* coni. *B*, *βυρσίνους* *F* ep. p. 15, *Τυρίους* Th. Preger 18 *πεδεῶνας* *O*, corr. *F* 20 *στάλθαι* *O*, corr. *F* 23 *τοῦ πα|παλατίου* *O* 24 *σκουβήτορες* *O*, corr. *F*

οὓς πρῶτος μετὰ Ῥωμύλον Τιβέριος Καῖσαρ ἐξεῦρε — τὸ τοιοῦτο παραπέμεινε σχῆμα ἀπὸ Ῥωμύλου, ὡς ἔφην, ἐξ Αἰνείου τὴν ἀρχὴν ἔχον. οὐδὲ γὰρ ἐξῆν Ῥωμαίοις βαρβαρικὴν στολὴν περιθέσθαι· καὶ τοῦτο Τράγκυλος ἐν τοῖς περὶ Αὐγούστου διαμέμνηται. ἰδόντα γάρ φησι τὸν Αὔγουστον ἐν τῷ ἱπποδρομίῳ τινὰς τῶν Ῥωμαίων ἐπὶ τὸ βαρβαρικὸν ἐσταλμένους ἀγανακτῆσαι, ὡς ἐν ἀκαρεῖ τοὺς καταγνωσθέντας ἀποβαλόντας τὸ βάρβαρον μόγις ἐπιγνωσθῆναι τῷ Καίσαρι. τοιαύτη μὲν οὖν ἡ Ῥωμύλου στρατιά.

13. Καὶ τὰς λεγομένας δὲ ἀττηνσίωνας πρὸς θεραπείαν τῶν ῥηγῶν ἐπινοηθῆναι στοχάζομαι, πρὸς βαστανὴν καὶ φορὰν τῶν ἀναγκαίων, ὥσπερ νοκτούρνους πρὸς ἔπιπλα καὶ τὰ ἄλλα, ὅσα πρὸς κοῖτόν ἐστι χρήσιμα. Κικέρων γὰρ ὁ πολὺς ἐν τοῖς κατὰ Βέρρου μέμνηται τουτουῒ τοῦ ὀνόματος, ἀττήνσους τοὺς οἰκιακοὺς ὑπηρέτας τῶν ῥηγῶν ὀνομάζων ἀπὸ τοῦ προσανέχειν καὶ πειθαρχεῖν· ἀττένδερε γὰρ οἱ Ῥωμαῖοι τὸ φιλονεικεῖν λέγουσιν.

Πρώτη προαγωγὴ ὁ ἵππαρχος.

14. Ὡς οὖν εἴρηταί μοι, τὴν μὲν πεζομάχον δύναμιν τοῖς ἑκατοντάρχοις, τὴν δὲ ἱππικὴν Κελερίῳ τῷ πρὶν τῆς ὅλης ἡγησαμένῳ στρατιᾶς παραδέδωκε, πάσης αὐτὸν δυνάμεως καὶ τύχης καὶ διοικήσεως κρατεῖν ἐγκελευσάμενος, ὡς ἕτερον οὐθέν, ἢ μόνον τὸν στέ-

v. 5 Suet. Aug. 40 (cf. p. 287 ed. Roth) 15 Cic. in Verr. act. sec. I 71 II 69, 74 III 154, 157 (*accensus*) II 133 (*accessio*)

v. 7 *ἀγανακτῆσε O*, *ἠγανάκτησεν O₂*, *ἀγανακτῆσαι F* 16 *τουτὶ O*, corr. *F* | *αττηνσους O*, *ἀκκήνσους* coni. *F* ep. p. 16 17 *ὠνόμαζον O*, corr. Th. Preger 20 ΠΡΟΤΑΓΩΓΗ cod., corr. *F* 22 *κελεριος O*, corr. *F* 24 *αὐτῶν* O, corr. F

φανον, τὴν βασιλείαν παρὰ τῶν ἱππάρχων κατασχεῖν, ἐξουσίαν ἀδέσποτον ἑαυτῇ. ταύτην τὴν ἀρχὴν οἵ τε ῥῆγες οἵ τε δικτάτορες ἔσχον ἅπαντες καὶ τὸ λοιπὸν οἱ Καίσαρες, ἔπαρχον τὸν ἵππαρχον μετονομάσαντες· καὶ μάρτυς Αὐρήλιος ὁ νομικός, ῥήμασιν αὐτοῖς πρὸς ἑρμηνείαν οὕτως εἰπών· ‘διὰ βραχέων εἰπεῖν χρειῶδές ἐστι, πόθεν τὴν ἀρχὴν ⟨ὁ⟩ τῶν πραιτωρίων ὕπαρχος ἔσχεν. ἀπὸ τοῦ ἱππάρχου καὶ μᾶλλον· εἰς τόπον γὰρ ἐκείνου τὸν ἔπαρχον προχειρισθῆναι πᾶσιν τοῖς ἀρχαίοις ⟨παραδέδοται, ἐπεὶ τοῖς δικτάτορσι παρὰ τοῖς ἀρχαίοις⟩ ἔστιν οἷς ἡ πᾶσα πρὸς καιρὸν ἐξουσία τῶν πραγμάτων ἐπιστεύετο. ἐπελέγοντο γὰρ ἑαυτοῖς ἡγεμόνα τῶν ἱππέων ἕκαστος, κοινωνὸν ὥσπερ τῆς ἀρχῆς καὶ διοικήσεως τῶν πραγμάτων. τοῦ δὲ κράτους ὕστερον ἐπὶ τοὺς αὐτοκράτορας μετενεχθέντος πρὸς ὁμοίωσιν τοῦ ἱππάρχου ⟨ὁ⟩ τῶν πραιτωρίων προῆλθεν ἔπαρχος. καὶ δέδοται αὐτῷ μείζων ἢ κατ’ ἐκεῖνον ἰσχὺς τῆς τε διοικήσεως τῶν πραγμάτων τῆς τε καταστάσεως καὶ ἀσκήσεως τῶν στρατευμάτων καὶ ἐπανορθώσεως ἁπάσης, καὶ εἰς τοσοῦτον ὑπεροχῆς προελθεῖν, ὡς μηδενὶ ἐξεῖναι πρὸς ἔφεσιν ὁρμᾶν ἢ ὅλως ἐγκαλεῖσθαι τὴν αὐτοῦ κρίσιν.’

15. Καὶ τόδε μὲν ὁ νομογράφος· ὅτι δέ, κἂν εἰ

v. 5 Dig. I tit. XI

v. 2 ἐξουσίας coni. *F* 3 δικτορες *O*, corr. *F* 5 αὐρήλλιος *O*, mutavit *B* 6 βραχέων *O* in corr., videtur fuisse ταχέων 7 ὁ add. *B* 8 ante μᾶλλον habet ἡ *O*, ἢ O_2, ἢ delevit *F*, καὶ scripsi 9 πᾶσιν τοῖς *O*, qui post ἐστὶν (v. 11) distinxit; φασιν. Τοῖς *F*, qui in epistula p. 17 locum sanum esse monuit. sed apparet nonnulla intercidisse, quae supplevi e Digestorum verbis: *a quibusdam traditum est. nam cum apud veteres dictatoribus ad tempus summa potestas crederetur* eqs. 13 ἕκαστον *O*, corr. *F* 16 ὁ add. *B* 17 δὲ διοικήσεως *O*, corr. *F* 21 ἄφεσιν *O*, corr. *F* | ἐκκαλεῖσθαι O, corr. F 22 ab ὅτι paragraphum orditur F | τότε O, corr. F

τυχὸν πρεσβυτέρα καὶ μείζων τῶν ἀρχῶν ἁπασῶν ἐπαρχότης τῶν πραιτωρίων εἶναι δέδοται, καὶ χρειῶδες ἦν ἅμα καὶ ἁρμόδιον δι' ὅλης αὐτῆς τῆς τάξεως καὶ δυνάμεως ἐξαγαγεῖν τὸν λόγον· ἀλλ' οὖν ἐπειδὴ μὴ ἀπ' ἀρχῆς, ἀπὸ δὲ τοῦ Αὐγούστου ἀντὶ τοῦ ἱππάρχου, ὡς ἔφην, προεχειρίσθη, ἀρκέσει τέως περὶ τῆς ἀρχαιότητος εἰπεῖν, καὶ ὅθεν ἡ ἐπαρχότης ἔχει τὰ σπάργανα· εἶτα μετὰ τὴν ἀφήγησιν τῶν παλαιοτέρων ἀρχῶν ἐν προοιμίοις τῆς Αὐγούστου βασιλείας, ἐξ ἧς, ὡς ἔφην, καὶ τὰ προοίμια ἔσχεν ἡ ἀρχή, ἐφεξῆς ἅπαντα, ὅσων τε κατὰ σμικρὸν ἀφῃρέθη, εἶτα δὲ καὶ περὶ τῆς ὑπ' αὐτὴν τελούσης μεγίστης ὡς ἀληθῶς τάξεως, ἐν ᾗ κἀμὲ τελέσαι συμβέβηκε, λεπτομερῶς ἀφηγήσομαι — καὶ γὰρ ἐπίσταμαι οὐκ ἀκοῇ, ἀλλ' αὐτοῖς ἔργοις ὑπουργήσας τοῖς πράγμασιν — εὐχαριστήριον ὥσπερ ἀνάθημα προσφιλὲς τοῖς ἐφόροις τῆς ἀρχῆς ἀναφέρων, διαθρέψασιν ἅμα κοσμίως ἡμᾶς καὶ μετὰ θεὸν τὸν πάντων κύριον γέρα τε τῶν πόνων καὶ πέρας ἐσθλὸν καὶ τύχην κρείττονα παρεσχηκόσιν.

Δευτέρα προαγωγὴ οἱ πατρίκιοι.

16. Δῆλον ἄντικρυς, ἑκατὸν τὸν ἀριθμὸν γέροντας ἐκ πασῶν τῶν κουριῶν — ἀντὶ τοῦ φυλῶν — ἐπιλέξασθαι τὸν Ῥωμύλον πρὸς διάσκεψιν τῶν κοινῶν, οὓς αὐτὸς μὲν πατέρας, Ἰταλοὶ δὲ πατρικίους ἐκάλεσαν, ἀντὶ τοῦ εὐπατρίδας. μετὰ δὲ τὴν ἁρπαγὴν τῶν Σα-

v. 1 μείζω *O*, μείζων corr. *F* ep. p. 17 *B*   2 δέδοται *O*, δέδοκται coni. *F* ep. p. 17   11 οσον *O*, corr. *B*   14 οὐ κακὸν *O*, corr. *F* ep. p. 17   16 διατρέψασιν *O*, corr. *F* ep. p. 17 *B*   21 ῆλον *O*, littera δ in marg. praescripta, quae minio pingeretur   22 φίλον *O*, φυλῶν corr. *F*

βίνων conscriptos αὐτοὺς ἐπονομάσας — οἱονεὶ συγγεγραμμένους· ὅθεν patres conscripti οἱ Ῥωμαίων ἄρχοντες ἔτι καὶ νῦν χρηματίζουσι — καὶ ἑτέρας δὲ τριάκοντα κουρίας καὶ τοσούτους ἑκατοντάρχους καὶ τριακοσίους ἑτέρους ἱππότας ἐκ τοῦ Σαβίνων ἔθνους τῷ Ῥωμαϊκῷ συνηρίθμησε στρατῷ· ὡς εἶναι πάντας ἑξακισχιλίους μὲν πεζομάχους, ἑξακοσίους δὲ ἱππότας. καὶ τοῦτον τὸν ἀριθμὸν ὁ Μάριος ὕστερον διεφύλαξε, τὰς λεγομένας λεγιῶνας — οἱονεὶ λογάδας — διατυπῶν· καὶ Λέων δὲ ὁ βασιλεὺς πρῶτος τοὺς λεγομένους ἐκσκουβίτορας τῶν παρεξόδων τοῦ παλατίου φύλακας προστησάμενος τριακοσίους μόνους ἐστράτευσε κατὰ τὴν ἀρχαιότητα.

17. Ἐπίσημα δὲ τοῖς πατράσιν — ἤτοι πατρικίοις — ἦν δίπλακες μὲν ἤτοι χλαμύδες, ἄχρι κνημῶν ἐξ ὤμων διήκουσαι, περόναις χρυσαῖς ἀνεσταλμέναι, τὸ χρῶμα ξηραμπέλινοι, πορφύρᾳ κατὰ μέσου διάσημοι — λατικλαβίας αὐτὰς ὠνόμαζον· τὰς δὲ χλαμύδας ἀτραβαττικὰς ἐκ τοῦ χρώματος, ὅτι τὸ φαιὸν κατ' αὐτοὺς ἄτρον προσαγορεύεται — καὶ παραγαῦδαι, χιτῶνες λογχωτοί, ἀκροπόρφυροι, λευκοὶ διόλου, περιχερίδας ἔχοντες· μάνικας αὐτὰς ἐκεῖνοι λέγουσι. τοὺς δὲ τοιούτους χιτῶνας παραγαύδας τὸ πλῆθος οἶδεν ὀνομάζειν· ἀρχαῖος ὅμως χιτὼν ὁ παραγαύδης, Πέρσαις καὶ Σαυρομάταις ἐπίσημος, ὡς Διογενιανῷ τῷ λεξογράφῳ εἴρηται· περι-

v. 1 SCPTOC cod. | ἐπονομάσας (scil. ὁ Ῥωμύλος) O, ἐπωνόμασαν coni. F 2 PATΠEC CONSCΠIPTI cod. 3 ἑτέρους O, corr. F 9 λεγιονας O, λεγεῶνας O_2 F, λεγιῶνας scripsi 16 ἀνεσταλμέναις O, corr. F 18 de atrabaticis eadem verba Suidas facit s. v. 20 παραγώδαι, ώ in corr. O, παραγαῦδαι scripsi, cf. p. 4, 9 et infra v. 23 22 αὐτὰ O, ς postea additum est 25 λεξογράφω O, λεξικογράφῳ coni. B, λεξιγράφῳ L. Dindorf

σκελίδες τε λευκαί, ὅλον τὸ σκέλος σὺν τοῖς ποσὶ σκέπουσαι, καὶ ὑπόδημα μέλαν, ὑποσάνδαλον, δι' ὅλου γυμνόν, βραχεῖ τινι ἀναστήματι τὴν πτέρνην, ἐπ' ἄκρου δὲ τοὺς δακτύλους [τοῦ ποδὸς συσ]φίγγον, ἱμάντων ἑκατέρωθεν ἐπὶ τοὺς ἀστ[ραγάλους] ὑπὸ τὸ ψαλίδωμα τοῦ ποδὸς διελκομένων, ἐπὶ τὸ στῆθος ἀ[νθυπαντ]ώντων ἀλλήλοις καὶ διαδεσμούντων τὸν πόδα ὥ[στε] βραχὺ λίαν ἔκ τε δακτύλων ἔμπροσθεν καὶ ἐξόπισθεν διαφαίνεσθαι τὸ ὑπόδημα, ὅλον δὲ τὸν πόδα τῇ περισκελίδι διαλάμπειν. κάμπαγον αὐτὸ καλοῦσιν ἐκ τῆς ἐπὶ τὸν κάμπον, οἱονεὶ τὸ πεδίον, χρεί[ας ἔτι] καὶ νῦν. ἐπὶ γὰρ τοῦ πεδίου γενόμενοι τὰς προαγωγὰς τῶν ἀρχόντων Ῥωμαῖοι ἐπετέλουν, ἐφ' οὗ τοῖς τοιούτοις ἐστέλλοντο ὑποδήμασι. τουτονὶ τὸν κάμπαγον Θούσκων γενέσθαι τὸ πρὶν ὁ *Λέπιδος* ἐν τῷ περὶ ἱερέων φησί.

18. *Πρόοδος* δὲ τοῖς πατρικίοις ἐκ ποδὸς μὲν οὐδέποτε, ἀλλ' οὐδὲ ἱππική — κοινὴ γὰρ ἐδόκει —, ὀχήμασι δὲ ἐπισήμοις, ἐφ' ὑψηλοῦ τῆς καθέδρας ἀναστρωννυμένης, τεσσάρων ἡμιόνων ἑλκόντων τὸ ὄχημα ἐκ χαλκοῦ Κορινθίου, εἰς πλῆθος σχημάτων καὶ τύπων ἀρχαιοφανῶν διαγεγλυμμένων. οὐδὲ γὰρ ἵππους ἐξῆν ὑποζεῦξαι τῷ ὀχήματι, εἰ μή γε μόνοις τοῖς βασιλεῦσι· θριαμβικὴ γὰρ ἡ μετὰ τῶν ἵππων ἐν ὀχήματι πρόοδος. βουριχάλλια δὲ τὰς ἁμάξας ἐκ τῶν βοῶν ἐκάλουν· ὧν ἄνευ, ἐπεὶ μὴ φορτίον ἐπέκειτο, ἡμιόνοις ἐπίστευον τὸν ζυγόν.

v. 4 συσφίγγων *O*, corr. *F* ep. p. 18 5 ψάμα *O*, ἅμμα coni. *F* ep. p. 18 secutus Hasium, πέλμα *B*, ψαλίδωμα scripsi 8 ἐμπρὸς *O*, corr. *F* 18 ἀναστρωννυμένοις *O*, quod correxi 21 διαγεγλυμμένον coni. *B*

Τίνος χάριν τὰς προγραφὰς τῶν ἀξιωμάτων οἱ Ῥωμαῖοι τίτλους καλοῦσιν.

19. Τίτος Τάτιος, Σαβίνων ἡγούμενος, ὡς ἔφθην εἰπών, συναφθεὶς τοῖς Ῥωμαίοις οὕτως ἥνωσεν ἄμφω τὰ ἔθνη, ὡς μηκέτι δύο, μίαν δὲ καὶ μόνην ἀναφέρεσθαι τὴν Ῥωμαίων πολιτείαν. ὅτι δὲ Τίτος Τάτιος τὴν προσηγορίαν ἐκεῖνος εἶχεν, ὑποκοριστικῶς τίτουλον ἀπὸ τοῦ πρώτου Τίτου τὴν προγραφὴν τῆς εὐγενείας ἐκάλεσαν, καὶ Τίτους τοὺς ἐκ προγόνων εὐγενεῖς, ὥς φησι Πέρσιος ὁ Ῥωμαῖος.

20. Τοιαῦτα μέν τινα περὶ τῶν ἀξιωμάτων· πάσης δὲ τιμῆς πρώτην ἐλογίζοντο οἱ τῆς Ῥώμης εὐπατρίδαι τὴν ἀπὸ τῶν χαρισμάτων εὐφημίαν, καὶ ὅσῳ πλείους εἶχον τοὺς οἰκειουμένους αὐτοῖς, τοσούτῳ μείζονα τὴν εὐδοξίαν παρὰ τοὺς ἐλάττονας ⟨ἔχοντας⟩ ἐλογίζοντο. καὶ μάρτυς ὁ Ῥωμαῖος Ἰουβενάλιος εἰπών, καὶ ὑπατειῶν καὶ θριάμβων καὶ τῶν ἐν πολέμοις ἀνδραγαθημάτων πρώτην γενέσθαι τοῖς ἀρχαίοις τὴν ἀπὸ τῶν χαρισμάτων εὔκλειαν. τοὺς δὲ οἰκειουμένους αὐτοῖς κλιέντης ἀντὶ τοῦ κολιέντης κατ' ἀντίστοιχον πατρίως ἐκάλουν — οἱονεὶ τιμῶντας καὶ ἀγαπῶντας αὐτούς — σὺν πάσῃ τιμῇ καὶ μετριότητι τὰς δωρεὰς χαριζόμενοι, ὥστε φιλοτιμίας τὰς τῶν φίλων τιμὰς ὀνομάζειν. οὐδεὶς δὲ τυχὼν οἰκειώσεως εὐπατρίδου ἔχρῃζεν ἑτέρου τὸ λοιπὸν πρός τὴν τοῦ ὅλου βίου παραμυθίαν, αἶσχος

v. 10 Pers. sat. I 20 16 Iuv. sat. V 110

v. 5 *αναφερεσθαι O*, *ἀναφαίνεσθαι* coni. *B* 11 paragraphi notam post *ἀξιωμάτων* posuit *F* 15 *ἔχοντας* add. F 16 *ὑπατιῶν O*, quod correxi 24 *τυχὸν* O, corr. F \ *ἔχρησεν* *O*, *corr*. *B*

οἰομένων αὐτῶν καὶ τῆς οἰκείας τύχης ἀπόστασιν, εἴ πού τις τῶν φίλων αὐτοῖς εἰς ἑτέρου κατέστη χρείαν. καὶ τουτουῒ ἴχνος ἀμαυρὸν ἕως ἄρτι παρὰ Ῥωμαίοις ἐφυλάττετο. περὶ γὰρ τὴν Ὀστίαν — πόλις δέ ἐστιν ἐπὶ τῶν ἐκβολῶν τοῦ Θύβριδος κειμένη — ἀπέστελλον οἱ τῆς Ῥώμης λογάδες τοὺς οἰκειοτάτους, καθάπερ τι θήραμα καλὸν τοὺς ἀναγομένους ξένους λαμβάνοντας πρὸ τῶν ἄλλων ἄγειν ὡς αὐτούς, πρὸς πάσης ἀφθονίας ἐπίδοσιν ἀνεῳχθεισῶν ἅπασι τῶν αὐλείων θυρῶν τῆς οἰκίας τοῦ μείζονος, μηδενὸς φύλακος ἢ θυρωροῦ διακωλύοντος τοῖς δεομένοις τὴν εἴσοδον, αὐτῶν τῶν εὐπατριδῶν σὺν γαμεταῖς καὶ τέκνοις προφαινομένων τοῖς ξένοις, καὶ θαρρεῖν ἀξιούντων τοὺς οὐδέποτε ὀφθέντας αὐτοῖς· διῆλθε δὲ ὅμως καὶ ἐπὶ τὴν καθ' ἡμᾶς Ῥώμην ἡ τοιαύτη φιλανθρωπία, καὶ τὸ λοιπὸν οὐκ ἔστη, τῶν ἐν ἡμῖν ἐνδόξων ἄχρις ἑαυτῶν τὴν ὑπεροχὴν τῆς τύχης ἐνδεικνυμένων.

Πόθεν διώνυμοι καὶ τριώνυμοι καὶ ἔτι Ῥωμαῖοι.

21. Καὶ πρὸ Ῥωμύλου δὲ ἄν τις εὕροι Σιλβίους τοὺς βασιλέας τῆς χώρας ἐπονομαζομένους ἀπὸ Σιλβίου Αἰνείου, τοῦ ἀπὸ Αἰνείου τοῦ πρώτου. ἐν γὰρ ταῖς ὕλαις τὰς οἰκήσεις ἔχοντες οἱ πρὶν καὶ τὸν νομαδικὸν τιμῶντες βίον Σιλβίους σφας σεμνυνόμενοι προσηγόρευον, μηδὲ αὐτῶν βασιλέων ἀπαξιούντων νέμειν ἀγέλας καὶ χρήματα συλλέγειν ⟨ἀπ'⟩ αὐτῶν· ὅθεν καὶ πεκουνίαν κατ' αὐτοὺς τὰ χρήματα καλοῦσι. ταύτῃ καὶ κύνας παρέπεσθαι Εὐάνδρῳ ποτὲ τῷ Τεγεάτῃ

v. 7 καταγομένους coni. *F* 16 ἔστην *O*, ἐστὶ O_2, ἔστη *F*
25 ἀπ' add. *B* 26 πεκουνίαι *O*, πεκούλια O_2, πεκουνίαν *B*

ἡ παλαιότης οἶδε. καὶ οὐ μόνον ἀνδράσι τὸ Σιλβίων ἐπώνυμον, ἀλλὰ καὶ γυναιξὶν ἐπετίθετο, ὡς Ῥέᾳ Σιλβίᾳ καὶ Ἰλίᾳ Σιλβίᾳ. μετὰ δὲ τὴν τῆς Ῥώμης γένεσιν καὶ τὴν ἁρπαγὴν τῶν Σαβίνων πρῶτος ὁ βασιλεὺς Νουμᾶς διώνυμος ἐχρημάτισε, Πομπίλιος Νουμᾶς προσαγορευόμενος· ὧν τὸ μὲν Ῥωμαίων, τὸ δὲ Σαβίνων ἐπώνυμον ἦν. οὐδὲ γὰρ πρὸ αὐτοῦ εὕροι τις Ῥωμύλον ἤ τινα ὅλως πρὸ τῆς Σαβίνων πρὸς Ῥωμαίους συναφείας παρὰ τὴν οὖσαν αὐτῷ κυρίαν προσηγορίαν ⟨ἑτέραν⟩ κτησάμενον·

22. Καὶ τότε μὲν σπουδὴ καὶ κόσμος ἦν ἐκείνοις, τῇ ἐξ ἑκατέρας γενεᾶς σεμνύνεσθαι προσηγορίᾳ· προϊὼν δὲ ὁ χρόνος ἐπωνυμίας εἰσήγαγε καινάς, νῦν μὲν ἀπὸ Τρωϊκῆς εὐγενείας, νῦν δὲ ἀπὸ τῶν λεγομένων Ἀβοριγίνων καὶ αὐτοχθόνων τῆς χώρας — καὶ γὰρ ἴσμεν Κέθηγον ἐξ ἐκείνων τῶν γηγενῶν ἕλκειν τὸ γένος ἀξιοῦντα, γυμνὸν ἐσθῆτος, μόνης αὐτῷ τόγης τραχείας περὶ τοῖς στέρνοις κειμένης, ἐπ' ἀγορᾶς γενόμενον, καίτοι βουλευτικοῖς ὠγκωμένον γνωρίσμασιν —, εἶτα δὲ καὶ ἀπὸ τρόπου ἢ διαθέσεως, ὡς Πούπλιος Βαλέριος Πουπλικόλας, ὧν αἱ μὲν δύο ἐπωνυμίαι τὴν ἐκ Ῥωμαίων, ὡς ἔφην, καὶ Σαβίνων παρεδήλουν λαμπρότητα, ἡ δὲ τρίτη τὴν ἐκ τῆς περὶ τὸν δῆμον στοργῆς ἐδείκνυ διάθεσιν. καὶ τάχα χρειῶδες ἀντὶ πολλῶν, μετρίων ἐπιμνησθῆναι τοιουτωδῶν περιττωμάτων· οὐδὲ γὰρ σχολὴν ἄγω περὶ ταύτην ἀπραγῆσαι τὴν ζήτησιν,

v. 1 ἡ παλαιότης: Verg. Aen. VIII 462

v. 10 ἑτέραν addidi 13 κενὰς *O*, corr. *F* 16 καὶ θηγῶν *O*, corr. *F* 17 τὸ γῆς *O*, corr. F | βραχείας coni. Gu. *Kroll* 18 γινόμενον *O*, corr. F 23 τρίτη τῶν O, corr. O_2

ἱκανὴν οὖσαν καθ' ἑαυτὴν καὶ μόνην μεγίστας ἀπασχολῆσαι βίβλους.

23. Πρόκουλον τοιγαροῦν τὸν ἀποδημοῦντι τεχθέντα τῷ πατρὶ καὶ Πόστουμον τελευτήσαντι καὶ Βώπισκον τὸν δίδυμον μὲν συλληφθέντα, τοῦ δὲ ἑτέρου φθαρέντος σωζόμενον, καὶ Καίσαρα τὸν ἀνατμηθείσης τῆς μητρῴας γαστρὸς θανούσης ἀποσωθέντα ἐκάλουν καὶ Φλάκκον τὸν ὦτα μείζονα ἔχοντα καὶ Ναίβιον τὸν ἀλφώδη καὶ Λούκιον Λικίνιον Κράσσον· ὧν τὸ μὲν πρῶτον ⟨τὸν⟩ ἀνίσχοντος ἡλίου τεχθέντα, τὸ δὲ δεύτερον τὸν ἀκρόουλον τὴν κόμην, τὸ δὲ τρίτον τὸν κρεώδη καὶ εὐσώματον διασημαίνει. Κράσσος γὰρ ὁ παχὺς τὸ σῶμα κατὰ φύσιν παρ' Ἰταλοῖς τοῖς ἀρχαιοτέροις εἴρηται, Πεινάριος δὲ ὁ πεινῶν καὶ Στάτιος ὁ εὐῆλιξ καὶ Φαῦστος ⟨ὁ εὐδαίμων⟩ καὶ Φλάβιος ὁ εὔνους καὶ Γάϊος οἱονεὶ Γαύδιος ὁ χαρίεις καὶ Τιβέριος ὁ παρὰ Τίβεριν τὸν ποταμὸν τεχθεὶς καὶ Τίτος ὁ ἀπὸ Τατίου τοῦ Σαβίνου καὶ Ἄππιος ὁ ἐν Ἀππίᾳ οἰκῶν — ὁδὸς δέ ἐστιν ἐπίσημος — καὶ Σέρβιος ὁ θανούσης αὐτῷ τῆς μητρὸς ἐγκύμονος διασωθεὶς καὶ Νέρων ὁ ἰσχυρὸς τῇ Σαβίνων φωνῇ καὶ Νάσων ὁ εὔρινος καὶ Τούκκας ὁ κρεωβόρος, ὃν οἱ ἰδιῶται Ζικκᾶν ἐκάλεσαν καθ' ἡμᾶς, καὶ Βᾶρος καὶ Βλαῖσος ὁ πλαγιόσκελος, καὶ Σερρανὸς ὁ γεωργικὸς ἀπὸ τοῦ σπείρειν, καὶ Αὔγουστος ὁ καλοιώνιστος, καὶ Βιτέλλιος ὁ κροκοειδὴς τὴν ὄψιν, ὅτι βίτελλον οἱ Ῥωμαῖοι τὴν

v. 9 ὧν τὸν et 10 τεχθέντα τὸν *O*, corr. *F* 10 τὸν post πρῶτον add. *B* 14 πειναγύ|ιος *O*, πινάριος *F*, Πεινάριος scripsi | πειων *O*, corr. *F* | στάτης *O*, Βάλης coni. *F*, Στάτιος scripsi 15 ὁ εὐδαίμων addidi 19 ἐστιν ἐπίσημος in rasura *O* 23 βλέσος *O*, Βλαισὸς *F*, Βλαῖσος scripsi 24 ἀπὸ τοῦ ⟨σέρερε οἱονεὶ⟩ σπείρειν coni. *B* 25 βιτέλλιον O, corr. *F*

λέκυθον τοῦ ᾠοῦ ἐπικαλοῦσι, καὶ Βάρρων ὁ κατὰ μὲν Φοίνικας Ἰουδαῖος, κατὰ δὲ Κελτοὺς ἀνδρεῖος. καὶ πολλὰ ἄν τις τοιαῦτα συνάγοι κατὰ σχολήν, εἰ τυχὸν αὐτὸν οὐκ ἔχοντα ὅ,τι πράττοι ἀφρόντιδα συμβαίνοι διαβιοῦν καὶ τοιούτοις, ὁποίοις ἐγὼ καίπερ μυρίαις συμπεπλεγμένος φροντίσιν ἐναγρυπνῶ, μωραίνοντα ἀθύρμασιν.

Τρίτη προαγωγὴ οἱ κυαίστορες.

24. Τὸ πιστὸν τοῖς γράφουσιν ἡ τῶν ἀρχαίων ἐπιτίθησι μαρτυρία. Ἰούνιος τοίνυν Γρακχιανὸς ἐν τῷ περὶ ἐξουσιῶν αὐτοῖς ῥήμασι περὶ τοῦ καλουμένου παρὰ Ῥωμαίοις κυαίστορος· ‛προεχώρησαν τῇ ψήφῳ τοῦ δήμου. Τοῦλλος δὲ ὁ ῥὴξ μετὰ τούτους ἀναγκαίαν εἶναι τὴν τῶν κυαιστόρων ἀρχὴν ἔκρινεν· ὡς τοὺς πλείους τῶν ἱστορικῶν αὐτῷ τὴν τοιαύτην προαγωγὴν ἀναγράψαι καὶ μόνῳ. ἀπὸ δὲ τῆς ζητήσεως οὕτως ὀνομασθῆναι αὐτοὺς Ἰούνιος καὶ Τρεβάτιος καὶ Φενεστέλλας εἶπον.’ καὶ μεθ’ ἕτερα· ‛πλὴν ὕστερον ἐξῃρέθησαν οἱ κανδιδᾶτοι τοῦ βασιλέως κυαίστορες, οἳ πρὸς ἀνάγνωσιν τῶν βασιλικῶν γραμμάτων καὶ μόνην ἐσχόλαζον· οἱ δὲ αὐτοὶ καὶ ψήφους ἀπὸ τοῦ κοινοῦ τῆς βουλῆς ἀνεγίνωσκον ὑπὲρ τῶν εἰς ἀξιώματα προαγομένων’. ταῦτα μὲν ὁ Ἰούνιος· ὁ νομικὸς δὲ Οὐλπια-

v. 9 Iunius Gracchanus Dig. I 13; quaecumque Gracchano tribuuntur verba, Ulpiani (v. 22) sunt Gracchanum citantis

v. 1 λεκυ|κυθον *O*, corr. O_2 | βόρρων *O*, corr. *F* 3 συνάγοι *O*, συναγάγοι O_2 5 καὶ τοιούτοις *O*, κἀν τοιούτοις coni. *B* | μυρίας quod corr. *O* 6 μωραίνων *O*, μωραίνειν coni. F. Skutsch, μωραίνοντα scripsi 9 γραγχιανὸς *O*, Γρακχιανὸς scripsi (cf. p. 2, 3) 11 προεχωρήσαντο O, προεχειρίζοντο coni. B., προεχώρησαν τῇ scripsi 20 ψηφος O, corr. O_2 21 προσαγομένων *O*, corr. *F*

νὸς ἐν τῷ de officio quaestoris — *ἀντὶ τοῦ* ⟨*περὶ τῆς τοῦ κυαίστορος τάξεως*⟩ — *περὶ κυαίστορος ἀποχρώντως διαλέγεται.*

25. *Ζητῆσαι δὲ ἀξιόλογον εἶναι νομίζω, τί μέν ἐστι κυαίστωρ, τί δὲ κυαισίτωρ, καὶ τί μὲν σημαίνει διὰ τῆς διφθόγγου γραφόμενον, τί δὲ* ⟨*διὰ*⟩ *ψιλῆς. κυαίστωρ τοίνυν ὁ ζητητὴς ἀπὸ τοῦ* quaerere *οἷον ἐρευνᾶν· οἱ γὰρ παρ' Ἕλλησιν ἐρευνάδες παρὰ Ῥωμαίοις κυαίστορες ὠνομάσθησαν. κυαισίτωρ δὲ ὁ τιμωρός· τὸ μὲν γὰρ πρῶτόν ἐστι παρὰ Ῥωμαίοις δισσύλλαβον, τὸ δὲ τρισσύλλαβον. ἐπὶ γὰρ τοῦ μόνου Μίνωος τοῦ Κρητός, ὅς γενέσθαι τιμωρὸς κατὰ τὸ μυθικὸν τῶν ἐν Ἅιδου ψυχῶν ἐνομίσθη, τὸ κυαισίτορος ὄνομα ὁ Ῥωμαίων ποιητὴς ἐν ἕκτῳ τῆς Αἰνηΐδος τέθεικεν. ὅθεν καὶ κυαιστίωνας τὰς τιμωρίας καὶ κυαιστιωναρίους τοὺς τῶν ποινῶν ὑπηρέτας Ῥωμαῖοι ἔγνωσαν καλεῖν. ὁ μὲν γὰρ κυαίστωρ ζητητής ἐστιν ἐπὶ χρήμασιν, ὁ δὲ κατ' ἐπέκτασιν καὶ συλλαβῆς προσθήκην ἐπ' ἐγκλήμασιν· ἑκάτερον δὲ διὰ τῆς διφθόγγου γραφήσεται, κἂν εἰ τὸν ταμίαν διασημαίνῃ, ὅτι κυαίστους ὁ πόρος παρὰ Ῥωμαίοις καλεῖται. ὅτε δὲ μὴ δίφθογγος ᾖ ἐν προοιμίοις ἡ λέξις, ἀλλὰ ψιλῇ γράφεται, οὐδέτερον μὲν τῶν εἰρημένων σημαίνει, τὸν δὲ μεμψίμοιρον καὶ βλάσφημον διὰ τῆς γραφῆς ἐπιδείξει· ὅτι* queror '*μέμφομαι*' *ῥήματι κοινῷ πάθος ἅμα καὶ*

v. 13 Verg. Aen. VI 432

v. 1 dE OFIUOCI GAESTOΓIS cod. | supplementum add. *B* 2 *κυαισίτορος O*, corr. *F* 6 *δὲ ψιλῆς O*, *διὰ* add. *F*, *δὲ ψιλῇ* coni. *B* 7 ϥUERERE cod. 11 *τοῦ* ante *μόνου* aut delendum aut cum *καὶ* mutandum censet *B*, *μόνου τοῦ* transponit Gu. Kroll 12 *τὸν μῦθον* coni. *B* p. 260 20 *διασημαίνει O*, corr. *O*, | *κυέστους O*, corr. *F* 24 *μέμψιμον O*, corr. B 25 ϥUEΓOΓ cod.

ἐνέργειαν παραδηλοῦντι λέγουσι, καὶ κυεριμωνίας καὶ κυερήλας τὰς μέμψεις.

26. *Ὅπως δὲ μὴ τυχὸν τεχνολογίαις τἀληθὲς δόξωμεν σοφίζεσθαι, πρὸς τῶν περὶ ταῦτα ἠσχολημένων μάθωμεν. Γάϊος τοίνυν ὁ νομικὸς ἐν τῷ ἐπιγραφομένῳ παρ' αὐτοῦ* ad legem XII tabularum — *οἷον εἰς τὸν νόμον τοῦ δυοκαιδεκαδέλτου — αὐτοῖς ῥήμασι πρὸς ἑρμηνείαν ταῦτά φησιν· 'ὡς δὲ τὸ γαζοφυλάκιον τοῦ δήμου εἰς ἐπίδοσιν ἦλθε, προεχειρίσθησαν κυαίστορες ὑπὲρ τῆς αὐτοῦ φροντίδος ἀπὸ τῆς περιποιήσεως καὶ φυλακῆς τῶν χρημάτων οὕτως ὀνομασθέντες. ἐπειδὴ δὲ περὶ κεφαλικῆς τιμωρίας οὐκ ἐξῆν τοῖς ἄρχουσι κατὰ Ῥωμαίου πολίτου ψηφίσασθαι, προεβλήθησαν κυαίστορες παρρικιδίου, ὡσανεὶ κριταὶ καὶ δικασταὶ τῶν πολίτας ἀνελόντων.' παρρικίδας δὲ Ῥωμαῖοι ὁμωνύμως τούς τε γονέων τούς τε πολιτῶν φονέας ἀποκαλοῦσι, παρέντες ἑκατέρους προσαγορεύοντες. διαφορὰν δὲ ἐπὶ τῆς ἐπωνυμίας ταύτην παρέχουσί τινα· συστέλλοντες γὰρ τὴν πρώτην συλλαβὴν καὶ βραχεῖαν ποιοῦντες τοὺς γονέας, ἐκτείνοντες δὲ τοὺς ὑπηκόους σημαίνουσιν.*

27. *Τῷ δὲ τρίτῳ καὶ ⟨τεσσαρακοστῷ καὶ⟩ διακοσιοστῷ τῶν ὑπάτων ἐνιαυτῷ ἐπὶ τῆς ὑπατείας Ῥηγούλου καὶ Ἰουνίου κρινάντων Ῥωμαίων πολεμεῖν τοῖς*

v. 5 cf. Dig. I tit. II 22, 23; sed non Gaii, immo Pomponii verba sunt

v. 1 *ἐριμονίας O*, corr. *F* 2 *κυερίλλας O*, corr. *F* 6 ad LECEПI XN TAbULAПGM cod. 14 *παρακιδίοις O*, *παρρικίδιοι F*, *παρρικιδίου* scripsi 19, 20 *βροχὴν ποροῦντες O*, corr. *F* 22 *τεσσαρακοστῷ καὶ* addidit Th. Mommsen, Römisches Staatsrecht II[3] 570[5] 24 *Ἰουλίου* corr. Th. Mommsen l. s.

συμμαχήσασι Πύρρῳ τῷ Ἠπειρώτῃ, κατεσκευάσθη στόλος καὶ προεβλήθησαν οἱ καλούμενοι κλασσικοί, οἱονεὶ ναύαρχαι, τῷ ἀριθμῷ δυοκαίδεκα κυαίστορες, οἷον ταμίαι καὶ συναγωγεῖς χρημάτων· τίνι δὲ διαφέρει κυαίστωρ κυαισίτορος προειρήκαμεν. καὶ διεφυλάχθη ἡ τοιαύτη συνήθεια καὶ συναγωγὴ τῶν πόρων τοῖς τε ὑπάτοις τοῖς τε πραίτορσιν ἐκδημοῦσιν.

28. Περὶ δὲ τῶν τοῦ παλατίου κυαιστόρων πυθέσθαι χαλεπὸν οὐδὲν Οὐλπιανοῦ τοῦ νομικοῦ· λέγει δὲ ὧδε ἐν μονοβίβλῳ περὶ τῆς τοῦ κυαίστορος τάξεως· 'πλὴν ἐξῄρηντο οἱ κυαίστορες οἱ κανδιδᾶτοι τοῦ Καίσαρος· οὗτοι γὰρ μόνοις τοῖς βιβλίοις τοῖς ἐπὶ τῆς βουλῆς ἀναγινωσκομένοις ἐσχόλαζον καὶ ταῖς ἐπιστολαῖς τῶν βασιλέων ὑπούργουν.' κανδιδάτους δὲ τοὺς λευχείμονας Ῥωμαίοις ἔθος καλεῖν· οὐδεὶς δὲ λόγον ὅντιναοῦν ἀναγνωσόμενος καὶ μάλιστα ἐκ προσώπου βασιλέων μὴ λευχείμων ἐπέβη τῆς ἀναγνώσεως. κανδιδᾶτοι δὲ καὶ οἱ μέλλοντες εἰς ἀρχὰς τῶν ἐπαρχιῶν παριέναι ἐλέγοντο, ὅτι καὶ αὐτοὶ λευχειμονοῦντες προῄεσαν, ταύτῃ παραδηλοῦντες, ὡς ἀρχοντιῶσιν. καὶ τούτων μάρτυς πᾶς ὁ Ῥωμαϊκῆς οὐκ ἄμοιρος ἱστορίας. τὸ γὰρ μηδένα τῶν ἀρχόντων ἑτέρᾳ παρὰ τὴν ἐν ἑορταῖς στολῇ χρήσασθαι, πᾶσίν ἐστι γνωριμώτατον· καὶ οὐκ ἐπὶ τῆς Ῥώμης μόνης, ἀλλὰ μὴν κἀν ταῖς ἐπαρχίαις τοῦτο κρατῆσαν αὐτὸς ἐγὼ διαμέμνημαι, ἕως ἂν τὰ βουλευτήρια διῴκουν τὰς πόλεις, ὧν ἀπολομένων συνεξώλισθε τοῖς ἐν γένει τὰ ἐν εἴδει.

v. 9 Dig. I tit. XIII

v. 2 προσεβλήθησαν O, corr. B 4 συναγωγῆς O, corr. F 12 μόνοι O, corr. F secundum Digestorum verba 13 ἀναγινωσκόμενοι O, ς postea additum

29. *Τοσούτους ἄρχοντας τὰ Ῥωμαίων ἰθῦναι ὑπὸ τοῖς ῥηξὶν ἐπὶ τοὺς τρεῖς καὶ τεσσαράκοντα καὶ διακοσίους ἐνιαυτούς, ἐφ' ὅσους οἱ ῥῆγες ἐκράτησαν, ἡ καθόλου ἱστορία παραδέδωκε, καὶ τὸ λοιπὸν ὥσπερ ἐν σκότῳ τὸ τῆς ἐλευθερίας ἐξέλαμψεν ὄνομα.*

Περὶ τῆς ὑπατείας καὶ τῶν ἐν αὐτῇ ἐπισήμων.

30. *Ὑπάτους Ἕλληνες τοὺς ὑψηλοὺς καὶ μεγάλους λέγουσιν, οὐ στοχασάμενοι τῆς ἀληθοῦς τοῦ ὀνόματος προσηγορίας· τὸ γὰρ κόνσουλ, ὡς Ἰταλοῖς ἡ φύσις παραδέδωκεν, οὐ τὸν ὑψηλόν, ἀλλὰ τὸν πρύτανιν σημαίνει. Κόνσος γὰρ αὐτοῖς ὁ Ποσειδῶν ἐνομίσθη· κρύφιος δὲ αὐτὸς καὶ ὑποβρύχιος, καὶ ὡς τοῖς ποιηταῖς ἤρεσεν, ἐννοσίγαιος καὶ ἐνοσίχθων. ὅ,τι δὲ κρύφιον, τοῦτο λεληθός· ταύτῃ καὶ κονσίλια τὰ βουλεύματα καὶ μυστικὰ σκέμματα λέγεται παρ' ἐκείνοις, ἀπὸ τοῦ κόνδερε οἱονεὶ τοῦ κρύπτειν· καὶ κόνσουλ ὁ κρυψίνους ἀπὸ τοῦ προνοεῖν καὶ καθ' ἑαυτὸν ὑπὲρ τῶν κοινῶν σκεπτόμενον ἀγρυπνεῖν. ταύτῃ καὶ Κονσουάλια τὰ ἱπποδρόμια καλοῦσιν οἱ ἀρχαῖοι· ἵππιον γὰρ ὁ μῦθος τὸν Ποσειδῶνα λέγει.*

31. *Τοιαῦτα μέν τινα περὶ τῆς Ἰταλικῆς τῶν ὑπάτων προσηγορίας· ὅτι δὲ τῶν πάντων ἠγνόησεν οὐδεὶς τὰ ὀνόματα τῶν πρώτως ὑπατευσάντων, μέτριά τινα περὶ Βρούτου λεκτέον. Ἰούνιος μὲν κύριον ὄνομα τἀνδρὶ*

v. 2 *τοῦς O*, *τοῖς* corr. *F*   8 *ουσ|τοχασαμενοι O*, corr. *F*   11 *κόνσον O*, corr. *F*   12 *αὐτος O*, *οὗτος* coni. *B*   13 *ενοσιχθονι τι O*, *ἐνοσίχθων* deleto *ιτι* O_2, *ἐνοσίχθων· ἐστὶ F*, *ἐνοσίχθων· εἴ τι F* ep. p. 19, *ἐνοσίχθων. ὅ,τι* scripsi   14 *λεληθῶς O*, *λεληθώς F*, *λεληθὸς F* ep., *ἀληθῶς* coni. *B* | *κονσίλιαι O*, corr. *F*   15 *κονδόρε O*, corr. *F*   18 *ὑπποδρόμια O*, corr. O_2 19 *ἵππιος O*, *ἵππειος* O_2, *ἵππειον F*, *ἵππιον* scripsi   21 post *προσηγορίας paragraphos* distinguit *F*   23 *τῶι πρώτως* O, corr. F

γέγονε· Βροῦτον δὲ αὐτὸν κατὰ τὸν τῆς ἐπωνυμίας τρόπον ἔλεγον ἀπὸ τῆς ὑποκεκριμένης αὐτῷ μωρίας· βροῦτον γὰρ τὸν μωρὸν ἐπεχωρίαζον Ἰταλοὶ τὸ πάλαι ἀπὸ τῆς βαρύτητος τῶν φρενῶν. οὗτος, ὡς ἔφην, εὐήθειαν σκηνικευόμενος ἐζήτει καιρὸν τὸν Ταρκύνιον, ἄνδρα τῶν πώποτε τυράννων ἀπηνέστατον, ἐξωθῆσαι τῆς ἀρχῆς. ὡς δὲ βραδύνων Ἀθήνησι διὰ τοὺς νόμους σὺν τοῖς μετ' αὐτοῦ πρὸς τοῦτο σταλεῖσιν ὑπὸ Ῥωμαίων, ᾔτει τὸν θεὸν ὁδὸν ὑποδεῖξαι καὶ συλλαβεῖν αὐτῷ πρὸς τοῦτο, ἔχρησεν αὐτῷ τὸ δαιμόνιον, ⟨ὅτι⟩ εἰ τῆς πατρίδος ἐπιβὰς πρὸ πάσης τάξεως τὴν μητέρα περιπτύξηται καὶ λιπαρῶς περιβάλοι, περιέσται τοῦ σκοποῦ. καὶ δὴ ἐπανελθὼν ἐν τῇ Ῥώμῃ καὶ τὴν γῆν περιβαλών — αὕτη δὲ μήτηρ τῶν πάντων — ἠλευθέρωσε Ῥωμαίους τυραννίδος, ἀρχὴν ἐξευρὼν παρ' οὐδενὶ τῶν ἐθνῶν γνωριζομένην, καὶ εἰ παρ' Ἑβραίοις Δανιὴλ ὁ προφητῶν θειότατος ὑπάτων παρὰ Ἀσσυρίοις γενομένων ποτὲ μνημονεύει. οὐδὲ γὰρ οὕτως αὐτὸς ἐπὶ τῆς Ἑβραΐδος ἀπέθετο φωνῆς, ὡς Ἀρισταῖος λέγει, ἀλλ' οἱ ἑρμηνεύσαντες παρὰ Πτολεμαίῳ τὰ λόγιά ποτε ἀντὶ δυναστῶν καὶ βουλευτῶν ὑπάτους εἶπον, μήποτε τότε παρὰ Ῥωμαίοις ἀνισχούσης τῆς ἀρχῆς, καὶ παρὰ πᾶσιν ἐπὶ τῷ καινῷ μεγέθει τῆς ἀρχῆς θαυμαζομένης. τούτων οὕτως ἐχόντων περὶ τῶν τῆς ὑπατείας συμβόλων ῥητέον.

v. 16 Dan. III 2 19 Aristeae ad Philocratem epistula p. 157 ed. P. Wendland

v. 2 ὑποκεκρυμμένης *O*, corr. *B* 5 σκηνευομενος *O*, corr. *F* ep. p. 19 10 ὅτι add. *B* 11 τάξεως *O*, πράξεως coni. *B* 12 an περιβάλῃ? 18 οὗτος *O*, corr. *B* 19 ἐπέθετο *O*, ἀπέθετο coni. *B* coll. III 70 21 μήπω *O*, μήποτε corr. *B* 23 τῆς ἀρχῆς del. *F*

32. *Λευκοὶ φαινόλαι ποδήρεις καὶ κολοβοὶ μετρίως παρὰ τοὺς φαινόλας ἀνεσταλμένοι πλατύσημοι, πορφύρα διάσημος ἐξ ἑκατέρων τῶν ὤμων, τοῖς μὲν φαινόλαις πρόσθεν, τοῖς δὲ κολοβοῖς καὶ ἐξόπισθεν, καὶ ὑποδήματα λευκά· ἀλοῦταν δὲ τὸ ἀπὸ στυπτηρίας δέρμα καλοῦσιν οἱ Ῥωμαῖοι, ὅτι ἀλοῦμεν κατ' αὐτοὺς ἡ στυπτηρία λέγεται· καὶ ἐκμαγεῖον ἐπὶ τῆς δεξιᾶς ἀπὸ λίνου λευκὸν τὰ ἐπίσημα τῶν ὑπάτων ἦν, ⟨ἣν⟩ μάππαν καὶ φακιόλιν ἐπιχωρίως ὠνόμασαν, ὅτι φακίης κατ' αὐτοὺς ἡ ὄψις λέγεται, καὶ πελέκεις ἡγούμενοι εἰς ὕψος ἀρθέντες καὶ πλῆθος ἀνδρῶν ῥάβδους ἐπιφερομένων, ἐξ ὧν ἱμάντες φοινικῷ χρώματι βεβαμμένοι ἐξήρτηντο, ⟨μνή⟩μη Σερρανοῦ τοῦ δικτάτορος, ὃς ἐν ὕλαις ξυλοτομῶν καὶ πέλεκυν εἰκότως ἐπιφερόμενος ῥάβδον τε ἐξηρτημένην ἡνίας πρὸς ἔλασιν τῶν βοῶν τῆς ἁμάξης ἐπὶ τὴν Ῥωμαίων ἀρχὴν μετεστάλη, ὡς Πέρσιος ὁ Ῥωμαῖος σατυρικὸς ἔφη, ἢ καὶ ὅτι πέλεκυς ἐξουσίας ἐστὶ δεικτικός· πρὸς τούτοις καθέδρα — σέλλαν αὐτὴν ἐκεῖνοι καλοῦσιν — ἐξ ἐλέφαντος, ἐφ' ᾗ καθήμενον τὸν ὕπατον οἱ πολῖται σχίδακας ὑπομήκεις ὑποβαλόντες ἔφερον προϊόντα.*

33. *Ὅπως δὲ μὴ τῇ τοῦ ἑνὸς ἐξουσίᾳ ἀδυσώπητος ἡ ἀρχὴ τοῦ ὑπάτου γένοιτο, δύο καὶ ἐπὶ μόνον ἐνιαυτὸν προεχειρίσαντο, ὡς εἴρηται· Βροῦτον τὸν τῆς*

v. 16 Pers. sat. I 73

v. 3 *διάσημα O*, corr. *B* 6 *ἄλουμον O*, corr. *F* 8 *ἣν* add. Gu. Kroll 9 *φακιόλην O*, corr. Th. Preger 11 *πλῆθος O*, supra *o* adscriptum est *υ* 13 *μησεράννου O*, *ἢ ἀπὸ Σερανοῦ F*, *μνήμη Σερραναῦ* scripsi | *δικάτορος O*, corr. *F* 14 *ῥάβδον O*, *ῥάβδαυ* coni. *F* 15 *ἡνίας O*, *ἡνίαν* coni. *F* 18. 19 *την εκ* in ras. *O* 20 ὑπομήκεις O, ἐπιμήκεις coni. B *ὑποβάλλοντες O*, corr. *F* 21 προσιόντας O, corr. F

ἐλευθερίας ἔκδικον, ⟨καὶ⟩ σὺν αὐτῷ Πουπλικόλαν — τὸ δὲ ὄνομα τὸν δημαγωγὸν σημαίνει —, οἷς ἐξῆν καὶ νόμους γράφειν καὶ αὐτοκρατῶς τοὺς πολέμους διοικεῖν οἷα τὴν τῶν ὅλων διοίκησιν ἀνημμένοις. τελευτήσαντος δὲ τὸν βίον τοῦ Βρούτου δημοσίῳ πένθει ἐτίμησαν τὸν νεκρὸν καὶ βρούτας τάς σφων γυναῖκας ὠνόμασαν ἐξ αὐτοῦ διὰ τὴν σωφροσύνην· τὸν δὲ ἕτερον ὁ θάτερος ἔτι περιὼν ἐπικηδείῳ πρῶτος ἐτίμησε. λέγεται δὲ παρ' αὐτοῖς τὸ ἐπιτάφιον νηνία, ἐξ Ἑλληνικῆς μᾶλλον ἐτυμολογίας, ὅτι νήτην τὴν ἐσχάτην τῶν ἐν κιθάρᾳ χορδῶν Ἕλληνες καλοῦσιν.

Πέμπτη προαγωγὴ οἱ δεκάπρωτοι καὶ ὁ τῆς πόλεως ὕπαρχος.

34. Γάϊος ὁ νομογράφος μετὰ τὴν τῶν κυαιστόρων τὴν δεκανδρικὴν ἀρχὴν ἀναφέρει, ῥήμασι πρὸς ἑρμηνείαν τούτοις· 'πολλῆς δὲ συγχύσεως τῶν νόμων, οἷα μὴ γράμμασι τεθειμένων, τοῖς πράγμασι γινομένης ἐκ τῆς τῶν ἀρχόντων καὶ τοῦ δήμου διαφορᾶς, δόγματι κοινῷ τῆς βουλῆς καὶ τοῦ δήμου πάντες μὲν οἱ ἄρχοντες ἐκινήθησαν, δέκα δὲ μόνοις ἀνδράσι τὴν φροντίδα τῆς πολιτείας παρέδοσαν.' αὐτοὶ δὲ στέλλουσιν — ἡ ἱστορία φησίν — εἰς Ἀθήνας Σπούριον Ποστούμιον, Αὖλον Μάρκιον καὶ Πούπλιον Σουλπίκιον. τῶν δὲ

v. 14 (Pomponius in) Dig. I tit. II 24 22 ἡ ἱστορία Liv. III 31 (v. Heffter, *Rhein. Mus. f. Jurisprudenz* II 1828 p. 122)

v. 1 καὶ add. *F* 11 καλοῦσιν νήτην *O*, νήτην del. O_2 12 similem titulum paragrapho 45 praescripsit *O* 16 post ἑρμηνείαν tres litteras delevit *O* 20 ἐκινήθησαν *O*, ἀπεκινήθησαν coni. *B* 21 Gaii verba desinere in vocula παρέδοσαν cognovit Heffter l. s. 23 μάρκιον *O*, *Manlium* Liv. | πούπλιον καὶ *O*, corr. *F*

ἐπὶ τριετῆ χρόνον ἐκεῖ βραδυνόντων, ἕως καὶ τοὺς λειπομένους Ἀθηναίων νόμους ταῖς δέκα δέλτοις ἀναλάβωσι, δέκα προεβάλετο ὁ δῆμος ἄνδρας ἀνθεξομένους τῶν πραγμάτων, ὧν ὁ πρῶτος τῆς πόλεως φύλαξ προσηγορεύθη, ὁ καθ' ἡμᾶς πολίαρχος. ἐπίσημα δὲ τῆς ἐξουσίας ἦν αὐτῷ δυοκαίδεκα ῥάβδοι· τοῖς δὲ λοιποῖς οὐχ οὕτως, ὁπλοφόρος δὲ ἀν' ἕκαστον εἷς καὶ μόνος. τῷ γε μὴν πολιάρχῳ καὶ τάξις ἀνδρῶν τογατηφόρων καὶ ῥαβδοῦχοι καὶ δεσμὰ καὶ ὅσα ἴσμεν παρῆν. ἀπέτρεφον δὲ αὐτοὺς οἱ κτῆσιν εὔφορον κεκτημένοι, ὅθεν τὸ γλήβης προσέλαβον ὄνομα, ὅτι γλήβαν τὴν λείαν γῆν ἀντὶ τοῦ τὴν κάρπιμον οἱ Ῥωμαῖοι καλοῦσι. τὸ γὰρ τῶν ἔργων σκρινίον, οὐκ ὂν ἀπ' ἀρχῆς, ὁ Αὔγουστος προσένειμε τῇ ἀρχῇ, τὴν ἐν τῇ Ῥώμῃ βασιλικὴν ἀνεγείρων, ὡς ὁ Τράγκυλλος εἶπε φιλολόγος. τῶν δὲ εἰρημένων ἀρχόντων πρὸς ἀλαζονείαν ἀρθέντων καὶ τυραννικῶς διαγινομένων ταραχθεὶς ὁ δῆμος τὴν πόλιν ἀπέλιπε καὶ περὶ τὸν βουνὸν τὸν λεγόμενον Ἀβεντῖνον ᾤκησεν· ὁ δὲ τόπος ἕλκει τὴν προσηγορίαν ἐξ ἑνὸς τῶν Ἡρακλειδῶν, ὡς ὁ Ῥωμαίων ποιητὴς παραδέδωκε. καὶ διέτριβεν ἐκεῖ ὁ δῆμος ἀγανακτῶν πλείστων μὲν ἕνεκα, ἐξαιρέτως δὲ Βεργινίου χάριν καὶ τῆς αὐτοῦ παιδὸς ἔναγχος βιασθέντων· τὴν δὲ ἱστορίαν οἶμαι πρόδηλον εἶναι.

35. Ἄρχοντες μὲν οὗτοι, πλὴν εἰ μή τις καὶ τοὺς

v. 15 Sueton frg. 200 Reifferscheid, cf. p. 303 ed. Roth 20 Verg. Aen. VII 657

v. 2 δέκα *O*, δώδεκα coni. *F* ep. p. 20, sed vide Dig. I tit. H 4 | ἀναλάβουσι *O*, corr. *F* 8 τογάτη ⟨ἀντὶ τοῦ φαινολη⟩φόρων coni. *F* 11 γλέβης et γλέβαν *O*, quod correxi 15 τράκυλλος *O*, mutavit *B* | φιλολόγωι *O*, corr. O_2 18 ἀπέλειπε *O*, corr. O_2

λεγομένους παρ' αὐτοῖς ποντίφικας — ἀντὶ τοῦ ἀρχιερεῖς νεωκόρους — εἰς ἄρχοντας ἀριθμεῖν ἐθελήσοι· γνώμῃ γὰρ αὐτῶν καὶ κρίσει τοὺς νόμους ἔγραφον οἱ ἀρχαῖοι καὶ τὰ ὤνια διετύπουν· ὅθεν aediles τοὺς ἀγορανόμους ἔτι καὶ νῦν συμβαίνει καλεῖσθαι, καθὸ τοὺς ναοὺς οἱ Ῥωμαῖοι αἴδεις καλοῦσιν. μετὰ δὲ τὴν ἐκβολὴν τῶν ῥηγῶν καὶ προβολὴν τῶν ὑπάτων, θορύβων ἐνισταμένων, ὡς εἴρηται τοῖς συγγραφεῦσιν ἑκατέρας φωνῆς, ἐπὶ πεντήκοντα σύνεγγυς ἐνιαυτοὺς χιλίαρχοι τῶν πραγμάτων ἐξηγήσαντο· εἶτα ἐπὶ πενταετίαν ἀναρχίαν ἐδυστύχει τὸ πολίτευμα· καὶ τὸ λοιπὸν τρεῖς νομοθέτας καὶ δικαστὰς προβληθῆναι πρὸς βραχὺ συμβέβηκε διὰ τὰς ἐμφυλίους στάσεις.

Ἕκτη προαγωγὴ ἡ λεγομένη δικτατοῦρα.

36. Οὕτως οὖν Ῥωμαίοις ταραττομένων τῶν πραγμάτων συνήρεσε τὸν καλούμενον προστήσασθαι δικτάτορα· ἐπεὶ 'οὐκ ἀγαθὸν πολυκοιρανίη'. δισσαῖς οὖν ταῖς φροντίσιν ἐταλαιπώρουν, καὶ τὸ βασιλέων δεδιότες ὄνομα, μὴ λάθοιεν αὖθις Ταρκυνίοις καινοῖς περιπίπτοντες, ἢ πολλοῖς καὶ μὴ συμφωνοῦσιν ἄρχουσι διασπαθιζόμενοι· ἔδοξε τοιγαροῦν αὐτοῖς, ὡς εἴρηται, τὸν καλούμενον δικτάτορα — ἀντὶ τοῦ μεσοβασιλέα — προστήσασθαι, ἐξ καὶ μόνοις μησὶ τοῦ κράτους αὐτῷ περιγραφομένου. καὶ τέως ἁρμόδιον εἶναί μοι δοκεῖ ἑρμηνεῦσαι τοῖς Ἕλλησι τὸ δικτάτορος ὄνομα. πατρίως

v. 17 Iliad. II 204

v. 2 *νεωκόρους O*, *καὶ νεωκόρους* coni. *F*, *γεφυραίους* coni. *B* 4 *διετύπου* scripsit et *ν* postea addidit *O* | ΔЄdILЄS cod. 6 *ἀειδεις O*, corr. *F* 16 *προεστήσαντο O*, *προεστήσασθαι* corr. *O*, *προστήσασθαι* O_2 19 *κοινοῖς O*, delevit *B*, *καινοῖς* scripsi *20 διασπαθιζομένοις O*, corr. *F* 23 *περιγραφομένω O*, corr. *F*

τοίνυν οἱ Ῥωμαῖοι τὸν ἐπὶ καιρὸν μονάρχην οὕτω καλοῦσι, τὸν μὴ νόμων γραφαῖς τὰ τῶν ὑπηκόων διατιθέναι προϊστάμενον, οἷα ἐν βραχεῖ τῆς ἀρχῆς παυόμενον. δικτατοῦραν γὰρ τὴν ἐξουσίαν αὐτοὶ καλοῦσιν οὐ τὴν καθόλου, ἀλλὰ πρὸς τὸ λυσιτελοῦν τοῖς πράγμασιν ἐπὶ χρόνον βραχὺν διδομένην, ὥστε λόγῳ καὶ μόνῳ διορθωθέντων τῶν μὴ καθεστηκότων, τὸ λοιπὸν τὸν προαγόμενον εἰς τὴν προτέραν τύχην ἀναστρέφειν. ἅμα γὰρ τὰ πεπονηκότα ἐθεράπευσεν ὁ δικτάτωρ, ἅμα τῆς ἀρχῆς ἀπεπαύσατο.

37. Χειροτονοῦσι τοίνυν δικτάτορα πρῶτον οἱ Ῥωμαῖοι Τίτον Μάρκιον, ὃς ἅμα τῆς ἀρχῆς ἐπελάβετο, ⟨ἅμα⟩ δύο ὑπάτους προεστήσατο. οὐ μὴν χρόνον ὥρισε, καθ' ὃν ἂν χειροτονοῖντο οἱ ὕπατοι· νεώτερον γάρ ἐστι τὸ κατὰ τὸν Ἰανουάριον μῆνα προϊέναι τὸν ὕπατον. ἐνιαυτῷ δὲ μόνῳ τὴν ὕπατον ἐπίστευσε τιμήν, πανταχοῦ Ῥωμαίων ταῖς ἐναλλαγαῖς χαιρόντων. πάντα δὲ τὰ τῆς βασιλείας σύμβολα παρῆν τῷ δικτάτορι, στεφάνου χωρίς· οἵ τε δυοκαίδεκα πελέκεις, πορφύρα καὶ σέλλα καὶ δόρατα καὶ ὅσοις ἐπισήμοις οἱ ῥῆγες ἐγνωρίζοντο. ἱππάρχην τε πρῶτον Σπούριον Κάσιον ὕπαρχον ἑαυτῷ προεβάλετο, καθάπερ Ῥωμύλος τὸν Κελέριον τριβοῦνον τῶν ἱππέων. ἡγοῦντο δὲ αὐτῷ ῥάβδοι ἐπιμήκεις λοφιῶν χωρίς, ὅπερ ἔτι καὶ νῦν ἔθος καίπερ ἠγνοημένον φυλάττεται. κινουμένοις γὰρ τοῖς τῶν ἱππέων στρατηγοῖς οὐκέτι μὲν ῥαβδοῦχοι ἡγοῦνται

v. 2 *διατεθέντα O*, quod emendare conatus sum 3 *προιστάμενα O*, corr. O_2, *πράγματα* coni. *B* 4 *δίκαιον O*, *δικαίαν* coni. *F*, *δικτατοῦραν* corr. *B* | *αὐτὴν O*, corr. *F* 6 *χρόνου*, quod deinde correxit, *O* 12 *μάρκιον O*, sed est *Larcius*, Liv. II 18 13 *ἅμα* addidi 23 ῥαβδοῦχοι O, corr. F 26 ῥάβδοι *O, corr. F* | *ἡγοῦντο O*, corr. B

αὐτῶν ὡς τὸ πάλαι, ἐξόπισθεν δὲ δορυφόρος εἷς ῥάβδους ἐπιμήκεις καθ' ὁμαλοῦ συνδήσας εἴωθεν ἐπιφέρεσθαι, οὐδὲ αὐτὸς εἰδὼς τὴν αἰτίαν τῆς φορᾶς, μόνῃ δὲ συνηθείᾳ ἀκολουθῶν. πασῶν δὲ τῶν ἀρχῶν τῆς πολιτείας ὁ ἵππαρχος ἐκράτει, καὶ οὐκ ἦν ἐφετόν τινι αὐτοῦ δικάζοντος ἐπὶ ἔφεσιν χωρεῖν. πλέον δὲ ἓξ μηνῶν οὐδεὶς τῶν δικτατόρων τοῦ κράτους τῆς μοναρχίας ἀντελάβετο, ἀλλὰ καὶ πολλῷ ἔλαττον, καὶ ἐπὶ μίαν μόνην ἡμέραν. καὶ χαλεπὸν οὐδὲν αὐτῶν τῶν δικτατόρων ἐπιμνησθῆναι, καὶ ὅσοι γεγόνασι, καὶ ἐπὶ πόσον χρόνον.

38. Πρῶτος δικτάτωρ Τίτος Μάρκιος, ὁ τοὺς πρὸ τοῦ ὑπάτους Τίτον καὶ Βαλέριον αὖθις προαγαγών· στάσεως δὲ γενομένης καὶ τῶν ὑπάτων ἀναχωρησάντων ὁ δικτάτωρ ἑτέρους ἀντ' ἐκείνων προεβάλετο καλένδαις Σεπτεμβρίαις. τῷ ἑπτακαιδεκάτῳ ἔτει τῶν ὑπάτων στάσεως γενομένης οὐ μικρᾶς τῇ τε γερουσίᾳ τῷ τε δήμῳ δύο τὸ πλῆθος προεχειρίσατο δημάρχους, ὥστε αὐτοὺς διαιτᾶν τοῖς δημόταις, καὶ τὴν ἀγορὰν ἐπισκέπτεσθαι, οἳ πρὸς ἀλαζονείαν ἀρθέντες οὐκ ἠρυθρίων καὶ αὐτῶν τῶν πατρικίων καταψηφίζεσθαι. τῷ δὲ εἰκοστῷ τρίτῳ τῶν ὑπάτων ἔτει εἰς τρεῖς μοίρας τὰ τῆς ἀρχῆς διῃρέθη, εἰς τοὺς ὑπάτους, εἰς τὸν τῆς πόλεως ὕπαρχον καὶ τὸν δῆμον· καὶ οἱ μὲν ὕπατοι διῴκουν τοὺς πολέμους, ὁ δὲ δῆμος ἐστρατεύετο, ὅ γε μὴν ὕπαρχος τὴν πόλιν ἐφύλαττε, custos urbis προσ-

v. 1 *ἡγοῦντο αὐτῶν ὡς τὸ πάλαι O*, *ὡς τὸ πάλαι* ante *ἡγοῦντο* transposuit *F* ep. p. 20 | *ῥαβδούχους O*, corr. *F* 2 *ὁμαλοὺς O*, corr. *B* 5 *ἐφειτόν* corr. O_2 ex *ἐφιτόν*, ut videtur; *ἐφιτόν* e I 47 *F*, *ἐφετόν* aut *ἐφικτόν* coni. *F* ep. p. 20, *θεμιτόν* coni. *B* 11 *μάρκιος O*, sed vide ad p. 37, 12 | *πρώτους O*, *πρὸ τοῦ* scripsi 12 *βελέριον O*, corr. *F* 15 post *σεπτεμβρίαις* maioribus litteris *ἑβδόμη προαγωγὴ δύο δείμαρχοι* addit *O*, *quem titulum* ad § 44 relegat F 25 CdSUblS cod.

αγορευόμενος, ὡσανεὶ φύλαξ τῆς πόλεως. τῷ δὲ ὀγδόῳ καὶ εἰκοστῷ τῶν ὑπάτων ἔτει διαφερομένων τοῦ δήμου καὶ τῆς βουλῆς, Αὖλος Σεμπρώνιος προσηγορεύθη δικτάτωρ, ὃς ἐκ μὲν τῆς βουλῆς Γάϊον Ἰούλιον, ἐκ δὲ τοῦ δήμου Κόϊντον Φάβιον χειροτονήσας ὑπάτους ἀπέθετο τὴν δικτατοῦραν. αὖθις ἐπὶ τοῦ τεσσαρακοστοῦ καὶ ὀγδόου τῶν ὑπάτων ἔτους προεβλήθη δικτάτωρ Γάϊος Μάμερκος. τοῦ δὲ δήμου πάλιν ἀστατοῦντος προεβλήθησαν χιλίαρχοι τρεῖς· ὧν σαλευόντων τὰ πράγματα ἀνηγορεύθη δικτάτωρ Τίτος Κύντιος, ὃς ἐν μόναις τρισὶ καὶ δέκα ἡμέραις κατευνασθείσης τῆς στάσεως ἀπέθετο τὴν ἀρχήν· τῷ δὲ ἑβδομηκοστῷ τετάρτῳ τῶν ὑπάτων ἐνιαυτῷ τῶν Τυρρηνῶν ταραττόντων τὰ πράγματα διὰ τὸ μέγεθος τοῦ πολέμου ἀνηγορεύθη δικτάτωρ Μάρκος Αἰμίλιος· μεθ' ὃν Πούπλιος, ὃς ἐν ἓξ καὶ δέκα μόναις ἡμέραις τὸν πρὸς τοὺς Τυρρηνοὺς διοικήσας πόλεμον ἀπέθετο. αὖθις δὲ τοῦ δήμου προστησαμένου χιλιάρχους καὶ τῆς βουλῆς ἀνθισταμένης, ἀνηγορεύθη δικτάτωρ Κόϊντος, ὃς ἐν ὀκτὼ ἡμέραις διαλλάξας τὴν πόλιν ἀπεπαύσατο· μεθ' ὃν Πούπλιος Κορνήλιος Κόσσος· μεθ' ὃν Τίτος Κύντιος. ἀπὸ δὲ τοῦ ἑκατοστοῦ τριακοστοῦ ἕκτου τῶν ὑπάτων ἐνιαυτοῦ, τρίτης καὶ ἑκατοστῆς Ὀλυμπιάδος ἐνισταμένης, ἄναρχος ἡ πόλις διετέλει ἐπὶ πενταετῆ χρόνον. αὖθις δὲ προαχθέντων ὑπάτων προεβλήθησαν ἐκ τῶν πατρικίων

v. 3 *λυλος* et sequentes litteras in rasura (fuerat *γαιον ιουλιον*) *O*, *Αὖλος* corr. *F* 5 *κοινθον O*, corr. *B* 8 *πάλιν στατοῦντος O*, *πάλιν στρατεύοντος* coni. *F*, *πάλιν στατεύοντος F* ep. p. 20, *παλινστατοῦντος B*, correxerunt F. Skutsch et Gu. Kroll 14 *τοῦ μεγέθους O*, corr. *B* 15 *μέσον O*, *μεθ' ὃν* corr. *F* 19 *κοινθος O*, corr. *B* 21 *ἐπὶ O*, *ἀπὸ* corr. F 22 *ἑκαστου, το* postea addidit O 25 *πατρίων* O, corr. F

ἀγορανόμοι τέσσαρες καὶ ταμίαι δύο καὶ πραίτωρ — οἱονεὶ στρατηγός — ⟨καὶ⟩ ληγᾶτοι — οἱονεὶ ὑποστράτηγοι — καὶ δυοκαίδεκα χιλίαρχοι, διὰ τὸ προσδοκᾶσθαι Ἀλέξανδρον τὸν Μακεδόνα κατὰ Ῥωμαίων στρατεύειν. ταραχθέντες δὲ οἱ Ῥωμαῖοι Παπίριον μὲν Κούρσορα στρατηγὸν ἀπαντῆσαι Ἀλεξάνδρῳ ἐψηφίσαντο, καὶ προεβάλοντο οἰωνοσκόπους καὶ ἱεροφάντας· σαφὴς δὲ προσδοκία ἥττας τοῖς ἐν καιρῷ πολέμου πρὸς λιτὰς καταφεύγουσιν. ἐπὶ δὲ τοῦ τρίτου καὶ ἑξηκοστοῦ καὶ διακοσιοστοῦ ἐνιαυτοῦ πραίτωρ ἕτερος προεχειρίσθη, ὁ λεγόμενος οὐρβανός — ἀντὶ τοῦ πολιτικός — καὶ ὁ λεγόμενος περεγρῖνος οἱονεὶ ξενοδόκης· τοῦ δὲ δήμου εἰς μέρη μὲν τέσσαρα, εἰς πέντε δὲ καὶ τριάκοντα φυλὰς διῃρημένου, τοῖς μνημονευθεῖσι τρεῖς ἕτεροι προσετέθησαν πραίτορες. τῷ δὲ ἐνενηκοστῷ ⟨καὶ διακοσιοστῷ⟩ τῶν ὑπάτων ἐνιαυτῷ, Ἀννίβου ἐνσκήψαντος τῇ Ἰταλίᾳ, διὰ τὸν ὄγκον τοῦ πολέμου οὐ μόνον δικτάτωρ, ἀλλὰ καὶ ἀντιδικτάτωρ, ἱππάρχης τε καὶ ἀνθιππάρχης προεχειρίσθησαν, ὥστε θάτερον τῇ θατέρου γνώμῃ ἑπόμενον μὴ ἐκ μονήρους αὐθεντίας βλάβην ἐπενεγκεῖν τῇ πολιτείᾳ. τούτων καὶ μόνων τῶν δικτατόρων ἤτοι μεσοβασιλέων μνήμην ἀναφέρει ἡ Ῥωμαϊκὴ ἱστορία· μετὰ δὲ τούτους Γάϊος Ἰούλιος Καῖσαρ, κατὰ τῆς συγκλήτου καὶ Πομπηΐου τὸν ὀλέθριον τοῖς πράγμασιν ἀναζωσάμενος πόλεμον, αὐτὸς ἑαυτὸν μόναρχον ἀπέδειξε, Λεπίδῳ ἱππάρχῃ χρησάμενος.

v. 2 καὶ addidi, sed numerus quoque desideratur 4 μακιδόνα O, corr. O_2 8 ἥττας O, ἥττης voluit F 10 post ἐνιαυτοῦ transposuit τῶν ὑπάτων e v. 16 Reuvens Collectan. litterar. p. 25 15 καὶ διακοσιοστῷ add. F ep. p. 21, cf. Reuvensii l. s. 17 δικτάτορα et 18 ἀντιδικτάτορα O, corr. F 18 ἀντιππαρχης O, corr. F

Κηνσοῦρα.

39. Ὁ δῆμος ἀνέκαθεν καὶ σύμπαν ἁπλῶς τὸ πολίτευμα ἐστρατεύετο, καὶ αὐτῶν τῶν ἱερέων τοῖς πολεμίοις ἐπεξιόντων· καὶ πάντες ἀπέτρεφον ἑαυτούς. ἐδέησε τοίνυν Ῥωμαίοις προβαλέσθαι τοὺς λεγομένους παρ' αὐτοῖς κήνσορας, οἳ τὰς τῶν πολιτῶν οὐσίας ἀπεγράφοντο διὰ τὰς ἐν πολέμῳ δαπάνας· οὔπω γάρ, ὡς νῦν, τὸ δημόσιον ἐχορήγει τοῖς στρατιώταις, οἷα οὐκ ὄντων αὐτοῖς τέως ὑποτελῶν. ὅθεν τοὺς κήνσορας Ἕλληνες τιμητὰς καθ' ἑρμηνείαν ἐκάλεσαν.

40. Τότε Τιτίνιος ὁ Ῥωμαῖος κωμικὸς μῦθον ἐπεδείξατο ἐν τῇ Ῥώμῃ. ὁ δὲ μῦθος τέμνεται εἰς δύο, ⟨εἰς τραγῳδίαν καὶ κωμῳδίαν· ὧν ἡ τραγῳδία καὶ αὐτὴ τέμνεται εἰς δύο⟩, εἰς κρηπιδᾶταν καὶ πραιτεξτᾶταν· ὧν ἡ μὲν κρηπιδᾶτα Ἑλληνικὰς ἔχει ὑποθέσεις, ἡ δὲ πραιτεξτᾶτα Ῥωμαϊκάς. ἡ μέντοι κωμῳδία τέμνεται εἰς ἑπτά, εἰς παλλιᾶταν τογᾶταν Ἀτελλάνην ταβερναρίαν Ῥινθωνικὴν πλανιπεδαρίαν καὶ μιμικήν· καὶ παλλιᾶτα μέν ἐστιν ἡ Ἑλληνικὴν ὑπόθεσιν ἔχουσα κωμῳδία, τογᾶτα δὲ ἡ Ῥωμαϊκήν, ἀρχαίαν· Ἀτελλάνη δέ ἐστιν ἡ τῶν λεγομένων ἐξοδιαρίων· ταβερναρία δὲ ἡ σκηνωτὴ ἢ θεατρικὴ κωμῳδία· Ῥινθωνικὴ ἡ ἐξωτική· πλανιπε-

v. 7 *δαπάνας* post *ἐχορήγει* (v. 8) *O*, transposuit *B* 9 *ὄντος* *O*, corr. *F* | *ὑπο τελῶν* *O*, corr. *F* 11 *τό τετίνιος* *O*, *τότε Τίνιος* *B*, *τότε Λίβιος* voluerunt Reuvens Collect. litt. p. 27 et Osann Anal. critic. p. 44, *τότε Τιτίνιος* coniecerunt *F* et F. Marx, Ind. lect. Rostoch. 1888—89 p. 13 12 *δύο· ⟨εἰς τραγῳδίαν καὶ κωμῳδίαν· καὶ ἡ μὲν τραγῳδία⟩ εἰς* suppl. Reuvens l. s. p. 35, quae duobus verbis mutatis recepi 14 *κριπιδώτην* et 15 *κριπιδώτη* *O*, corr. *F* | *πρετέξαντα* et 16 *πρετέξατα* *O*, corr. *F*, *πραιτέξτα* et *πραιτέξταν* coni. Osann l. s. p. 68 17 *ἀντελάνην* *O*, corr. *F* 19 *κωμωδίαν* *O*, corr. O_2 22 *ἢ θεατρικὴ* *O*, *οὐ θεατρικὴ* coni. Osann l. s. p. 69, pro glossemate habuit

δαρία ἡ καταστολαρία· μιμικὴ ἡ νῦν δῆθεν μόνη σωζομένη, τεχνικὸν μὲν ἔχουσα οὐδέν, ἀλόγῳ μόνον τὸ πλῆθος ἐπάγουσα γέλωτι.

41. Ὅτι δὲ ἀναγκαῖον οἶμαι ἐμβραδῦναι τῷ λόγῳ, προσθήσω καὶ τοῦτο. Ῥίνθωνα καὶ Σκίραν καὶ Βλαῖσον καὶ τοὺς ἄλλους τῶν μυθηγόρων ἴσμεν οὐ μικρῶν διδαγμάτων ἐπὶ τῆς μεγάλης Ἑλλάδος γενέσθαι καθηγητάς, καὶ διαφερόντως τὸν Ῥίνθωνα, ὃς ἑξαμέτροις ἔγραψε πρώτως κωμῳδίαν· ἐξ οὗ πρῶτος λαβὼν τὰς ἀφορμὰς Λουκίλιος ὁ Ῥωμαῖος ἡρωϊκοῖς ἔπεσιν ἐκωμῴδησε. μεθ' ὃν καὶ τοὺς μετ' αὐτόν, οὓς καλοῦσι Ῥωμαῖοι σατυρικούς, οἱ νεώτεροι τὸν Κρατίνου καὶ Εὐπόλιδος χαρακτῆρα ζηλώσαντες τοῖς μὲν Ῥίνθωνος μέτροις, τοῖς δὲ τῶν μνημονευθέντων διασυρμοῖς χρησάμενοι, τὴν σατυρικὴν ἐκράτυναν κωμῳδίαν· Ὁράτιος μὲν οὐκ ἔξω τῆς τέχνης χωρῶν, Πέρσιος δὲ τὸν ποιητὴν Σώφρονα μιμήσασθαι θέλων τὸ Λυκόφρονος παρῆλθεν ἀμαυρόν. Τοῦρνος δὲ καὶ Ἰουβενάλιος καὶ Πετρώνιος αὐτόθεν ταῖς λοιδορίαις ἐπεξελθόντες, τὸν σατυρικὸν νόμον παρέτρωσαν.]

42. Καὶ ταῦτα μὲν περὶ τῆς ἀρχαίας κωμῳδίας τε καὶ τραγῳδίας· τῆς δὲ τύχης τὰ Ῥωμαίων εἰς ὕψος

Reuvens l. s. p. 51 | *ἐξωτικὴ O*, *ἐξαμετρικὴ* coni. ex insequenti paragrapho Osann. l. s. p. 75

v. 2 *οὐθένα λόγω O*, *οὐδέν, λόγῳ* coni. *F*, *οὐδὲν λόγῳ, μόνον* ⟨*δὲ*⟩ *τὸ* coni. Osann l. s. p. 78; ego correxi 5 *ἀσκηραν O*, *Ἀρήσαν* coni. Osann l. s. p. 74, correxerunt Reuvens l. s. p. 77 et G. Kaibel Fragm. Com. Gr. I 190 ex Athen. IX p. 402 b | *βλέσον O*, correxerunt Reuvens et Osann l. s. 6 *πυθαγορων O*, *Πυθαγορείων* coni. *F*; *φλυακογράφων* Reuvens l. s. p. 71, sed vide P. Schuster, Rhein. Mus. XXIX 1874 p. 610; *μυθηγόρων* scripsi | *οὐ μικρῶν O*, *οὐ μακρῶν* coni. Reuvens l. s. p. 72, *κωμικῶν* coni. Ad. Gottl. Lange, Verm. Reden und Schriften p. 99 not. 85

9 *ἔγρ. πρώτως O*, *ἔγρ. πρῶτος* O_2 19 *ἐπεξελθόντος O*, corr. *F*

21 *post τραγῳδίας* paragraphos distinguit F

ἀναφερούσης ἠκολούθησεν εἰκότως καὶ πταίσματα καὶ διαφερόντως ἀσωτία· ὥστε μετὰ τὸν δυοδεκάδελτον καὶ τὸν περὶ ἀσωτίας νόμον, παρὰ Κορινθίων πάλαι τεθέντα, γράψαι Ῥωμαίους· τίτλος δέ, ἤτοι προγραφή, τῷ νόμῳ de nepotibus οἱονεὶ ⟨περὶ ἀσώτων. ἐπεὶ δὲ διπλῆ⟩ ἡ σημασία τοῦ ὀνόματος τούτου ἐστι παρὰ Ῥωμαίοις — νέπωτας γὰρ καὶ τοὺς ἐγγόνους καὶ τοὺς ἀσώτους ὁμωνύμως καλοῦσιν — ἤρεσεν ἐμοὶ διὰ βραχέων τὴν διαφορὰν εἰπεῖν. νέπως ὁ νέος παῖς ἐξ Ἑλληνικῆς ἐτυμολογίας ὁ ἔγγονος λέγεται, ὡς καλῶς ὁ Φιλόξενος εἶπεν· nepos δὲ καὶ ὁ ἄσωτος, ὅπερ καὶ αὐτὸ τροπικῶς. καὶ κατὰ θεωρίαν τάχα τοῖς Ἕλλησι παραχωρητέον, ὅτι τὸν σκορπίον οἱ Ῥωμαῖοι πατρίως νέπαν καλοῦσιν οἱονεὶ ἄποδα κατὰ στέρησιν — τὴν γὰρ ʽνεʼ συλλαβὴν στερητικῷ τρόπῳ λαμβάνουσι Ῥωμαῖοι, ὥσπερ Ἕλληνες νήλιπος νήχυτος νήγρετος νήδυμος — ἐκ τοῦ κατὰ φύσιν συμβαίνοντος τῷ θηρίῳ. ὥρᾳ γὰρ χειμῶνος καὶ αὐτὸς εἰκότως ὁ σκορπίος τῇ γῇ καθάπερ καὶ τὰ ἄλλα τῶν ἑρπετῶν ὑπονεκρωθεὶς κεῖται, μηδὲν ἕτερον παρ' αὐτὴν ἐσθίων. ἡνίκα οὖν πᾶσαν τὴν περὶ ἑαυτὸν ἐδώδιμον γῆν ἑαυτῷ δαπανήσῃ, τῶν ἰδίων καθάπτεται πλεκτανῶν καὶ πάσας αὐτὰς ἀνεπαισθήτως καταναλίσκει. ἦρος δὲ ἀνακαλοῦντος αὐτὸν μετὰ τῶν ἄλλων εἰς φῶς νόμῳ τῆς φύσεως, ἀναποδοῦται καὶ πρὸς καλαμίνθην τὸ φυτὸν

v. 2 των (corr. *F*) δυοδεκαδελτον *O*, τῶν δυόδεκα δέλτων O_2 3 μόνον *O*, νόμον corr. *F* 5 dENEPOTIbUS cod. | οἱονεὶ *O*, ἐπεὶ δ' οὐχ ἁπλῆ coni. B, lacunam statuit explevitque F. Skutsch 6 τουτέστι *O*, corr. *B* 7 νώπωτας *O*, corr. *F* 9 ὁ νέος *O*, οἱονεὶ νέος coni. *B* 10 καὶ καλῶς *O*, corr. *B* 11 νέροσ cod. | αὐτὸς *O*, quod correxi 14 $\overline{\nu\varepsilon}$ *O* 15 νήλυπος *O*, corr. *B* 17 θηρίω ως αρα γὰρ et αρα in ωρα corr. *O*, θηρίῳ· σαῦρα γὰρ O_2 *F*, verum vidit *B* 22 ηρους *O*, corr. O_2 23 ἀνακαλοῦντων *O*, corr. O_2

ἐρχόμενος μόνῃ τῇ ἁφῇ τῆς βοτάνης ἀναλαμβάνει τὸ δριμὺ καὶ στεγανοῦται, καθάπερ ὄφις τῇ μαράθῳ· ὅθεν καὶ νεπέταν τὴν καλαμίνθην Ῥωμαῖοι καλοῦσιν. ταύτῃ ⟨τοὺς⟩ σκορπιστὰς νέπωτας ἀποκαλοῦσιν αὐτοί, οἷα τῶν ἰδίων μελῶν διαφθορεῖς.

43. Τοιαῦτα μέν τινα παρατραπεὶς τοῦ σκοποῦ εἴποιμ' ἂν περὶ τούτου· βαρεῖς δέ τινες καὶ ἀναιδεῖς ἀστεμφεῖς τε καὶ στιβαροὶ τὸν τρόπον οἱ κήνσορες τοῖς ἀσώτοις ἐτύγχανον, μὴ τύχης, μὴ ἀξιώματος ἐξαιρουμένου τὸν αἴτιον. ὅτι δὲ ἀληθῆ ταῦτα, μάρτυς ἡ ἱστορία· λέγει δέ· 'πρῶτος Ἄππιος Κλαύδιος κήνσωρ προεβλήθη. ἀρχὴ δὲ ἦν αὕτη τῶν μεγίστων· καὶ ἔργον ἦν αὐτῇ τοὺς τῶν πολιτῶν διερευνᾶσθαί τε καὶ κρίνειν βίους, τιμωρίας τε ἐπάγειν τοῖς ἁμαρτάνουσι κατὰ πάσης δυναστείας· καὶ οὐδεὶς ἦν ἔξω τῆς τοῦ κήνσορος ἐξουσίας.' κύριοι δὲ ἦσαν οἱ κήνσορες καὶ ἔργοις κοινοῖς κατακοσμεῖν τὴν πόλιν.

Δημαρχία.

44. Οὕτως οὖν τῶν τιμητῶν ἐκταραττόντων τοὺς ὑπηκόους καὶ πικρότερον ἐπεξιόντων τοῖς πολίταις, καὶ διαφερόντως ἀδυσωπήτως διακειμένων τῶν δανειστῶν περὶ τοὺς χρήστας, ἐχειροτόνησεν ὁ δῆμος δύο δημάρχους ἑαυτῷ, Γάϊον Λικίνιον καὶ Λούκιον Ἀλβῖνον, διαιτήσοντας τῷ πλήθει καὶ τὴν ἀγορὰν ἐποψομένους. αὐτοὶ δὲ οἱ δήμαρχοι μαχαίρας διεζώννυντο, δημοσίους δὲ οἰκέτας πρὸς ὑπηρεσίαν εἶχον, οὓς ἑκά-

v. 3 κα|μινθιν *O*, λα add. O_2 4 σκορπιστὰς νέωτας *O*, σκορπίους τοὺς ἀσώτους coni. *F*, σκορπίους τοὺς νέπωτας *F* ep. p. 21, τοὺς σκορπιστὰς νέπωτας coni. *B* 6 a βαρεῖς paragraphum orditur *F* 12 αὕτη τοὺς *O*, corr. F. Skutsch 18 vide *titulum, quem* p. 38, 16 inseruit *O* 24 ἀνεποψομένους, quod *correxit, O* 25 μαχαίραις *O*, corr. F

λουν βερνάκλους· σημαίνει δὲ τοὔνομα τοὺς οἰκογενεῖς οἰκέτας. ἐφ᾽ ὧν τὸ μέτριον ὁ δῆμος ἐκβὰς καὶ αὐτοὺς τοὺς εὐπατρίδας καλεῖσθαι πρὸς τῶν βαναύσων εἰς δίκην ἐνομοθέτησεν· ὥστε τὸν ὕπατον πρὸς θεραπείαν τοῦ πλήθους νόμον ἐνεγκεῖν, μὴ ἐξεῖναι τοῖς ἄρχουσι δίχα ψήφου τοῦ δημάρχου τιμωρεῖσθαι πολίτην.

45. *Εἶτα αὖθις διαφερομένων τῶν λογάδων πρὸς τὸ πλῆθος, ψήφῳ κοινῇ τοὺς μὲν ὑπάτους ἀπεκίνησαν, δέκα δὲ νομοθέταις τὴν διάσκεψιν τῶν κοινῶν ἐπέτρεψαν. ἀπὸ δὲ τοῦ ἑξηκοστοῦ ἔτους τῶν ὑπάτων ἐπὶ πεντήκοντα ἐνιαυτοὺς ποτὲ μὲν χιλιάρχων, ποτὲ δὲ μεσοβασιλέων προβαλλομένων ἐθορυβεῖτο τὰ πράγματα. τότε σιτηρέσιον τὸ δημόσιον πρώτως τοῖς στρατιώταις ἐπιδέδωκεν ὡρισμένον, τὸ πρὶν ἑαυτοὺς ἀποτρέφουσιν ἐν πολέμῳ. ἔνθεν ἀναρχίαν ἐδυστύχησε τὸ πολίτευμα ἐπὶ πενταετῆ χρόνον· καὶ πάλιν ὕπατοι, εἶτα ἀγορανόμοι τέσσαρες ἐκ τῶν πατρικίων καὶ ταμίαι δύο καὶ πραίτωρ ἕτερος· καὶ πάλιν ὁ δῆμος προεχειρίσατο πέντε μὲν οἰωνοσκόπους, τέσσαρας δὲ ἱεροφάντας. ἐπὶ δὲ τοῦ τρίτου καὶ ἑξηκοστοῦ καὶ διακοσιοστοῦ τῶν ὑπάτων ἔτους ἕτερος προεβλήθη πραίτωρ, ὥστε τοῖς ξένοις διαιτᾶν. τὸν δὲ ἐνιαυτὸν οἱ πραίτορες ἐπὶ τῆς ἀρχῆς οὐχ ὑπερέβαινον. ἄχρι δὲ Καίσαρος ὕπατοι μὲν τὸν πόλεμον, τὰ δὲ κατ᾽ οἶκον οἱ πολιτικοὶ διῴκησαν ἄρχοντες.*

v. 7 post *πολίτην* maioribus litteris *δεκανδρικὴ ἐξουσία ἣν ἐκάλουν ἰταλοὶ* dEGEΠISIΠATUM habet *O*, titulum e § 34 huc delapsum delevit *F* 13 *προσβαλλομένων* *O*, corr. O_2 14 *πρωτος* *O*, *πρῶτον* *F*, *πρώτως* scripsi 20 *τεσσαρες* *O*, corr. O_2 24, 25 *με///|τῶν πολεμων* (erasa una littera) O, *μετήρχοντο τὰ τῶν πολέμων* O_2, *μὲν τὰ τῶν πολέμων* coni. F, *μὲν τὸν πόλεμον* scripsi

Πότε ἐπεδόθη πρῶτον τοῖς στρατιώταις τὰ λεγόμενα καπητὰ καὶ τί σημαίνει τὸ καπητὸν ὄνομα.

46. Τῷ πέμπτῳ καὶ ἑξηκοστῷ καὶ τριακοσιοστῷ τῆς πόλεως ἔτει, Λουκίου Γενουκίου καὶ Κοΐντου Σερβιλίου ὑπάτων, πολεμούντων Βηΐοις τοῖς γείτοσι τῶν Ῥωμαίων, ἀνάγκη γέγονε μὴ διαθερίσαι μόνον, ἀλλὰ μὴν καὶ διαχειμάσαι αὐτοῖς παρὰ τοῖς πολεμίοις· τότε πρῶτον διωρίσθη τοῖς στρατιώταις παρασχεῖν τὸ δημόσιον καὶ ὑπὲρ ἵππου δαπάνης τὰ λεγόμενα καπητά· οὕτω δὲ τοὺς ἀπὸ ῥάβδων κοφίνους ἐκάλεσαν ἀπὸ τοῦ κάπερε οἱονεὶ χωρεῖν· ἔνθεν ὑποκοριστικῶς τὰ λεγόμενα καπίτουλα πατρίως οἱ Ῥωμαῖοι ὀνομάζουσι. τοῦ δὲ δήμου ἀνέκαθεν στρατευομένου παντός, συνεῖδον ὡρισμένην καὶ εὐτρεπῆ συστήσασθαι βοήθειαν· σπείρας μὲν ἀπὸ τριακοσίων ἀσπιδιωτῶν, ἃς καλοῦσι κοόρτης, ἄλας δέ — ἀντὶ τοῦ ἴλας — ἀπὸ ἑξακοσίων ἱππέων, βηξιλλατίωνας ἀπὸ πεντακοσίων ⟨ἱππέων, τούρμας ἀπὸ πεντακοσίων⟩ τοξοτῶν ἱππέων, καὶ λεγιῶνας ἀπὸ ἑξακισχιλίων πεζῶν καὶ ῥητῶν ἱππέων. τομαὶ δὲ ταῖς λεγιῶσι αὗται·

Ἄλαι ἀπὸ χʹ ἱππέων
βηξιλλατίωνες ἀπὸ φʹ ἱππέων
τοῦρμαι ἀπὸ φʹ τοξοτῶν ἱππέων
λεγιῶνες ἀπὸ ἑξακισχιλίων πεζῶν.

v. 2 *καπιτὸν* (sed *καπητὰ*) et v. 10 *καπιτὰ O*, quae correxi 5 *γενουκτίου O*, corr. *B* | *κοίνθου O*, corr. *B* 13 *καπιτούλια O*, quod correxi 17 *ἄλλας O*, *ἄλας* corr. *F* 18 *βιξαλλατιωνας O*, quod correxi | supplementum addidi e v. 23 sq. 19 *λεγειῶνας O*, *λεγεῶνας O*, 22 *ειναι O*, *ἶλαι* coni. *F* ep. *p. 21, ἄλαι scripsi* 25 post *ἑξακιλίων* (sic) *πεζων* lineamenta *quaedam in O picta* sunt, quibus fines librorum indicare solent

Τριβοῦνοι, δήμαρχοι
ὀρδινάριοι, ταξίαρχοι
σιγνηφέροι, σημειοφόροι
ὀπτίωνες, αἱρετοὶ ἢ γραμματεῖς
βηξιλλάριοι, δορυφόροι
μήνσορες, προμέτραι
τουβίκινες, σαλπισταὶ πεζῶν
βουκινάτορες, σαλπισταὶ ἱππέων
κορνίκινες, κεραῦλαι
ἀνδαβάται, κατάφρακτοι
μητάτορες, χωρομέτραι
ἄρκυτες καὶ σαγιττάριοι, τοξόται καὶ βελοφόροι
πραιτωριανοί, στρατηγικοί
λαγκιάριοι, ἀκοντοβόλοι
δεκεμπρῖμοι, δεκάπρωτοι
βενεφικιάλλιοι, οἱ ἐπὶ θεραπείᾳ τῶν βετερανῶν τεταγμένοι
τορκουᾶτοι, στρεπτοφόροι, οἱ τοὺς μανιάκας φοροῦντες
βραχιᾶτοι ἤτοι ἀρμιλλίγεροι, ψελιοφόροι
ἀρμίγεροι, ὁπλοφόροι
μουνεράριοι, λειτουργοί
δηπουτᾶτοι, ἀφωρισμένοι
αὐξιλιάριοι, ὑπασπισταί

v. 3 *σιγνηφέραι O*, *σιγνηφόροι* O_2, corr. Th. Preger 5 *βιξιλλάριοι O*, quod correxi 7 *τούβικες* et 9 *κόρνικες O*, quae correxi 10 *ἀνδραβάται O*, corr. *F* 12 *ἀρκύτεις O*, quod correxi 16 *μετεράνων O*, corr. *F* | *τεταγμένοι στρεπτοφόροι O*, *στρεπτοφόροι* delevit *F* 18 *τουρκουάτοι O*, quod correxi | *οἱ τοὺς μανιάκας φοροῦντες* falso cum *βραχιάτοι* iunxit *O*, quo factum est, ut verborum ordo usque ad v. 22 *ἀφωρισμένοι* turbaretur; corruptelam sanavit *F* 20 αρμιγερροι O, quod correxi 21 *μουνευράριοι* O, corr. F 23 αὐξηλιάριοι *O, quod correxi*

κουσπάτορες, φυλακισταί· κούσπους γὰρ Ῥωμαῖοι τὰς ξυλοπέδας καλοῦσι, ὡσανεὶ κουστώδης πεδῶν, οἱονεὶ ποδοκάκας καὶ ποδοφύλακας.
ἰμαγινιφέροι, εἰκονοφόροι
ὀκρεᾶτοι, πεζοὶ σιδήρῳ τὰς κνήμας περιπεφραγμένοι
ἀρματοῦρα πρίμα, ὁπλομελέτη πρώτη
ἀρματοῦρα σημισσάλια, ὁπλομελέτη μείζων
ἀστᾶτοι, δορυφόροι
τεσσεράριοι, οἱ τὰ σύμβολα ἐν τῷ καιρῷ τῆς συμβολῆς τῷ πλήθει περιφημίζοντες
δρακονάριοι, δρακοντοφόροι
ἀδιούτορες, ὑποβοηθοί
σαμιάριοι, οἱ τῶν ὅπλων στιλπνωταί
βαγινάριοι, θηκοποιοί
ἀρκουάριοι, τοξοποιοί
πιλάριοι, ἀκοντισταί
βερουτάριοι, δισκοβόλοι
φουνδίτορες, σφενδον[ῆται]
βαλλιστάριοι, καταπελτισταί· καταπέλτης δέ ἐστιν εἶδος ἑλεπόλεως, καλεῖται δὲ τῷ πλήθει ὄναγρος.
βινεάριοι, τειχομάχοι
πριμοσκουτάριοι, ὑπερασπισταί, οἱ νῦν λεγόμενοι προτίκτ[ορες]
πριμοσαγιττάριοι, τοξόται πρῶτοι
κλιβανάριοι, ὁλοσίδηροι· κηλίβανα γὰρ οἱ Ῥωμαῖοι τὰ σιδ[ηρᾶ] καλύμματα καλοῦσιν ἀντὶ τοῦ κηλάμινα.

v. 2 πεδων *O*, ποδῶν coni. *B* 3 ποδοκόκας *O*, corr. O_2 4 ἰμαγινιφέρης *O*, quod correxi 5 περιπεφθραγμένοι *O*, corr. *F* 7 σιμισσάλια *O*, quod correxi 9 συμβουλῆς *O*, corr. *F* 15 ἀρκουάρεις *O*, corr. *F* 18 φουνδάτορες *O*, corr. *F* 22 προτικοκτ.... *O*, corr. *F* 25 utrum κηλάμινα an κηλέμινα habeat *O*, *haud dispicitur*

φλαμμουλάριοι, ὧν ἐπὶ τῆς ἄκρας τοῦ δόρατος φοινικᾶ ῥάκη ἐξήρτηντο

ἐξπεδῖτοι, εὔζωνοι, γυμνοί, ἕτοιμοι πρὸς μά[χην]

φερεντάριοι, ἀκροβολισταί

κιρκίτορες, οἱ περὶ τοὺς μαχομένους περιϊόντες καὶ χορηγοῦντες ὅπλα μήπω ἐπιστάμενοι μάχεσθαι

ἀδωράτορες βετερανοὶ τίρωνες, περὶ ὧν εἰς πλάτος οἶμαι δεικτέον.

47. Ἀδωράτορας οἱ Ῥωμαῖοι τοὺς ἀπομάχους καλοῦσιν — ἀδωρέα γὰρ κατ' αὐτοὺς ἡ τοῦ πολέμου λέγεται δόξα ἀπὸ τῆς ζειᾶς καὶ τῆς τιμῆς τῶν ποτε τιμηθέντων αὐτοῖς —, βετερανοὺς δὲ τοὺς ἐγγεγηρακότας τοῖς ὅπλοις — μάρτυρες Κέλσος τε καὶ Πάτερνος καὶ Κατιλίνας, οὐχ ὁ συνωμότης ἀλλ' ἕτερος, Κάτων <τε> πρὸ αὐτῶν ὁ πρῶτος καὶ Φροντῖνος, μεθ' οὓς καὶ Ῥενᾶτος, Ῥωμαῖοι πάντες· Ἑλλήνων δὲ Αἰλιανὸς καὶ Ἀρριανός, Αἰνείας, Ὀνήσανδρος, Πάτρων, Ἀπολλόδωρος ἐν τοῖς πολιορκητικοῖς, μεθ' οὓς Ἰουλιανὸς ὁ βασιλεὺς ἐν τοῖς μηχανικοῖς — ὧν ὁ Φροντῖνος ἐν τῷ de offici<o leg>ati, ἀντὶ τοῦ ἐν τῷ περὶ στρατηγίας, μνήμην ποιεῖται, καὶ Κλαυδιανὸς δὲ οὗτος ὁ Παφλαγών, ὁ ποιητής, ἐν τῷ πρώτῳ τῶν Στιλικῶνος ἐγκωμίων. τί-

v. 22 Claudian. laud. Stilic. I 384

v. 4 *φερενταραριοι O*, corr. *F* 7 *ἀδωράτορες* et 9 *ἀδωράτορας O*, *ἀδωρεάτορες* et *ἀδωρεάτορας* volebat *F* ep. p. 22 e Crameri coniectura 12 *αὐτῇ* coni. Gu. Kroll | *βετεριανοὺς O*, corr. *F* 14 *τε* addidi 17 *ὀνήσανδρος O*, corr. *F* 19 ante *ὧν* addiderunt *καὶ* Koechli et Ruestow *Griechische Kriegsschriftsteller* II 1 p. 82 not. 193, eodem loco interpositionem clausit F. Buecheler, Rhein. Mus. XXXIX 1884 p. 282 | *ὧν ὁ Φροντῖνος* — 22 *Στιλικῶνος ἐγκωμίων* post v. 9 *καλοῦσιν* posuit Th. Birt in editione Claudiani p. III | DEOF|FOCIATI cod., *corr. F* 21 *παμφλαγών* O, corr. O_2

ρωνας δὲ τοὺς ταπεινούς, ὁποίους εἶναι συμβαίνει καθ' ἡμᾶς τοὺς λεγομένους Τριβαλλούς· οὕτως δὲ τοὺς Βέσσους Ἀρριανὸς ἐν τοῖς περὶ Ἀλεξάνδρου προσηγόρευσε. διὰ γὰρ πενίαν καὶ μόνην διδοῦσιν ἑαυτοὺς οἱ λεγόμενοι τίρωνες εἰς ὑπερησίαν τῶν ἀληθῶς στρατευομένων, οὐ μὴν ἄξιοι τέως στρατιῶται καλεῖσθαι ἢ ὅλως ἐν ἀριθμῷ τέως τετάχθαι, διά τε τὸ πτωχὸν τῆς τύχης καὶ ἄπειρον τῆς μάχης· οὐδὲ γὰρ ἐφετὸν ἦν ὑπὲρ πατρίδος εἰ μή γε τοὺς εὐπατρίδας ἀγωνίσασθαι. Διόδωρος γοῦν ἐν δευτέρᾳ βιβλιοθηκῶν φησι, Σόλωνα ἐν Αἰγύπτῳ μαθόντα νόμον Ἀθηναίοις γράψαι τοιοῦτον, ὥστε εἰς τρεῖς μοίρας τὴν πολιτείαν διατάττεσθαι· εἰς εὐπατρίδας, οἳ περὶ σοφίαν καὶ λόγους ἐσχόλαζον, δευτέραν δὲ τὴν γεωργικὴν ἅμα καὶ πρόμαχον, τρίτην τὴν βάναυσον καὶ τεχνουργόν· τὴν δὲ μετὰ ταύτας ἄτιμον, ἐξ ἧς οἱ δῆθεν χρειωδέστεροι ἐν τοῖς γεωργικοῖς ἅμα καὶ μαχίμοις προσήδρευον, δουλεύοντες αὐτοῖς καὶ τὸ πολεμεῖν καὶ γεωργεῖν διδασκόμενοι· τούτους Ἰταλοὶ τείρωνας ἐκάλεσαν ἀπὸ τοῦ τείρεσθαι καὶ ταλαιπωρεῖν ἐν τῷ δουλεύειν. Ἀθηναίους γὰρ ἐν ἅπασιν οἱ Ῥωμαῖοι ζηλώσαντες οὕτω καὶ αὐτοὶ τὸν δῆμον διέθηκαν. ταύτῃ γὰρ καὶ τρίβους τὰς φυλὰς ἐπωνόμασαν ἐκ τῆς εἰς τρεῖς μοίρας τῆς πολιτείας διανομῆς.

48. Καὶ οὗτοι μὲν ἐκ προσθήκης ἐτάχθησαν, ὥς τινες τῶν ἱστορικῶν φασιν, ὑπὸ Μαρίου τοῦ ὕστερον τυραννήσαντος. οἱ δὲ ἀνέκαθεν τῷ ἱππάρχῳ ἑπόμενοι

v. 10 Diod. I 28. I 98

v. 3 βεσους O, quod correxi | ἀρριανωθεν O, ἀρριανὸς ἐν O_2 | προηγόρευσε O, corr. F 4 δίδωσιν O, corr. F 7 διὰ δὲ O, corr. F 8 ἐφιτὸν O, ἐφετὸν aut ἐφικτὸν coni. F ep. p. 20, θεμιτὸν coni. B; cf. p. 38, 5 16 ἐν del. Gu. Kroll 26 ἀνέθηκαν O, ἀνέκαθεν corr. F

προμῶται καθ' ὁμαλοῦ προσηγορεύθησαν, συνεστῶτες εἰς τάγματα τέσσαρα· βιάρχους δουκιναρίους κεντουρίωνας ⟦*κεντιναρίους*⟧ ....

... ⟦*ἐκ τούτων*⟧ *μὲν πάντων δέκα μὲν δήμαρχοι, δύο δὲ ὕπατοι καὶ ὀκτὼ πραίτορες καὶ ἓξ ἀγορανόμοι ἐπὶ τῆς πόλεως ἀπέμειναν καὶ μόνοι.' ταῦτα ὁ Πομπώνιος, ὡς ἔοικε, τὸ πλῆθος καὶ ποικίλον τῆς ἱστορίας διαφυγών. ὅ γε μὴν Οὐλπιανὸς ἐν τοῖς προγραφομένοις προτριβουναλίοις λεπτοτέρως τοὺς περὶ τῶν πραιτόρων διεξῆλθε λόγους, τοὺς μὲν* tutelarios, *τοὺς δὲ* fideicommissarios *ὀνομάζων· ὧν ἅπαξ σχολαζόντων οὐ συνεῖδον μνησθῆναι.*

49. *Τοσούτων ἀρχόντων ἐκ προοιμίων τῆς Ῥωμαϊκῆς πολιτείας μέχρι τῆς ἐπιεικεστάτης βασιλείας Τίτου μνήμην ἐν ταῖς ἱστορίαις εὑρὼν πέρας ἐπιθήσω τῷ λόγῳ. οὐδὲ γὰρ τῶν Δομιτιανοῦ δυοκαίδεκα πολιάρχων οὐδὲ μὴν τῶν Βασσιανοῦ τὸ ἐπίκλην Καρακάλλου νεωτερισμῶν μνήμην ποιήσασθαι συνεῖδον· τὰ γὰρ παρὰ τῶν κακῶς βεβασιλευκότων γενόμενα, κἂν ὦσι χρηστά, καταφρονείσθω.*

v. 6 Pomponius Dig. I tit. II 34 8 cf. Ulpiani *de fideicommissis* libros sex et librum *de officio praetoris tutelaris* singularem (Lenel Palingen. Iur. Civ. II 903. 962)

v. 1 *προηγορεύθησαν O*, corr. *F* 3 post *κεντουριανος* (quod corr. *F*) duo folia interciderunt in *O*, *κεντιναρίους* supplevi e III 7 4 *ἐκ τούτων* supplevit Heffter, Rhein. Mus. f. Iurispr. II 1828 p. 120 5 *ὀκτὼ O*, *decem et octo* Dig. 6 *ἀπέμειναν O*, *ἀπένειμαν* coni. Heffter l. s. 8 *διαφυγὼν O*, *διαφεύγων* coni. *B* 10 TUTЄLAПIUSTOYCΔOFIdЄICOnIПIIS SAПIUS cod. 17 *τὸ O*, *τοῦ* coni. *F*

Περὶ τοῦ ὑπάρχου τῶν νυκτῶν.

50. Τρίβυρες, ἔθνος Γαλατικόν, ταῖς ὄχθαις τοῦ Ῥήνου παρανεμόμενοι, ὅπου καὶ Τρίβυρις ἡ πόλις — Συγάμβρους αὐτοὺς Ἰταλοί, οἱ δὲ Γαλάται Φράγγους καθ' ἡμᾶς ἐπιφημίζουσιν —, ἐπὶ Βρέννου ποτὲ διὰ τῶν Ἄλπεων σποράδην ἀλώμενοι ἐπὶ τὴν Ἰταλίαν ἐξηνέχθησαν διὰ τῶν ἀνοδεύτων καὶ ἀκανθωδῶν ἐρημιῶν, ὥς φησιν Βεργίλιος. εἶτα καὶ διὰ τῶν ὑπονόμων ἐπελθόντες τὴν Ῥώμην καὶ αὐτὸ δὲ τὸ Καπιτώλιον ἐκράτησαν, ὅτε τῶν ἐν τῷ ἱερῷ χηνῶν ταραχθέντων ὑπὸ τῶν βαρβάρων ἀκράτῳ νυκτὶ φανέντων διεγερθεὶς Μάλλιος ὁ στρατηγός — γείτων δὲ ἦν — τοὺς μὲν βαρβάρους ἐξώθησε, τοῖς δὲ χησὶν ἑορτὴν καὶ ἱπποδρομίαν ἄγειν Ῥωμαίοις, τοῖς δὲ κυσὶν ὄλεθρον κατὰ τὸν ἐν λέοντι ἥλιον διώρισε. τούτων οὕτως τότε γενομένων νόμος ἐτέθη ὁ προάγων τοὺς φύλακας τῶν νυκτῶν. καὶ ὅσον μὲν πρὸς τὸ μῆκος τοῦ χρόνου, ἐχρῆν ἡμᾶς ἔμπροσθεν τούτων ἐπιμνησθῆναι· ἀλλ' ἐπειδὴ μὴ ταῖς ἀρχαῖς τῆς πολιτείας καὶ τουτὶ συναριθμεῖσθαι τὸ φρόντισμα νόμος, σύστημα δὲ καὶ σῶμα τυγχάνει λειτουργίας χάριν ἐπινοηθέν, εἰκὸς ἦν καὶ αὐτὸ ὡς γοῦν πέρας τι τῶν ἀρχῶν παραθέσθαι. οὐ γὰρ μόνον τὴν πόλιν ἐξ ἐπιδρομῆς καὶ λανθανούσης ἐφόδου πολεμίων ἀπήμαντον καὶ ἀστασίαστον ἐμφυλίου βλά-

v. 8 Verg. Aen. VIII 657

v. 4 συνγάμβρους O, corr. B | οἷον O, οἱ corr. F 6 ἀλλωμενοι O, corr. F 8 οὐεργίλιος O, quod mutavi 14 ῥωμαίοις O, ῥωμαίους coni. F ep. p. 23 15 ἐλεοντι O, ἐν λέοντι corr. O_2 20 φρόντιμα O, corr. O_2 21 λειτουργις O, corr. O_2 22 πέρατι O, πέρας τι conieci

βης φυλάττουσιν, ἀλλὰ καὶ τοῖς ἀπὸ τῶν ἐμπρησμῶν βλαπτομένοις ἀμύνουσι. καὶ μάρτυς Παῦλος ὁ νομοθέτης αὐτοῖς ῥήμασι καθ' ἑρμηνείαν οὕτως· 'τὸ τριανδρικὸν σύστημα παρὰ τοῖς παλαιοῖς διὰ τοὺς ἐμπρησμοὺς προεβάλοντο, οἳ καὶ νυκτερινοὶ ἐκ τοῦ πράγματος ἐλέγοντο. συνῆσαν δὲ αὐτοῖς καὶ οἱ ἀγορανόμοι καὶ δήμαρχοι ὑπουργῶν ⟨τε⟩ κολλήγιον, ἀντὶ τοῦ σύστημα, ὃ περὶ τὰς πύλας τῆς πόλεως ᾤκει καὶ τὰ τείχη, ὥστε τῆς χρείας καλούσης εὐχερῶς εὑρισκομένους συντρέχειν.' οὕτω μὲν ὁ Παῦλος. ὅτι δὲ ἀληθὴς ὁ λόγος ⟨ἐστίν, ἰδεῖν⟩ ἔστι καὶ νῦν τοιούτου τινὸς ἀεὶ συμβαίνοντος ἀνὰ τὴν πόλιν· οἱ τυχὸν ἐπικαίρως ἐξ αὐτῶν εὑρισκόμενοι βοῶντες τῇ πατρίῳ Ῥωμαίων φωνῇ· omnes collegiati ⟨adeste⟩ οἷον εἰπεῖν· 'πάντες ἑταῖροι συνδράμετε.'

51. Τούτων οὕτω προαχθέντων ἕκτον καὶ ἑπτακοσιοστὸν ἔτος τῇ πόλει ἐκεχωρήκει, Καῖσαρ δὲ μοναρχῶν πάσας μὲν ἀπέπαυσε τὰς ἀρχάς· τὴν δὲ τῶν ὅλων δύναμιν ἀρχῶν ἀνεζώσατο μόνος. καὶ τρισὶν ἐνιαυτοῖς διαρκέσας αὐτὸς μὲν ἐν τῇ βουλῇ κατεσφάγη· τὸ δὲ λοιπὸν Καῖσαρ ὁ νέος ἀδελφιδοῦς ἐκείνου, μεθ' ὃν τὸ κράτος εἰς τοὺς Καίσαρας περιέστη.

v. 2 Dig. I tit. XV

v. 7 ὑπουργοὶ *O*, ὑπούργει δὲ coni. *B*, ὑπουργῶν τε scripsi 8 οπερ *O*, ὃ περὶ corr. *B* 11 ἐστίν, ἰδεῖν addidi | απει (απει correctum ex απο) *O*, quod in ἀπείη mutavit O_2, in ἅμα *F* ep. p. 23, qui post ἀληθές (ἀληθὴς *O*) distinxit; ἀεὶ coni. Gu. Kroll 13 OMNISCOLLICIATAS cod., *omnes collegiati* scripsit *F*, ego addidi: *adeste* 14 ἕτεροι *O*, ἑταῖροι corr. O_2 16 προσαχθέντων *O*, corr. *F* 17 κεχωρήκει *O*, quod mutavi

ΛΟΓΟΣ ΔΕΥΤΕΡΟΣ.

Περὶ Καίσαρος καὶ τῶν Καίσαρος ἐπισήμων.

1. Οἱ τυραννίδα καθ' ὅντιναοῦν καιρὸν τολμήσαντες οὐ μόνον τοὺς ἐν οἷς ἐγένοντο καιροῖς ἐλυμήναντο, ἀλλὰ καὶ τοῖς μεταγενεστέροις πρὸς βλάβης ἐγένοντο, ζηλωτὰς κακῶν τοῖς ὑπηκόοις ἀπολιμπάνοντες. Μαρίου τοίνυν τυραννήσαντος καὶ ὑπουργήσαντος Σύλλας ἀναστὰς ἀντετυράννησεν· αὐτῶν δὲ ἀλλήλοις ἀντιφερομένων ἡ Ῥωμαίων μεταίχμιον οὖσα τοῖς τυράννοις ἐσπαθίζετο πολιτεία. καὶ Μάριος μὲν ἐν προοιμίοις τῶν Σύλλου ἐκράτει δυνάμεων· τῆς δὲ τύχης ἑκάτερον διαφθεῖραι σπουδαζούσης, νῦν μὲν ὁ Σύλλας, νῦν δὲ ὁ Μάριος ἐκράτει· πέρας δὲ ἑκατέροις ὄλεθρος. Μάριος μὲν γὰρ ἐλαττωθεὶς εἰς τεμάχη λεπτὰ πρὸς τοῦ Σύλλου κατετμήθη, Σύλλας δὲ μετὰ τὴν νίκην σκώληκας ἀναβλύσας καὶ ἕτερον οὐδὲν παρὰ τὴν Εὐτυχοῦς προσηγορίαν ἐκ τῆς νίκης λαβὼν ἀπεφθάρη. περιόντι δὲ ἔτι τῷ Σύλλᾳ προσπελάσας ὁ Πομπήϊος ἐζήλου τε αὐτὸν καὶ γαμβρὸς ἐγένετο, Ἀντιστίαν τὴν ἐγγόνην αὐτοῦ πρὸς γάμον ἑλών, καὶ ὅλος ἦν ἐκείνου. νοσῶν δὲ Καῖσαρ ἐξ ἀρχῆς πρὸς Πομπήϊον, Ἰουλίας ἤδη τῆς αὐτοῦ θυγατρὸς τελευτησάσης, ἣν ἔτυχε πρὸς γάμον Πομπηΐῳ δούς, τὴν ἐναντίαν ἠσπάσατο καὶ Μάριον ἐτίμα καὶ τοῖς αὐτοῦ τρόποις ἀπήγετο. συγχέονται οὖν ἄμφω κατ' ἀλλήλων ὡσεὶ

v. 1 λόγος β' | περὶ καίσαρος eqs. *O* 14 τε μάχην *O*, corr. *F* 19 τὰ ἑαυτῶν *O*, corr. *F* 21 νοσῶν *O*, νεύων coni. *B*

κληρονόμοι τῶν τυράννων, ἔθνους μὲν παντός, ὅσον ἦν πρὸς ἀνίσχοντα ἥλιον, Πομπηΐῳ, βαρβάρων δὲ πάντων, ὅσοι πρὸς δύνοντα ἥλιον καὶ τὴν ἄρκτον ἐνέμοντο, τῷ Καίσαρι ἅμα τῷ στρατιωτικῷ συναιρομένων· καὶ δῆλα τὰ λοιπά.

2. Κρατεῖ δὲ τῶν ὅλων ὁ Καῖσαρ καὶ ἐπὶ τριακοσίοις αἰχμαλώτοις θριαμβεύων βασιλεῦσιν ἀναβὰς εἰς τὴν Ῥώμην οὐ βασιλέως — τί δ' ἂν εἴη μεῖζον; — ἤγουν μονάρχου τινὸς ὑπέμεινεν ὑπελθεῖν προσηγορίαν· ἄλλην δέ τινα καὶ τῇ τύχῃ ἠγνοημένην ἐζήτει τιμήν. ὡς γὰρ ἐκ τοῦ Καπιτωλίου μετὰ τὸν θρίαμβον ἐπὶ τὴν βουλὴν ἐφέρετο, ἐκδραμόντος τινὸς τῶν ἐν τέλει τῆς στρατιᾶς καὶ στέφανον ἀγνοοῦντι περιθεμένου, λαβὼν αὐτὸς ἔρριψεν ἀγανακτῶν, ὡς ὕβριν ὑπομένειν ὑπολαβών, εἰ βασιλεὺς χρηματίσοι ὁ τοσούτους βασιλέας εἰς δουλείαν ὑπαγαγὼν καὶ αὐτὴν δὲ τὴν τύχην ἑλών. οὕτως ἐμφορηθεὶς ταῖς εὐπραγίαις ἠξίωσε μόλις θεός τε ἅμα καὶ ἀρχιερεὺς καὶ ὕπατος καὶ μόναρχος ἐς ἀεὶ καὶ Ῥωμαίων μὲν πρῶτος, ἐπίτροπος δὲ τῶν ἁπανταχοῦ βασιλέων, καὶ ἵππαρχος καὶ πατὴρ πατρίδος καὶ στρατηγὸς καὶ φύλαξ πόλεως καὶ πρῶτος δημάρχων χρηματίσαι, στολὴν ταῦτα πάντα σημαίνουσαν ὑποδύς· καὶ ὄνομα μὲν αὐτῇ τριουμφάλια· οὐδὲ γὰρ ἦν εὔπορον οὕτω πολυσήμαντον ἐξευρεῖν τῇ στολῇ προσηγορίαν. χιτὼν δὲ ἦν, ἔνδον μὲν ἐκ πορφύρας, ἔξωθεν δὲ χρυσὸς ὅλος, ὥσπερ ἐλασθέντος διεστηκὼς τοῦ χρυσοῦ· καὶ λῶρος ἄνωθεν· οὕτω δὲ τὴν χρυσήλατον ἐπωμίδα Ῥωμαίοις ἀρέσκει καλεῖν. ταύτην τὴν

v. 4 *συναιρουμένων O*, corr. *B* 12 *ἐκδραμοῦντος O*, corr. *O* 26 *ἄνωθεν O*, *ἔξωθεν* corr. *F* | χρυσὸς *O*, χρυσοῦς coni. B \ ὅλως *O*, ὅλος correxerunt O_2 *B*

στολὴν ἔθος ἐκράτησεν ἐξ ἐκείνου τοὺς Ῥωμαίων αὐτοκράτορας ἀμπέχεσθαι, ὅταν ἐπὶ βασιλεῦσιν αἰχμαλώτοις θριαμβεύσωσι· καὶ τοῦτο δῆλον ἐν ἡμῖν ἀπεδείχθη, ὅτε Γελίμερα τὸν Βανδήλων καὶ Λιβύης βασιλέα πανεθνεὶ θεὸς αἰχμάλωτον τῇ καθ' ἡμᾶς παρεστήσατο βασιλείᾳ. οὐδὲ γὰρ ἦν, ὁμοσχήμονα τὸν νικητὴν πορφύραν περικειμένῳ γίνεσθαι τῷ κρατηθέντι. τοιούτοις τὸν Καίσαρα τῆς τύχης ἐπὶ τριετῆ χρόνον διαπαιζούσης φρυάγμασιν ἡ φύσις ἔπεισεν ἄνθρωπον εἶναι.

3. Ὀκταβιανὸς δὲ μετ' αὐτόν, ἀδελφιδοῦς ἐξ Ἀτίας τοὔνομα τῆς ἀδελφῆς αὐτῷ γενόμενος καὶ θετὸς παῖς, διαδεξάμενος τὴν αὐτοκράτορα τιμήν, θεὸς μὲν δῆθεν εὐσεβῶς μετριάζων ὀνομάζεσθαι παρῃτεῖτο, θεῖος δὲ μᾶλλον· καὶ τοῦτο πᾶσι τοῖς μετ' αὐτὸν τὸ ἀξίωμα περιετέθη. τὸ μὲν γὰρ τῶν φύσει πεφυκότων ἐστί, τὸ δὲ τῶν θέσει, τιμῆς ἢ μᾶλλον βλασφήμου κολακείας χάριν τοῖς βασιλεῦσι περιτιθέμενον. τοῖς δὲ ἐπισήμοις χρήσασθαι, οἷς Καῖσαρ ὁ μέγας, τέως οὐκ ἔσχε· πρῶτον μέν, ὅτι κοινωνοὺς εἶχε τῆς ἀρχῆς Ἀντώνιον καὶ Λέπιδον. νέος δὲ ὢν κομιδῇ καὶ τὴν λεγομένην παρὰ Ῥωμαίοις βοῦλλαν οἱονεὶ ψῆφον ⟨φορῶν⟩ τῆς Καίσαρος ἠξιοῦτο προσηγορίας. ὅθεν ἔτι καὶ νῦν τοῖς εἰς βασιλείαν προαγομένοις οὐ πρότερον τὰ ταύτης ἐπιτίθεται σύμβολα, πρὶν στρεπτὸν τῷ τραχήλῳ περιθέντες αὐτῷ οἱ ἐν τέλει τῆς στρατιᾶς ἄξιον εἶναι τῆς βασιλείας ἀποφήνωσι, Καίσαρα δεικνύντες αὐτὸν καθάπερ τὸν νέον Καίσαρα καὶ τῆς τοῦ πρώτου Καίσαρος ἄξιον τιμῆς τε καὶ προσηγορίας. ὥσπερ γὰρ Πέρ-

v. 3 θριαμβεύσωσι O, θριαμβεύωσι coni. B   4 γελιμερ O, corr. F | λυβυης O, corr. F   21 ψῆφον τῆς O, φέρων add. F, φορῶν B   23 ταῦτα τις O, τὰ ταύτης corr. B

σαις ἐστὶ νόμιμον, τὸν ἐκ βασιλέως τεχθέντα προάγειν ἑαυτοῖς εἰς βασιλείαν, οὕτω Ῥωμαίοις ἦν τὸ πάλαι μὴ τῷ τυχόντι, ἀλλὰ μόνοις τοῖς ἐκ τῆς Καίσαρος σειρᾶς κατιοῦσιν ἐγχειρίζειν τὸ κράτος. μέσος οὖν ἦν ὁ νέος Καῖσαρ, μήτε τῆς ὅλης ἐπειλημμένος τοῦ κράτους τιμῆς διὰ τοὺς κοινωνοὺς τῆς ἀρχῆς, μήτε μὴν ἀμοιρῶν, τὸ δὲ πλέον ἔχων παρ' ἐκείνους διὰ τὸ Καίσαρος ἐπώνυμον, ὃ περιὼν ἔτι ⟨ὁ⟩ θεῖος αὐτῷ περιέθηκε, διάδοχον ἑαυτοῦ καταλεῖψαι ψηφισάμενος. ὡς δὲ Λέπιδος μὲν ἐτελεύτα, Ἀντώνιος δὲ πρὸς Κλεοπάτραν ἔρρεψε, Φουλβίαν τὴν ἀδελφὴν τοῦ νέου Καίσαρος συνοικοῦσαν αὐτῷ τὸ πρὶν ἀποπτύσας, Αἴγυπτόν τε εἷλε μετ' Ἀντωνίου καὶ τοὺς ἐμφυλίους ἔπαυσε θορύβους τῆς Ῥώμης, ὀγκωθεὶς καὶ αὐτὸς θεός τε ἐχρημάτισεν ὁ ἄρτι μετριάζων καὶ ναοὺς ὡσιωμένους πρὸς τιμῆς αὐτοῦ ἀπεδέξατο καὶ ἀρχιερέα ὡσεὶ θεὸς ἐπεμβόλιμος προεχειρίσατο, πρῶτον αὐτὸν τῶν ἱερέων τῶν τότε νομισθέντων θεῶν ἀποδείξας, ἐπισήμοις τε πᾶσιν ἐχρήσατο, οἷς ὁ πατήρ, καὶ στρατείαις καὶ τάξεσι καὶ δορυφόροις, ὅσοις ὁ Ῥωμύλος τε καὶ πάντες οἱ ἀπ' αὐτοῦ μέχρι τούτων ἐχρήσαντο, μόνον τὸν ἵππαρχον εἰς ἔπαρχον μεταβαλών, ὀχήματι τιμήσας ὑπερηφάνῳ, ἐξ ἀργύρου πεποιημένῳ, καὶ τάξιν πολιτικὴν ἀπονείμας αὐτῷ πειθαρχεῖν, Αὐγουσταλλίους ἐξ αὐτοῦ καλέσας αὐτούς· περὶ ὧν ἐν τῷ περὶ τῆς τάξεως τῶν ὑπάρχων

v. 25 vide infra III 9

v. 1 post *νόμιμον* addit *μόνον* Gu. Kroll 2 *ῥωμαίοις οἷς τῷ* (*τὸ* corr. *F*) *O*, pro *οἷς* scripsit *ἦν F*, *οἷς* del. *B* 6 *ἄμοιρον O*, *ἄμοιρος* coni. *F*, corr. *B* 7 *ἐκείνοις O*, corr. *F* 8 *θειως O*, *ὁ θεῖος* corr. O_2 9 *καταλῆψαι O*, corr. O_2 16 *αὐτῷ* O, *αὐτοῦ* corr. *F* 17 *αὐτον τον των* O, corr. O_2 24 *ἀγουσταλίους O*, corr. *F*

μικρὸν ὕστερον ἐροῦμεν. ἠπίως δὲ ὅμως ἐχρήσατο τοῖς ὑπηκόοις, ὥστε τοὺς Ῥωμαίους εἰπεῖν ἐπ' αὐτῷ τῇ πατρίῳ φωνῇ· utinam nec natus nec mortuus fuisset· ἀπηύχοντο γὰρ αὐτοῦ τὴν γένεσιν, ὅτι μόνος ἐστήριξε τὴν τῶν Καισάρων ἡγεμονίαν, καὶ ὁμοίως τὴν τελευτὴν διὰ τὸ ἤπιον ἅμα καὶ τὸ τῶν ἐμφυλίων στάσεων ἀναιρετικόν· οὐδὲ γὰρ μετ' αὐτὸν ἐμφύλιος ἀνήφθη πόλεμος.

4. Ἐχρῆτο δὲ στολῇ ἐπ' εἰρήνης οἷα ποντίφεξ — ἀντὶ τοῦ ἀρχιερεὺς γεφυραῖος — πορφυρᾷ ποδήρει ἱερατικῇ χρυσῷ λελογχωμένῃ, ἀμφιβλήματι δὲ ὁμοίως πορφυρῷ, εἰς χρυσοῦς αὔλακας τελευτῶντι, τήν τε κεφαλὴν ἔσκεπε δι' ἃς ἐν τῇ γραφείσῃ μοι περὶ μηνῶν πραγματείᾳ ἀποδέδωκα αἰτίας· ἐπὶ δὲ τῶν πολέμων παλουδαμέντοις — αἱ δέ εἰσι δίπλακες ἀπὸ κόκκου, πρωτείας μετάξης κλωστῆς, χρυσῇ περόνῃ λιθοκολλήτῳ ἀναρπαζόμεναι τοῖς ὤμοις, ⟨ἣν⟩ ἡμεῖς μὲν φίβουλαν ὡς Ἰταλοὶ καλοῦμεν, κορνοκόπιον δὲ ἰδίᾳ πως ἐν τοῖς βασιλείοις ἔτι καὶ νῦν λέγουσιν· ἐν δὲ ταῖς εὐωχίαις λιμβοῖς — πορφυροῖ δέ εἰσι τρίβωνες ποδήρεις Μαιανδρίαις γραμμαῖς, ἐπὶ ⟨δὲ⟩ τῶν ὤμων χρυσοῖς τουβαλαμέντοις οἱονεὶ σωληνωτοῖς ὑφάσμασι διαλάμποντες — καὶ παραγαύδαις αὐριγάμμοις, ἀντὶ τοῦ χιτῶσι χρυσοῖς γαμματισκίοις ἀναλελογχωμένοις, ἀπὸ τῆς περὶ τοὺς πόδας ὤας καὶ τελευτῆς τοῦ ἐσθήματος ἐξ ἑκατέρων τῶν πλαγίων εἰς γάμμα στοιχεῖον διαζωγραφοῦσι χρυσῷ

v. 12 de mens. p. 11, 4

v. 3 UTINAMINECATOUSECMOPTΩUSFUISSET cod. 9 πορφύρας *O*, corr. *F* 13 ἀποδώδεκα *O*, corr. O_2 16 ἀναπαζόμεναι *O*, ἀνασπαζόμεναι scripserunt O_2*F*, ἀναρπαζόμεναι coni. *B* | ἣν addidi 19 μαιανδρίοις *O*, corr. *F* 20 δὲ add. *F* | τουβουλαμέντοις proponit F. Skutsch 22 παραγώδαις *O*, correxi *ad p. 21, 23* 23 γαμματισκοις *O*, corr. *B*

τὸν χιτῶνα· ἐν δὲ τῇ βουλῇ χλαμύσι, πορφυραῖς μὲν — πῶς γὰρ οὐχί; —, πρὸς δὲ τὸ πέρας τῆς ποδήρους ὤας γραμμαῖς τετραγώνοις διόλου χρυσῷ κοσμουμέναις — σηγμέντα αὐτὰς ⟨οἱ⟩ τῆς αὐλῆς καλοῦσιν ἀντὶ τοῦ χρυσόσημα· τὸ δὲ πλῆθος ἐπὶ τῶν ἰδιωτικῶν χλαμύδων σημέντα — βραττεολάταις καὶ γεμμάταις καὶ λαγκιολάταις ἀντὶ τοῦ χρυσοπετάλοις διαλίθοις καὶ λογχωταῖς, καὶ τοῖς λοιποῖς τῆς βασιλείας ἐπισήμοις, περὶ ὧν κατὰ λεπτὸν ἀφηγεῖσθαι περιττὸν ὑπολαμβάνων πάρειμι, τοῦ λόγου με τὸ λοιπὸν ἐπὶ τὴν ἀφήγησιν τῆς ποτὲ πρώτης τῶν ἀρχῶν κατὰ τάξιν ἄγοντος.

Περὶ τῆς ἐπαρχότητος τῶν πραιτωρίων.

5. Τὸ μὲν περίβλεπτον τῆς ἀρχῆς καὶ μόνῳ τῷ σκήπτρῳ παραχωροῦν καὶ ἐξ αὐτῆς τῆς ἀμυδρᾶς σκιᾶς, ἣν ἔτι καὶ μόνην δοκεῖ διασώζειν, ἱκανοῖς ἄν τις καταλάβοι γνωρίσμασι· πέφυκε γὰρ τὰ τῶν πραγμάτων ὑπέροπτα καὶ ἐξ αὐτῆς καταλαμβάνεσθαι τῆς ἐλαττώσεως. δεινὸς δὲ ὁ χρόνος ἐκφαγεῖν τε καὶ ὑπεργάσασθαι τὰ γένεσιν ἅμα καὶ φθορὰν εἰληχότα. ἀλλ' ἡ βασιλέως ἀρετὴ τοσαύτη τίς ἐστιν, ὥστε παλιγγενεσίαν δι' αὐτοῦ τὰ πρὶν ἐξολωλότα καραδοκεῖν.

6. Οὕτως οὖν τῶν ἀρχῶν, ὡς ἔφθην εἰπών, ἄχρι τῆς Καίσαρος τοῦ πρώτου ἐπικρατείας προελθουσῶν, αὐτὸς μετὰ τῆς τύχης ἐπιστὰς τοῖς πράγμασι ξύμπαν ἐξηλλοίωσε τὸ πολίτευμα, ὑπάτοις μὲν μηδὲν παρὰ τὴν προσηγορίαν ἀπολιπών, εἰς μήνυμα τοῦ χρόνου δῆθεν, ὑφ' ἑαυτῷ δὲ τάξας τὸν σύμπαντα στρατὸν δέδωκε

v. 4 αὐτάρ τῆς *O*, αὐτὰς οἱ τῆς corr. *F* 6, 7 βραττεολάτοις et γεμμάτοις et λακιολάτοις et λογχωτοῖς O, corr. F
20 ἀρετὴν *O*, corr. *F* 21 ἐξωλοτα O, corr. O

τοῖς μετ' αὐτὸν ἢ δι' ἑαυτῶν — πλὴν εἰ μή γε τὸ τρυφᾶν προτιμῷεν — ἢ διὰ στρατηγῶν ὧν ἂν θέλωσιν ἢ δι' ὑποστρατήγων, τῶν παρὰ Ῥωμαίοις λεγομένων ληγάτων, τοὺς ἐνισταμένους διεργάζεσθαι πολέμους, μόνῳ τῷ ἱππάρχῳ, ὃς ἦν αὐτῷ Λέπιδος μοναρχοῦντι, καταλιπὼν μετὰ μείζονος αὐθεντίας τὴν δύναμιν· ὃν μετ' αὐτὸν Ὀκταβιανὸς Καῖσαρ, ὡς εἴρηται, ὕπαρχον ἑαυτῷ οὐ τῆς αὐλῆς μόνης, ἀλλὰ μὴν καὶ στρατιᾶς ἁπάσης καὶ πολιτικῆς τάξεως, ἣν οὐκ εἶχε πρότερον, ἀναδείξας, ὃς βραχὺ παρατραπείσης τῆς λέξεως ἐξ ἀφυλάκτου συνηθείας ἀντὶ ἱππάρχου ὕπαρχος προσηγορεύθη. καὶ ἐπὶ μὲν τῆς Ῥώμης — ἐφ' ἧς καὶ μόνης τὴν αὐλὴν παλάτιον καλεῖσθαι νόμος — ὕπαρχος τοῦ Καίσαρος ⟨καλεῖσθαι⟩ ἐνόμιζεν οἱονεὶ δεύτερος μετ' ἐκεῖνον, ἐπὶ δὲ τῶν κάστρων — οὕτω δὲ τὰς ἐν πολέμῳ παρεμβολὰς Ῥωμαίοις ἔθος καλεῖν — πραίφεκτος πραιτωρίων, οἱονεὶ προεστηκὼς τοῦ πραιτωρίου· τὸ γὰρ στρατηγικὸν ἐπὶ ξένης κατάλυμα πραιτώριον ἐκείνοις ἔδοξεν ὀνομάζειν, κἂν εἰ τυχὸν αὐτὸν τὸν Καίσαρα αὐλίζεσθαι ἐπ' ἐκείνου συμβαίνῃ. ηὗρον δὲ καὶ στερεὰν αἰτίαν, ἧς ἕνεκα τῇ τοῦ ἐπάρχου προσηγορίᾳ καὶ τὸ τῶν πραιτωρίων προστίθεται γνώρισμα, ὡς εἶναι τὴν ἀρχὴν τῶν πρός τι καὶ μὴ δοκεῖν ἀσήμαντον ἔχειν τὴν ἐξοχήν, συνώνυμον δὲ τῷ πολιάρχῳ, ὃν καὶ αὐτὸν ὕπαρχον ὀνομασθῆναι προδεδήλωται, πραίτορα οὐρβα-

v. 25 προδεδήλωται: in iis quae I 48 interciderunt; vide p. 51, 3

v. 1 τοὺς μετ' αὐτῶν *O*, corr. *F* 2 προτιμῶμεν *O*, προτιμῶσιν coni. *F*; corr. *B* 6 καταλε|πτον *O*, corr. *F* 10 ὡς *O*, ὃς scripsi 14 ἐνόμιζεν *O*, ἐχρημάτιζεν coni. *B*, ego καλεῖσθαι addidi 16 πραιτωρίων *O*, πραιτωρίῳ coni. *F*, sed *vide v. 22* 20 συμβαίνει *O*, corr. O_2

νὸν τὸ πρὶν προσαγορευόμενον. Τράγκυλλος τοίνυν τοὺς τῶν Καισάρων βίους ἐν γράμμασιν ἀποτίνων Σεπτικίῳ, ὃς ἦν ὕπαρχος τῶν πραιτωριανῶν σπειρῶν ἐπὶ αὐτοῦ, πραίφεκτον αὐτὸν τῶν πραιτωριανῶν ταγμάτων καὶ φαλάγγων ἡγεμόνα τυγχάνειν ἐδήλωσεν· ὥστε οὐ μόνον ἄν τις λάβοι τὸν ὕπαρχον τῆς αὐλῆς, ἣν καὶ πραιτώριον πολλαχοῦ καλουμένην κατὰ τὸν ἑνικὸν ἀριθμόν ἐδηλώσαμεν, ἀλλὰ μὴν καὶ κατὰ τὸν πληθυντικὸν καλῶς ὠνομασμένον· οὐ μόνον γὰρ λέγεται πραίφεκτος πραιτωρίου ⟨ἀλλὰ καὶ πραίφεκτος πραιτωρίων⟩ οἱονεὶ ἡγεμὼν τῶν πραιτωριανῶν, ὑπακουομένου ταγμάτων ἢ σπειρῶν ἢ στρατευμάτων ἢ δυνάμεων.

7. *Αἰτίας μὲν οὖν ἄν τις τοιαύτας οὐκ ἔξω λόγου ἐπὶ τῆς προσηγορίας τῆς ἀρχῆς ἀποδοίη, ἥτις καθάπερ ὠκεανός τις τῶν πραγμάτων τῆς πολιτείας ἐστίν,*

ἐξ ἧςπερ πάντες ποταμοὶ καὶ πᾶσα θάλασσα·

σπινθῆρες γάρ τινες ὥσπερ ὑετοῦ πυρὸς αἱ λοιπαὶ τῆς πολιτείας ἀρχαὶ ἐκείνης τῆς ἀληθῶς ἀρχῆς τῶν ἀρχῶν δείκνυνται οὖσαι· οὐδὲ γὰρ εἶναι ⟨ἂν⟩ ἄνευ ἐκείνης δύναιντό ποτε καθὸ μηδὲ αὗται μηδὲ μὴν αἱ

v. 1 Suet. rell. p. 286 Roth   17 Iliad. XXI 196

v. 1 *τράκυλλος O*, mutavit *B*   2 *ἀποτίνων O, ἀποτείνων* coni. *F*, *ὑποτείνων* coni. *B*, *προτείνων* Gu. Kroll   3 *σεπτιμίῳ O*, corr. Roth l. s.; vide Vit. Hadr. 11, 3   4 *αὐτων O*, *αὐτοῦ* corr. O_2 7 *καλουμένην κατὰ τὸν ἑνικὸν ἀριθμὸν ἐδηλώσαμεν O*, *ἐδηλώσαμεν* ante *κατὰ* transposuit *F*   10 *ἀλλὰ καὶ πραίφεκτος πραιτωρίων* addidi   11 *ἡγεμὼν O*, *ἡγεμόνα* coni. *F*, qui in hoc enuntiato non recte distinxit   17 *ἧσπερ O*, *οὗπερ* coni. *F*   18 *ἀετοῦ O*, *ταυτοῦ* coni. *F*, *Αἰτναίου B*, *ὀχετοὶ* Gu. Kroll, *ἀτμοῦ* F. Skutsch, *ἀεναοῦ* Th. Preger, *ὑετοῦ* ego   20 *ἂν* add.   21 *καθ' ὃν δὲ O*, corr. *B*

τελοῦσαι ὑπ' αὐτὰς ὡσανεὶ τάξεις τινὲς συνεστάναι δύναιντο, μὴ τὴν δαπάνην αὐταῖς τε καὶ τοῖς αὐτῶν ἡγουμένοις χορηγούσης τῆς ἐπαρχότητος. ὃν γὰρ τρόπον τις σκεῦος μέγιστον ἐξ ἀργυρίου πεποιημένον οὐκ ἐξ ἑαυτοῦ ἀλλ' ἐκ προγόνων ἔχει κεκτημένος, εἶτα πρὸς πενίαν ὑποσυρόμενος καταλύει μὲν τὸ σκεῦος ὀλίγα φροντίσας ἰσχύος τε καὶ κάλλους, πολλὰ δὲ καὶ ἀσθενῆ ἐξ αὐτοῦ σκευῦφια κατασκευάζων πολὺν ἄργυρον ἐξ εὐτελείας ἢ μέγιστον ἐξ ἑνὸς καὶ ἀρχαῖον ἔχειν φαντάζεται· οὕτως τῆς μεγίστης ἀρχῆς καταλυομένης πολλαί τινες καὶ τάχα περιτταὶ ἀνέφυσαν ἀρχαί, μᾶλλον τῆς τύχης ἀπαρεσθείσης τῷ ποιητῇ εἰπόντι·

οὐκ ἀγαθὸν πολυκοιρανίη, εἷς κοίρανος ἔστω.

οἱ μὲν γὰρ λεγόμενοι στρατηλάται τὴν τῶν κομίτων ἔχουσιν ἐκ τῆς ἀρχαιότητος καὶ μόνην τιμήν· ταύτῃ καὶ κομιτιανοὺς τοὺς δευτεροστρατηλατιανοὺς ἡ παλαιότης οἶδε. κόμιτας δὲ τοὺς φίλους καὶ συνεκδήμους Ἰταλοὶ λέγουσι, καὶ κομιτᾶτον ἁπλῶς τὴν βασιλέως συνοδίαν. ἡ δὲ τοῦ λεγομένου μαγίστρου φροντὶς ἀρχὴ μὲν οὐκ ἔστιν οὕτως ἐγκεκριμένη, μεγίστη δὲ ὅμως, καὶ ἐγγὺς τῆς ὑπάρχων ἀνίπταται τιμῆς τε καὶ δυνάμεως· περὶ ἧς πρὸς τῷ τέλει τῆσδε τῆς ἱστορίας ἐρῶ· δεῖ γὰρ αὐτὴν νεωτέραν οὖσαν μὴ ταῖς πρεσβυτέραις τῶν ἀρ-

v. 14 Iliad. II 204   23 vide infra II 23 seqq.

2 τοῖς συναυτῶν *O*, τοῖς σὺν αὐτῶν coni. O_2, σὺν del. *F* et mutavit in γοῦν ep. p. 24   4 πεποιημένον *O*, corr. O_2 11 καταδυομένης *O*, corr. *B* | ἀνέφυσαν *O*, ἀνεφύησαν coniecerunt O_2 *B*   14 ουκαθὸν πολλοὶ κυραννοι *O*, corr. O_2 16 μόνην *O*, μόνης coni. *F* ep. 25   21 ἐγκεκρυμμένη *O*, corr. O_2; ἐκκεκριμένη coni. *B*

χῶν συναριθμεῖν, δοῦναι δὲ αὐτῇ χῶρον, ὃν ὁ χρόνος αὐτῇ παρεχώρησεν.

8. Ἐξήρηται δὲ ὅμως καὶ πάσας ἀναβέβηκε τὰς ἀρχὰς ἡ ὕπατος τιμή, καὶ τῇ μὲν δυνάμει τῆς ἐπαρχότητος μείων, τῇ δὲ τιμῇ μείζων· ἡ μὲν γὰρ τὴν ὅλην διέπει πολιτείαν, οἴκοθεν μὲν οὐδὲν παρέχουσα, τὸ δὲ δημόσιον διοικοῦσα· ἡ δὲ πλοῦτόν τε βαθὺν οἴκοθεν νιφάδων δίκην ἐξαυλακίζει τοῖς πολίταις καὶ τῷ χρόνῳ τὴν προσηγορίαν χαρίζεται καὶ πλάνης ἀπαλλάττει τὰ συναλλάγματα, πολέμους μὲν τὸ λοιπὸν οὐκ ἀναδεχομένη, μήτηρ δὲ ὥσπερ τῆς Ῥωμαίων ἐλευθερίας τυγχάνουσα. ἐναντίως γὰρ ἔχει πρὸς τυραννίδα καὶ κρατούσης ἐκείνης οὐχ ὑφίσταται· τοιγαροῦν ἅμα Βροῦτος ὁ τῆς σωφροσύνης ἔκδικος καὶ τῆς ἐλευθερίας ὑπέρμαχος τὴν ὕπατον ἐξέλαμψε τιμήν, ἅμα Ταρκύνιος ὁ τύραννος ἀπωλώλει. ὁ δὲ ἡμέτερος πατήρ τε ἅμα καὶ βασιλεὺς ἡμερώτατος ταῖς μὲν ἐπανορθώσεσι τῶν πραγμάτων καὶ δωρεαῖς τῶν ὑπηκόων ὕπατός ἐστιν, ἐφ' ὅσον ἐστί· τῇ δὲ στολῇ γίνεται, ὅταν κοσμεῖν τὴν τύχην ἐθελήσοι, βαθμὸν ἀνώτερον βασιλείας τὴν ὕπατον τιμὴν ὁριζόμενος.

9. Ὅτι δὲ κατὰ τὸ πρόσθεν εἰρημένον μόνῳ τῷ σκήπτρῳ ἀνέκαθεν ἡ ἀρχὴ παρεχώρησε, τὴν ἴσην ἐκείνῳ λαχοῦσα τιμήν, ἄντικρυς ἐκ τῆς βασιλείας ἔστι λαβεῖν. συναγομένης γὰρ τῆς βουλῆς — πάλαι μὲν ἐν τοῖς καλουμένοις σενάτοις οἱονεὶ γερουσίαις, καθ' ἡμᾶς ⟨δ'⟩

v. 22 vide supra II 5 in.

v. 1 συαριθμεῖν *O*, corr. O_2 3 ἀνεβεβηκεν *O*, corr. *F* 9 κἀπλανης *O*, καὶ πλάνης corr. O_2 25 γαρ τῆς O, γὰρ ἐκ τῆς coni. *B* 26 σενάτοις *O*, σενάτῳ coni. F cp. p. 25 \ δ' add. *F*

ἐπὶ τοῦ παλατίου — οἱ τῶν ἐκεῖ πρωτεύοντες στρατευμάτων προϊόντες πορρωτέρω τῶν οἰκείων ἑδρῶν ἀποδέχονται γονυπετεῖς τὴν ἐπαρχότητα· ἡ δὲ φιλήματος ἀξιοῖ προσιόντας αὐτοὺς εἰς θεραπείαν τοῦ στρατοῦ· καὶ αὐτὸς δὲ ὁ Καῖσαρ, οἱονεὶ τῶν Ῥωμαίων βασιλεύς, τὴν βασιλείαν ἐκλείπων πρόσεισιν ἐκ ποδός δι' ἑαυτοῦ ἀποδεχόμενος τὸν ἄρχοντα· οὗ ἔνδον ἅμα αὐτῷ γενομένου, φυλακὴ πᾶσα μηδεμίαν μετ' αὐτὸν εἴσω γενέσθαι τῶν ἀρχῶν συγχωροῦσα, ἀλλ' οὐδὲ διαλυθέντος τοῦ συλλόγου πρὸ αὐτοῦ ἀναχωρεῖν τινα τῶν ἐκ τῆς βουλῆς ἐπιτρέπουσα. καὶ τοῦτο ἐγκρατῶς ἐφυλάχθη ἄχρι τῶν Θεοδοσίου τοῦ Νέου καιρῶν, ὅς, ἐπεὶ νέος ἦν καὶ δι' ἑαυτοῦ προϊὼν κατὰ τὸ συνειθισμένον τὴν τιμὴν προσφέρειν οὐκ ἴσχυσε τῇ ἀρχῇ, εἰκόνα στήσας ὥρισεν ἀντ' αὐτοῦ ἀποδέχεσθαι τὸν ὕπαρχον. καὶ τραπείσης τῆς ὀρθῆς ἐκφωνήσεως περσίκιον τὸ σκῆπτρον ὁ δῆμος καλεῖ, ὅτι πέρ ση κατὰ Ῥωμαίους τὸ δι' ἑαυτοῦ λέγεται. ταύτης δὲ τῆς τιμῆς καὶ ὁ τῆς πόλεως φύλαξ ἀπολαύει διὰ τοῦ μείζονος ἄρχοντος τὴν ὁμωνυμίαν τῆς ἰσοτιμίας ἀξιωθείς. ξίφος δὲ ἐζώννυτο ἀνέκαθεν ὁ ὕπαρχος, οἷα καὶ τῶν ὅπλων ἔχων τὴν δύναμιν· καὶ τοῦτο δυνατὸν αὐταῖς ὄψεσιν ἐπὶ τοῦ παρόντος εὑρεῖν, εἴ γε τις φιλαρχαῖος ὢν ἐπὶ τὴν Καλχηδόνα περαιωθεὶς τὴν Φιλίππου τοῦ ὑπάρχου εἰκόνα καταμάθοι. σίκαν δὲ τὸ ὑποζώνιον ξίφος Ῥωμαῖοι καλοῦσιν, ἐξ οὗ σικαρίους τοὺς κρεουργούς,

v. 6, 7 βασιλεὺς δι' ἑαυτοῦ ἀποδεχόμενος τῆς βασιλείας ἐκλείπων πρόσεισιν ἐκ ποδὸς δι' ἑαυτοῦ ἀποδεχόμενος τὸν ἄρχοντα *O*; quae bis scripta sunt, priore loco delevit et τὴν βασιλείαν scripsit *F* 7 αὐτοῦ *O*, αὐτῷ corr. *F* 10 αὐτῆς *O*, αὐτοῦ corr. *F* 20 τῇ ὁμωνυμία O, corr. B

καὶ σικᾶτα τὴν ἐκ σαρκῶν εἰς λεπτὰ κατακοπεῖσαν ἐδωδήν.

10. Ἀλλ' 'ἀρχὴν ὅσσα λέλογχεν ἔχει τέλος', τὸ ποιητικὸν εἰπεῖν. Κωνσταντίνου γὰρ μετὰ τῆς Τύχης τὴν Ῥώμην ἀπολιπόντος καὶ τῶν δυνάμεων, ὅσαι τὸν Ἴστρον ἐφρούρουν, ἐπὶ τὴν κάτω Ἀσίαν ψήφῳ τοῦ βασιλέως διασπαρεισῶν, Σκυθίαν μὲν καὶ Μυσίαν καὶ τοὺς ἐξ ἐκείνων φόρους ἐξημιώθη τὸ δημόσιον, τῶν ὑπὲρ Ἴστρον βαρβάρων μηδενὸς ἀνθισταμένου κατατρεχόντων τὴν Εὐρώπην· τῶν δὲ πρὸς τὴν ἕω παρὰ τὸ πάλαι δασμοῖς οὐ μετρίοις βαρυνθέντων, ἀνάγκη γέγονε τὸν ὕπαρχον μηκέτι μὲν τῆς αὐλῆς καὶ τῶν ἐν ὅπλοις ἄρχειν δυνάμεων — τῆς μὲν τῷ λεγομένῳ μαγίστρῳ παραδοθείσης, τῶν δὲ τοῖς ἄρτι κατασταθεῖσι στρατηγοῖς ἐκτεθεισῶν —, τὴν δὲ ἀνατολὴν πρὸς τῇ κάτω Ἀσίᾳ καὶ ὅσα ταύτης διοικοῦντα τὸ λοιπὸν τῆς ἀνατολῆς χρηματίζειν ὕπαρχον. διεσύρη δὲ οὐδὲν ⟨ἧττον θανατῶσα καθ' ἑκάστην ἡ⟩ τῆς ἀρχῆς δυναστεία ἄχρι τῶν Ἀρκαδίου, τοῦ πατρὸς Θεοδοσίου τοῦ Νέου, καιρῶν· ἐφ' οὗ συμβέβηκε Ῥουφῖνον τὸν ἐπίκλην ἀκόρεστον, ὃς ἦν ὕπαρχος αὐτῷ, τυραννίδα μελετήσαντα τοῦ μὲν σκοποῦ ὑπὲρ λυσιτελείας τῶν κοινῶν ἐκπεσεῖν, εἰς βάραθρον δὲ τὴν ἀρχὴν καταρρῖψαι. αὐτίκα μὲν γὰρ ὁ βασιλεὺς τῆς ἐκ τῶν ὅπλων ἰσχύος ἀφαιρεῖται τὴν ἀρχήν, εἶτα τῆς τῶν λεγομένων φαβρικῶν οἱονεὶ ὁπλοποιϊῶν φροντίδος τῆς τε τοῦ δημοσίου δρόμου καὶ πάσης ἑτέρας, δι' ὧν τὸ λεγόμενον συνέστη

v. 1 σικατα *O*, σικευτα *O* in marg., utram formam auctor sibi finxerit ex ἰσικιᾶτα nescio 3 ὅσω *O*, ὅσα coni. *F*, ὅσσα *B* 15 ἐκταθεισῶν *O*, corr. *F* | τὴν κάτω *O*, corr. *F* 18 ἧττον ἡ suppl. *F* e III 40, quibus reliqua ex eodem loco petita addidi 24 πολλῶν *O*, ὅπλων e III 40 corr. F

μαγιστέριον. ὡς δὲ δύσεργον ἦν ἀποτρέφειν μὲν τὸν ὕπαρχον ἀνὰ τὰς ἐπαρχίας τοὺς δημοσίους ἵππους καὶ τοὺς αὐτοῖς ἐφεστῶτας, ἑτέρους δὲ κεκτῆσθαι τὴν ἐπ' αὐτοῖς ἐξουσίαν τε καὶ διοίκησιν, νόμος ἐτέθη θεσπίζων, ἀντέχεσθαι μὲν τὸν ὕπαρχον τῆς τοῦ δημοσίου δρόμου φροντίδος, τὸν πρῶτον μέντοι τῶν φρουμενταρίων — πρίγκιπα αὐτὸν σήμερον συμβαίνει ⟨καλεῖσθαι⟩ — παρεῖναι διὰ παντὸς τῷ δικαστηρίῳ τοῦ τῶν πραιτωρίων ὑπάρχου καὶ πολυπραγμονεῖν καὶ τὰς αἰτίας ἐξερευνᾶν, ὧν ἕνεκα πολλοὶ ποριζόμενοι παρὰ τῆς ἀρχῆς τὰ λεγόμενα συνθήματα τῷ δημοσίῳ κέχρηνται δρόμῳ — ταύτῃ καὶ κουριῶσος ὠνομάσθη ἀντὶ τοῦ περίεργος· καὶ οὐκ αὐτὸς μόνος, ἀλλὰ καὶ πάντες, ὅσοι κἀν ταῖς ἐπαρχίαις τοῖς δημοσίοις ἐφεστήκασιν ἵπποις — προϋπογράφοντος τοῖς ἐπὶ τῶν δρόμων συνθήμασι καὶ τοῦ λεγομένου μαγίστρου. ὅτι δὲ οὕτως, αὐτῆς δυνατὸν ἀκοῦσαι τῆς διατάξεως ἐν μὲν τῷ πάλαι Θεοδοσιανῷ κειμένης, ἐν δὲ τῷ νεαρῷ παροφθείσης.

11. Οὕτως οὖν ὥσπερ δι' ὑποβάθρων τινῶν καταφερομένης τῆς ἀρχῆς τοὺς μὲν στρατιωτικοὺς καταλόγους ἔταξεν ἡ βασιλεία ὑπὸ τοῖς τότε καλουμένοις κόμισιν καὶ στρατηγοῖς, τὰς δὲ ἐν τῷ παλατίῳ τάξεις ὑπὸ τῷ πρωτεύοντι τῶν δυνάμεων τῆς αὐλῆς, περὶ οὗ πρὸς τέλος, ὡς ὑπεσχόμην, ἐρῶ· ὃν καὶ αὐτὸν ἄρχοντα, οὐ μικρὸν καθάπερ τοὺς λεγομένους στρατηλάτας, αἱ

v. 17 cf. cod. Theod. VIII 5, 35 24 vide infra II 23

1 ἀποστρέφειν *O*, corr. *F* 2 ἀναστὰς *O*, ἀνὰ τὰς corr. O_2 6 μεντο *O*, μὲν τῶν in corr. *O*, μέντοι τῶν scripsit *F* 7 καλεῖσθαι e III 40 add. *F* 15 προσεπιγράφοντος *O*, e III 40 corr. *F* | τῶν δρόμων *O*, vide III 40 τῷ δρόμῳ *O* 18 νοερῷ *O*, corr. *F* | παρα]οφθείσης *O* corr. O_2

τῆς ἐπαρχότητος ἐλαττώσεις ἀπετέλεσαν· τὰ γὰρ πολυτελῆ τῶν οἰκοδομημάτων καταλυόμενα πολλοῖς ἐπαρκεῖ πρὸς οἰκοδομήν· καὶ ἕως μὲν τοὺς βασιλέας ἐπεξιέναι δι' ἑαυτῶν τοῖς πολέμοις συνέβαινεν, εἶχέ τινα ἡ ἀρχή, εἰ μὴ τοσαύτην, πλὴν ὑπὲρ πάσας τὰς ἄλλας ἰσχύν τε καὶ δύναμιν· ἐξότε δὲ Θεοδόσιος πρῶτος, τῆς τῶν οἰκείων παιδῶν ῥᾳστώνης προνοούμενος, νόμῳ δὲ τὴν ἀνδρίαν ἐχαλίνωσε, κωλύσας δι' ἐκείνους τὴν βασιλέως Ῥωμαίων ἐπὶ πολέμους ὁρμήν, τὸ λοιπὸν τοῖς μὲν στρατηγοῖς τὰ τῶν πολέμων, τῷ δὲ μαγίστρῳ διοικεῖν τὰ τοῦ παλατίου γέγονε χώρα· ὡς μηδὲν ἕτερον ἔχειν τὴν ἐπαρχότητα ἢ μόνην τὴν ἐπὶ ταῖς δαπάναις φροντίδα, ἥν εἰκός ἐστι γίνεσθαι κατὰ τὸ ἀναγκαῖον περί τε τοὺς ἐξ αὐτῆς ἄρχοντας, ὡς ἔφην, καὶ περὶ ἐκείνους γε μήν, ⟨ὧν⟩ αὐτοὶ ἄρχειν ἐτάχθησαν.

12. Εἰ δέ τις καὶ τοὺς ἐκ τῶν προρρήσεων στοχασμούς, οὕς τινες καλοῦσι χρησμούς, ἐν ἀριθμῷ λόγων παραλαβεῖν ὑπομένοι, πέρας ἔλαβε ⟨τὰ⟩ Φοντηΐῳ τῷ Ῥωμαίῳ ῥηθέντα ποτέ· ἐκεῖνος γὰρ στίχους τινὰς δοθέντας δῆθεν Ῥωμύλῳ ποτὲ πατρίοις ῥήμασιν ἀναφέρει τοὺς ἀναφανδὸν προλέγοντας, τότε Ῥωμαίους τὴν Τύχην ἀπολείψειν, ὅταν αὐτοὶ τῆς πατρίου φωνῆς ἐπιλάθωνται· καὶ τὸν μὲν λεγόμενον χρησμὸν τοῖς περὶ

v. 14 vide supra II 7

v. 3 πρὸς οικοδομηματων O, e III 41 corr. F 13 ἣν O, ἃς coni. F 15 ὧν add. F, ut est III 41 | ἀρχὴν O, corr. F 16 τοῖς O, τοὺς corr. F 17 οὓς O, ἃς coni. F 18 τὰ add. B, ut est III 42 | τηΐῳ intra versum et χρησμὸς φωνη τηΐου περὶ τῆς ῥώμης in margine O, unde φωντηΐῳ scripsit O_2, Φωντηΐῳ e III 42 sumpsit F, Φοντηΐῳ ut p. 1, 13 correxi 19 δοθέντας τινὰς δοθέντας O, posterius δοθέντας deleverunt O_2F, prius B

μηνῶν γραφεῖσιν ἐντεθείκαμεν. πέρας δὲ μᾶλλον ἔσχε τὰ τοιαῦτα μαντεύματα· Κύρου γάρ τινος Αἰγυπτίου, ἐπὶ ποιητικῇ καὶ νῦν θαυμαζομένου, ἅμα τὴν πολίαρχον ἅμα τὴν τῶν πραιτωρίων ἐπαρχότητα διέποντος καὶ μηδὲν παρὰ τὴν ποίησιν ἐπισταμένου, εἶτα παραβῆναι θαρρήσαντος τὴν παλαιὰν συνήθειαν καὶ τὰς ψήφους Ἑλλάδι φωνῇ προενεγκόντος, σὺν τῇ Ῥωμαίων φωνῇ καὶ τὴν τύχην ἀπέβαλεν ἡ ἀρχή.

Περὶ τῶν ἐπισήμων τῆς ἐπαρχότητος τῶν πραιτωρίων.

13. Ὡς οὖν ἔφην, τοῦ μὲν ἱππάρχου πρὸς τοῦ Αὐγούστου ἐκ τῶν ἀρχῶν περιαιρεθέντος, τοῦ δὲ ὑπάρχου τῶν πραιτωρίων τὴν ἐκείνου δύναμιν διαδεξαμένου, εἰκὸς ὀγκωθῆναι πλέον τὴν ἀρχήν, τοῖς ὅπλοις προστεθείσης καὶ τῆς τῶν πολιτικῶν πραγμάτων διοικήσεως· οὐδὲν δὲ ἧττον ἴχνη τινὰ τῆς ἱππαρχίας παραπέμεινεν αὐτῇ, μικρᾶς τινος παραλλαγῆς ἐμπεσούσης. μανδύην μὲν γὰρ ὁ ἔπαρχος περιεβάλλετο Κῷον — ἐπ' ἐκείνης γὰρ τῆς νήσου καὶ μόνης ἡ βαθυτέρα βαφὴ τοῦ φοινικοῦ χρώματος τὸ πρὶν ἐπηνεῖτο κατασκευαζομένη· ⟨ἡ⟩ γὰρ ἠρέμα πως ἐπὶ τὸ φλόγινον καὶ οὐ σφόδρα βαθὺ ἀναπτομένη πρὸς Παρθυαίων ἐξηύρηται· ὅθεν καὶ παρθικὰ τὰ φλογοβαφῆ δέρματα συμβαίνει καλεῖσθαι. ὁ δὲ μανδύης χλαμύδος εἶδός ἐστι τὸ παρὰ

v. 1 de mens. p. 180, 10 11 vide supra II 6

v. 5 *μηδένα παρὰ O*, *μηδὲν ἄλλο παρὰ* coni. O_2, *μηδὲν παρὰ* e III 42 correxi | *παραλαβῆναι O*, corr. O_2 6 *τοὺς O*, *τὰς* corr. *F* 7 *προσενεγκόντος O*, e III 42 corr. *F* 8 *ἀπελαβεν O*, corr. O_2 18 *κωαν O*, corr. *B* 21 *ἡ* add. *F* 22 *ἀναπτομένη O*, *ἀνασπωμένη* coni. *F*, *βαπτομένη F* ep. p. 25, *ἀναβαπτομένη* Th. Preger

τῷ πλήθει μαντίον λεγόμενον, μὴ πλέον ἄχρι γονάτων ἐξ ὤμων ἠρτημένον, σηγμέντων οὐκ ἐπιβαλλομένων τῷ μανδύῃ, τῶν <δ'> ἐν ἡμῖν λεγομένων ταβλιῶν ἀντὶ τοῦ πτυχίων· ἐκείνων γὰρ ἐπιτιθεμένων οὐκ ἐξῆν ἑτέρῳ ἢ μόνῳ χρῆσθαι τῷ Καίσαρι. σηγμέντα δὲ τὰ χρυσόσημα Ῥωμαίοις <ἔθος> καλεῖν ὡς προέφαμεν. τοιαύτη μὲν ἡ χλαμύς· παραγαύδης δέ, χιτὼν καταπόρφυρος, καὶ ζωστὴρ ἐκ φοινικοῦ δέρματος, ἐφ' ἑαυτὸν μὲν ἀνακεκολλημένος, ἐξ ἄκρων δὲ τῶν πλευρῶν εἰς λεπτὴν καταρραφὴν ἐσπουδασμένος, καὶ σεληνίσκον μὲν ἔχων τινὰ ἐξ εὐωνύμων, χρυσῷ πεποιημένον, ἐκ δὲ τῆς ἑτέρας γλωσσίδα τινὰ ἤγουν διάβλημα, χρυσοτελὲς καὶ αὐτό, εἰς βότρυος σχῆμα πεποιημένον, δι' ἣν ἐν τῇ περὶ μηνῶν συγγραφῇ ἀποδεδώκαμεν αἰτίαν· ὅπερ διάβλημα ἀπὸ δεξιᾶς φερόμενον καὶ ἐπὶ τὸν σεληνίσκον βαλλόμενον διαζώννυσι τὸν περιτιθέμενον ἀσφαλῶς, περόνης καὶ αὐτῆς χρυσῆς ἐνδακνούσης τὸν ἱμάντα καὶ συναπτούσης τὸν βότρυν τῷ σεληνίσκῳ· φίβουλαν αὐτὴν πατρίως οἱ Ῥωμαῖοι καὶ βάλτεον τὸν ζωστῆρα λέγουσι, τὴν δὲ ὅλην κατασκευὴν τοῦ περιζώματος οἱ Γάλλοι καρταμέραν, ἣν τὸ πλῆθος καρτάλαμον ἐξ ἰδιωτείας ὀνομάζει. ὅτι δὲ οὐ Ῥωμαϊκὸν τουτὶ τὸ ῥημάτιον, μάρτυς ὁ Ῥωμαῖος Βάρρων ἐν βιβλίῳ πέμπτῳ περὶ Ῥωμαϊκῆς διαλέκτου, ἐν ᾧ διαρθροῦται, ποία μέν τις λέξις ἐστὶν Αἰολική, ποία δὲ Γαλλική· καὶ ὅτι ἑτέρα

v. 6 vide supra II 4 14 de mens. p. 17, 7 23 cf. Varro de l. l. V 116

v. 1 πλέον ἄγρι, quod correxit, *O*; πλέον <ἢ> ἄχρι volebat *F* 3 δ' add. *F* | ταυλιῶν *O*, quod mutavi 4 πτυχηον *O*, corr. O_2; πτυχῶν coni. *F* 6 ἔθος add. O_2 7 παραγώδης O, quod ad p. 21, 20 correxi 11 εὐωνύμου coni. F 13 ἐν τῇ περὶ in ras. *O* 20 ῥιζώματος *O*, corr. F 24 διαρθοῦται O, corr. F

μὲν Θούσκων, ἄλλη δὲ Ἐτρούσκων, ὧν συγχυθεισῶν ἡ νῦν κρατοῦσα τῶν Ῥωμαίων ἀπετελέσθη φωνή.

14. Τοιαύτη μὲν τῆς ἀρχῆς ἡ παρ' αὐτοῖς λεγομένη παρατοῦρα, ἀντὶ τοῦ στολή, ὄχημα δὲ ὁποῖον ἴσμεν, καὶ θῆκαι· οὕτω δὲ τὸ λεγόμενον τῷ πλήθει καλαμάριον ἐκεῖνοι λέγουσιν, ὅπερ ὄγκου καὶ μόνου χάριν εἰς τύπον τοιοῦτον χρυσήλατον κατεσκεύαστο· ἑκατὸν ⟨γὰρ⟩ ἔχειν χρυσίου λίτρας ὑπείληπται. ἕτερον δὲ ἐξ ἀργυρίου βαθὺ πρὸς ὑποδοχὴν κοινοῦ μέλανος ἐξυπηρετεῖται τῷ δικαστηρίῳ — καλλίκλειον αὐτὸ οἱονεὶ κυαθίσκον ἀπὸ τοῦ κάλυκος καλεῖσθαι νόμος — καὶ κάνθαρος, ὡς λεκάνη τις, ἐξ ἀργύρου ἐπὶ τρίποδος ἀργυρέου καὶ κρατὴρ ὑπὲρ τῶν τὰς ἐμπροθέσμους δίκας ἐν τῷ δικαστηρίῳ λεγόντων κείμενος· περὶ οὗ μακρηγορεῖν ἀηδὲς εἶναι κρίνων ἐξ ἀνάγκης ἀναλαβεῖν τὴν ἀφήγησιν συνωθοῦμαι, ἐκεῖνο προλέγων, ὡς εἰσιν ἔτι καὶ νῦν πορθμίδες τρεῖς τῇ ἀρχῇ πρὸς τὰς ἀντιπόρθμους διαπεραιώσεις ἐκ τῆς βασιλίδος ἐπὶ τὰς γείτονας ἠπείρους. βάρκας αὐτὰς ἀντὶ τοῦ δρόμωνας πατρίως ἐκάλεσαν οἱ παλαιότεροι καὶ κέλωκας οἷον ταχινάς, ὅτι κέλερ κατ' αὐτοὺς ὁ ταχὺς λέγεται, καὶ σαρκιναρίας ἀντὶ τοῦ ὁλκάδας, ὅτι σάρκινα κατ' αὐτοὺς τὸ ἄχθος καλεῖται. τοιαῦτα μέν τινα καὶ ταῦτα· πρὸς δὲ τὸ προκείμενον ἐπανέλθωμεν.

15. Νόμος ἦν — καὶ γὰρ ἄρτι παρεφθάρη — τοὺς μὲν ἀπὸ ψήφων τῆς ἀρχῆς ἐπὶ τῶν ἐπαρχιῶν τὰς δίκας

v. 25 cf. cod. Theod. XI tit. XXX

v. 1 *μὲν ἡ θούσκων O*, *ἡ* delevi 3 *αυτης O*, *αὐτοῖς* corr. O_2 8 *γὰρ* add. *B* 9 *ἐξυπηρέτηται* coni. *F* 10 *αὐτω O*, *αὐτὸ* corr. *F* 16 *ἐφηγησιν O*, corr. O_2 20 *κίλοκας O*, quod correxi 21 *αὐτὰς O*, *αὐτοὺς* corr. *F* 26 *ἀπὸ — ἀρχῆς* *post λέγοντας* (p. 71, 1) ponebat *F*

λέγοντας μετὰ ἔφεσιν αὖθις ἐπὶ τὴν ἀρχὴν ἐμπροθέσμως αὐτὰς κατὰ τὸν ἔκκλητον νόμον ἀναπέμπειν, τοὺς δὲ ἐπὶ τῶν ἀρχαιοτικῶν δικαστηρίων ἀπὸ ψήφων αὐτῶν ἐπὶ τὴν βασιλείαν· κἀκείνας μὲν καλεῖσθαι τεμποραλίας ἀντὶ τοῦ ἐμπροθέσμους, ταύτας δὲ σάκρας οἷον θείας διὰ τό, ὡς ἔφην, πρὸς τὴν βασιλέως ἀκρόασιν μετ' ἔκκλητον ἀναπέμπεσθαι. θαῦμα μέγιστον καὶ πανευδαίμονος πολιτείας τεκμήριον· βασιλεὺς Ῥωμαίων ὑπέμενε χαμαιζήλου δικαστοῦ λειτουργίαν ὑφίστασθαι καὶ κρίνειν πράγματα ἴσως καὶ σφόδρα γλίσχρης ὑποθέσεως ἀνεχόμενος, καθάπερ ὁ ἡμερώτατος ἡμῶν βασιλεὺς διὰ τὴν περὶ τοὺς ὑπηκόους στοργήν, καίτοι τὰ πλεῖστα κατὰ πολεμίων ἀγρυπνῶν καὶ προκινδυνεύειν ἡμῶν διὰ σπουδῆς ἔχων· εἰ μὴ σφαλερωτέραν ἡμῖν τὴν εἰρήνην ὁ δῆμος θεηλάτοις διχονοίαις ἀναπτόμενος ἀπετέλει, ὧν ἕνεκα βαρυτέραν τὸ δημόσιον δαπάνην ὑφίσταται πρὸς φυλακὴν τῆς εἰρήνης ἢ πρὸς ἀναχαιτισμὸν τῶν πολεμίων· ἔνθεν ἡ τῶν λεγομένων νόθων ἀναλωμάτων ἀφορμὴ καὶ στένωσις τῶν ἀναγκαίων. εἰ γὰρ τοὺς ἔμπροσθεν βεβασιλευκότας ῥᾳστώνη διέλυσε, πῶς ἂν ἠρέμησεν οὗτος, ὕπνῳ μὲν μηδὲ ὅλως χαλώμενος, τροφῆς δὲ χάριν μηδὲ ἄρτου ξηροῦ πρὸς κόρον ἁπτόμενος;

16. Τῆς τοιαύτης οὖν συνηθείας ἤδη πρότερον εἰς τρυφὴν ἀναλυθείσης καὶ τῶν ἔμπροσθεν ἅμα τοῖς ὅπλοις καὶ αὐτὴν τὴν μέχρι λόγων φροντίδα τῶν κοι-

2 τὰς δὲ O, τοὺς δὲ corr. F 6 μετεκκλιτον O, μετεκκλητον O_2, quod correxit L. Dindorf 11 ἀνεχομενους O, corr. O_2 12 ὑπηκους· quod correxit, O 15 θειλατοις O, corr. O_2 | διχονοίας O, corr. O_2 16 ἧς O, ὧν corr. F 21 οὕτως O, οὗτος corr. O_2

νῶν ἀποπτυσάντων νόμος ἐφοίτησε, τὸν ὕπαρχον ἀκροασασθαι τῶν σακρῶν διατυπώσεων, πρᾶγμα καὶ μετὰ τὴν ἐναλλαγὴν ἀρκοῦν ἐπιδεῖξαι τὴν οὖσαν αὐτῷ τὸ πάλαι θειότητα. λευχείμων μὲν γὰρ ὁ ὕπαρχος ἐπὶ τοῦ βήματος καὶ τάξις ἁρμοδία ὡσαύτως ἐσταλμένη μετ' αὐτοῦ καὶ αὐτοὶ δὲ οἱ τῶν δικῶν κύριοι λαμπροφανεῖς καὶ σιγὴ κατασκέπουσα τὸ δικαστήριον καὶ ῥητόρων οἱ διαφανέστατοι ἀξίας ἑορτῶν ἀμπεχόμενοι στολὰς καὶ ὁ τρίπους ἐν μέσῳ τοῦ ἀκροατηρίου, ἐξηρτημένου κατὰ μέσον τοῦ κανθάρου, καὶ κρατὴρ παρακείμενος, δι' οὗ ποτε πληρούμενος ὁ κάνθαρος ὕδατος τοσοῦτον ἐδίδου καιρὸν τῷ τῆς δίκης τέρματι, ἐφ' ὅσον διά τινος γνώμονος τοῦ ἐνόντος αὐτῷ ὕδατος διηθουμένου ὁ κύαθος ἀπηλλάττετο, καὶ ὁ λόγος τοῖς λέγουσιν ὅλως πρὸς θεῖον δικαστὴν ἀνυψούμενος. τούτων πάντων ἀπολομένων οὐδὲ ἴχνος τὸ λοιπὸν ἀπέμεινε σεμνότητος τῷ δικαστηρίῳ, τῶν συνεδρευόντων μόνον ἐν παραβύστῳ μετὰ γέλωτος τῶν περιεστηκότων ὥσπερ ἐν μίμοις τινῶν δῆθεν δικῶν ἀκροωμένων. καὶ τάξις οὐδεμία ἢ μήνυμα κατὰ τὸ πρόσθεν συνειθισμένον παραδηλοῦν τὸν χρόνον τῆς ἡμέρας· ὁ γὰρ τῆς τάξεως προεστηκώς — σουβαδιοῦβαν αὐτὸν ὠνόμασαν οἱονεὶ ὑποβοηθόν — πραττούσης τῆς ἀρχῆς ἑστὼς ἐπὶ κορυφῆς τῶν ὑπηρετουμένων τροχίσκους τινὰς οὐκ εὐτελεῖς ἐξ ἀργύρου πεποιημένους, γραφὰς τῶν ὡρῶν ἔχοντας τῆς ἡμέρας τοῖς Ἰταλῶν ἀριθμοῖς καὶ γράμμασιν, ἐμβριθῶς ἀφιεὶς ἐξαπίνης ἐπὶ τὸ ἔδαφος θρόον ἀπετέλει

v. 1 Cod. Iust. VII tit. LXII 32

v. 1 εφυτησεν *O*, corr. O_2 2 διατυπῶν *O*, quod correxi 14 καὶ οὐ λογος *O*, corr. *F* 22 ωνομασεν *O*, corr. *F* 27 αφιης *O*, corr. *F*

σεμνὸν παραδηλοῦντος τοῦ βαλλομένου τροχίσκου κατὰ τοῦ μαρμάρου τὴν τῆς ἡμέρας ὥραν.

17. Καὶ τούτου τοῦ σεμνοῦ καὶ οὕτως ἀξιοπρεποῦς σχήματος ἀπολομένου, οἷα τῆς ἀρχῆς ἢ μηδ' ὅλως δρωμένης ἐπὶ τοῦ βήματος ἢ κατὰ τοὺς νόμους τοῦ Καππαδόκου — περὶ οὗ ὕστερον ἐρῶ — ἐν κοιτῶνί τινι λανθανούσης, οὐδεὶς τὸ λοιπὸν ἀξιόλογος παρῆλθεν ἐπὶ τὴν τάξιν οὕτως ἀπερριμμένην καὶ μᾶλλον αἰσχύνην ἢ τιμήν τινα τῷ προσιόντι φέρουσαν. συγκατέπεσεν οὖν ἑαυτοῖς τὰ πράγματα καὶ προευτελίσθη παρὰ πᾶσαν ἡ πρώτη καὶ ἀνίσχουσα τῶν ἀρχῶν, καθ' ὁντιναοῦν καιρὸν ἐπὶ τὴν αὐλὴν εὐτελῶς ἑλκομένη, τὸ πρὶν μηδέποτε, μήτι γε πάσης τῆς βουλῆς προτρεχούσης ἐν τοῖς λεγομένοις σιλεντίοις ἐπὶ τῆς αὐλῆς φαινομένη, κατὰ τὸ πρόσθεν εἰρημένον τελευταία μὲν πασῶν εἰσιοῦσα τῶν ἀρχῶν, πρώτη δὲ προϊοῦσα, τῆς βασιλέως εἰκόνος ἀντ' αὐτοῦ παραπεμπούσης αὐτήν· ἔνθεν τοῦ πρώτου τῶν λεγομένων σιλεντιαρίων — ἀμισσιωνάλιος καλεῖται — ἐξ ἑωθινοῦ πρὸς τῆς βασιλείας πρὸς αὐτὴν στελλομένου καὶ γονυπετῶς προτρέποντος ἐπὶ τὴν αὐλὴν παρελθεῖν, ἡ δὲ μόγις καὶ ἀπαξιοῦσα τὸν σκυλμὸν ἐκινεῖτο.

18. Ὑπόλοιπον περὶ ⟨τῶν⟩ τῆς τάξεως κατὰ λεπτὸν ἀφηγήσασθαι, πόσοις τε καὶ ποίοις συμπληροῦνται καταλόγοις, ἔθη τε καὶ νόμους ἀπαριθμήσασθαι. πέπεισμαι γὰρ ἤδη μηδὲ μνήμην τινὰ σῴζεσθαι τῶν ἄρτι διαπε-

v. 6 vide infra III 57 15 vide supra II 9

v. 8 *ἀπηρριμμένην O*, corr. *F* 10 *προσευτελίσθη O*, corr. *F* 13 *μήτε γε O*, *εἰ μή γε* coni. *F* et in ep. p. 26: *εἰ μή τί γε*, *μήτι γε* corr. *B* 21 *εἰ δὲ O*, *ἡ δὲ* corr. F 23 ὑπολυπον O, corr. O_2 | *τῶν* add. *F*

σόντων, ἀπαιδεύτων οἷα καὶ μηδεμίαν πεῖραν δικαστηρίου παρειληφότων ἐπεμβαινόντων τοῖς ποτε μόγις πρὸς τῶν ἐμπειροτάτων καὶ πρὸς γῆρας ἤδη σεμνοφανὲς ἀφικομένων μετ' εὐχῆς χειριζομένοις. νόμος γὰρ ἦν οὐ ψιλὸς ἀλλ' ἐν γράμμασι μηδενὶ παντελῶς ἐπιτρέπων ἐπὶ τὸ τοῦ βοηθοῦ ἀναβαίνειν φρόντισμα, πρὶν ἂν γένους τε μετριότητι καὶ λόγων ἐλευθερίων παρασκευῇ κοσμούμενος καὶ ἔνατον ἐνιαυτὸν ἐπὶ τῆς δέλτου διαπρέψας, δι' ὅλης τε ἐλθὼν τῆς τῶν πραγμάτων πείρας καὶ τὴν ἀπὸ τῆς νεότητος τόλμαν εἰς ἐπιείκειαν μεταβαλών, τιμῆς οὕτω σεμνῆς καὶ δύναμιν οὐ μικρὰν ἐχούσης καὶ κέρδος εἰς χιλίους ποτὲ συναγόμενον χρυσοῦς ἄξιος εἶναι φανείη.

19. Ἀλλ' ἴσως τῶν ἀναγνωσομένων οἱ νουνεχέστεροι οὐκ ἔξω λόγου καταδραμοῦνται φήσοντες· 'τί δέ ποτε περὶ τῶν ἐπισήμων τῆς ἀρχῆς ὑποσχόμενος εἰπεῖν, μὴ καὶ βηξίλλων καὶ πελέκεων καὶ κλημάτων ἐμνημόνευσας; ταῦτα γὰρ ἦν τῷ ἱππάρχῳ τὸ πάλαι, ἀντ' ἐκείνου δὲ ⟨τὸν⟩ τῶν πραιτωρίων ὕπαρχον ὁ πρῶτος τῶν βασιλέων ἤτοι Καισάρων ἐχειροτόνησεν.' ἦν μὲν οὖν, φημί, καὶ ταῦτα γνωρίσματα τῶν πραιτωρίων ὑπάρχων ἄχρι Δομιτιανοῦ. αὐτὸς δὲ Φοῦσκον τοὔνομα τῆς ἀρχῆς προστησάμενος, ἐγγὺς ὅλην τὴν τῆς ἱππαρχίας μνήμην ἀπήλειψε, μὴ πέλεκυν, μὴ βήξιλλα μηδὲ τὰ λεγόμενα κλήματα καταλιπών. τὸ γὰρ ἐπὶ τοῦ παρόντος τῷ πρίγκιπι κλῆμα φερόμενον, οὐδὲν

v. 15 δεποτε *O*, δήποτε coni. O_2 *F*; *sed necesse non est F* ep. p. 26 17 βηξέλλων *O*, corr. *F* 18 ὑππαρχω *O*, corr. *F* 19 ⟨τὸν⟩ addidi 21 φήμη *O*, φημὶ corr. *F* 23 γῆν *O*, τὴν corr. *F* 24 ἀπειληψεν *O*, corr. O_2 | πέλεκυ *O*, corr. O_2 | βεξελλα, quod correxit, *O* 25 καταλειπων *O*, corr. O_2 26 οὐδέτερον *O*, corr. *B*

ἕτερον παρὰ τὴν προσηγορίαν διασώζει τῆς ἀρχαιότητος. πάλαι γὰρ καὶ νῦν δὲ παρὰ τοῖς τῶν ὅπλων στρατεύμασιν ἐπιφέρεται ὁ τῶν λεγομένων βιάρχων πρῶτος ῥάβδον κλήματι ἐξ ἀργύρου πεποιημένῳ περιπεπλεγμένην πρὸς τιμῆς τοῦ ποτε τιμηθέντος Διονύσου, ὡς ἐν τοῖς περὶ μηνῶν ἀποχρώντως ἡμῖν ἀνήνεκται. πέλεκυν δὲ μόνῳ τῷ ὑπάτῳ καὶ ταῖς ὑπατικαῖς ἀρχαῖς τῶν ἐπαρχιῶν καταλέλοιπεν ὁ χρόνος ἐναλλαγείς, ἴσως ἐρυθριάσας καὶ τούτου τοῦ γνωρίσματος τὴν ὕπατον ἀφελέσθαι τιμήν. βήξιλλα γὰρ αὐτὸς μόνος ὁ Καῖσαρ ἔχειν τὸ λοιπὸν γνωρίζεται· τίνα δὲ ταῦτα, ἐν τῷ περὶ μηνῶν ἐπεδείξαμεν. κενόδοξος γὰρ ὢν ὁ Δομιτιανὸς τοῖς νεωτερισμοῖς ἔχαιρεν· ἴδιον δὲ τυράννων ἀνατρέπειν τὰ πάλαι καθεστηκότα. ὅθεν οὐ μόνον τὴν ἐπαρχότητα τῶν πραιτωρίων τῆς οὔσης αὐτῇ τὸ πρὶν τιμῆς ἐζημίωσεν, ἀλλὰ μὴν καὶ τὴν πολίαρχον ἐξουσίαν, τό γε εἰς αὐτὸν ἧκον, διεσπάθισε, δύο πρὸς τοῖς δέκα ὑπάρχους πόλεως ἀνθ' ἑνός, ὡς δὴ καθ' ἕκαστον τμῆμα τῆς Ῥώμης, προχειρισάμενος.

20. Οὐκ ἦν δὲ καταγώγιον ὡρισμένον ἀνέκαθεν οὐδεμιᾷ τούτων τῶν ἀρχῶν, οὐκ ἐπὶ τῆς πρώτης, οὐκ ἐπὶ τῆς καθ' ἡμᾶς βασιλίδος, ὡς ἐπὶ τοῦ παρόντος, ἀλλ' ἐπὶ τῶν οἰκείων ἑδρῶν ὁ τὴν ἀρχὴν ἐφέπων ἔπραττε. καὶ τοῦτο ἄχρι τοῦ καθ' ἡμᾶς Λέοντος διέμεινεν, ἐφ' οὗ Κωνσταντῖνος τὴν ὕπαρχον ἔχων τι-

v. 6 de mens. p. 17, 10   11 de mens. p. 17, 16 app.

v. 2 *παρ' αὐτοῖς O*, *παρὰ τοῖς* coni. *F*, *παρ' αὐτοῖς* ⟨*τοῖς*⟩ Gu. Kroll, Berl. philol. Wochenschr. 1899 p. 613   6 *ανηνεγκται O*, corr. *F*   7 *πέλεκυ O*, corr. *F*   9 *ἐναλλαγης O*, *ἐναλλαγεὶς* coni. *F*   10 *βίξιλλα O*, corr. *F*   16 *πολυαρχον O*, corr. *F*   17 *διεσπάθησε O*, *διεσπάθισε* coni. O_2, et F coll. I 36   23 *ἔπων O*, *διέπων* coni. *F*, *ἔχων* B, *ἐφέπων* scripsi

μήν, ἀνὴρ εὐπατρίδης ἐκ Μαζάκης μὲν καὶ αὐτὸς ὁρμηθείς, ἀνάλογον δὲ τὴν ἀρετὴν τῇ κακίᾳ τοῦ πονηροῦ Καππαδόκου κεκτημένος, διὰ λόγων τε ἄριστα καὶ διαφερόντως τῶν παρ' Ἰταλοῖς τότε μάλιστα τιμωμένων ἡγμένος ἀγορὰν ἐδείματο διαπρεπεστάτην, Λέοντος αὐτὴν προσαγορεύσας, ἐν ᾗ καὶ τὴν προαγωγὴν ἐκείνου ψηφῖδι κατεγράψατο. ταύτην, ὡς εἶπον, αὐτὸς οἰκείοις ἀναλώμασι κατασκευάσας, οἷα γειτνιῶν τῷ χωρίῳ, καὶ Ῥούφῳ τῷ καθ' ἡμᾶς πάππος γενόμενος, παρεχώρησεν τῇ ἀρχῇ δίαιταν εὐτελῆ καὶ σώφρονα, πρὸς θεραπείαν τοῦ κατὰ καιρὸν τὴν ἀρχὴν ἐκδεχομένου κατασκευάσας πρᾶγμα πάσης ἀποδοχῆς ἄξιον· ἡ πρώτη καὶ ἀνέχουσα τῶν ἀρχῶν, ἡ μόνῳ τῷ σκήπτρῳ παραχωροῦσα ἐπὶ μικρᾶς ⟨τότε ἔπραττεν οἰκίας⟩· οὕτως ἦν παρὰ τοῖς παλαιοτέροις τὰ τῆς τρυφῆς ἠμελημένα, οἳ μόνης ἀπέλαυον τῆς τῶν ὑποτελῶν εὐθυμίας.

21. Σέργιος δὲ ὕστερον ἐκ τῶν δικανικῶν ῥητόρων ἀνὴρ σοφιστὴς καὶ διὰ τοὺς λόγους αἰδέσιμος Ἀναστασίῳ τῷ χρηστῷ τὴν εἰρημένην δίαιταν ὑπερῴῳ φορτώσας καταγωγίῳ τὸ μὲν σῶφρον ὑπερεῖδε, μείζονα δὲ τρυφὴν τῆς ἀρχῆς ἤδη μαραινομένης εἰσήγαγεν οὐ προθεωρήσας — οὐδὲ γὰρ ἀνθρωπίνης φύσεως τὸ ἐσόμενον στοχάζεσθαι — φωλεὸν τῷ Καππαδόκῃ κατασκευάζειν· τῷ γε μὴν βαλανείῳ τῆς διαίτης ἠρκέσθη, ἐπὶ γοῦν αὐτοῦ τιμήσας τὸ μέτριον. ὁ δὲ Καππαδόκης — τίς δὲ οὗτος, μικρὸν ὕστερον ἐρῶ — ἐνσκήψας τῇ ἀρχῇ τὴν μὲν παλαιὰν καὶ οὕτω σεμνὴν τῆς ἀρχῆς δίαιταν

v. 26 vide infra III 57

v. 9 παρεχώρησε ἐν *O*, ἐν del. *F*, παρεχώρησεν scripsi
14 post μικρᾶς lacunam statuit *F*, quam explere temptavi
15 απηλαυον *O*, ἀπέλαυον voluit F

ταῖς φάλαγξι τῶν θεραπόντων αὐτοῦ παρεχώρησεν· αὐτὸς δὲ ἐπὶ τῆς ὑπερῴας κατακοιταζόμενος, οὔρου καὶ ἀφόδου περισκοποῦντος τὸν κοιτῶνα, γυμνὸς ἐπὶ τῆς κλίνης ἐξεκέχυτο, πάντας τοὺς ἀπὸ τῆς τάξεως ὡσεὶ πονηροὺς οἰκέτας πρὸ τοῦ κοιτῶνος παραφυλάττειν ἐγκελευόμενος, αὐτὸς δὲ τοὺς ἀρέσκοντας ἐπιλεγόμενος καὶ τοῖς θηριωδεστάτοις τῶν οἰκετῶν, βαρβάροις καὶ λύκοις ταῖς ψυχαῖς ἅμα καὶ ταῖς προσηγορίαις, πρὸς τιμωρίαν ἐκτιθέμενος. τρυφῶν οὖν ἐκτόπως τὸ πάλαι βαλανεῖον εἰς ἔπαυλιν ὑποζυγίων μεταθέμενος ταῖς ἀγέλαις τῶν ἵππων εἰς μέρος βραχὺ παρεχώρησεν· ἕτερον δὲ ἐπὶ τοῦ ἀέρος κρεμάσας βαλανεῖον καὶ τὴν φύσιν τῶν ὑδάτων εἰς ὕψος ἄτακτον ἀναρρεῖν συνωθήσας, ἐλούετο ἐν αὐτῷ οὕτως, ὡς προτετραγῴδηται. εἶτα ἐκεῖθεν, ⟨ἔνθα⟩ τά τε ἀέρος τά τε γῆς τά τε νηκτὰ πάντα μετὰ τῶν ἁπανταχόθεν οἴνων κατέπινε καὶ μυρίαις συνδιεφθείρετο μίξεσιν ἀδιακρίτοις, αὐτὸς ἐπὶ τῆς χλαμύδος θεριστρίῳ, ὡσεὶ κρηδέμνῳ, τὴν κεφαλὴν περιδεσμῶν καὶ τὰς τρίχας ἐνειλῶν τῇ καλύπτρῃ, ὡς Πομπηΐου παράσιτος κατὰ τὸν Πλούταρχον, ἢ τἀληθὲς εἰπεῖν, ὡς οἱ τῆς σκηνῆς ἄρχοντες, διεβαστάζετο ἐπὶ τὰς αὐλάς, ἃς αὐτὸς κατεσκεύασεν ἑαυτῷ· ὧν εἴ τις θέλοι τὴν ἀσωτίαν καὶ τὴν τῶν κτισμάτων διεξιέναι τῷ λόγῳ λαμπρότητα, Σεσώστριος ὁμοῦ καὶ Ἀμάσιος

v. 20 Plut. Pomp. XL

v. 3 *περισκέποντος* coni. Th. Preger 11 *των των ἵππων* *O*, alterum *των* del. O_2 13 *συνωθεισας*, quod in *συνωθεισιας* mutavit *O*, corr. O_2 15 *ἔνθα* addidi 16 *κατεπιννε* *O*, corr. O_2 17 *συδιεφθειρετο* *O*, corr. O_2 | *αὐτός· ἐπί ⟨τε⟩* coni. *F* 20 *εἰτ' αληθές* *O*, corr. O_2 21 *ὁ τῆς* *O*, corr. O_2 | *ἀρχοντος* *O*, *ἄρχων* coni. O_2, corr. *F* 24 *σεσώστριν ὁμοῦ καὶ ἄσμασιν καὶ τοῖς ἄλλοις* *O*, corr. F

καὶ τῶν ἄλλων μαυσώλειά τε καὶ πυραμίδας καὶ τἆλλα, ὅσων οἱ τὰς Αἰγυπτιακὰς ἀναγράψαντες ὑπερηφανίας μνημονεύουσι, μέτρια καὶ φιλοσοφοῦσι πρέποντα καταυλήματα λέγων οὐ σφαλήσεται.

22. Ὑπόλοιπόν ἐστι κατὰ τὸ πρόσθεν ἐπηγγελμένον περὶ τῆς τάξεως εἰπεῖν, ποία τε τίς ἦν ποτε παρὰ τῷ ἱππάρχῳ καὶ ποία γέγονε μετ' ἐκεῖνον ὑπὸ τῷ τῶν πραιτωρίων ὑπάρχῳ, περί τε τῶν ἐν αὐτῇ καταλόγων, προσηγοριῶν τε καὶ λειτουργιῶν, περί τε ἐθῶν καὶ συμβόλων καὶ τῶν ἐπὶ τοῖς συνταττομένοις χάρταις ῥημάτων καὶ ἁπλῶς, ὅσα ἡμῶν ἄχρι τηρούμενα τῆς ἀρχῆς ἐλαττωθείσης καὶ τῆς ὑπηρετουμένης αὐτῇ τάξεως συμπεσούσης παραπόλωλεν, ὅπως μὴ ⟨σὺν⟩ τοῖς ἴχνεσι τῆς ἀρχαιότητος καὶ αὐτὴ ἡ τῶν ἀρετῶν μνήμη μὴ γοῦν γράμμασιν ἀναφερομένη παντελῆ λάχῃ τὴν ἀναίρεσιν· τέως δὲ περὶ τῶν ὑπολοίπων τῆς πολιτείας ἀρχῶν, καὶ τὸ δὴ πέρας ἴδιόν τινα περὶ τῆς τάξεως λόγον ἐκθήσομαι· οὐδὲ γὰρ εὐπρεπὲς ταῖς ἀρχαῖς τοὺς ἀρχομένους συναριθμεῖν.

Περὶ τοῦ λεγομένου μαγίστρου τῶν θείων ὀφφικίων, ἀντὶ τοῦ ἄρχοντος τῶν αὐλικῶν στρατευμάτων.

23. Πάντα μὲν τὰ ὄντα καὶ γίνεται καὶ ἔστι κατὰ τὴν τοῦ ἀγαθοῦ φύσιν· τὰ μὲν ὄντα, ὡς ἔστι, τὰ δὲ γινόμενα οὐκ ὄντα μὲν ἀεὶ οὐδὲ ὡσαύτως ἔχοντα, διὰ

v. 5 vide supra II 18

v. 1 μαυσωλεα *O*, corr. *F*   3 φιλοστοφοῦσι *O*, corr. O_2 13 σὺν add. *F*   18 του ἀρχομένου *O*, corr. *B*   24 τὰ μὲν ὄντα (ο in ras.) ὧς ἔστι τὰ *O*, τὸ . . τὸ volebat F

δὲ τῆς γενέσεως ἐπὶ τὴν φθοράν, εἶτα ἐξ ἐκείνης ἐπὶ τὴν γένεσιν ἀναστρέφοντα, καὶ τῷ εἶναι μὲν ἀθάνατα, τῷ δὲ μεταβάλλεσθαι ἀλλοιότερα· εἰς ἑαυτὰ γὰρ ἀναχωροῦντα τῇ μὲν οὐσίᾳ ἐστί, τῇ δὲ φθορᾷ γίνεται, τηρούσης αὐτὰ τῆς φύσεως παρ' ἑαυτῇ προαγούσης τε αὖθις εἰς τοὐμφανὲς κατὰ τοὺς ὑπὸ τοῦ δημιουργοῦ τεθέντας ὅρους. ταῦτά φησιν ὁ λόγος διὰ τὴν ἀρχέτυπον τῆς καθ' ἡμᾶς πολιτείας ὄψιν, ἐφ' ἧς ἴσμεν πρὸ πάσης ἀρχῆς τὴν τοῦ ἱππάρχου δύναμιν, ὡς εἴρηται, γενέσθαι· εἶτα, ὡς ἀπαλιφεῖσα ἐκείνη τῷ χρόνῳ εἰς τὴν ὕπαρχον μετεφύη τιμήν. αὐτῆς δὲ τὸ πολίτευμα παραλαβούσης αὖθις ἡ βασιλεία εἰς τὴν τοῦ ἱππάρχου περιέστη χρείαν· καὶ προῆλθεν εἰς τὸ μέσον, μᾶλλον δὲ προηνέχθη ὑπὸ τῆς τῶν πραγμάτων φύσεως ἡ πρὶν ἀπαλιφεῖσα δι' ἑτέρας προσηγορίας ἀρχή, κατὰ μηδὲν μὲν ἀποδέουσα τῆς οἰκείας ὑποστάσεως, μείζονι δὲ δυνάμει καὶ προσθήκῃ τῶν οὐκ ὄντων αὐτῇ τὸ πρὶν ὀχυρωμένη.

24. Καὶ μηδεὶς πρὸς τὸ καινὸν τῆς προσηγορίας ἀποπηδάτω· εἰ γὰρ ἀπίδοι ἐμμελῶς εἰς τὰ πράγματα, οὐδὲ αὐτὴν τὴν ἐπωνυμίαν τῆς ἀρχῆς διαφωνοῦσαν πρὸς ἑαυτὴν εὑρήσει. ὁ μὲν γὰρ ἵππαρχος παρῆν ἀεὶ τῷ ῥηγὶ ἢ τῷ μονάρχῳ, τῆς μὲν ἱππικῆς δυνάμεως ἡγούμενος, τῆς δὲ αὐλῆς πάσης προεστηκώς· ὥστε ὁ λεγόμενος κατὰ νεωτέραν προσηγορίαν μάγιστρος οὐδὲν ἕτερον ἢ ἵππαρχός ἐστι· τῆς δὲ μεταβολῆς τοῦ ὀνό-

v. 9 vide supra I 14

v. 1 ειτε *O*, corr. *B* 2 τὸ εἶναι . . . τὸ δὲ *O*, τῷ εἶναι . . τῷ δὲ coni. *B* 10 et 15 ἀπαλοιφεῖσα *O*, ἀπαλειφθεῖσα corr. O_2, ἀπαλιφεῖσα *B* 18 ὑπάρχου *O*, corr. F 20 αφειδοι O, corr. O_2 25 post λεγόμενως (sic, corr. O_2) tres litterae erasae in O

ματος αἰτία ἡ τῆς πλείονος ἐξουσίας ἐπικράτεια γέγονε. τὸ γὰρ μάγιστρος ὀφφικίων ὄνομα οὐδὲν ἢ τὸν ἡγούμενον τῶν αὐλικῶν καταλόγων σημαίνει, ὡς προέφαμεν, ἐν οἷς ἥ τε ἱππικὴ καὶ ἡ πεζομάχος δύναμις τῆς βασιλείας θεωρεῖται εἰς μυρίους συναγομένη πολεμιστάς. καὶ τοῦτο μὲν μόνον εἶχεν ὁ ἵππαρχος τὸ προνόμιον· ὁ δὲ μάγιστρος τὸ πλέον, τῆς βασιλείας εἰς τοσοῦτον ὕψος ἀνενεχθείσης. τότε μὲν γὰρ μόνην τὴν Ἰταλίαν ἐκέκτηντο Ῥωμαῖοι, νῦν δὲ θεοῦ προϊσταμένου πᾶσαν ὁμοῦ γῆν τε καὶ θάλασσαν ἔχουσιν.

25. Καὶ ὅστις μὲν οὖν ὠνομάσθη τὴν ἀρχὴν μάγιστρος, οὐκ ἔχω λέγειν τῆς ἱστορίας σιγώσης· οὐδὲ γὰρ πρὸ Μαρτινιανοῦ, ὃς ἦν ὑπὸ Λικινίῳ μάγιστρος, ἄλλου τινὸς προσηγορίαν ἡ ἱστορία παραδίδωσιν. αὐτοῦ δὲ τούτου ὑπὸ Λικινίῳ ⟨μαγιστρεύοντος⟩ ὁ Κωνσταντῖνος τὴν ὅλην τῆς βασιλείας μόνος κατασχὼν ἐξουσίαν, Παλλάδιον μάγιστρον τῆς αὐλῆς ἐχειροτόνησεν, ἄνδρα συνετὸν καὶ Πέρσας Ῥωμαίοις πρότερον καὶ Μαξιμιανῷ τῷ Γαλερίῳ διὰ πρεσβείας φιλώσαντα. τοῖς δὲ ἱμειρομένοις τοὺς ἐφεξῆς μὴ ἀγνοῆσαι μαγίστρους ἄχρις ἡμῶν, ἀρκέσει πρὸς διδασκαλίαν Πέτρος ὁ πάντα μεγαλόφρων καὶ τῆς καθόλου ἱστορίας ἀσφαλὴς διδάσκαλος δι' ὧν αὐτὸς ἐπὶ τοῦ λεγομένου μαγιστερίου ἀνεγράψατο.

v. 3 supra p. 78, 20 14 Aurel. Vict. epit. XLI

v. 2 ἧττον O, ἧττον τὸν scripsit F ep. p. 27, ἢ τὸν corr. Gu. Kroll 9 προϊσταμεμενου et prius με erasum habet O 14 αὐτῷ δὲ τούτῳ coni. F 15 μαγιστρεύοντος addidi 17 αὐτῆς O, αὐλῆς corr. F 19 φειλώσαντα O, φιλιώσαντα corr. O_2, φιλώσαντα F 20 ὁμηρομένοις O, ὁμειρομένοις coni. O_2, corr. F 23 μαγιστεριου O, μαγιστηρίου volebat F; sed v. p. 66, 1

26. *Προῆλθεν οὖν ἡ δύναμις ἐπὶ πλέον τῆς ἀρχῆς· οὐ μόνον γὰρ τὰς τῶν ἐθνῶν πρεσβείας ὑφ' ἑαυτῷ τελούσας ὁ μάγιστρος ἔχειν πιστεύεται, τόν τε δημόσιον δρόμον καὶ πλῆθος ἐμβριθὲς τῶν πάλαι μὲν φρουμενταρίων, νῦν δὲ μαγιστριανῶν, τήν τε τῶν ὅπλων κατασκευὴν καὶ ἐξουσίαν, ἀλλ' ἔτι καὶ τὴν τῶν πολιτικῶν πραγμάτων· καὶ διαφερόντως Πέτρος οὗτος ὁ πολύς, ὁ μηδενὶ ταῖς ἀρεταῖς κατὰ μηδὲν δευτέρος. διασώζει μὲν γὰρ καὶ φρουρεῖ τὴν αὐλὴν καὶ τὴν Ῥωμαϊκὴν οὐκ ἀποπτύει μεγαλειότητα, ἣν ἐγγὺς ἀπολομένην ἀβελτερίᾳ τῶν πρὸ αὐτοῦ οἷα σοφὸς καὶ διὰ παντὸς τοῖς βιβλίοις προσανέχων ἀποκαθίστησι. τοὺς δὲ νόμους εἰδὼς εἴπερ τις ἄλλος, οἷς ἐξ ἁπαλῶν ὀνύχων ἐνετράφη, συνηγορῶν τοῖς δεομένοις, ἄρχων τε μέγιστος καὶ ἀξίαν ὀφρὺν τῆς ἐξουσίας ἀνατείνων ἐδείχθη καὶ δικαστὴς ὀξὺς καὶ τὸ δίκαιον κρίνειν εἰλικρινῶς ἐπιστάμενος κατὰ μηδὲν αὐτὸν ὑπτιαζούσης τῆς τύχης. πρᾷος μὲν γάρ ἐστι καὶ μειλίχιος, ἀλλ' οὐκ εὐχερὴς οὐδὲ πρὸς τὰς αἰτήσεις ἔξω τοῦ νόμου καμπτόμενος, ἀσφαλὴς δὲ ὁμοῦ καὶ προβλέπων τὰς ὁρμὰς τῶν προσιόντων, μηδένα καιρὸν ταῖς ῥᾳθυμίαις παραχωρῶν, τὴν μὲν νύκτα τοῖς βιβλίοις, τὴν δὲ ἡμέραν τοῖς πράγμασιν ἐγκείμενος, μηδὲ αὐτὴν τὴν μέχρι τῆς αὐλῆς ἐκ τῆς οἰκίας ἐν ὁμιλίαις διασυρίζων ἁπλῶς, ζητήμασι δὲ λογικοῖς καὶ ἀφηγήσεσι πραγμάτων ἀρχαιοτέρων μετὰ τῶν περὶ ταῦτα σχολαζόντων εἰλούμενος. καὶ καιρὸς οὐδεὶς αὐτῷ διδαγμάτων ἐστὶν ἀμέριμνος, ὡς τοὺς τῶν λόγων ἐξηγητὰς δεδιέναι τὴν πρὸς αὐτὸν ἐντυχίαν· πράγμασι γὰρ αὐτοὺς καὶ στροφαῖς περιβάλλει*

v. 14 *ἀνετράφη O*, *ἐνετράφη* corr. B 21 *προιόντων O*, corr. *F* | *μηδεν ἄκαιρον O*, corr. F 23 *ἐκκείμενος* O, corr. F

μετρίως ὑπελέγχων, ὡς λέγοιντο μόνον· οὐκ εἰσὶ δὲ τοιοῦτοι, ὁποίους αὐτοὺς ἡ φήμη διαθρυλεῖ. ἐμοὶ δὲ μάλιστα σκοτοδινίας οὐ μικρὰς ἀνακινεῖ ἡ πρὸς αὐτὸν συνήθεια· χαίρω γὰρ αὐτῷ, ὅτι καλὸς ἅμα καὶ ἐλεύθερος καὶ τύφου καὶ κορύζης ἐκτός, ἀστεῖός τε καὶ κοινός· ἀλλ' ἐπισείει μοι, ὡς εἴρηται δή, φροντίδας οὐ μικράς, μηδὲν ὢν ἐπίστασθαι δοκῶ προτείνων εἰς ζήτησιν, τὰ δὲ παντελῶς ἠγνοημένα παρεισάγων· ὥστε με τὰς πασῶν ἰσχυροτάτας εὐχὰς μελετᾶν, μηδεμίαν αὐτὸν ἄβατον ἐμοί, ὥσπερ εἴωθεν, ἐπιρροιζῆσαι θεωρίαν.

Περὶ τοῦ ἐπάρχου Σκυθίας καὶ τοῦ Ἰουστινιανοῦ πραίτορος καὶ τοῦ κυαισίτορος.

27. Τ[οσού]των ἀρχόντων, τῶν ἐπὶ τῆς Ῥώμης τῷ νόμῳ γνωρι[ζο]μένων, μνήμην ἡ καθόλου ἱστορία ἐκ προοιμίων ποιεῖται τῆς Ῥωμαϊκῆς πολιτείας ἄχρι τῆς Ἀναστασίου τοῦ βασιλέως τελευτῆς. κόμιτα γὰρ λαργιτιώνων, ⟨ὡς⟩ Ἰταλοὶ λέγουσιν ἀντὶ τοῦ προεστῶτα τῶν τῆς βασιλείας θησαυρῶν, καὶ κόμιτα πριβάτων ἀντὶ τοῦ τῶν ἰδίᾳ πως τοῖς βασιλεῦσι προσηκόντων, οὐκ ἄν τις ἐν ἀρχόντων ἀριθμήσειέ ποτε καταλόγῳ, θεραπόντων δέ· ⟨οἳ μηδὲ⟩ προαγωγῆς ἄρχουσι πρεπούσης ἀξιοῦνται, κατὰ δὲ τὸ δοκοῦν τῇ βασιλείᾳ πρόσφατον ἔχουσι καὶ λανθάνουσαν τὴν γένεσιν, ὥσπερ ὁ λεγόμενος πατριμώνιος ἀντὶ τοῦ φύλαξ τῆς ἰδίᾳ πως ἀνηκούσης τῷ βασιλεῖ καὶ τυχὸν ἐκ προγόνων περιουσίας,

v. 6 επιση *O*, ἔπεισι coni. O_2, ἐπισείει *F* | εἴρηται δὲ *O*, δὲ del. O_2, δὴ scripsi | φροντίδας οὐ μικρὰς *O*, φροντὶς οὐ μικρὰ coni. O_2 9 βελετᾶν *O*, corr. *F* 10 αὐτων *O*, corr. *F* | ἐπιρυζῆσαι *O*, corr. O_2 17 ὡς add. *F* 18 προβάτων *O*, πριβάτων corr. *F* 21 οὐδὲ γὰρ add. *F*, οἳ μηδὲ Gu. Kroll 22 προσφατον *O*, πρόφαντον coni. F ep. p. 28

ὃν καὶ αὐτὸν οὐ πρὶν ἀριθμούμενον Ἀναστάσιος ὁ πάντα ἔμφρων ἀνεστήσατο, διάκρισιν, ὥσπερ εἰώθει, περινοῶν τοῖς πράγμασιν, ὅπως μὴ συγχύσει κάμνοιεν.

28. Μετ' ἐκεῖνον δὲ Ἰουστίνου ἐν ἡσυχίᾳ βιοῦντος καὶ μηδὲν νεώτερον ἐξευρόντος ὁ μετὰ ταῦτα, ἀδελφιδοῦς αὐτῷ γενόμενος, πᾶν ὅ,τι χρήσιμον περιποιεῖν τοῖς κοινοῖς ἐπειγόμενος ὅλην τε τὴν ὀφρὺν τῆς ἀρχαίας ὄψεως ἀνακαλούμενος, πρῶτον μὲν ἐξεῦρε τὸν λεγόμενον τῆς Σκυθίας ὕπαρχον. σοφὸς [γὰ]ρ ὢν καὶ διὰ τῶν βιβλίων εὑρών, ὡς εὐδαίμων μὲν ἡ χώρα τοῖς χρήμασιν, ἰσχυρὰ δὲ τοῖς ὅπλοις ἐστί τε νῦν καὶ πάλαι γέγονεν, — ⟨ἣν⟩ πρῶτος ἑλὼν σὺν Δεκεβάλῳ τῷ Γετῶν ἡγησαμένῳ Τραϊανὸς ὁ πολὺς πεντακοσίας μυριάδας χρυσίου [λι]τρῶν, διπλασίας δὲ ἀργύρου, ἐκπωμάτων ἄνευ καὶ σκε[υῶν] τιμῆς ὅρον ἐκβεβηκότων, ἀγελῶν τε καὶ ὅπλων, καὶ ἀνδρῶν μαχιμωτάτων ὑπὲρ πεντήκοντα μυριάδας σὺν τοῖς ὅπλοις Ῥωμαίοις εἰσήγαγεν, ὡς ὁ Κρίτων παρὼν τῷ πολέμῳ διϊσχυρίσατο — συνεῖδεν αὐτὸς κατὰ μηδὲν Τραϊανοῦ παραχωρῶν, περισῶσαι Ῥωμαίοις ἤδη ποτὲ ἀφηνιάζουσαν τὴν βορείαν. καὶ θαυμαστὸν οὐδέν, εἰ πάντα κατ' εὐχὰς προῆλθεν αὐτῷ· οὐδὲ γὰρ Τραϊανὸν τοῖς ὅπλοις ἐζήλωσε μόνον, ἀλλ' αὐτὸν Αὔγουστον τῇ περὶ θεὸν εὐσεβείᾳ καὶ τρόπων μετριότητι, καὶ Τίτον τῇ καλοκἀγαθίᾳ, Μάρκον δὲ τῇ συνέσει παρώθησεν.

v. 18 Crito v. FHG IV p. 374

v. 4 *ἰουστινιανοῦ O*, corr. *F* 12 *ἣν* add. *F* | *δεκιβάλω O*, corr. *F* 13 *τῶν O*, *τῷ* corr. *F* 14 *διαπλασίου* quod in *διπλασίου* correxit *O*, *διπλασίας F* 15 *ἐκπομάτων O*, mutavit *F* 18 *ὡς ἀκρίτον* quod in *ὡσα κρίτον* correxit O, ὅσα *κρίτων* volebat O_2, *ὡς ὁ Κρίτων* corr. F 19 μηδένα O, in *μηδὲν* mutavit *B* 23 *θεῶν* O, *θεὸν* coni. F

29. Ὡς ἔφθην εἰπών, προάγει τοίνυν ἔπαρχον ἐπόπτην τῶν Σκυθικῶν δυνάμεων, ἀφορίσας αὐτῷ ἐπαρχίας τρεῖς τὰς πασῶν ἐγγὺς εὐπορωτάτας, Κεραστίδα — τὴν καθ' ἡμᾶς Κύπρον, ἀπὸ Κύπριδος κατὰ τὸν μῦθον τιμηθείσης ἐν αὐτῇ μεταβαλοῦσαν τὴν προσηγορίαν — Καρίαν τε ὅλην σὺν ταῖς Ἰωνίσι νήσοις· ἃς ἄρτι τελούσας ὑπὸ τὴν πρώτην τῶν ἀρχῶν, ὥσπερ τὰς ἄλλας ἁπάσας, συνεῖδεν ὁ βασιλεὺς χωρισθείσας αὐτῆς τελεῖν ὑπὸ ⟨τῷ⟩ Σκυθίας ἐπάρχῳ καὶ φόρον ἴδιον ἀπένειμε πρὸς δικαστήριον, καὶ τάξιν ὅλην, ὡσεὶ σπινθῆρά τινα τῶν ἐν Λιπάρῃ κρατήρων ἀνάψας ἐκ τῆς ἐπαρχότητος, πολλὰ καθ' ὁμαλοῦ χρηστὰ τοῖς κοινοῖς τεχνησάμενος. τήν τε γὰρ μεγίστην καὶ ⟨τὴν⟩ δευτέραν ἐξουσίαν αὐτὸς καὶ μόνος οὐ μετρίων ἐκούφισε πόνων, διελὼν τὰς φροντίδας τῶν πραγμάτων ἄρχουσι πολλοῖς· ἀλλὰ καὶ αὐτοῖς εὐχειρίστους κατέστησε τὰς ἀρχὰς καὶ τοῖς φιλοπράγμοσι τὴν λύσσαν ἐμέτρησε. γλίσχρον δὲ νομίσας, ⟨εἰ⟩ μὴ καὶ τὴν πολιαρχίαν ἀπαλλάξῃ μοχθημάτων οὐ μικρῶν, καὶ τοῦτο τὸν Τίτον ἐκμιμούμενος τὸν οὐρβανὸν πραίτορα τοῖς ἄρχουσι παρεισήγαγεν, ἀρκεῖν οἰόμενος τῷ πολιάρχῳ τὴν πάντα σοβοῦσαν τῷ δήμῳ διχόνοιαν· καὶ μετ' αὐτούς — μᾶλλον δὲ πρὸ αὐτῶν κατὰ τὴν ἀρχαιότητα, ὡς

v. 23 vide supra I 25

v. 1 ὡς ἔφθην εἰπών cum eis quae praecedunt iungit *O*, corr. *F* 2 ἐφόπτην *O*, corr. O_2 6 ρονεῖσι *O*, ἰονίσι corr. O_2, Ἰωνίσι *F* | νήσους *O*, corr. *F* 7 τὰς *O*, ἃς corr. *F* | ἀντὶ *O*, ἄρτι corr. *B* 9 τῷ add. O_2 12 καθόλου coni. Gu. Kroll 14 τὴν addidi 18 εἰ addidi | πολυαρχίαν *O*, corr. *F* 19 ἀπαλλάξῃ *O*, ἀπαλλάξαι coni. *B* | μικρον *O*, corr. *F* | καὶ τοῦτο *O*, κἂν τούτῳ coni. *B* 22 τῷ δήμῳ O, τοῦ δήμου coni. F

προέφαμεν — τὸν λεγόμενον κυαισίτορα, ἀντὶ ⟨τοῦ⟩ τῶν βιωτικῶν ἐγκλημάτων ἐρευνάδα σεμνότατον.

Περὶ τοῦ Κωνσταντιανοῦ καὶ Ἰουστινιανοῦ πραίτορος καὶ τοῦ μαγίστρου τῶν κήνσων.

30. *Ὥσπερ ἀρχέτυπον εἶδος ἡ μονάς, παράδειγμα δὲ μονάδος ἕν, οὕτως ἐν προοιμίοις ἡ καθ' ἡμᾶς εὐδαίμων πόλις τῆς τότε πᾶσαν ὑπεροχὴν ἐκβεβηκυίας Ῥώμης ἐνομίσθη. ὅθεν ὁ Κωνσταντῖνος οὐδαμοῦ πρὸ τῆς ἐπ' αὐτῇ κονσεκρατιῶνος — οὕτω δὲ τὴν ἀποθέωσιν Ῥωμαῖοι προσαγορεύουσι — Ῥώμην νέαν δείκνυται καλῶν, κάστρα δὲ καὶ αὐτὴν ἴσα ταῖς ἄλλαις τῶν χωρῶν· καὶ τούτων ἄν τις ἐπιστήσεται τοῖς ἐλέγχοις, εἰ ταῖς διαλέξεσι Κωνσταντίνου, ἃς αὐτὸς οἰκείᾳ φωνῇ γράψας ἀπολέλοιπεν, ἐντεύξηται. εἰκόνα τοίνυν καὶ στοχασμὸν ἀμυδροῦ παραδείγματος εἶναι κρίνων αὐτὴν πρὸς ἐκείνην, δύο πραίτορσιν ἀρκεσθῆναι συνεῖδε διὰ τὸ τῶν οἰκητόρων μέτριον καὶ τῶν πραγμάτων σμικρόν. ἐκ τῆς φάλαγγος οὖν τῶν ἐν τῇ Ῥώμῃ πραιτόρων τὸν τουτηλάριον ⟨καὶ τὸν φιδεϊκομμισσάριον⟩ προχειρίζεται, τὸν μὲν Κωνσταντιανόν, τὸν δὲ μάγιστρον τοῦ κήνσου ἐπιφημίσας, οἱονεὶ ἄρχοντα τῶν ἀρχετύπων συμβολαίων — ὅτι κῆνσον μὲν τὴν ἀπογραφὴν τῶν ἀρχαίων, ῥέγεστα δὲ ⟨τῶν πραττομένων⟩ λέγουσι —, καὶ σκρῖβαν μὲν ἐκείνῳ ἀντὶ τοῦ ὑπογραφέα,*

v. 13 Hist. Rom. fragm. coll. H. Peter p. 364

v. 1 *τοῦ* add. *F* 2 *εκκλημάτων O*, corr. O_2 4 KINCΩN cod., corr. O_2 14 *ἀπολελοιπεν O*, *καταλέλοιπεν* coni. *B* | *ἐντεύξεται* coni. O_2 *B* 19 lacunam indicavit *F*, quam ex I 48 explere temptavi 23 *ἀρχαίων* O, *ἀρχείων* coni. B \ *τῶν πραττομένων* addidi e III 20

κηνσουᾶλες δὲ τούτῳ, ἀντὶ τοῦ ἀρχαιοφύλακας, ὑπηρετεῖσθαι διώρισε. τῆς δὲ ἡμετέρας Ῥώμης, καὶ νεμέσεως ἔξω, καὶ τὴν πρώτην τῆς δυνάμεως ἀποκρυπτούσης συνεῖδεν ὁ κράτιστος καὶ τῆς τοῦ οὐρβανοῦ πραίτορος δεῖσθαι παρόδου. προάγει τοίνυν [αὐτὸν] τῇ οἰκείᾳ σεμνύνων προσηγορίᾳ, ἅμα τῶν τοῦ δήμου παραπτωμάτων ἀψόμενος, ἅμα τὴν πολιαρχίαν φρ[οντί]δων ἀμετρίας ἐπικουφίσας ἐμφρόνως.

v. 1 ἀρχαιοφύλακας *O*, ἀρχειοφύλακας coni. *B* 7 ἀψόμενον *O*, corr. *F*

ΛΟΓΟΣ ΤΡΙΤΟΣ

1. *Τοῦ νόμου τῆς ἱστορίας, ὡς οἶμαι, τηρηθέντος καί, τὸ πρόσθεν ἐπηγγελμένον, τῶν πολιτικῶν ἀρχῶν διὰ τοῦ λόγου παρελθουσῶν, ἐπῆλθεν ἐμοὶ ἴδιόν τινα καὶ μονήρη [λόγον] περὶ τῆς μεγίστης τάξεως τῆς πρώτης τῶν ἀρχῶν ὑποθεῖναι τῇ ἱστορίᾳ, δι' οὗ ἄν τις ἀμυδρῶς ἐσοπτρίσαιτο τὴν πάλαι κρατήσασαν ἐν αὐτῇ λαμπρότητά τε καὶ [εὐ]ταξίαν· ἣν ἐγγὺς ἀπολομένην ὁ γενναῖος ἡμῶν βασι[λεὺς] οὐκ εἴασε παντελῶς ἀποσβεσθῆναι, συνέχει δὲ ὥσπερ καὶ σφίγγει διαρρέουσαν τῷ χρόνῳ τὴν ἀρχαιότητα. καὶ μεῖζον μέν ἐστι δι' αὐτοῦ ἤπερ ἄρτι καθεστήκει τὸ πολίτευμα, Λιβύης ἡμῖν ἀποδοθείσης — οὐ μικρὸν δὲ τὸ κτῆμα —, τῆς δὲ Εὐρώπης τὸ πλεῖστον — κοινωνεῖ γὰρ αὕτη τοῦ ζεφύρου, καθὸ τὸν εὖρον ὅλον δίδωσιν ἡ Ἀσία καὶ μόνη — καὶ αὐτῆς δὲ Ῥώμης, τῆς τῶν πραγμάτων μητρός, ἀπαλλαγείσης ἱδρῶτι τῆς βασιλείας δεσμῶν καὶ βαρβαρικῆς ἐξουσίας. πάντα δέ, ὅσα ἦν ποτε τῆς πολιτείας γνωρίσματα, μετὰ κρείττονος ἀποσώζεται δυναστείας· οἵ τε νόμοι θορύβων καὶ πολυφόρτου συγχύσεως ἀπηλλάγησαν, καὶ προφανές ἐστι τὸ δίκαιον, καὶ μεταμέλει τοῖς φιλοδίκοις τὸ πρὶν ἐναγρυπνῆσαι ταῖς φιλονεικίαις, μάχης οὐδεμιᾶς τὸ λοιπὸν διὰ τῆς τῶν*

v. 1 *λόγος γ'. τοῦ νόμου O* 7 *εσοπτρον σο[ι τα] O*, corr. *F* 10 *συνειχοι O*, corr. O_2 14 *αὔτη O*, *αὕτη* corr. O_2, *αὐτῇ* coni. *F* 21 *προσφανες O*, *προφανὲς* coni. O_2 *F* ep. p. 29 B 22 *φιλοδικαίοις O*, corr. *F*

νόμων καθαρότητος ὑπολιμπανομένης. καὶ κρείττων μὲν ἡ βασιλέως ἀρετὴ ἐπαίνου παντός· ἐμοὶ δὲ καὶ καιρὸς ἐπὶ τὸν σκοπὸν διαβῆναι τῷ λόγῳ.

2. Ἡ τοίνυν τῷ ἱππάρχῳ πειθαρχήσασα τάξις ποτὲ ἐν ὅπλοις μὲν ἦν ἅπασα· ὀνόματα δὲ αὐτῇ καθ' ὁμαλοῦ προμῶται, ὅπερ ὄνομα εἰς τέσσαρας τέμνεται λόγους, εἰς δουκινα[ρίο]υς, εἰς <κεντιναρίους, εἰς> κεντουρίωνας, εἰς βιάρχους· περὶ ὧν ἂν κατὰ [τὴν] τῶν τακτικῶν παράδοσιν ἀφηγησάμην, εἰ μὴ πόρ[ρω] τοῦ σκοποῦ παρωθούμην. καὶ ταύτης τῆς προσηγο[ρί]ας, τῆς τῶν προμωτῶν λέγω, ἔτι καὶ νῦν αἱ λεγόμεναι μά[τρι]κες — ἀντὶ τοῦ ἀπογραφαὶ τῶν καταλόγων — μνήμην [ἀνα]φέρουσιν. ἀπὸ <δ'> Αὐγούστου εἰς ἕτερον σχῆμα τῆς ἀρχῆς περιστάσης, ὡς πολλάκις εἴρηται, προσετέθησαν [οἱ] λεγόμενοι ἀδιούτορες, οἱονεὶ βοηθοί· καὶ ταύτης μόνης τῆς προσηγορίας μνημονεύουσιν αἱ παρὰ τῶν βασιλέων παρεχόμεναι τοῖς εἰς στρατείαν παριοῦσι προβατωρίαι, οἱον[εὶ] συστάσεις καὶ ἀποδείξεις — οὐδὲ γὰρ ἁπλῶς τὸ πρὶν ἄ[[δε]]ιαν εἶχεν ὁ βουλόμενος ζώνην περιθέσθαι οἱανοῦν, μὴ πρότερον ἀποδείξας, ὡς εἴη πρὸς αὐτὴν ἐπιτήδειος — προβᾶρε γὰρ τὸ μετὰ δοκιμῆς ἐπιδεῖξαι τὸ ὑποκείμενον λέγουσιν οἱ Ῥωμαῖοι. νῦν δὲ τὸ πλῆθος αὐτὰς ἐξ ἀμαθοῦς μαντείας τἀληθὲς παραδηλούσης πριβατωρίας καλεῖ, αὐτόθεν τὴν ἰδιώτου τύχην εἰσαγούσης. οὐδὲ γὰρ ἰδιώτου διαφέρουσιν οἱ μόνῃ προσηγορίᾳ στρατείαν οἱανοῦν ὑπερχόμενοι· οὐχ ὅτι τὰ πράγματα μὴ τὴν

v. 1 κρειττω O, corr. O_2 6 τέσσαρα O, corr. F | λόγους O, καταλόγους coni. F 7 κεντιναρίους, εἰς addidi e III 7 11 λογω O, λέγω corr. F 13 δ' add. B 17 παρ[ασ]χόμεναι O, corr. B | στρατιαν O, corr. O_2 19 ἀ..ιαν O, suppl. F 20 οἷα νῦν coni. Th. Preger 26 η O, οἱ corr. O_2 | αστρατειαν O, corr. O_2

κρείττονα καὶ καρπιμωτέραν εἴληχεν ὄψιν τῇ βασιλέως ἐμμελείᾳ, ἀλλ' ὅτι αὐτοὶ οὐκ εὐπρεπεῖς πρὸς τὰς λειτουργίας παρίασιν.

3. *Κοινῇ μὲν οὖν ἅπασι τοῖς καταλόγοις ἐκ τῆς βασιλέως ὑποσημειώσεως ἀδιούτορες ⟨ἦσαν⟩ ἐπὶ τοῦ μετώπου τῆς παρατάξεως τὸ πάλαι ταττόμενοι· φησὶ γὰρ οὕτως·* et ⟨coll⟩ocare eum in legione prima adiutrice nostra, *οἷον εἰπεῖν· 'καὶ τάξειας αὐτὸν ἐν τῷ πρώτῳ τάγματι τῷ βοηθοῦντι ἡμῖν.' ὅθεν ὁ πρωτεύων τοῦ παντὸς καταλόγου ἔτι καὶ νῦν κορνικουλάριος ἀναφέρεται, ἀντὶ τοῦ κερατίτης ἢ πρόμαχος. μέσος μὲν γὰρ ἦν τῆς στρατιᾶς ἐπὶ τῆς συμπλοκῆς ὁ μόναρχος, ἤγουν ὕπαρχος ἢ ὁ καῖ[σαρ]. τὸ δὲ ἰνπεράτορος ἐπώνυμον κοινὸν ἦν αὐτοῖς, ὡς ἔφην· οὐδὲ γὰρ μόνων τῶν βασιλέων ἐστίν, ἀλλ' ἀπολύτως τοῦ αὐτοκρατῶς διοικεῖν εἰληχότος τὸν πόλεμον. καὶ μέσος μὲν ἦν, [ὡς] εἴρηται, ὁ αὐτοκράτωρ, ὡς ὁ Φροντῖνος λέγει· ἐξ εὐωνύμ[ου] δὲ πλευρᾶς ὁ ἵππαρχος ἤγουν ὕπαρχος, ἐκ δὲ τῆς ἑτέ[ρας] οἱ πραίτορες καὶ ληγᾶτοι — ἀντὶ τοῦ στρατηγοὶ καὶ πρεσβευταί —, οὓς κατελίμπανον οἱ ὕπατοι ἀνθ' ἑαυτῶν ἤδη τοῦ τῆς ὑπατείας αὐτοῖς συντελουμένου χρόνου εἰς τὸ ἐφεστάναι τῷ στρατῷ ἄχρι τῆς τοῦ μέλλοντος ὑπάτου ἐπὶ τὸν πόλε-*

v. 7 cf. cod. Iust. XII tit. 53, 3 14 vide supra I 4
17 Frontinus vide supra I 47

v. 5 *ἦσαν* addidi 7 ЄΤЄGΑΓЄЄUΜΙΝLЄCΙΟΝЄΠΙΙΠΑΑd-UΤΓΙCЄΝSΤΠΤΑ cod. | *colloca F*, *collocare* scripsi 10 *κουρνικουλαριος*, ut saepius, *O* 11 *καιραΐτης O*, *κεράστης* coni. *F*, corr. ep. p. 29 12 *μονομαχος O*, *ὁ μόναρχος* corr. *F*, *ὁ ἵππαρχος* coni. *F* ep. p. 30 15 *αὐτοκράτορος O*, corr. *F* 20 *πρεσβυται O*, corr. *B* 21 *τὸ O*, *τοῦ* corr. *F* 22 *ἐφιστάναι O*, corr. *B*

μον παρουσί[ας]. τῆς δὲ καλουμένης λεγιῶνος εἰς ἑξακισχιλίους τελούσης πεζομάχους τὸν ἀριθμόν — οὐσῶν δέκα μόνον τῶν πασῶν λεγιώνων ἀνέκαθεν, ἔξωθεν ἱππικῆς Ῥωμαϊκῆς καὶ αὐξιλιαρίας καὶ κοορταλίας καὶ τουρμαλίας καὶ τῶν λοιπῶν δυνάμεων, εἶτα δὲ καὶ ξενικῆς —, ὡς ἔφην, πρῶτος ἐτέτακτο ὁ κορνικουλάριος, καὶ διὰ τοῦτο προὔστηκεν ἔτι καὶ νῦν τῆς πάσης τάξεως, ⟨ἐπεὶ μηκέτι⟩ ἐπὶ τοὺς πολέμους ἀφικνεῖσθαι τὸν ὕπαρχον ἔδοξεν δι' οὓς εἰρήκαμεν λογισμούς.

4. Τῶν οὖν ἄλλων πάντων ἀδιουτόρων ὄντων, ὁ ὕπαρχος δι' οἰκείας ὑποσημειώσεως δίδωσι τῷ πρὸς τὴν στρατείαν ἐρχομένῳ εἰς ὃν αὐτὸς ἕλοιτο ταχθῆναι κατάλογον. αἱ δὲ προσηγορίαι τῶν πάντων καταλόγων τῆς τάξεως αὗται· ὁ κορνικουλάριος, πρῶτος τῇ τοῦ λεγομένου κόμιτος ἐμπρέπων λαμπρότητι, μήπω τὴν ζώνην ἀποθέμενος καὶ πρὸς τὴν ἀπὸ τῆς βασιλείας τιμὴν καὶ τὴν τῶν λεγομένων κωδικίλλων — ἀντὶ τοῦ δέλτων — ἐπίδοσιν ἀνελθών, οὐδενὶ τῶν ἐν ἄλλοις στρατεύμασι πρωτευόντων ταύτης τῆς προνομίας ὑπαρχούσης· μετὰ δὲ τὸν κορνικουλάριον πριμισκρίνιοι δύο, οὓς Ἕλληνες πρώτους τῆς τάξεως καλοῦσι· κομμενταρίσιοι δύο — οὕτω δὲ τοὺς ἐπὶ τῶν ὑπομνηματογράφων ταττομένους ὁ νόμος καλεῖ —, ῥεγενδάριοι

v. 6 vide I 46   9 cf. supra II 10 sq.

v. 3 δὲ καὶ *O*, δέκα coni. *F*   8 ἐπεὶ μηκέτι add. *B*   16 λαμπροτησι *O*, corr. O_2 18 κου..δικιλλων erasis duabus litteris *O*, κω..δικελλων O_2, corr. *F*   21 προμισκρινιοι *O*, corr. *F*   23 ἐπὶ τῶν ὑπομνηματογράφων *O*, ἐπὶ τῶν ὑπομνημάτων coni. *F*, ἐπὶ τῇ τῶν ὑπομνημάτων γραφῇ *B*   24 πραττομένων *O*, πραττομένους *F*, delet omnino *F* ep. p. 30, ταττομένους corr. *B*

δύο, οἱ τὸν δημόσιον δρόμον ἰθύνοντες· κοῦρα ἐπιστουλάρουμ Ποντικῆς δύο.

5. Ἀλλ' ἴσως ἄν τις οὐκ ἔξω λόγου πύθοιτο τὴν αἰτίαν ἐπιζητῶν, τίνος χάριν πασῶν τῶν διοικήσεων ἐχουσῶν τοὺς καλουμένους κοῦρα ἐπιστουλάρουμ τὸ πόλεως σκρινίον τό τε τῶν ὅπλων καὶ τῶν ἔργων οὐκ εἴληχε; δηλονότι τὸ μὲν τῆς πόλεως εἰς τὴν Θρᾳκικὴν διοίκησιν ἀναφέρεται, τὸ δὲ τῶν ἔργων εἰς ἄλλας τυχὸν ἐπαρχίας ⟨ἐν αἷς⟩ συμβαίη τὰς ἀνανεώσεις γίνεσθαι τῶν ἔργων· ὅτι δὲ οὐ σφόδρα συνεχεῖς, ὑπὸ τῶν ⟨ἐν⟩ ταῖς διοικήσεσιν ἐκείναις κοῦρα ἐπιστουλάρουμ τὰ προστάγματα τῆς ἐπιδιδομένης ἀπὸ τοῦ δημοσίου δαπάνης γίνεται. τὸ γὰρ τῶν ὅπλων σκρινίον ὡρισμένας μὲν ἔχει τὰς ἀπὸ τῶν ἐπαρχιῶν συντελείας, νεῦρα λέγω καὶ κέρατα καὶ τὰ λοιπά, πρὸς δὲ τὰς ἀνακυπτούσας χρείας ἐν τοῖς πολέμοις ὑπουργεῖ τοῖς προστάγμασιν.

6. Πολλῆς δὲ οὔσης ⟨καὶ⟩ ὑπὲρ ἀριθμὸν τῆς τῶν ταχυγράφων πληθύος καὶ οὐ μικρὰς ἐχούσης ἀφορμὰς ἐπὶ κέρδους ἐργασίας, οἱ τούτων καὶ λογικώτεροι καὶ πρὸς τὴν ὑπηρεσίαν ἀρκοῦντες ἐν πεντεκαίδεκα συναγωγαῖς, ἃς καλοῦσι σχολάς, συλλεγόμενοι, οἱ τὴν οὖσαν αὐτοῖς πεῖραν τοῖς πράγμασιν ἐπιδειξάμενοι ἐπὶ τὸ τάγμα τῶν Αὐγουσταλίων, εἴγε ἄρα θέλωσι, παρίασι καὶ εἰς τὸ τοῦ κορνικουλαρίου πλήρωμα καταντῶσι, μετὰ μέντοι τὴν λεγομένην βοηθοῦραν· οἱ μένοντες ἐπὶ τῆς δέλτου εἰς τὸ τοῦ πριμισκρινίου ἀναφέρονται πλήρωμα.

7. Καὶ περὶ μὲν τούτου ἀκριβέστερον οὕτω πως

v. 3 πιθοιτο *O*, corr. O_2 9 ἐν αἷς add. *F* 11 ἐν add. *B* 17 καὶ add. *B* e III 14 18 πληθους *O*, corr. O_2 19 τη *O*, οἱ corr. *B* 23 ειτε *O*, εἴγε corr. O_2 | θέλουσι coni. O_2 27 post εἴρηται (p. 92, 1) paragraphos distinxit F \ ὂν τοπως O, ἐντόπως coni. *F*, οὕτω πως scripsi

εἴρηται· μετὰ δὲ τοὺς ἐπὶ ταῖς λογικαῖς λειτουργίαις τεταγμένους εἰσὶν οἱ λεγόμενοι σιγγουλάριοι› ἄνδρες ἐντρεχεῖς, ἐπὶ τὰς ἐπαρχίας δημοσίων ἕνεκα χρειῶν ἀποστελλόμενοι· ὧν ἀνέκαθεν τὰς ἀναγκαιοτάτας καὶ εἰς αὐτὴν συντελούσας τὴν ὅλην πολιτείαν χρείας ἐγχειριζομένων παρεισέδυ τῆς ἐπαρχότητος ἤδη μαραινομένης ἡ τῶν λεγομένων μαγιστριανῶν κομποφακελορρημοσύνη. σιγγουλαρίους δὲ τοὺς εἰρημένους καλεῖ[σθαι] συμβέβηκεν ἐκ τοῦ ἑνὶ βεραίδῳ χρωμένους ἤγ[ουν ἑ]νὶ δηλονότι παρίππῳ ἐπὶ τὰς ἐπαρχίας ὁρμᾶν· σ[ιγγ]ουλάριον γὰρ τὸν μονήρη Ἰταλοῖς ἔθος καλεῖν. μεθ' οὓς μάγκιπες οἱ τοῦ δημώδους καὶ ἀνδραποδώδους ἄρτου δημιουργοί· ὑφ' οἷς ἀρτοποιοὶ καὶ οἱ λεγόμενοι καθολικῶς συστήματα διαψηφιστῶν, οἳ πᾶσι τοῖς ὁπωσοῦν σίτησιν δημοσίαν ἔχειν ἠξιωμένοις ὑπακούουσι· καὶ Ῥ[ωμ]αῖ[οι] μὲν αὐτοὺς ῥατιωναλίους καλοῦσιν, ὅτι κατ' αὐτοὺς ῥατιῶνες οἱ λογισμοὶ λέγονται, οἱ δὲ Ἕλληνες καθολικ[οὺς] μετωνόμασαν ἐκ τῆς καθόλου περὶ τοὺς δημοσίους λογισμοὺς ἀγρυπνίας. ἔνθεν σιτῶναι, οὓς Βίκτωρ ὁ ἱστορικὸς ἐν τῇ ἱστορίᾳ τῶν ἐμφυλίων φρουμενταρίους οἶδε τὸ πρὶν ὀνομασθῆναι, ὅτι τῆς τοῦ παλατίου εὐθηνίας τὸ πρὶν ἐφρόντιζον. Ῥουφίνου δὲ τηνικαῦτα τὴν ὕπαρχον ἀρχὴν τυραννίδι κρημνίσαντος καὶ αὐτοὶ παραπώλοντο. τελευταῖοι πάντων οἱ τὸ πρὶν πρωτεύοντες, οἷα τὴν τοῦ

v. 20 Aur. Vict. Caes. XXXIX

v. 7 κομποφακελλορημοσύνη *O*, corr. *F* 9 βερέδω *O*, παραβεραίδῳ coni. *F* ep. p. 30 10 ἑ]νοι *O*, ἑ]νὸς coni. O_2, ἑνὶ corr. *F* ep. p. 30 | παρίππου *O*, παρίππῳ corr. *F* ep. p. 30 | ὁρᾶν *O*, ὁρμᾶν corr. *F* 20 σιτονας οσου ἴκτωρ *O*, corr. *F* | *Οὐίκτωρ F*, *Βίκτωρ* scripsi 24 τελευταῖον *O*, corr. *F*

ἱππάρχου κατ' ἀρχὰς πληροῦντες θεραπείαν, δουκινάριοι καὶ βίαρχοι καὶ κεντινάριοι καὶ κεντουρίωνες· ὧν πάντων τὰς Ἑλληνικὰς σημασίας προαποδεδώκαμεν· ὅτι δὲ τῆς τοῦ ἱππάρχου ἐτύγχανον τάξεως, γνῶναι δυνατὸν διὰ τῶν ἐπ' αὐτοῖς ἐκ τῆς αὐλῆς προφερομένων κωδικίλλων, οἳ περὶ ἀξιωμάτων τινῶν καὶ οὐ περὶ αὐτῶν διαγορεύουσιν.

8. Τοιαῦται μὲν καὶ τοσαῦται τομαὶ τῶν καταλόγων τῆς ἀρχῆς. κούρσορες γάρ, οἱονεὶ ταχυδρόμοι, τὴν τῆς στρατείας ἀπαλλαγὴν ἐπὶ τῆς αὐλῆς εὑρίσκουσιν· ἀπλικιτάριοί γε μὴν καὶ κλαβικουλάριοι, ὧν οἱ μὲν τοὺς ῥαβδούχους μόνον τοὺς συλλαμβάνοντας τοὺς ἐγκλημάτων ἕνεκα πιεζομένους, οἱ δὲ τοὺς δεσμὰ περιτιθεμένους αὐτοῖς διασημαίνουσι, λειτουργιῶν — οὐ μὴν στρατείας καὶ βαθμοῦ — πέρας ⟦περιέμ⟧ενον, ὧν εἰσὶ δεικτικοί· ὑπασπίζουσι γὰρ τοῖς [κομμ]ενταρισίοις, οὓς ὑπομνηματογράφους ἡ τάξις Ῥ[ωμαίω]ν ὠνόμασεν, ὡς ἔφαμεν. ὃν γὰρ τρόπον οἱ νωμεν[κλ]άτορες φρόντισμα πληροῦσι καὶ τοὺς ῥήτορας ⟦ἀπο⟧λέγουσιν ἐξ ὀνόματος ἀναφωνοῦντες αὐτούς, οὕ[τως ἐ]κεῖνοι ταῖς ἐγκληματικαῖς ὑπηρετοῦνται δίκαις. ⟦οἱ δὲ⟧ νωμενκλάτορες, ὥς φησιν ὁ Αἰμίλιος ἐν τῷ ὑ⟦πομνή⟧ματι τῶν Σαλλουστίου ἱστοριῶν, ὀνομασταὶ καὶ

v. 3 in eis quae perierunt I 48 18 vide III 4 23 Sallustii hist. I frg. 48 Maurenbrecher

v. 2 ἢ κεντουρίωνες coni. *F* 3 πάντας *O*, πάσας coni. O_2, πάντων corr. *F* | προαπεδεδώκαμεν *O*, corr. O_2 4 γνῶμαι *O*, corr. O_2 6 κωδικέλλων *O*, mutavit O_2; ἐν κωδικίλλοις coni. *F* 11 καβικουλάριοι *O*, corr. *F* ep. p. 31 13 εκκλημάτων *O*, corr. O_2 14 λειτουργίας *O*, corr. *F* 15 πέρας ...... ένον ων *O*, quod explere temptavi; πέρας ἀναδεξαμένων coni. *B* 17 τοὺς *O*, οὓς corr. *F* 19 ... λέγουσιν *O*, expl. *F* 21 δίκαις .... *O*, suppl. *F* 22 νωμενκυλατωρες O, mutavit F | υ .... ματι *O*, suppl. *F*

ἀνα[φω]νῆται τῶν τογάτων — ἀντὶ τοῦ τῶν δικολόγων — εἰσίν. τογάτους δὲ Ῥωμαῖοι τοὺς μὴ στρατευομένους καλοῦσι, φαινόλας δὲ περικειμένους, καὶ τοῖς λέγουσι τὰς δίκας μισθῷ συναγορεύοντας· ἐπὶ γὰρ τῆς ἀγορᾶς αὐτοὺς καὶ περὶ τὰ βιβλία σχολάζοντας καὶ ταῖς νομικαῖς δυσκολίαις ἀγρυπνοῦντας οἱ τὰς δίκας λέγοντες ἐπὶ τοὺς πεδανέους — ἀντὶ τοῦ χαμαιδικαστάς — περὶ τὸν καιρὸν τῆς διαγνώσεως ἐκάλουν πρὸς συνηγορίαν. ταύτῃ καὶ advocati, οἱονεὶ προσκαλούμενοι, ἔτι καὶ νῦν λέγονται. τουρμαρίους γὰρ ἔτι φθάσας ἐγὼ διαμέμνημαι παρόντας τῷ σκρινίῳ τῶν σουβαδιούβων καὶ ταῖς κομπλητίωσι τῶν ἐντυχιῶν — οἱονεὶ πληρώσεσι — προσλειτουργοῦντας καὶ παραψυχὴν οὐ μικρὰν ἀναλεγομένους· τοσαύτη τις ἦν ἡ τῶν πραττομένων κάρπιμος ἀφθονία. διαιτάριοι πρὸς τούτοις καὶ θηκοφόροι καὶ πραίκωνες λειτουργίας μὲν ἀναδέχονται, ἐν δὲ ἑτέροις τάγμασιν ἀναφέρονται.

Περὶ τῶν ταχυγράφων καὶ Αὐγουσταλίων.

9. Εἴρηται πρόσθεν, ἓν μὲν ἀνέκαθεν [εἶ]ναι τὸ τῶν [ταχυγράφων] σῶμα, εἰς δύο δὲ τάγματα διῃρῆσθαι καὶ πληρώμα[τα]. οἱ μὲν γὰρ αὐτῶν ἐπὶ τῆς δέλτου μένοντες τὸν [χρ]όνον διώκουσι καὶ εἰς τὸ τοῦ πριμισκρινίου παρ[ία]σιν πλήρωμα, οἱ δὲ εἰς τὸ τῶν Αὐγουσταλίων τάγμα μεθιστάμενοι καὶ θᾶττον τὴν

v. 19 supra III 6

v. 1 *ανα..νηται* *O*, suppl. *F* 6 *δυσκαλιαις* *O*, corr. *F* 9 *συνηγορίαν ταύτην* *O*, corr. *F* | ΑdUOCATI cod. 12 *κομπλατιωσι* *O*, *κομπλετίωσι* corr. *F*, *κομπλητίωσι* scripsi 16 *πρεκονες* *O*, corr. *F* 17 *ενδεδ' ἕτεροις* *O*, corr. O_2 20 *διειρησθαι* *O*, corr. *F* 22 *τὸν χρ......όνον* *O*, in lacuna *χρόνον* *videtur iteratum fuisse*

στρατείαν πληροῦντες παρὰ τοὺς ταχυγράφους εἰς τὸ τοῦ κορνικουλαρίου κα[ταντ]ῶσιν ἀξίωμα. ὅπως δὲ μὴ καὶ τοὺς ἔξωθεν λάθῃ τὰ ⟦τῆς⟧ διαιρέσεως — καὶ γὰρ ὁσημέραι ἀγνοοῦντες ⟦μάτην ζητοῦ⟧σιν οἱ πολλοὶ πρὸς τὰς εἰρημένας προσηγορίας ταρ⟦ατ⟧τόμενοι — τὴν αἰτίαν τῆς εἰς δύο τοῦ ἑνὸς σώματος τομῆς ὑποδείξω τῷ λόγῳ. οἱ ταχυγράφοι πολλῶν ἐ⟦τῶν δέ⟧ονται, καθάπερ οἱ τριβοῦνοι, πρὸς τὸ διανύσαι τὴν στρατείαν· καὶ γὰρ εἰς πλῆθός εἰσιν ὥσπερ ἐκεῖνοι. εἴ τι δὲ τυχὸν ὁ χρόνος αὐτοὺς ἐπὶ τὸ πέρας τῶν πόνων καλεῖ, γήρᾳ κάμνουσι πάντως πρὸς καμάτους ἀχρήστῳ. εἰκὸς οὖν οὐκ ἀρκοῦντες πρὸς τὰς τῶν ἀνωτέρων βαθμῶν λειτουργίας, πρὸς ἃς μ[ό]γις οἱ νεότητι σώματος καὶ πείρᾳ πραγμάτων ὠχυρωμένοι κινδύνων ἔξω διαρκοῦσι, δέονται βοηθῶν. καὶ ἀνέκαθεν μὲν ἕκαστος τρεῖς ἄνδρας τοὺς πάντα ἀρίστους ἐκ τῶν ταχυγράφων ἐπελέγετο — οὐδὲ γὰρ ἐξῆν ⟨εἰ⟩ μὴ τοὺς πείρᾳ τε καὶ λόγοις κοσμουμένους τὴν λειτουργίαν τοῦ δικαστηρίου πληροῦν —, νῦν δὲ τὰ μὲν τῆς ἐπιλογῆς οἴχεται, ὁ δὲ ἀριθμὸς ἔτι καὶ νῦν σώζεται. ἔνθεν ἓξ βοηθοὺς παρεῖναι συμβαίνει τῷ τε ⟨τοῦ ἀβ ἄκτις⟩ σκρινίῳ τῷ τε ⟨τοῦ⟩ κομμενταρισίου καὶ τῷ τοῦ πριμισκρινίου· ἐπειδήπερ, ὡς προδεδήλωται, ἀνὰ δύο ἐπ' ἔτος ἕκαστον ἐκ τῶν ταχυγράφων τῆς ζώνης ὁ νόμος ἀπαλλάττει. καὶ τίς οὐκ ἂν στοχάσηται πρὸς τὸ [πλῆθος] τῶν βοηθούντων ἀφορῶν τὴν τοῦ δικαστη[ρίου μεγαλ]ειότητα, καὶ τὴν

v. 23 in eis quae perierunt I 48

v. 1 καὶ εἰς *O*, καὶ del. *F* 3—7 lacunas explevit *F* 6 ὑποδείξη *O*, corr. O_2 10 αὐτοῖς *O*, corr. *F* | περὶ τὸ *O*, ἐπὶ τὸ corr. *B* 11 εἰκῶς *O*, εἰκός O_2, εἰκότως coni. B 17 εἰ add. Gu. Kroll 21 τῶ τε σκρινίου τῷ τε κομμενταρισίου *O*, corr. *F*

τῶν ἐν αὐτῷ πραττομέν[ων τὸ πρὶν ἀ]πειρίαν; ἐπὶ δὲ τοῦ παρόντος, πραγμά[των μὲν μὴ ὄ]ντων τοῖς ὑπηκόοις, καλεῖ πρὸς τὴν ἀρχὴν ⟦οὐδέν, δικασ⟧τῶν ἀπανταχῇ συρρεόντων, τῶν δὲ ⟦μαγιστρι⟧ανῶν ἴσως καθ' αὐθεντίαν — μετὰ συγγνώμης εἰρήσθω· καὶ γὰρ λόγων εἰσὶν ἐρασταί — ἐπὶ δικαστὰς ἑτέρους καὶ θυμήρεις τοῖς πράττουσι τὰς δίκας διὰ τῶν λεγομένων θείων κελεύσεων ἀπαγόντων.

10. Κερδῶν δὲ οὐ σμικρῶν [τὸ π]ρὶν ἐπ' εἰρήνης καὶ τιμῆς ἐξοχωτάτης μετὰ δυνάμεως ἰσχυρᾶς περιγινομένων τοῖς τῶν εἰρημένων σκρινίων βοηθοῖς, εἰκὸς ἦν ἐμφορου[μέν]ους αὐτοὺς ἀπαξιοῦν, αὖθις ἐπὶ τὴν δέλ[τον καὶ] τὴν ἐξ ἀκερδείας ἐπιείκειαν ἀναστρέφειν. ἔνθεν ἐκ δεήσεως αὐτῶν νόμος πρὸς Ἀρκαδίου τίθεται θεσπίζων, ἰδιάζον καὶ πάντῃ κεχωρισμένον σύστημα τριάκοντα τὸν ἀριθμὸν ἀνδρῶν ἤδη πρότερον ἐν τῷ βοηθεῖν διαφαινομένων συστῆσαι τὴν ἐπαρχότητα πρὸς ὑπηρεσίαν ἑαυτῇ. οὐδὲ γὰρ εὐχερὲς ἦν τὸ τηνικαῦτα, τῶν βασιλέων ἅμα τῇ βουλῇ δίκας ἀκροωμένων, τοὺς πάντας ἄριστα ὑπηρετεῖν· ὥστε καὶ πεντεκαίδεκα ἐξ αὐτῶν τῶν πεπανωτέρων, πείρᾳ τε καὶ τῷ χρόνῳ κρειττόνων πρὸς ὑπογραφὴν τοῖς βασιλεῦσιν ἀφορισθῆναι, οὓς ἔτι καὶ νῦν δηπουτάτους καλοῦσιν, οἳ τοῦ τάγματος τῶν Αὐγουσταλίων πρωτεύουσιν· οὔπω γὰρ ἦν τὸ τῶν ἄρτι παραφυέντων ἀ σηκρῆτις ὄνομα, μετρίων σφόδρα τῶν χρηματικῶν ζητήσεων οὐσῶν, τῶν μὲν

v. 1 ἀπορίαν *O*, corr. *F* 3 καλὸν *O*, καλῶν coni. *F*, καλεῖ temptavi | ἀρχὴν .... τῶν *O*, quod explevi 4 δὲ .... αλιων *O*, δὲ μαγιστριανῶν scripsi coll. III 7 et 24; δὲ βασιλέων coni. *B* 6 δικας τας ετερο.ς *O*, corr. *F* 15 ἰδιάζων *O*, corr. *F* 19 τοὺς πάντας *O*, τοῖς πάντα coni. *F* 20 ἀρίστους *O*, ἀρίστοις coni. *F*, ἄριστα scripsi 22 υπογραφειν O, corr. O,

ἔμπροσθεν βασιλέων ἐπὶ τοὺς πολέμους ὁρμώντων καὶ τῶν τὰς ἐπαρχίας ἰθυνόντων τοῖς νόμοις, ἀλλ' οὐ ταῖς κλοπαῖς προσαγρυπνούντων. τῷ δὲ συστήματι τῶν εἰρημένων τριάκοντα ἀνδρῶν τὴν τῶν Αὐγουσταλίων ὁ νόμος ἔθετο προσηγορίαν, οὐ καινὴν οὐδὲ πρόσφατον, τὴν δὲ τοῦ πρώτου τῶν βασιλέων ὀνομασίαν ἀνακαλεσάμενος, ⟨ὅς⟩, ὡς πολλάκις ἔφαμεν, πρῶτος τὴν ἐπαρχότητα συστησάμενος τῶν πραιτωρίων τοὺς ὑπ' αὐτῇ τελοῦντας Αὐγουσταλίους ἐκ τῆς οἰκείας προσηγορίας καλεῖσθαι διώρισεν.

Περὶ τῶν πριμισκρινίων καὶ τῆς ἀρχαίας τῶν χαρτῶν ἐκδόσεως.

11. Τῶν πλείστων, τάχα δὲ πάντων τῶν ἰχνῶν ἀπαλιφέντων τῆς ἔμφρονος παλαιότητος, οὐκ ἔξω δακρύων τις διατελῶν ὑπομένοι, γινώσκων ἐκ τῶν ὑποκειμένων, ὅπως ἀντείχετο ⟨τὸ⟩ πρὶν ὁ νόμος τῆς τῶν ὑπηκόων ἐλευθερίας, καὶ ὅσων κατὰ σμικρὸν ἀγαθῶν ἐκ τῆς τῶν ἀρχομένων κακοδαιμονίας ὁ καθ' ἡμᾶς χρόνος ἐξέπεσεν. ἔθος ἀρχαῖον ἦν, μηδὲν ἔξωθεν πράττεσθαι τοῦ τῆς δίκης ἱεροῦ — ὃ καλεῖται σήκρητον, οἱονεὶ ἀτάραχον καὶ σιγῇ σεμνόν, καὶ ὁποῖον οὐκέτι ⟨ἔστι⟩ κατ' οὐδένα τρόπον —, ὅπως μή τι πρὸς ὕβρεως ἢ βλάβης τῶν συντελῶν ἁμαρτηθείη· μετὰ δὲ τὴν ἔνθεσμον τῶν ψήφων ἀπόφασιν νόμος ἦν τοὺς συνεδρεύον-

v. 7 vide II 6 al.

v. 7 ὅς addidi | ὁ πρῶτος *O*, ὃς πρῶτος coni. *F*, ὁ delevi 14 ἀπαλοιφέντων *O*, ἀπολειφθέντων corr. O_2, ἀπαλιφέντων *B* 15 διατελεῖν coni. *F* | ὑπομεινοι *O*, corr. *F* 16 ἂν τηχετο *O*, corr. O_2 | τὸ add. Gu. Kroll 21 οὐκετι *O*, οὐκ ἔστι coni. B., οὐκέτι ἔστι scripsi; καὶ ὃ πτοεῖν οὐκ ἔστι coni. Gu. Kroll 24 καὶ *O*, ἦν scripsi

τας τῇ ἀρχῇ, ἄνδρας νομικωτάτους, ἀναγινώσκοντας πρῶτον τὰς ψήφους καὶ ὑποτάττοντας τῷ λεγομένῳ σχεδαρίῳ, τὸ παρ' Ἰταλοῖς καλούμενον ῥεκιτᾶτον — ἀντὶ τοῦ ἀντιβολήν — διδόναι πρὸς ὑπογραφὴν τῆς ἀρχῆς τοῖς εἰς τοῦτο τεταγμένοις — καγκελλαρίους αὐτοὺς ἐν τοῖς δικαστηρίοις ἐπιφημίζουσι· περὶ ὧν πρὸς πέρας ἐρῶ —, εἶτα ἐκεῖθεν πρὸς τῶν σηκρηταρίων ἐμμελῶς ἀ[να]γινωσκομένου τοῦ λεγομένου καθαροῦ οὕτω τε ἀπολυομένου τῷ λιτιγάτορι — οἱονεὶ δίκης ἕνεκα παραφυλάττοντι —, σύνοψιν ὁ σηκρητάριος ἐποιεῖτο τῆς τοῦ πεπραγμένου δυνάμεως τοῖς Ἰταλῶν ῥήμασι, καὶ ταύτην ἐτήρει παρ' ἑαυτῷ πρὸς κώλυμα τολμηρᾶς προσθήκης ἢ ὑφαιρέσεως. οὗ δὴ γενομένου λαβὼν ὁ πράξας καὶ τῆς ἀκριβείας θαυμάσας τὸ δικαστήριον παρῄει πρὸς τοὺς πριμισκρινίους τάξοντας ἐκβιβαστὴν τοῖς ἀποπεφασμένοις· οἱ δὲ διὰ τῶν βοηθεῖν αὐτοῖς τεταγμένων, ἀνδρῶν καὶ διδασκάλοις αὐτοῖς πράγματα περὶ λόγων ζητήσεις παρ[εχ]όντων, ἐπλήρουν, ἐπὶ τοῦ νώτου τῆς ἐντυχίας γράμμασιν αἰδοῦς αὐτόθεν ἁπάσης καὶ ἐξουσίας ὄγκῳ σεσοβημένοις πρὸς τὴν προσηγορίαν τοῦ πληρωτοῦ προσγράφοντες.

12. Ἐμοὶ δὲ δακρύειν ἐπέρχεται τὴν τοῦ νόμου

v. 7 vide infra III 36

v. 3 *σχηδαριω O*, corr. *O₂* | *τω O, τὸ* corr. *F* | *καλούμενον O, καλουμένῳ* coni. *O₂* et Reuvens coll. litt. p. 53[2] | *ῥέκινον O, ῥεκίνῳ* coni. Reuvens l. s., qui in sequentibus *ἀποκρύπτειν καὶ* excidisse censet; *πέρικλον* Cramer (apud *F* ep. p. 32) et Th. Mommsen, *Röm. Strafrecht* p. 517[2], *requisitum F* ep. p. 32; *ῥεκιτᾶτον* temptavi, ut est v. 1 *ἀναγινώσκοντας* 5 *καννκελλαριους O*, mutavit *O₂* 13 *οὐδη O*, corr. *O₂* 15 *παρίει O*, corr. *O₂* | *ταξαντας O, τάξοντας* coni. *F* ep. p. 33 et *B* 16 *διὰ τὸ O, διὰ τῶν* corr. *F* 18 *ἐπλήρου O*, corr. *F* 19 *νότου O*, corr. *F* 20 *σεσοβημένος O*, corr. F

συνιδόντι δύναμιν καὶ ὅπως πάσης ἡμᾶς ἀρετῆς ἀφείλετο κατα[ξέων] ὁ δαίμων. ὑποπτεύων γὰρ ὁ νόμος, καὶ οὐκ ἔξω λόγου, τῶν ποριζομένων τὰς ψήφους πρὸς τοὺς πληρωτὰς αὐτῶν τὰς καθ' ὧν προσφέροιντο αὐθάδεις ὁμονοίας, αὐστηροῖς καὶ ποινὰς ἀπειλοῦσι ῥήμασι παραγγέλλεσθαι διώρισε πρὸς τῶν ὑπηρετουμένων τῇ δίκῃ τοὺς ἐγχειριζομένους, καὶ ταὐτὰ γράφεσθαι πρὸς ἐντροπὴν τῶν πάντα τολμώντων ἐν ταῖς ἐπαρχίαις ἐκβιβαστῶν. ἐπιτρέπων γὰρ ὥσπερ ὁ βοηθὸς τοῖς πρωτεύουσι τοῦ τάγματος, ἐν ᾧ συνέβαινε καταλέγεσθαι τὸν ἐπὶ τὴν πλήρωσιν τῶν ψήφων στελλόμενον, τούτοις γράφων ἐχρῆτο τοῖς ῥήμασιν· Facite ...

ὡς ἄν τις καθ' ἑρμηνείαν εἴποι· 'πρὸς τοὺς πρωτεύοντας' — ὡς ἔφην, τοῦ καταλόγου, ἐν ᾧ τελεῖ τυχὸν ὁ τὰς ψήφους ἐγχειριζόμενος — 'ὥστε μὴ περὶ τὸν βαθμὸν ἑαυτοῦ ἐξ ἀπολείψεως βλάβην ὑποστῆναι, ἀφορίσατε τόνδε ἐκ τάξεως ἀπὸ τῆς παρούσης ἡμέρας ἄχρι τῆσδε, ὑπατείας τοῦδε, εἰ μέντοι ἐστὶ τῆς ὀρθοδόξου πίστεως τοῖς θείοις μεμυημένος μυστηρίοις καὶ μὴ δημοσίοις τελέσμασιν ὑπεύθυνός ἐστι, μηδὲ πρὸς γένος συνάπτεται τῷ τὴν αἴτησιν ἀποθεμένῳ, μηδὲ μὴν ἐπὶ τοῦ παρελθόντος ἐνιαυτοῦ ἐνεχειρίσθη ἐπὶ

v. 1 *συνιόντι* *O*, *συνορῶντι* coni. B, *συνιδόντι* scripsi 2 *κατα[ξων]* *O*, corr. Th. Preger 3 *τὴν τῶν* *O*, *τὴν* delevi 4 *αὐτῶν* *O*, *ἢ αὐτῶν* volebat *F* | *προφέροιντο* coni. *F* ep. p. 33 6 *παραγγελεσθαι* *O*, corr. O_2 7 *ταυτα* *O*, *ταῦτα* *F*, *ταὐτὰ* scripsi 12 *τούτοις γὰρ γράφων* *O*, *γὰρ* delevi | post *ῥήμασιν* in codice legebantur Latina adiutoris verba per septem versus digesta, sed ad finem non perscripta et data opera erasa. hodie nihil dispicitur nisi v. 1 in. FACITE .. UICATUMLU .., v. 2 in. ΡΟΓΑ .., v. 4 med. NECΠ . UN . ATU .., v. 7 extr. AGTOΠ .... NON 16 *αποληψεως* *O*, corr. O_2 21 γενος O, γένους coni. *B*, *sed vide infra* III 58 22 ἐνεχρίσθη O, corr. O_2

[τῆς] αὐτῆς ἐπαρχίας δημοσίας ἕνεκεν ἢ ἰδιωτικῆς χρείας· οὕτω μέντοι, ὥστε μὴ παραβῆναι τὴν δύναμιν τῶν νε[νομο]θετημένων.' τούτοις μὲν τοῖς ῥήμασιν ὁ βοηθὸς τοῦ πριμισκρινίου τοὺς πραττομένους κατησφαλίζετο πάντας· μεθ' ὃν ὁ πρίγκεψ, οἷον ὁ πρωτεύων — περὶ οὗ τέως εἰ[πεῖν] οὐ καιρός· οὐδὲ γὰρ μέρος τῆς τάξεώς ἐστι καὶ αὐτός, ἀπὸ δὲ τῶν μαγιστριανῶν κατὰ βαθμὸν παραγίνεται ἐπὶ τὰ μέγιστά ποτε δικαστήρια· καὶ μικρὸν ὕστερον τὴν ἐπ' αὐτῷ ἱστορίαν ἐκθήσομαι —, μεθ' οὓς ὁ κορνικουλάριος, οἷα [τὴν] ὅλην τοῦ νόμου δύναμιν διατηρῶν καὶ τῶν πραττομένων ἁπάντων κύριος, δι' οἰκείας ὑποσημειώσεως τὴν ὀφρὺν ἐδίδου τοῖς ἀποπεφασμένοις.

13. Τοσαῦτα δὲ ἦν τὰ τότε πραττόμενα, ὡς δεκάτῳ τόμῳ μόγις ἀναλαμβάνεσθαι πρὸς σύνοψιν. καὶ τί χαλεπὸν ἐμβραδῦναι τῷ λόγῳ πρὸς ἀπόδειξιν τοῦ προκειμένου; τοσοῦτον ἦν τὸ πλῆθος τῶν πραττομένων, ὡς ὅλον τὸ ἔτος μὴ ἀρκεῖν τοὺς βοηθοῦντας πρὸς πλήρωσιν αὐτῶν, ὥστε μετὰ τὸ πέρας τῆς λεγομένης βοηθούρας ἔχειν χῶρον ἀπονενεμημένον αὐτοῖς ἐπὶ τῆς μέσης εἰσόδου τῆς πραιτωρίας αὐλῆς πρὸς τοῦ σκρινίου τῆς Εὐρώπης, ἐν ᾧ συντρέχοντες ἐπλήρουν τὰ ἐπὶ τῆς αὐτῶν λειτουργίας πραχθέντα. καὶ αὐτοὶ [μὲν ο]ἱ ἄρτι τοῦ βοηθεῖν τοῖς τρέχουσι σκρινίοις πεπαυμένοι τούτοις ἐνησχολοῦντο, παραψυχὴν οὐ μι-

v. 9 vide infra III 23

v. 1 ἕνεκεν ηδιωτικῆς *O*, corr. *F* 3 [νομο]θετημένων *O*, mutavit *F* 7 αὐτὸς αὐτὸς δὲ *O*, αὐτός, ἀπὸ δὲ corr. *B* | καταβαθμων *O*, corr. *F* 10 κουρνηκουλαριους *O*, corr. *F* 15 συνάψιν *O*, corr. *F* 16 ενβραδυναι *O*, corr. O_2 22 ἐν ᾗ *O*, ἐν ᾧ corr. *F*

κρὰν κερδῶν ἐκλεγόμενοι· οἱ δὲ πρὸ αὐτῶν καὶ ἤδη πρότερον σχολάζοντες ἐκεῖ συνέρρεον, τὰς μεγίστας καὶ λαμπρὰς τῶν τῆς ἀρχῆς προστάξεων ἐγχειριζόμενοι καὶ ὅσαις ἕτερός τις πέρας οὐκ ἴσχυσεν ἐπιθεῖναι, μηδὲ τὸν τῆς ἀργίας καιρὸν ἔρημον λογικῶν ζητημάτων ἀπολαμβάνοντες, τῶν ἐνδόξων ἐν διδασκάλοις λόγων συντρεχόντων ὡς αὐτοὺς καὶ περὶ τῶν ἀγνοουμένων συζητούντων. ἀπέσβη δὲ οὕτως ἅπαντα, ὡς τοῦ τόπου τὸ λοιπὸν σχολάζοντος τοὺς λεγομένους ἐκσκεπταρίους — οἱονεὶ ὑποδέκτας τοῦ σίτου — κατασχεῖν τὸ σκρινίον τῶν πάλαι θαυμαζομένων ἀφανισθέντων.

14. Πολλῶν δὲ ⟨ὄντων⟩ καὶ ὑπὲρ ἀριθμὸν τῶν ἐξολωλότων τῆς πάλαι σεμνότητος γνωρισμάτων, καὶ χάρτην ἀπαιτεῖν οἱ τῆς τάξεως ὑπομένουσι τοὺς πράττοντας, τὸ πρὶν εἰωθός, μὴ μόνον μὴ τοιούτοις γλίσχροις ἐγχειρεῖν, ἀλλ' ἔτι καὶ τοὺς πάντων διειδεστάτους χάρτας ἐπὶ τοῖς πραττομένοις ἀναλίσκεσθαι, ἀναλόγως ἐμπρεπόντων τοῖς κύτεσι τῶν γραφέων· τὸ δὲ λοιπὸν ἑκάτερον ἐκποδών, καὶ χαλκὸν κάρτα μέτριον καὶ αἰσχρὸν εἰσπράττουσιν ἐξ ἀκερμίας, καὶ χόρτον ἀντὶ χάρτου γράμμασι φαύλοις καὶ πενίαν ὄζουσιν ἐκδιδοῦσι. ταῦτα πάντα παραπόλωλε καὶ ἀνυπόστροφον ἀπῆλθεν ὁδὸν τῷ τε μὴ εἶναι πράγματα τοῖς ὑπηκόοις πενίᾳ καταφθειρομένοις τῷ τε τὰ τυχὸν ἐπὶ τὸ δικαστήριον φερόμενα ⟨κινδυνεύειν⟩ νῦν μὲν ἀπειρίᾳ τῶν ἐν αὐτῷ τελούντων νῦν δὲ σφετερισμοῖς νεωτέρων, ὡς

v. 8 απεσωβη *O*, ἀπεσόβει coni. O_2, ἀπεσόβη *F*, corr. *B* | ἅπαντας coni. O_2 12 ὄντων add. *B* 15 μόνοις *O*, corr. *F* 16 εγειρειν *O*, corr. *B* 18 κυτεσι *O*, σκύτεσι coni. O_2 21 utrum πενία an πενίαν habeat *O*, haud dispicio; πενίᾳ *F*, πενίαν coni. *B* | εκδιδωσι *O*, corr. *F* 25 κινδυνεύειν addidi e p. 103, 12

ἔτυχε, τὰς ἡνίας τῶν πρώτων τιμῶν παιδαριώδεσιν αὐθαδείαις ἀναρριπτόντων.

15. Τοσαῦτα μὲν περὶ τῶν ἐν γράμμασιν ἐθῶν· πλῆθος δὲ δουκιναρίων ὑπούργει τῷ τῶν πριμισκρινίων βήματι ταῖς ἐξ ἀγράφων προστάξεων διαγνώσεσιν, ἃς ἐκάλουν ζευκτάς, ἐξυπηρετουμένων, πρᾶγμα μετὰ τὴν ἐκ τῶν πραττομένων χαρτῶν ἄπειρον τῶν κερδῶν εἰσαγωγὴν πλείστην ῥοπὴν χρημάτων περιποιοῦν τῷ τοῦ πριμισκρινίου φροντίσματι. ἀπὸ μὲν γὰρ ἀώρου νυκτὸς πράττων ὁ ὕπαρχος ἀνατολῶν ἄχρι τῆς ἡμέρας ταῖς διαγνώσεσι νυκτηγρετῶν ἐνησχολεῖτο, μεθ' ἣν τὸν ἐπὶ καμάτῳ νενομισμένον καιρὸν τῆς ἡμέρας τοῖς δημοσίοις καὶ ταῖς ὑποβολαῖς τῶν πραγματικῶν διδασκαλικῶν τε καὶ μονομερῶν ἐδαπάνα χρόνον, τὸν δὲ πρὸς ἑσπέραν ταῖς τῶν λεγομένων ζευκτῶν ἀπαλλαγαῖς ἐπιδιδούς· δι' ὧν πάσης ἐπιθυμίας τούς τε λειτουργοὺς τῆς δίκης τούς τε τυγχάνοντας τῶν πρακτέων καὶ τοὺς ἀπαλλαττομένους τῶν δικῶν ἐνεφόρει. καὶ παραχ[ωρεῖν] μὲν τῷ δικαστηρίῳ ἢ χαλᾶσθαι τοῖς πόνοις οὐδεὶς [ἐκεί]νων ὑπέμενεν· ὁ δὲ ὕπαρχος τὸν ὅρον τῆς ἀρχ[ῆς] ἔγνω σοφῶς ἐπιστάμενος, ὅτι καὶ ἐλευθέρων ἄρχει καὶ οὐ δ[ιὰ] παντός· καὶ τῇ τάξει συνεχεῖς ἐδίδου ἀνοχὰς τῶν [καμά]των, τὰ νῦν καὶ αὐτῇ τῇ προσ-

v. 2 post *ἀναριπτόντων* (ita *O*) lacunam statuit *F*, qui *ἀναρριπτούντων* scripsit 3 *Τοσαῦτα—ἐθῶν* cum eis quae praecedunt iungit *F* 6 *ἐξυπηρετουμενων O*, *ἐξυπηρετούμενον* coni. *B* 7 *γαρτων O*, del. *F*, *χαρτῶν* scripsi | *ἄπειροι O*, corr. *F* 11 *τὸν ἄχρι ἐπὶ O*, *ἄχρι* aut delendum aut mutandum (in *τῇ ἀρχῇ*) censet *F* ep. p. 33, ego delevi 13 *ὑπονόλαις O*, corr. *F* 19 *μὲν ⟨ἐν⟩ τῷ* coni. *F* 20 . . . . *νων O*, *suppl. F* / *αρχ* . . *O*, suppl. *F* 21 *σοφος O*, corr. *F* 22 *δ* . . . *O*, *δ[οὐλου]* *suppl. F*, *δ[ιὰ]* *B* | *συνεχειν* O, corr. F

ηγορίᾳ τὸ λοιπὸν ἀγνοούμενα παρέχων μονόμισσα — οὕτω δὲ τὴν καθάπαξ ἀνάπαυλαν ἐκ μέσης τῆς ἡμέρας διδομένην τῇ τάξει ἡ παλαιότης ἐκάλεσε —, τῶν τηνικαῦτα διοικούντων τὰ πράγματα — σοφοὶ δὲ ἦσαν καὶ παιδευθέντες — ἐπισταμένων, νύκτα μὲν ταῖς ἀναπαύσεσιν, ἡμέραν δὲ τοῖς πόνοις ὑπὸ τῆς φύσεως παρακεχωρῆσθαι, καὶ ἀνόσιον οἰομένων, τοὺς ἐν πράγμασι νυκτηγρετοῦντας καὶ τῆς μετὰ ἥλιον ζημιῶσαι βραχείας οὖν τινος τῶν πόνων ἐνδόσεως. οὐκ ἀρκούσης δὲ τῆς ἐπὶ τὸ χεῖρον παραλλαγῆς καὶ αὐτῆς τῆς ἐκ τοῦ σχήματος παραψυχῆς τε καὶ τιμῆς ἀφηρέθησαν οἱ πριμισκρίνιοι, ⟨δικαστηρίων⟩ κινδύνῳ τῆσδε παραμυθίας, ὡς ἔφην, ἀποστερούμενοι.

Περὶ τῶν κομμενταρισίων.

16. Δύο τὸν ἀριθμὸν ⟨καὶ⟩ αὐτῶν, ὡς ἔφθημεν εἰπόντες, τυγχανόντων ⟨τῶν⟩ κομμενταρισίων, οὓς ὁ χρόνος ἐκ τῶν ταχυγράφων ἔφερε τῆς φροντίδος, ἐξ καὶ αὐτοῖς, καθάπερ τοῖς πρὸ αὐτῶν, ὑπέτρεχον βοηθοί, ἐκ τοῦ τάγματος τῶν Αὐγουσταλίων προσλαμβανόμενοι, ἄνδρες ἀστεμφεῖς καὶ νόμῳ πρέπουσαν αὐστηρίαν ἀνατείνοντες, παρ' οἷς ἐτύγχανεν ἡ πᾶσα δύναμις τῆς ἀρχῆς. οὗτοι τὰς μὲν ἐγκληματικὰς ἐξετάσεις ἔφερον [τῷ δι]καστηρίῳ, ὑπασπιζόντων αὐτοῖς· ὡς προ-

v. 13 vide III 14 extr. 15 vide III 4

v. 1 *μανούμισσα* coni. *F* 5 *ἐπίσταντο O*, corr. *F* 6 *παρακεχωρίσθαι O*, corr. O_2 8 *μετὰ ⟨μέσον⟩ ἥλιον* coni. *F* ep. p. 33 12 *δικαστηρίων* addidi e p. 101, 25 | *κινδύνῳ O*, *κοινῆς* coni. *F* 15 *καὶ* et 16 *τῶν* add. *B* coll. III 20 | *ἐφημεν O*, corr. *F* 18 *αυτους O*, *αὐτοῖς* corr. *F* | *υπετρεχεν O*, corr. *F* 20 *αστε|φεις O*, corr. O_2

⟦ἔφαμ⟧εν, ἀπλικιταρίων τε καὶ κλαβικουλαρίων μετὰ ⟦πλήθους⟧ ῥαβδούχων σιδηρέοις δεσμοῖς καὶ ποιναίων ὀργ⟦άνω⟧ν ⟦ἢ⟧ πλήκτρων ποικιλίᾳ σαλευόντων τῷ φόβῳ [τὸ δικαστή]ριον· δουκιναρίων δὲ στῖφος θέμενοι καὶ χωρὶς ⟦αὐθεντί⟧ας τοῦ νόμου ἧρκουν πρὸς σωφρονισμὸν ἁμαρτάνουσιν.

17. Ἐγὼ δὲ ἐκπλήττομαι ἀναπολῶν ⟦καὶ κα⟧τὰ νοῦν πρὸς ἐκείνους τοὺς ἄνδρας ἀνατρέχων, [οἷο]ς ἦν ὁ φόβος τῶν κομμενταρισίων παρὰ πᾶσι μὲν [το]ῖς ὁπωσοῦν ἡγουμένοις τῆς τάξεως, διαφερόντως δὲ παρὰ τοῖς σκρινιαρίοις, καὶ ὅπως <πᾶς ὁ> παραπορευομένου κομμενταρισίου τυχὼν ὁμιλίας ἠξιοῦτο. δι’ αὐτῶν γὰρ οὐ τὰ τῆς ἀρχῆς μόνα κινήματα, ἀλλὰ καὶ ἡ βασιλέως ἀγανάκτησις ἐθεραπεύετο. τοιγαροῦν ἐγὼ διαμέμνημαι τὴν τοῦ λεγομένου χαρτουλαρίου τηνικαῦτα χάριν πληρῶν τοῖς κομμενταρισίοις, ὡς Ἀναστασίου τοῦ βασιλέως κινηθέντος κατὰ Ἀπίωνος, ἀνδρὸς ἐξοχωτάτου καὶ κοινωνήσαντος αὐτῷ τῆς βασιλείας, ὅτε Κωάδης ὁ Πέρσης ἐφλέγμαινε, Λεοντίου τὴν ἐπαρχότητα διέποντας, ἀνδρὸς νομικωτάτου· ἥ τε βασιλέως ὀργὴ δημεύσεις τε καὶ ἀφορισμοὺς οὐκ ἄλλῃ τινὶ τῶν ἀρχῶν, ἢ μόνῃ τῇ ἐπαρχότητι τὰ τῆς ἀγανακτήσεως ἐπίστευεν· ἐν ᾗ τοσαύτην ἐπεδείξαντο δυναστείαν [τε] καὶ σύντονον ἐντρέχειαν οἱ τότε κομμενταρίσιοι [μετὰ πάσης] καθαρότητος καὶ ἀποχῆς παντοίας ἐπὶ κλοπὴν ἑστώσης

v. 1 vide III 8

v. 1—5 suppl. *F*   1 καβικουλαρίων *O*, corr. *F* ep. p. 31   2 πλήθους suppl. *F* ep. p. 31 | ποινεων *O*, corr. *F*   3 ’πληκτρων, unde ἢ supplevi; ⟦καὶ⟧ *F* | ποικιλιας αλευόντων *O*, corr. *F*   7 . . . τα *O*, ⟦κα⟧τὰ suppl. *F*, ⟦καὶ κα⟧τὰ scripsi   11 πᾶς ὁ add. F. Skutsch   20 ἢ τοῦ coni. *F*, sed nihil mutandum censuit *F ep. p. 34*

περινοίας, ὥστε τὸν βασιλέα θαυμάσαντα τὴν ἀρε[τὴν τῶν] τότε στρατευομένων, πάσας τὰς ἀνακυπτούσας χρείας, [με]θ' ἃς καὶ τὴν κατὰ Μακεδονίου ⟨τοῦ⟩ τότε τὴν βασιλίδα πόλιν ἐπισκοποῦντος ἀγανάκτησιν, ὡς λόγους περὶ νεωτερισμοῦ δογμάτων ἀποκλείοντος, αὐτοῖς ἐγχειρίσαι, λέγω δὲ τοῖς τῶν ἐπάρχων κομμενταρισίοις, καίτοι Κέλερος τοῦ πά[ν]των φιλτάτου παρόντος τῷ βασιλεῖ καὶ τὴν τοῦ λεγομένου μαγίστρου φροντίδα κοσμίως ἀνύοντος.

18. Καὶ ταῦτα μὲν ἐκ ⟨τε⟩ θεῶν ἔκ τ' ἀνθρώπων ἀπόλωλε· τὸ γὰρ λοιπ⟦όν ἐστιν 'οὐδ'⟧ ἐν λόγῳ οὐδ' ἐν ἀριθμῷ.' ἐκόσμει δὲ οὐδὲν ἧ[ττον τὴν ⟦πο⟧λύ]τροπον δυναστείαν τοῦ σκρινίου καὶ ἡ τῶν λεγομένων ⟦κομ⟧έντων ἐξουσία ὑπερφυής. ὁ γὰρ ὕπαρχος ἢ πα⟦ρὰ⟧ [βασι]λέως θαρρούμενος ἢ αὐτὸς ⟦κ⟧α⟦τ⟧ὰ [τὸν νόμον] ⟦κινούμενος⟧ καὶ σπουδάζων ἄρχοντα ⟦ὁποιον⟧οῦν ἢ ὑπη⟦κόων τινὰ⟧ παραστῆσαι τῷ νόμῳ, τὸν κ⟦ομμεντα-ρ⟧ίσιον μυστ⟦ογρά⟧φον λαμβάνων, τὸ πρακτέον ἐπέτρεπεν αὐτῷ. ὁ δὲ λ⟦αθὼν τοῦ⟧τον τὸν πιστότατον ἅμα ⟦καὶ μάλιστα τετι⟧μένον τῶν οἰκείων χαρτουλαρίων παραλαβὼν μεθ' ἑαυτοῦ ὑπηγόρευε Ῥωμαϊκῶν ὄγκων ῥημάτων τὸ σ⟦ύν⟧θημα, κ⟦ατ'⟧ ὦπα τῶν ἐκ τάξεως πιστικωτάτῳ ἅμα καὶ διαπρέποντι καταπιστεύων ὥσπερ πτηνὸν τὸν ἀγανακτούμενον παριστᾶν τῷ [βή]ματι.

v. 11 Anthol. Pal. XIV 73, 8; vide Oracula Graeca n. 178 coll. R. Hendess

v. 3 *τοῦ* addidi 4 *ὡς λόγος* bis scriptum habet *O*, alterum delet O_2, *ὡς λόγον* coni. *F*, *ὡς λόγους* *B* 10 *τε* add. *B* 11—p. 106, 9 suppl. *F* 17 *κ . . . . ησιον* *O*, corr. et suppl. *F* 19 *των πιστοτάτων* *O*, corr. *F* 20 . . . . μενων O, corr. O_2 21 *ὄγκῳ* coni. Gu. Kroll et Th. Preger 24 πτηνων O, corr. O_2

τῆς δὲ βασιλείας ἐπιεικείας καὶ τῆς τῶν ἀρχόντων ἔτι περὶ τοὺς ὑπηκόους στοργῆς συγγνώμης ἀξιουσῶν τοὺς καταρρηθέντας, εἰκὸς ἦν τὸν ἐλευθερούμενον εὐχαριστίας δι' αὐτῶν τῶν ἔργων τοῖς μέσοις ὁμολογεῖν ⟦ὀφείλειν⟧.

19. Καὶ συνῆπτο σχεδὸν τῷ σκρινίῳ τῶν κομέντων ὁ καλούμενος ἰνστρουμεντάριος — ἀντὶ τοῦ χαρτοφύλαξ τῶν ἀρχείων τοῦ δικαστηρίου — εἰς τὸ ὑπογράφειν καὶ πληροῦν τὰ[ς ψή]φους, καὶ χ⟦ῶρος⟧ μὲν αὐτ[ῷ ἐν τῷ] ἱπποδρομίῳ ὑπὸ τ[ῷ τ]ῆς βασιλείας ⟦βή⟧ματι ἐπὶ τὸν νότον ἄχρι τῆς καλουμένης σφενδόνος ἐξ ἀρχαίου παρακεχώρηται. πάντα δὲ τὰ ἀπὸ τῆς βασιλείας Βάλεντος ἐν τοῖς τότε μεγίστοις δικαστηρίοις πεπραγμένα αὐτόθι σώζεται καὶ τοῖς ἐπιζητοῦσιν οὕτως ἐστὶν ἕτοιμα, ὡσεὶ χθὲς τυχὸν πεπραγμένα. ἀπώλετο δὲ καὶ αὐτὸς ὁ ἰνστρουμεντάριος καὶ ἔρημος ἡ καθέδρα μένει, μόνοις οἰκέταις ἀναμένουσι τοὺς κεκτημένους ἐγκεχωρημένη. διαγνώσεως γὰρ οὐκ οὔσης — ἢ ἄλλου πρακτέου τινός, ⟨ὡς⟩ εἰκός — οὐδὲ κινουμένης ἐν τῷ δικαστηρίῳ, πῶς ἂν αὐτὸς ἀναγκαῖος εἶναι τοῖς πράγμασι νομι[σθ]είη;

Περὶ τῶν ἀβ ἄκτις.

20. Ἀβ ἄκτις μὲν ὄνομα τῷ φροντίσματι· σημαίνει δὲ καθ' ἑρμηνείαν τὸν τοῖς ἐπὶ χρήμασι πραττομένοις ἐφεστῶτα, ⟦ὡς ἀ⟧ πιγμέντις τοὺς ἐπὶ τῶν ἀρωμάτων καὶ ἀ σηκρήτις τοὺς ἐπὶ [τῶν σηκ]ρήτων — οὐδὲ γὰρ

v. 4 ὀφείλειν supplevi 6 ἰστρουμενταριος *O*, mutavit O_2 7 αρχιων *O*, corr. O_2 10 Σφενδόνης volebat *F* 11 ουαλεντος *O*, quod mutavi 15 ιστρουμενταριος *O*, quod mutavi 16 ἐκκεχωρημένη *O*, corr. *F* 17 μηδ' ἄλλου coni. *F* ep. p. 34 | πρακταιου *O*, corr. O_2 18 εικος *O*, ⟨ὡς⟩ εἰκός vel εἰκότως coni. *B* | κινουμένης *O*, κινουμένου coni. *F* 23—p. 107, 3 *suppl. F*

ἀδσηκρῆτις κατὰ τοὺς ἰδιώτας, ἐξ [[ἀγνοίας]] μετὰ τοῦ δέλτα στοιχείου τῆς προθέσεως [ἐπιβαλ]λομένης — καὶ ἁ σαβάνις τοὺς ἐπὶ τῶν βαλανείων τῆς [[αὐ]][λῆς. δύο] δὲ καὶ αὐτῶν ὄντων τῶν ἀβ ἄκτις, οὓς κατὰ βαθμὸν ὁ χρόνος ἀπὸ τῶν ταχυγράφων, καθάπερ τοὺς πρὸ [αὐ]τῶν καλεῖ, ἓξ ἄνδρες ἐραστοὶ καὶ νουνεχέστατοι καὶ σφριγῶντες ἔτι ἀπὸ τοῦ τάγματος τῶν Αὐγουσταλίων βοηθοῦσι δῆθεν ἔτι καὶ νῦν τῷ ὀνόματι. ἔργον δὲ αὐτοῖς τὰς χρηματικὰς ὑποθέσεις τρακτεύειν — ἀντὶ τοῦ διαψηλαφᾶν καὶ εἰσφέρειν κριθησομένας τῷ βήματι — ὑπουργούντων αὐτοῖς τῶν νωμενκλατόρων, οὓς ἀναφωνήτας καὶ συναγωγεῖς, πάλαι μὲν τῶν συγκλητικῶν, νῦν δὲ τῶν δικανικῶν ῥητόρων εἶναι προειρήκαμεν. νόμος δὲ ἦν — καὶ γὰρ οὐκ ἔστιν, ἄρτι παροφθεὶς ἐξ ἀβελτερίας, ἢ τἀληθὲς εἰπεῖν, κακοδαιμονίας —, πάντα διὰ τῶν παρόντων αὐτοῖς χαρτουλαρίων, καὶ αὐτῶν ἀπὸ τῶν ταχυγράφων, ἀναφαίνεσθαι ἐπὶ τῶν λεγομένων ῥεγέστων ἢ κοττιδιανῶν — ἀντὶ τοῦ ἐφημέρων· ῥέγεστα δὲ Ῥωμαῖοι τὰς βίβλους, αἷς ἐνέγραφον τὰ πραττόμενα συνεῖδον ὀνομάζειν, ὅτι ῥήγεστα τὰς πράξεις τοῦ πολιτεύματος εἶναι βούλονται —, ἔνθεν τοῖς ὁτεδήποτε ζητοῦσι τὰ ὁτεδήποτε πεπραγμένα σύντομος περὶ τὴν εὕρεσιν εὐκολία· ἐξ αὐτῶν γὰρ τῶν ῥεγέστων καὶ κοττιδιανῶν ἡ δύναμις τῶν

v. 14 vide supra III 8

v. 1 αδσηκρητεις *O*, corr. *F* | ἀνοίας suppl. *F*, corr. *B* 6 σεραστοι (prius σ postea erasum) *O*, σεβαστοὶ coni. *F*, ἄριστοι Cramer (apud *F* ep. p. 35), ἐργασταὶ aut ἐργάται *F* ep. 9 αὐτους *O*, αὐτοῖς corr. *F* 10 ἀρτι *O*, ἀντὶ corr. O_2 12 νομενκολατωρων *O*, quod mutavi 13 δεκανικων *O*, corr. *F* 16 διὰ τῶν τῶν παροντων *O*, corr. O_2 17 ἀναφέρεσθαι coni. *B* 21 ρηγεστα *O*, ῥῆς γέστας coni. *F* 23 συντομως O, corr. F \ εὐκολίας *O*, corr. *F* 24 των γαρ O, transposuit F

πεπραγμένων ἐγινώσκετο. θᾶττον δὲ ⟨ὁ⟩ τῆς τάξεως ἰνστρουμεντάριος λαμβάνων ἀπὸ τῶν ἀβ ἄκτις τὸν χρόνον καὶ τὸν ὕπατον, ἐν ἐπιτόμῳ σημειούμενος πρὸς ταχεῖαν ἀνάμνησιν λόγῳ, θᾶττον ἀπηλλάττετο πονῶν· καὶ τοῦτο μὲν τὸ θαυμαστὸν γνώρισμα τῆς εὐταξίας ἐπράττετο μετὰ σπουδῆς, καὶ πᾶς καιρὸς τοῖς ἐφ[η-μέ]ροις ἐνεγράφετο, μηδὲ τῶν ἀπράκτων ἡμερῶν παραλιμπανομένων τοῖς ἀναγράφουσιν, ἀλλ' αὐτῶν ἔτι καὶ τὰς αἰτίας, [ὧν ἕνε]κα ἀργὰς αὐτὰς εἶναι συνέβαινεν, ἀναγραφόντων. [καὶ τοῦ]το μὲν θαυμαστὸν ἦν· ἡ δὲ τῶν λεγομένων περσωναλί[ων] ἀναγραφὴ παντὸς ἐπαίνου κρείττων δικαίως ἐνομίζ[ετο]. τὰς γὰρ διαγνώσεις περιέφραζεν Ἰταλιστὶ ὁ τῶν βοη[[θούν]]των λογικώτατος οὕτω κατὰ λεπτόν, ὥστε κἂν [εἰ τυ]χ[ὸν] παραπολέσθαι τὴν διάγνωσιν συνέβη ποτέ, ἐξ αὐ[τῆς] μόνης τῆς παραφράσεως καὶ ὡς ὑποτυπώσεως αὖθις δύνασθαι στῆναι τὴν διάγνωσιν· καὶ τοῦτο συμβὰν ἐγὼ αὐτὸς διαμέμνημαι. διαγνώσεως γὰρ εἰσαχθείσης μέν, τῶν δὲ ἐπ' αὐτῇ πραχθέντων οὐδαμοῦ φαινομένων, εἰσενεχθέντος ἐπὶ τῆς ἀρχῆς τοῦ λεγομένου περσωναλίου ἔστη διάγνωσις κατ' οὐδὲν ἐνδέουσα. καὶ τίς οὐκ ἂν ἐπιδακρύσῃ τῶν ἐγκωμίων εἰς μνήμην ἐρχόμενος, οἷς ὑπὲρ τῆς τάξεως καὶ τῶν τοιούτων τῆς ἀρετῆς γνωρισμάτων ἐχρήσατο Σέργιός τε ὁ πολύς, καὶ Πρόκλος ὁ δικαιότατος, Τριβουνιανός τε ὁ πολυμαθέστατος —

v. 1 *ὁ* add. *B* 2 *ινστρουμενταριος O*, corr. *F* | *ἀπὸ τῶν* bis scriptum habet *O*, alterum delet O_2 3 *χρόν O*, corr. O_2 4 *πόνων O*, quod correxi 5 *τοῦ O*, *τοῦτο* corr. *F* 7 *ἐγραφετο O*, quod correxi 8 *αυτι O*, *ἔτι* corr. O_2, *αὐτῶν ἔτι* scripsi 10 *ειδε O*, *ἡ δὲ* corr. O_2 13 *περιεφραζεν O*, *περιέγραψεν* coni. Cramer apud *F* ep. p. 35 | *ιταλιδι O*, corr. *B* | *βοη . . . . των O*, *suppl. F* 20 *εστι O*, *ἔστη* corr. *B*

ὧν ὁ μὲν ὕπαρχος οἷος οὐκ ἄλλος, οἱ δὲ ἄμφω κυαίστορες γενόμενοι τὴν πολιτείαν ἐκόσμησαν — συλλαμβανομένων αὐτοῖς περὶ τοὺς ἐπαίνους πάντων ὁμοῦ τῶν τότε δικολόγων, περὶ ὧν σιγᾶν ἄμεινον ἢ παρ' ἀξίαν ἐπαινεῖν κοσμιώτερον οἶμαι. καὶ ταῦτα μέν ποτε· νῦν δ' οὐ μόνον οὐκ ἔστιν, ἀλλ' οὐδὲ μνήμης τινὸς ἀξιοῦται δι' ἃς οὐχ ἅπαξ ἀποδεδώκαμεν αἰτίας.

21. *Μετὰ δὲ τὸν ἀβ ἄκτις ὁ ῥεγενδάριος ἐπὶ τῆς φροντίδος τῶν συνθημάτων τοῦ δημοσίου δρόμου τεταγμένος ἔτι καὶ νῦν λέγεται μέν, πράττει δὲ οὐδέν, τοῦ μαγίστρου τῆς αὐλῆς τὴν ὅλην ὑφελομένου τοῦ πράγματος ἐξουσίαν. μεθ' ὃν οἱ τῶν διοικήσεων κοῦρα ἐπιστουλάρουμ, οἳ τὰς μὲν ἐπὶ τοῖς δημοσίοις φοιτώσας ψήφους γράφουσι μόνον, τὸ λοιπὸν καταφρονούμενοι· οἱ δὲ λεγόμενοι τρακτευταὶ τὴν ἐγνωσμένην αὐτοῖς διδασκαλίαν ὑποτιθέντες τῷ προστάγματι τὴν ὅλην ὑφήρπα[ζον ἐξουσ]ίαν, μάλιστα ἐξότε τὴν ἀρχὴν ἑαυτοῖς ἐθάρ[ρουν π]εριποιεῖν οἱ σκρινιάριοι. πέρας μὲν ὧδε τῶν λογι⟦κῶν⟧ [τῆς] τάξεως συστημάτων. δουκινάριοι ⟨γὰρ⟩ καὶ κεντινά[ριοι, βίαρχοί] τε καὶ ἀδιούτορες καὶ τὰ λοιπὰ τῆς τάξεως μέλη, [ἀνύον]τα τὴν ὑπὸ τοῦ νόμου τεθειμένην αὐτοῖς λειτουρ[γίαν, τέ]ρμα τῆς στρατείας, ὁποῖον ἡ τύχη δοίη, καταλαμ[βάν]ουσι, τῶν λεγομένων θηκοφόρων, οἳ τὰς προτομὰς τῆς ἀρχῆς φέρουσι, καὶ διαιταρίων ἐν ἑτέροις μὲν τάγμασι τῆς τάξεως καταλεγομένων λειτουργίαν τε πληρούντων.*

v. 3 *τῶν αὐτοῖς* O, *τῶν* del. F 7 *ἀξιοῦνται* O, quod correxi | *αποδωκαμεν* O, *ἀπεδώκαμεν* O_2, ego correxi 12 *μέσον* O, *μεθ' ὃν* corr. F 13 *φυτωσας* O, corr. O_2 18 *σκρινάριοι* O, corr. F 19 *λογι . . .* O, suppl. F 20 *γὰρ* add. B 23 *δυη* O, *δοίη* corr. O_2 24 *οἱ τῶν* O, *οἱ* del. F 26 *δὲ* O, *τε* scripsi

Περὶ τοῦ κορνικουλαρίου τῆς μεγίστης τάξεως.

22. Πάντων, οἶμαι, τῶν καταλόγων, εἰ μή τι σφάλλομαι, παρελθόντων τῷ λόγῳ, ὑπόλοιπόν ἐστιν, αὖθις καθάπερ ἡγεμόνα σεμνὸν ἐπὶ τέλους τὸν κορνικουλάριον ἐπὶ τῆς ἱστορίας ἀναδεῖξαι· δεῖ γὰρ αὐτὸν τὴν ὅλην συνέχοντα τάξιν ἀρχὴν ἅμα καὶ πέρας αὐτῆς ἀποδεῖξαι. ἀρκεῖ μὲν οὖν αὐτῷ πρὸς ἀξιοπιστίαν καὶ μόνος ὁ χρόνος, ὑπὲρ τριακοσίους καὶ χιλίους ἐνιαυτοὺς ἡγουμένῳ τοῦ τάγματος, καὶ σὺν αὐτῷ τῷ πολισμῷ τῆς ἱερᾶς Ῥώμης ἐπιφανέντι τοῖς πράγμασι· παρῆν γὰρ ἀνέκαθεν τῷ ἱππάρχῳ, ὁ δὲ ἵππαρχος τῷ τότε ῥηγί. ὥστε ἐκ προοιμίων τῆς Ῥωμαϊκῆς πολιτείας γνώριμος ὁ κορνικουλάριός ἐστιν, κἂν εἰ μηδὲν αὐτῷ παρὰ τὴν προσηγορίαν ἀπολέλειπται· ἐξότε ⟨γὰρ⟩ Φοῦσκον — οὕτω δὲ ⟨τὸν⟩ μελάγχρωτα Ῥωμαῖοι καλοῦσι — Δομιτιανὸς πραιτωρίων ὕπαρχον κατὰ τὴν Αὐγούστου ἐγχείρησιν προβαλόμενος τὴν τοῦ ἱππάρχου περιττὴν ἀπέδειξε προαγωγήν, ⟨αὐτὸς τῶν⟩ ὅπλων ἡγούμενος, μετηνέχθη πάντα.

23. Τοιγαροῦν τὰ ὁπωσοῦν παρὰ τοῖς ὑπάρχοις πραττόμενα μόνος διέταττεν ὁ κορνικουλάριος, καὶ τοὺς ἐξ αὐτῶν πόρους εἰς οἰκείαν ἀπεφέρετο παραψυχήν· καὶ τοῦτο ἀπὸ Δομιτιανοῦ ἕως τοῦ καθ' ἡμᾶς Θεοδοσίου κρατοῦν ἠμείφθη διὰ τὴν Ῥουφίνου τυραννίδα. νόμον γὰρ ἔθετο ὁ βασιλεὺς Ἀρκάδιος τὸ τῆς

v. 7 ἀξιοπρέπειαν coni. *F* 11 τῷ τε *O*, τότε τῷ coni. *F*, τῷ τότε *B* 14 γὰρ add. *F* 15 τὸν add. *B* | μελαν χρῶτα *O*, corr. *F* | δομετιανος *O*, quod ad v. 23 mutavi 16 ὑπαρχος *O*, corr. *F* 17 προβαλλόμενος *O*, corr. *B* 18 αὐτὸς τῶν addidi 19 μετενέχθη *O*, corr. O_2 21 δεὶ ἔταττεν *O*, δὴ ἔταττεν coni. O_2, corr. *F*

ἀρχῆς δυνατὸν δεδιττόμενος, [ὥστε] τὸν πρίγκιπα τῆς τάξεως τοῦ μαγίστρου παριόντα ⟦ἐπὶ⟧ τὰ μέγιστα δικαστήρια περιεργάζεσθαι καὶ πολ⟦υπραγμο⟧νεῖν τὴν δύναμιν τῶν πραττομένων ἐν [αὐτοῖς, καὶ] ⟦οὗτινος⟧ χάριν γίνοιντο τὰ τοῦ δρόμου συνθήματα [εὑρίσκειν. καὶ] τὸ λοιπὸν ὁ Ῥουφῖνος, ἐξότε δι' ἑαυτοῦ ἐπὶ τὴν ἕω ⟦ἦλθε⟧, τὸν λεγόμενον κόμιτα τῆς ἀνατολῆς μαστίξας ἀπώλεσεν, ἀνθ' ὧν ἐτόλμησε ζηλῶσαι τῷ λόγῳ τὴν ἐπαρχότητα· καὶ ἡ μὲν Ἀρκαδίου, ὡς ἔφην, διάταξις ἐν τῷ πάλαι Θεοδοσιανῷ κώδικι ἀνεγέγραπτο, οἱ δὲ τὸν νεαρὸν καταστησάμενοι παρεῖδον αὐτήν, ὡς περιττὴν αὐτοῖς εἶναι φανεῖσαν.

24. Παρὼν οὖν ὁ πρίγκεψ τῶν μαγιστριανῶν τοῖς μεγίστοις ποτὲ δικαστηρίοις καὶ μηδὲν παρὰ τὴν προσηγορίαν ἔχων, λόγους ἔθετο πρὸς τὸν τότε τῆς τάξεως κορνικουλάριον, ὥστε πάροδον αὐτῷ δοῦναί τινα πρὸς τὰ πραττόμενα· καὶ δόξαν οὕτως ἐτύπωσεν ὁ πρίγκεψ μίαν χρυσίου λίτραν καθ' ἕκαστον μῆνα προσφέρειν τῷ κορνικουλαρίῳ, μετὰ τὸ πᾶσι τοῖς ἐκ τάξεως κατὰ συνήθειαν λαμβάνουσι μοῖραν τινὰ τῶν πόρων ἀμελλητὶ διδόναι τὰ εἰωθότα. τούτων οὕτως συντεθειμένων αὐτοῖς, λαμβάνων ὁ κατὰ καιρὸν κορνικουλάριος παρὰ τοῦ πρίγκιπος τὰς δώδεκα τοῦ χρυσίου λίτρας δίχα τινὸς ἐλλείμματος, μετὰ πάσης τιμῆς παρεχώρει τῷ κρείττονι μᾶλλον τὴν τῶν μονομερῶν ἐντυχιῶν εἰσαγωγήν, φυλάξας ἑαυτῷ μετὰ τὴν ἐκ τοῦ βαθμοῦ καὶ

v. 10 cf. Cod. Theod. VIII 5, 35; vide supra p. 66, 17

v. 2—7 suppl. *F* 9 διατάξεις *O*, corr. O_2 10 κοδηκι *O*, corr. O_2 11 τῶν νεαρῶν *O*, corr. *F* 14 μηδένα *O*, corr. *F*, servandum fortasse censet *F* ep. p. 28 20 μιαν *O*, μοῖραν corr. *B* 21 συντιθεμένων *O*, corr. B 22 καιρὸν ὁ O, ὁ del. O_2 23 δέδωκα *O*, corr. O_2 25 εἰσαγων O, corr. O_2

τῶν ἄλλων κερδῶν προνομίαν τὸ πληροῦν δι' οἰκείας ὑποσημειώσεως τὰ πραττόμενα, οὐκ ἔλαττον χιλίων χρυσῶν πόρον αὐτῷ περιποιοῦντα.

25. Τὰ δ' ἔνθεν οὐκέτ' ἂν φράσαι λόγῳ
δακρύων δυναίμην χωρὶς

κατὰ τὸν Εὐριπίδου Πηλέα. πάντων γὰρ ἤδη [πρότ]ερον τούτων, ὃν τρόπον καὶ τῶν ἄλλων, ἀπολο[μένων] παραπέλαυσα καὶ αὐτὸς ἐγὼ τῆς κακο[δαιμον]ίας τοῦ χρόνου καταντήσας εἰς τὸ πέρας [τῶν τῆς] στρατείας βαθμῶν, μηδὲν παρὰ τὴν προ[σηγ]ορίαν κτησάμενος· καὶ μάρτυρα τὴν Δίκην ἀλη[θεύων] οὐκ ἐρυθριῶ ἐπικαλούμενος· ἕως ἑνὸς ὀβο[λοῦ ο]ὐκ ἀπὸ τοῦ πρίγκιπος, οὐκ ἀπὸ τῶν λεγομένων κομπλευσίμων οἶδα κομισάμενος. πόθεν γὰρ ἔμελλον λαμβάνειν, τῆς μὲν ἀρχαίας συνηθείας ἐχούσης ἑπτὰ καὶ τριάκοντα χρυσείους παρέχεσθαι τῇ τάξει ὑπὲρ μονομεροῦς ἐντεύξεως πρὸς τῶν ὁπωσοῦν εἰσβαλλόντων ἐν τοῖς τότε μεγίστοις δικαστηρίοις, τὸ δὲ λοιπὸν χαλκοῦ κάρτα μετρίου — οὐ γὰρ χρυσίου — ὥσπερ εἰς ἔλεον οἰκτρῶς καὶ οὐδὲ συνεχῶς ἐπιδιδομένου; ἢ πῶς ὁ πρίγκεψ πρὸς τὰ πάλαι διδόμενα παρ' αὐτοῦ τῷ κατὰ καιρὸν κορνικουλαρίῳ συνωθεῖτο, μηδὲ εἰς μνήμην ψιλῆς γοῦν προσηγορίας ἀναφερόμενος, μηδὲ παρεῖναι τὸ λοιπὸν ὑπομένων τῷ δικαστηρίῳ, οὐδενὸς οὐδενὶ ἐν βαθμῷ στρατευομένου; ἐμοὶ δὲ μεταμέλει ὀψίᾳ τοῦ καιροῦ τὸ προσῆκον ἀναλογιζομένῳ,

v. 6 Eur. frg. 621 Nauck[2]

v. 4 φράσας *O*, corr. *F* ep. p. 36 *B* 9 ἔσω *O*, ἐγὼ corr. *B* 16 χρυσίους *O*, χρυσίνους *F* ep. p. 36 *B*, corr. Th. Preger 17 πρὸς τὸν *O*, corr. O_2 20 ἔλαιον *O*, corr. Gu. Kroll 21 ὅπως *O*, πῶς corr. *F* 25 ουδενίω *O*, οὐδενὶ ἐν corr. F

ἀντὶ τίνος τοσοῦτον προσήδρευσα χρόνον τῷ δικαστηρίῳ, μηδὲν ἐξ αὐτοῦ πρὸς παραψυχὴν εὑραμένῳ· καὶ δικαίως ταῦτά μοι συμβέβηκεν εἰς ταύτην ἐμβαλόντι τὴν λειτουργίαν. ὥστε χαλεπὸν οὐδὲν τὴν ἐκ προοιμίων ἐπ' ἐμοὶ διελθεῖν ἄχρι τοῦδε τῷ λόγῳ διήγησιν.

26. Ἕνα καὶ εἰκοστὸν τῆς ἡλικίας ἄγων ἐνιαυτὸν ἐπὶ τῆς Σεκουνδιανοῦ ὑπατείας ἐκ τῆς ἐνεγκούσης με Φιλαδελφείας τῆς ὑπὸ τῷ Τμώλῳ ἐν Λυδίᾳ κειμένης παρῆλθον εἰς ταύτην ⟨τὴν⟩ εὐδαίμονα πόλιν· καὶ πολλὰ μετ' ἐμαυτοῦ σκεψάμενος ἐπὶ τοὺς μεμοριαλίους τῆς αὐλῆς συνεῖδον ἐλθεῖν καὶ πρὸς στρατείαν ἀναζώσασθαι μετ' ἐκείνων. ὅπως δὲ μὴ τὸν ἐν μέσῳ χρόνον δόξαιμι ζημιοῦσθαι, εἰς φιλοσόφου φοιτᾶν διέγνων. Ἀγάπιος ἦν κατ' ἐκεῖνον τὸν χρόνον, περὶ οὗ Χριστόδωρος ὁ ποιητὴς ἐν τῷ περὶ τῶν [ἀκρο]ατῶν τοῦ μεγάλου Πρόκλου μονοβίβλῳ φησὶν οὕτως·

[Ἀγάπιος] πύματος μέν, ἀτὰρ πρώτιστος ἁπάντων,

παρ' ᾧ τὰ πρῶ⟦τα⟧ τῶν Ἀριστοτελικῶν διδαγμάτων μαθὼν ἔτυχον καί τινων ἐ⟦κ τῆ⟧ς Πλατωνικῆς φιλοσοφίας ἀκροάσασθαι. ἡ δὲ τύχη μᾶλλον εἰς ταύτην ⟦μ⟧ε παρωθῆσαι ⟨τὴν⟩ λειτουργίαν σκεψαμένη [Ζω]τικόν, πολίτην ἐμὸν καὶ χαίροντά μοι ⟨οὐ⟩ μετρίως,

v. 14 Fr. Baumgarten, de Christodoro poeta Thebano (diss. Bonn. 1881) p. 7

v. 1 *αν τις O*, *ἀντὶ τίνος* corr. *F* 8 *καὶ λυδία O*, corr. *F* 9 *τὴν* add. *B* 10 *με|ταυτῶν O*, *μετ' αὐτῶν* coni. O_2, *μετ' ἐμαυτοῦ* corr. *F* | *μεμωριαλίους O*, corr. *F* 12 *μὴ τῶν O*, *μὴ τὸν* corr. *F* 16 *εφησίν O*, corr. O_2 18 ⟦*στοιχεῖα*⟧, quod litterarum vestigiis minime convenit, suppl. *F*; *πρῶ*⟦*τα*⟧ scripsi 19 *ειπων O*, del. O_2, *μαθὼν* corr. F. Skutsch | ε ... ς O, suppl. F 21 *επαρωθησαι O*, suppl. et corr. F | τὴν add. B 22 οὐ add. *F*

ἐπὶ τὴν ἐπαρχότητα τῶν πραιτωρίων ὑπὸ τῷ πάντων βασιλέων ἡμερωτάτῳ Ἀναστασίῳ προήγαγεν, ὃς οὐ πείθειν με μόνον, ἀλλὰ καὶ ἀναγκάζειν δυνάμενος τοῖς ταχυγράφοις τῆς ἀρχῆς συνηρίθμησεν, ἐν ᾗ καὶ Ἀμμιανὸν τὸν ἐπιεικέστατον, ἀδελφιδοῦν τῷ ἐμῷ πατρὶ γενόμενον, συνέβαινε διαφαίνεσθαι.

27. Ὅπως δὲ μὴ τυχὸν ῥαθυμήσω, πᾶσάν μοι κέρδους ὁδὸν ὁ ὕπαρχος ἔδειξεν, ὡς παρ' ὅλον τὸν τῆς ἀρχῆς χρόνον αὐτοῦ — μέτριος δὲ ἦν καὶ βραχεῖ τὸν ἐνιαυτὸν ἐκβάς — οὐκ ἐλάττους χιλίων χρυσῶν ἀποκερδᾶναι σωφρόνως. ⟨ὡς⟩ εἰκὸς οὖν εὐχαριστῶν ἐγὼ — πῶς γὰρ οὔ; — ἐγκώμιον βραχὺ πρὸς αὐτὸν διεξῆλθον· ὁ δὲ ἡσθεὶς ἀνὰ στίχον μὲν ἕκαστον χρύσινον ἀπὸ τῆς τραπέζης με κομί[σασθαι παρ]εκελεύσατο· οἱ δὲ πρὸς τὸ βοηθεῖν ὑπὸ τοῦ λεγομένου ἀβ ἄκτις καλούμενοι, τὸ μήποτε γενόμενον, παρακαλοῦντες προσελάβοντό με εἰς πρῶτον χαρτουλάριον, ἑτέρων δύο μόνων, ἤδη γερόντων, πρότερον μετὰ χρυσίου δόσεως συνταξαμένων αὐτοῖς· καὶ οὐ τοῦτο μόνον, ἀλλὰ καὶ τέσσαρας πρὸς εἴκοσι χρυσοῦς κατ' ἔτος ὥρισαν ἕκαστον. ὁμοίως τε ποιῶν ἀντ' αὐτῶν τὸ λεγόμενον περσωνάλιον καὶ κοττιδιανόν, περὶ ὧν ἄρτι διεξῆλθον, σουγγεστιῶνας ἐτι[θέμ]ην, ὧν ὁ λόγος ὧδε· πάντες μὲν ἀνέκαθεν οἱ παρὰ τῇ ποτὲ πρώτῃ τῶν ἀρχῶν βοηθοῦντες τοῖς τρέχουσι σκρινίοις δι[[ὰ πολλ]]ῆς ἐξέλαμ-

v. 22 vide supra III 20

v. 1 *ὑπο τῶν O*, corr. O_2 2 *ὡς ου O*, *ὃς οὐ* corr. *F* 3 *πυθει* postea addito *ν O*, corr. *F* 11 *ὡς* add. *B* 12 *οὐκεγκωμιον O*, corr. O_2 15 *απο O*, *ὑπὸ* corr. *B* | *καλουμενος O*, corr. O_2 21 *ποιεῖν O*, *ποιῶν* corr. *F* 23 *σουγγεστίονας et p. 115, 6 σουγγεστίονα O*, mutavit *F* 24 *η παρα O*, *οἱ παρὰ* corr. O_2 25 et p. 115, 5 suppl. F

που παιδείας, περὶ δὲ τὴν Ῥωμαίων φωνὴν [τὸ πλέον ἔ]χειν ἐσπούδαζον· χρειώδης γὰρ ἦν αὐτοῖς κατὰ [τἀναγκ]αῖον. δίκης οὖν ἐφεσίμου τυχὸν γενομένης, εἶτα πρὸς τὴν [σύγκ]λητον ἀναγομένης πρὸς διόρθωσιν, ὁ τῶν ἄλλων ⟦βοηθῶν⟧ [κρ]είττων συνέταττε τὴν λεγομένην σουγγεστιῶνα — [ἀντὶ] τοῦ διδασκαλίαν — πρὸς ἀκρόασιν τῆς βουλῆς οὕτω [μάλιστ]α, ὡς ἐκπλήττειν τόν τε τῆς βουλῆς κυαίστορα καὶ τοὺς λεγομένους πάλαι μὲν ἀντεκήνσορας, καθ' ἡμᾶς δὲ ἀντιγραφεῖς. τοῦ δὲ θεοῦ συλλαμβάνοντος καὶ τῆς ἀπὸ τῶν περιγινομένων μοι παραμυθιῶν προθυμίας ἀνεπαίσθητον ἀποτελούσης τὸν κάματον, οὐ μόνον ἐπλήρουν τὰς εἰρημένας λειτουργίας ἐπὶ τοῦ σκρινίου, ἀλλὰ μὴν ἐπεσηκρήτευον παρὰ τοῖς ταχυγράφοις, ἔτι καὶ βοηθῶν ἑτέροις ἐν τῷ τεμένει τῆς δίκης ταχυγραφοῦσιν, ὃ καλεῖται σήκρητον — καὶ οὐ μικρὰ ἥ τε δόξα διὰ τῶν ἔργων ἥ τε τῆς παραμυθίας ἐπὶ τοῖς ἔργοις ἀφθονία —, ἔνθεν ὥσπερ ἀναπτερωθεὶς ἐπὶ τοὺς λεγομένους ἀ σηκρήτις τῆς αὐλῆς ἐπειγόμην.

28. Ὁ δὲ Ζωτικὸς ὑποβάλλοντος αὐτῷ τοῦ πάντα χρηστοῦ καὶ ἐπιεικοῦς, φιλομαθοῦς τε καὶ φιλοσόφου τὸν βίον Ἀμμιανοῦ καὶ γαμετήν μοι περιποιεῖ ἑκατὸν μὲν χρυσίου λιτρῶν φερνὴν προσάγουσαν, τὰ δὲ ἄλλα κρείττονα τῶν ὁτεδήποτε ἐπὶ σωφροσύνῃ θαυμαζομένων [γυναικῶν. ἐγὼ] δὲ κρείττονα πολλῷ τοῦ χρόνου προϊόντος ἐλπίζων προελθεῖν μοι τὰ πράγματα τῆς μὲν ἐπὶ τὴν αὐλὴν σπουδῆς ἀπεσχόμην, ὅλον δέ μου τὸν

v. 2 χρειωδεις *O*, corr. O_2 4 συγκλητικον *O*, corr. O_2 9 ἀντεκίνσορας *O*, corr. *F* 14 επισηκρητευον *O*, mutavit *F* | βοηθον *O*, ἐβοήθουν *F*, corr. Th. Preger 20 τὰ πάντα *O*, τοῦ πάντα corr. *F* 23 μοι *O*, μὲν corr. B 26 προσελθεῖν *O*, corr. *B*

βίον τῇ στρατείᾳ παρεχώρησα. τῶν οὖν κοινῶν τοιούτων ἀποτελεσθέντων ἐπὶ πᾶσιν, ὁποίων ὁ λόγος ἐμνημόνευσε, καὶ τὸ λοιπὸν τοῖς λογικοῖς ⟨οὐχ⟩, ὡς τὸ πρίν, τῆς τύχης ἀπαρεσκομένης, ἐμίσησα τὴν στρατείαν, ὅλον ἐμαυτὸν τοῖς βιβλίοις ἐκδούς. γνοὺς δὲ ὁ βασιλεὺς τὴν ἐμὴν περὶ τοὺς λόγους ἀγρυπνίαν πρῶτον μὲν ἐγκώμιον εἰπεῖν με πρὸς αὐτὸν κατηξίωσε, παρόντων ἐκ [τύ]χης καὶ τῶν ἀπὸ τῆς μείζονος Ῥώμης λογάδων, οἷς ἀ[[εὶ]] μέλει, καὶ τοῦτο ταλαιπωροῦσι, τῆς περὶ λόγους σπουδῆς. οὗ γενομένου, καὶ συγγράψαι με τὸν πρὸς Πέρσας αἰσίμως αὐτῷ χειρισθέντα πόλεμον παρεκελεύσατο, ὅτε Δάραν τὴν πόλιν, ἣν ὁ πολὺς Ἀναστάσιος [[ταῖς φά]]ρυγξι τῶν πολεμίων ἐπιτέθεικεν, ἐνοχλοῦντες ἐ[[κεῖθεν]] οὐ μετὰ μικρᾶς ζημίας ὑπενόστησαν, οὐκ ἐπ᾿ αὐτοῦ πά[[λιν]] προελθόντες.

29. Πραγματικὸν ⟨οὖν⟩ πρὸς τὴν ἐπαρχότητα γράφων ὁ βασιλεὺς ἐπ᾿ ἐμοί, τοιούτοις ἐχρήσατο ῥήμασιν· Ἰωάννῃ τῷ λογιωτάτῳ πολλὴν μὲν σύνισμεν τὴν ἐν λόγοις παιδείαν τήν τε ἐν γραμματικοῖς ἀκρίβειαν τήν τε ἐν ποιητικοῖς χάριν καὶ τὴν ἄλλην αὐτοῦ πολυμάθειαν, καί, ὅπως τὴν Ῥωμαίων φωνὴν τοῖς ἑαυτοῦ πόνοις ἀποδείξει σεμνοτέραν, καίτοι τῆς στρατείας αὐτῷ τῆς ἐν τοῖς δικαστηρίοις τῆς σῆς ὑπεροχῆς ὀρθῶς φερομένης, ἑλέσθαι μετ᾿ αὐτῆς καὶ τὸν ἐν βιβλίοις ἀσκῆσαι βίον καὶ ὅλον ἑαυτὸν ἀναθεῖναι τοῖς λόγοις. τὸν τοίνυν εἰς τοσοῦτον ἀρετῆς ἀναβάντα ἀγέραστον ἀπολιπεῖν ἀνάξιον τῶν ἡμετέρων χρόνων εἶναι κρίνοντες,

v. 1 *τῆς στρατείας O*, corr. *F* 2 *οποιον O*, corr. *B* 3 *οὐχ* add. *F* 9—15 suppl. *F* 9 *μελλει O*, corr. *F* 11 *αισμως O, ἀσμένως* coni. *O₂*, *αἰσίμως* corr. *F* 16 *οὖν* add. F. Skutsch 18 *πολλῆς*, quod correxit, *O* 20 *ποιηταις O*, corr. *F* 22 *ἀπέδειξε O*, corr. *B*

προστάττομεν τῇ σῇ ὑπεροχῇ ἐπιδοῦναι αὐτῷ τοῦ δημοσίου τόδε. ἴστω δὲ ὁ εἰρημένος σοφώτατος ἀνήρ, ὡς οὐ μέχρι τούτου στησόμεθα, ἀλλὰ καὶ ἀξιώμασι καὶ ἱεραῖς μείζοσι φιλοτιμίαις τιμήσομεν αὐτόν, [ἄτοπον] ἡγούμενοι, τοιαύτην εὐγλωττίαν οὕτω μικρᾶς ἀμοιβῆς ἀξιωθῆναι, ἐπαινοῦντες αὐτόν, εἰ καὶ πολλοῖς ἑτέροις τῆς οὔσης αὐτῷ μεταδοίη παρασκευῆς.' τούτοις ἐπιψηφισαμένου τοῦ τηνικαῦτα τὴν πολιαρχίαν ἰθύνοντος καὶ τόπον διδασκάλοις απονενεμημένον ἀφορίσαντός μοι ἐπὶ τῆς Καπιτωλίδος αὐλῆς, ἐχόμενος τῆς στρατείας ἐπαίδευον, καὶ μεγαλοφρονεῖν ἐξηγόμην.

30. *Παρὰ μέντοι τῆς στρατείας βαθμῶν τε καὶ πόρων ἄνευ τινὸς ἐλαττώσεως, ὥσπερ ἀνεπαισθήτως τοῦ χρόνου τροχάζοντος, ἐπὶ τὸ πέρας τῆς στρατείας ἀνῆλθον. καὶ κερδῶν μὲν ἕνεκα, ὡσεὶ μηδ' ἐν στρατείᾳ τελῶν, παρηνέχθην· ἔτυχον δὲ τιμῆς καὶ τῆς ἀπὸ τῶν κρατούντων αἰδοῦς, καί — τὸ δὴ πάντων γλυκύτερον — ἐν ἀνέσει τὸν βίον παρέδραμον. ἡ δὲ πάνσοφος δίκη, [δικαί]οις με παραμυθουμένη τρόποις, τοῖς μὲν στρατιώ[ταις], ὡς ἔφην, αἰδέσιμον ἔδειξε, τοῖς δὲ ἄρχουσιν οὐκ ἀπάξιον τιμῆς· καὶ τοῦτο δῆλον ἐκ τῆς προελθούσης ἐπ' ἐμοὶ ψήφου, ὅτε τὴν ζώνην ἀφεὶς ἐπὶ τὴν αὐλὴν ἐχώρουν. πρῶτον μὲν γὰρ ἀναβάντα με ἐπὶ τοῦ βήματος τῆς ἐπαρχότητος, κατὰ τοῦτο δὴ τὸ σύνηθες εὐχαριστῆσαι τῷ κρείττονι καὶ τὴν ἀρχὴν ἀπώσασθαι, τιμήσας ⟨ὁ⟩ ὕπαρχος — Ἥφαιστος δὲ ἦν ὁ χρηστός, ἀνὴρ ἀγαθὸς καὶ ἐκ μόνης τῆς προσηγορίας*

v. 1 ἑ *αὐτω O*, ἑ del. O_2 7 *μεταδώη O*, quod mutavi 8 *πολυαρχίαν O*, corr. *F* 9 *ἀπονενημένον O*, quod correxit aut *O* aut O_2 15 *μη|δεν' O*, *μηδ' ἐν* corr. F 22 αφης O, corr. *F* 24 *ἀρχότητος O*, corr. F 26 ὁ add. F p. 296 et B

τὴν οὖσαν εὐγένειαν αὐτῷ δεικνύς· Ἡφαίστου γάρ, τοῦ πρώτου βασιλεύσαντος Αἰγύπτου κατὰ τὸν Σικελιώτην, ἀπόγονος εἶναι διεφημίζετο — ἐγερθεὶς ἀντησπάσατό με λιπαρῶς καὶ περιβαλὼν αὐτίκα μὲν τὸ πρόσταγμα τῶν ἀνντωνῶν χερσὶν ἰδίαις ἐπιδίδωσιν εὐχαριστῶν· μετὰ δὲ μυρίους ἐπαίνους πάσης τῆς τάξεως παρούσης ψῆφον ἀνέγνω ἔχουσαν ὧδε. Ἰωάννης μὲν ὁ λογιώτατος — τούτῳ γὰρ χαίρει τῷ προσρήματι μᾶλλον ἢ τοῖς ἐκ τῶν ὑπαρξάντων αὐτῷ γερῶν προσγενομένοις γνωρίσμασιν — ἤδη φθάσας τοῖς ἁπάντων ἑαυτὸν καλλίστοις — παιδείᾳ τε καὶ λόγοις φαμέν — τοιοῦτον ἀπέδειξεν, ὡς οὐκ αὐτὸν θαυμάζεσθαι μόνον, ἀλλὰ καὶ πολλοὺς ἑτέρους, οἳ δὴ τῆς αὐτοῦ διδασκαλίας ἔργον γεγόνασι. μικρὸν δέ, ὡς ἔοικεν, εἶναι νενομικώς, εἰ μόνοις κοσμοῖτο τοῖς ἐκ λόγων ἐπιτηδεύμασι — καίτοιγε τί ἂν τις τούτων ἡγήσοιτο μεῖζον; —, καὶ τοῖς πολιτικοῖς ἐνέμιξε πράγμασιν. ὑπηρετησάμενος δὲ τοῖς ἡμετέροις δικαστηρίοις μίαν τινὰ διὰ πάντων ἐφύλαξεν ἁρμονίαν, τοῖς οἰκείοις πανταχοῦ κατακολουθῶν παραδείγμασι καὶ δι' αὐτῶν διδάσκων τῶν ἔργων, ὡς φύσις ἀγαθὴ καὶ τίκτειν οἷά τε οὖσα τὰ χρησιμώτερα, πρὸς ὅπερ ἂν βίου σχῆμα τραπείη, τῶν οἰκείων οὐκ ἐξίσταται πλεονεκτημάτων, σεμνοτέραν δὲ τὴν ἀρετὴν ἀπεργάζεται, λόγοις αὐτὴν καὶ πολιτικοῖς ποικίλλουσα πράγμασι. τούτοις τοίνυν ἅπασιν ἐνευδοκιμηκὼς Ἰωάννης ὁ λαμπρότατος, τοὺς ἐν τοῖς ἡμετέροις δικαστηρίοις βαθμούς τε καὶ πόνους διανύσας, ἐπὶ τὰ τοῦ μεγάλου βασιλέως δραμεῖται ἴχ[νη] καὶ μειζόνων

v. 2 Diod. bibl. I 13, 3

v. 4 περιλαβων *O*, corr. O_2 16 καιτοιγε αν, addito postea τι, *O* 28 μεγα *O*, corr. O_2

ἐκεῖθεν ἀπολαύσει δωρεῶν. ἔστι γὰρ δὴ πρὸς τοῖς ἄλλοις πλεονεκτήμασι καὶ φιλολόγος ὁ βασιλεύς, τοῦτο καλῶς ἐφ' ἡμῶν πεποιηκότος τοῦ χρόνου, ὅπως ἂν ἡ τοῦ προστατοῦντος σεμνότης καὶ τὴν λοιπὴν ἅπασαν τάξιν ἐπί τι φέροι λαμπρότερον.' ταύτην τὴν τιμὴν ἀντὶ πολλῶν χρημάτων ἐκ τοῦ δικαστηρίου λαβών, ἡγουμένων τῶν πάντα μοι γλυκυτάτων ἑταίρων ἐπὶ τὴν αὐλὴν ἀνεχώρησα, στρατευσάμενος τοὺς πάντας τεσσαράκοντα ἐνιαυτοὺς πρὸς μησὶ τέσσαρσι· καὶ τυχὼν τοῦ εἰωθότος παρὰ τῆς βασιλείας ἀξιώματος τοῖς πληροῦσιν ἐπιδίδοσθαι αὖθις ἐπὶ τὰ βιβλία παρῆλθον.

Περὶ τῶν σκρινιαρίων τῶν διοικήσεων, στρατιωτικοῦ τε καὶ σιτωνικοῦ καὶ καγκελλαρίων.

31. *Εἰ* πᾶσάν τις ἐπέλθοι κατὰ πόδα [τὴν Ῥωμαϊκὴν ἱστ]ορίαν, οὔποτε εὑρήσει πρὸ τῆς *Κωνσταντίνου* βασιλείας τὸ σκρινιαρίων ὄνομα. σκρινίον μὲν γὰρ καὶ σκρῖβαν καὶ τὰ τούτων δὴ παραγωγὰ εὑρήσει, τὸ δὲ σκρινιαρίων ἐπώνυμον οὐδαμοῦ. ὥστε οὐκ οἶδε μὲν αὐτοὺς ἀνέκαθεν τὸ πολίτευμα, οὐδ' εἰσὶ μέρος οὐ τῆς τοῦ ἱππάρχου οὐδὲ μὴν τῆς τῶν ἐπάρχων τάξεως. ἰδιωτεύοντες δὲ παρῆλθον κατὰ τὸ ἀναγκαῖον ἐπὶ τὰ πράγματα· καὶ ὅπως, ἐρῶ. *Κωνσταντῖνος* πρῶτος, ὡς ἔμπροσθεν εἴρηται, *Σκυθίαν* τε καὶ *Μυσίαν* καὶ τοὺς ἐξ ἐκείνων φόρους ἄκων ἐξημίωσε τὴν Ῥωμαϊκὴν πολιτείαν, τὰς φρουρούσας δυνάμεις τὴν ὄχθην τοῦ πρὸς

v. 23 vide supra II 10

v. 2 φιλογος, quod correxit, *O* | βασισιλευς *O*, corr. O_2 7 ἑτέρων *O*, corr. *F* 14—p. 142, 21 exceptis nonnullis mendis in p. 135 sq. obviis non correxit O_2 16 σκρινιαριον O, corr. *F* p. 296

βορέαν Ἴστρου ἐπὶ τὴν κάτω Ἀσίαν δέει τυραννίδος διασκεδασάμενος. ἐμοὶ δὲ δοκεῖ βραχὺ παρατραπέντι τοῦ σκοποῦ περὶ τῆς προσηγορίας τοῦ ποταμοῦ διὰ βραχέων εἰπεῖν· νῦν μὲν γὰρ Ἴστρον, [νῦν] δὲ Δανούβιον τὸν αὐτὸν εὑρίσκομεν ὀνομαζόμενον· ὥστε δεήσει διδασκαλίας.

32. Ἐκ τῶν Ῥητικῶν ὀρῶν, ἃ τῆς Κελτικῆς ὀρεινῆς εἶναί φησιν ὁ Καῖσαρ ἐν βιβλίῳ τῷ πρώτῳ τῆς κατ' αὐτὸν Γαλλικῆς ἐφημερίδος, ἐκ μιᾶς πηγῆς ὅ τε Ῥῆνος ὅ τε Ἴστρος, οὐδέτερος δὲ αὐτῶν μὴ τὴν ἐπωνυμίαν ἀμείψας, ἐπὶ τὴν θάλασσαν ἐξωθεῖται. ὁ μὲν γὰρ Ῥῆνος πᾶσαν τὴν Γαλατικὴν μεσόγειον τριχῇ διῃρημένην, εἰς Κελτικήν, Γερμανικὴν καὶ Γαλατικὴν διατρέχων, οὐκ ἄρδει μόνον αὐτὴν μετὰ Ῥοδανόν, ἀλλὰ καὶ φρουρεῖ, φυλάττων ἀνέφοδον. πρὸς δὲ τὸ πέρας σχεδὸν τῆς ῥύσεως εἰς Μόσον τὸν ποταμόν, γείτονα τοῦ βορείου πρὸς δύσιν ὠκεανοῦ, ὀλισθαίνων ἀποβάλλει μὲν τὴν οὖσαν αὐτῷ κατ' ἀρχὰς ἐπωνυμίαν, μετ' ἐκείνου δὲ τοῖς τῆς Βρεττανικῆς θαλάττης ἐπισύρεται κόλποις. ὁ δὲ Ἴστρος ἐάσας τὸν ἀδελφὸν Ῥῆνον πρὸς δύνοντα ἥλιον ἀναχωροῦντα αὐτὸς ἐπὶ τὴν [ἑῴα]ν μερίζεται. καὶ ἄχρι μὲν Παννονίας, ἣν Ἕλληνες Παιονίαν δι' εὐφωνίαν καὶ φυγὴν βαρβαρισμοῦ καινοτομοῦντες ἐκάλεσαν, καὶ Σιρμίου, τῆς πάλαι μὲν Ῥωμαίων εὐδαίμονος πόλεως, νῦν δὲ Γηπαιδῶν, τὴν ἰδίαν

v. 8 cf. Caes. de bello Gall. I in.

v. 7 ῥητορικῶν *O*, corr. *F* 12 διειρημένην *O*, corr. *F* 14 τοῦ Ῥοδανοῦ coni. Th. Preger 17 ὠκιανου *O*, corr. *F* | ολισθευων *O*, corr. *B* 19 τουτης, quod in τοις της correxit, *O* 22 παιωνίαν *O*, corr. *B* 23 κενοτομοῦντες *O*, corr. *F* 24 σειρμιου *O*, corr. *B* 25 γιπαιδων *O*, corr. *B*

διασώζει προσηγορίαν· περὶ δὲ τὴν Θρᾳκίαν εἱλούμενος ἀποβάλλει μὲν παρὰ τοῖς ἐπιχωρίοις τὸ ἔμπροσθεν ὄνομα, Δανούβιος μετακληθείς· οὕτω δὲ αὐτὸν οἱ Θρᾷκες ἐκάλεσαν, διότι ἐπὶ ⟨τὰ⟩ πρὸς ἄρκτον ὄρη καὶ θρασκίαν ἄνεμον συννεφὴς ὁ ἀὴρ ἐκ τῆς ὑποκειμένης τῶν ὑγρῶν ἀμετρίας σχεδὸν διὰ παντὸς ἀποτελούμενος αἴτιος αὐτοῖς συνεχοῦς ἐπομβρίας ἀποτελεῖσθαι νομίζεται, Δανούβιον δὲ τὸν νεφελοφόρον ἐκεῖνοι καλοῦσι πατρίως. καὶ ταῦτα μὲν περὶ τῶν ποταμῶν ὡς ἐν παρεκβάσει κατὰ Σαμω[[νι]]κὸν τὸν Ῥωμαῖον ἱστορικόν, ὃς πρὸς Διοκλητιανὸν καὶ Γαλέριον τὸν γέροντα περὶ ποικίλων ζητημάτων διελέχθη.

33. Κωνσταντῖνος οὖν Σκυθίαν τε καὶ Μυσίαν καὶ τοὺς ἐξ αὐτῶν φ[ό]ρους, ὡς ἔφην, ἀπώλεσε. Συρίαν δὲ ὅλην καὶ Παλαιστίνην — μία δέ ἐστι χώρα καὶ διὰ μόνον ἀριθμὸν εἰς πλῆθος ἀνάγεται — ἐπαρχίας ἀναδείξας, ἐδεήθη ὕπαρχον μετὰ τὸν Λιβύης καὶ Γαλατίας Ἰλλυρίδος τε καὶ Ἰταλίας, καὶ τῆς ἑῴας προχειρίσασθαι, σκεπτόμενος, ὡς αὐτὸς ὁ βασιλεὺς ἐν τοῖς ἑαυτοῦ λέγει συγγράμμασι, Πέρσαις ἀδοκήτως ἐπελθεῖν. ἠπίστατο γὰρ Κωνσταντῖνος, πολὺς ὢν ἔν τε παιδεύσει

v. 14 vide supra III 31   20 Hist. Rom. fragm. coll. H. Peter p. 365

v. 3 *μεταβάλλει O*, *μεταβάλλει ⟨δὲ⟩* coni. *F*, *μετακληθείς* correxi e codice Paris. suppl. gr. 607 A (ed. Max. Treu, Progr. Gymn. Ohlau 1880), qui f. 64ᵛ verba *οὗτος ὁ Ἴστρος* (p. 120, 20) —*καλοῦσι πατρίως* (v. 8. 9) exhibet; vide quid de hoc codice dixerim in prolegomenis libro de mensibus Lydiano praemissis p. XVII sequ.   4 *ἐπὶ O*, *εἰς* Par., *ἐπεὶ πρὸς* coni. *F*, *περὶ B* | *τὰ* add. *B*, legitur in Par. | *ἄρκτον O* et Par., *ἀρκτῷα* coni. *F*   5 *θρασκαιαν O*, corr. *F* | *συνεφὴς O*, corr. *F*   10 *σαμω . . |κον O*, suppl. *F* | *ρωμαιων O*, corr. *F*   11 *ὡς O*, *ὃς* corr. *F*   14 *φ . . |ρους O*, *φρούρους* legit et emendavit *F*   15 *παλεστίνην O*, corr. *F*   18 *προχωρίσασθαι* O, corr. F

λόγων καὶ συνασκήσει ὅπλων — οὐδὲ γάρ, εἰ μὴ καθ' ἑκατέραν παίδευσιν ἔτυχέ τις διαπρέπων, βασιλεὺς Ῥωμαίων προεχειρίζετο —, μὴ εἶναι ῥᾴδιον ἄλλως καταπολεμηθῆναι Πέρσας, μὴ ἐξαπίνης αὐτοῖς ἐπιχεομένης ἐφόδου. καὶ συγγραφὴν περὶ τούτου μονήρη Κέλσος ὁ Ῥωμαῖος τακτικὸς ἀπ[ο]λέλοιπε σαφῶς ἀναδιδάσκων, ὡς οὐκ ἄλλως Πέρσαι Ῥωμαίοις παραστήσονται, ⟨εἰ⟩ μὴ αἰφνιδίως εἰς τὴν ἐκείνων χώραν Ῥωμαῖοι γνόφου δίκην ἐνσκήψουσιν, αἰτίαν οὐκ ἔξω λόγου παρασχόμενος· ἡ δὲ τοιαύτη ἐστίν.

34. Περσῶν ὁ δῆμος ὅλος καὶ σύμπαν ἁπλῶς τὸ ἔθνος εἴωθεν ἐπὶ πόλεμον ὁρμᾶν, ὡς καὶ Ῥωμαῖοι πρὸ τῆς Μαρίου τῶν λεγομένων λεγιώνων διατάξεως. διχοτομοῦντες οὖν ἄνθρωπον αὐτοὶ διὰ μέσου τῶν δύο τοῦ σώματος τομῶν διαβιβάζουσι τὸν στρατόν. δῆλον γάρ, ὡς οὐχ ὡρισμένα οὐδὲ εὐτρεπῆ στρατεύματα τρέφουσιν οἱ Πέρσαι, ὡς ἑτοίμους εἶναι πρὸς τὰς μάχας, ὥσπερ οἱ Ῥωμαῖοι. χρόνου δεῖ τοίνυν αὐτοῖς εἰς παρασκευὴν στρατοῦ καὶ δαπάνης ἀποχρώσης τῷ πολέμῳ· ὥστε ἁρμόδιόν φησιν ὁ Κέλσος ἀδοκήτως αὐτοῖς ἐπελθεῖν καὶ μάλιστα διὰ τῆς Κολχίδος τὰ προοίμια τῆς ἐφόδου λαμβανούσης· Λαζικὴν αὐτὴν ἐξ ἡγεμόνος ἐπιφημίζουσιν οἱ καθ' ἡμᾶς. ἡ γὰρ δυσχωρία Πέρσαις ἱππηλατοῦσι δυσέμβατος· ὅθεν ἀφόρητος αὐτοῖς ὁ Κορβουλὼν ἐπὶ τοῦ Νέρωνος ἐφάνη· τὰς γὰρ ἐκδρομὰς αὐτῶν, τὰς ἐν ταῖς ἐρημίαις τῆς Περσίδος διὰ τῆς Ὑρκανῆς, ἀποκλείσας, τὴν ἐκ τῆς φυγῆς νίκην ἀφεῖλεν·

v. 1 καθετέραν *O*, corr. *F* 7 αλλος *O*, corr. *F* | εἰ add. *F* ep. p. 87 et *B* 20 αδοκητος *O*, corr. *F* 21 κάλχιδος *O*, corr. *F* 24 κουρβολων *O*, quod correxi 27 αποκλίσας *O*, corr. *F*

ὡς ἐν στενωπῷ, ὅσον ἧκεν εἰς ⟨τὰς⟩ Περσικὰς πολυπληθείας, ζωγρηθέντας εἰς μόνην τὴν πρὸς τῷ Μυγδονίῳ Ἀντιόχειαν — Νίσιβιν αὐτὴν ἑλόντες μετεκάλεσαν οἱ Πέρσαι — καταφυγεῖν, ἣν καὶ αὐτὴν ἀπέλιπον, τὸ τηνικαῦτα δίκην πρηστήρων τῶν Ῥωμαίων αὐτοῖς ἐπικειμένων.

35. Ταύτης οὖν τῆς ἐννοίας ὁ Κωνσταντῖνος γενόμενος καὶ ὕπαρχον ἐπὶ τῆς ἕω χειροτονήσας διαψηφιστὰς αὐτῷ κατεστήσατο τῶν φόρων ἄνδρας αἰδεσίμους καὶ περὶ λεπτότητα λογισμῶν παρασκευασαμένους. ἰδιωτικῷ τοίνυν σχήματι στελλόμενοι παρῆσαν ἐν τῷ δικαστηρίῳ, μηδὲν ἕτερον παρὰ τοὺς λογισμοὺς ἀνὰ χεῖρας ἔχοντες, σκρινιάριοι χρηματίζοντες — ἀντὶ τοῦ χαρτοφύλακες, ὅτι σκρινίον τὴν δρυφακτικὴν λάρνακα Ῥωμαῖοι καλοῦσι —, καὶ διέμεινεν ἡ προσηγορία παρ' αὐτοῖς μόνη. οὐ μὴν ἐν στρατείᾳ ἐτέλεσαν οὐδὲ τὴν ἰδιωτῶν τύχην ἐξῆλθον, ὡς αἱ παλαιαὶ διδάσκουσι μάτρικες. ἐπὶ δὲ Θεοδοσίου τοῦ πρώτου, ὡς εἶδον ἑαυτοὺς μὲν ἠμελημένους, τοὺς δὲ τῆς τάξεως διοικοῦντας τότε τὰ πράγματα, ἑαυτοὺς διαγράψαντες καὶ χρυσίον εἰς φίλτρα διαθροίσαντες ἐδεήθησαν τῆς βασιλείας συναριθμηθῆναι τῇ τάξει· καὶ τυχόντες καὶ τὰς λεγομένας προβατωρίας πορισάμενοι εἰς μὲν ἀδιούτορας — οἱονεὶ βοηθούς — ἀνηνέχθησαν ἴσα τοῖς ἄλλοις· τὸ δὲ Αὐγουσταλίων ὄνομα πριάμενοι τιμίως ἄχρι Λέοντος ὡσεὶ μηδὲ στρατευόμενοι, ὅσον πρὸς τοὺς ἀπὸ τῆς τάξεως, ἐνομίσθησαν. οὐδὲ γὰρ οἶδεν αὐτοὺς ἡ Ῥω-

v. 1 ἧκε τῆς Περσικῆς coni. *F* ep. p. 37 | τὰς addidi 2 μυγδωνιαντιστοιχιαν *O*, corr. *F* 3 νισηβιν *O*, corr. *F* 4 καταφυγὴν *O*, corr. *F* 8 διαψηφισας *O*, corr. *F* 14 δρυφακτην *O*, corr. *F* ep. p. 37 20 τατε *O*, τότε corr. *F* 21 φιλτρας O, quod correxi | διαθρύσαντες *O*, corr. *F* 23 πραιβατορίας O, corr. F

μαίων παλαιότης· ὅθεν τῆς ἀρχῆς ἔτι καὶ νῦν ἐπὶ τοῦ βήματος προϊούσης ἐξόπισθεν ὑποχωροῦντες παρέπονται, μόνης τῆς τάξεως, στιχηδὸν διευθυν⟨θείσης, παραπεμπ⟩ούσης τὸν ὕπαρχον. εἰκόνα οὖν τῷ βασιλεῖ ἀργυρήλατον ὅλην ἐπὶ κίονος ἀναστήσαντες τὸ πάλαι καλούμενον Πλακωτὸν πρὸς τῷ ὡρολογίῳ τῆς πόλεως διεκόσμησαν, ὡς ἐν τοῖς ἀρχείοις τοῦ δημοσίου [ἰνστ]ρουμέντου ηὗρον ἱστορημένον. καὶ μὲν ἡ στήλη καθ' ἡμᾶς ἐπὶ τὰ χρειωδέστερα ἔργα τῆς πόλεως προεχώρησεν· ὁ δὲ κίων πρὸ τῆς ἐν τῷ λεγομένῳ Ἑβδόμῳ ἀγορᾶς ἀναστὰς τῇ τοῦ κρατίστου ἡμῶν βασιλέως εἰκόνι σεμνύνεται.

36. Ηὐξήθη δὲ λοιπὸν τὰ τῶν σκρινιαρίων ἀπὸ τῆς Ζήνωνος βασιλείας τοσοῦτον, ὅσον τὰ τῆς τάξεως ἔληξε· πολλῶν μὲν γὰρ ἄλλων καὶ Πολυκάρπου δὲ ἀπ' αὐτῶν εἰς τὴν ἀρχὴν ἁρπασθέντος ὑπὸ τῷ Ἀναστασίῳ, εἶτα καὶ Μαρίνου τὴν ὅλην ἀναζωσαμένου τῶν πραγμάτων διοίκησιν, ὃς καὶ αὐτὸς εἷς τῶν τῆς Συρίας σκρινιαρίων ἐτύγχανε, καὶ τὸ λοιπὸν οὐχ ἑτέρου ἢ αὐτῶν σχεδὸν καὶ μόνων τὴν ἀρχὴν ἐκδεχομένων, διὰ τὴν τῶν φόρων ἐλάττωσιν εἰς παντελῆ] ἀπώλειαν ⟦τὰ τῆς τάξεως κατ⟧[έστη]. καγκελλάριοι γὰρ αὐ[τοὶ καὶ] λογο[θέται] ⟦καὶ τῆς θείας⟧ καὶ γενικῆς τραπέζης διοικη[ταί, τῆς ἀρχαίας συ]νηθείας ἐχούσης, μηδένα εἰς τὸ τοῦ λεγο[μένου κα]γκελλαρίου λειτούργημα ἢ μόνους τοὺς εὐδοκιμοῦντας ἐκ τῶν Αὐγουσταλίων καὶ ταχυγράφων παριέ[ναι], ἐπεὶ καὶ δύο μόνους καγκελλαρίους

v. 3 διευθουννούσης *O*, quod emendare studui; διιθυνούσης coni. *F* 7 ἀρχαῖς *O*, ἀρχαίοις coni. *F*, ἀρχείοις scripsi 16 ὑπὸ τῶν *O*, corr. *F* 18 ὡς *O*, ὃς corr. *F* 19 ει αυτων *O*, ἢ αὐτῶν corr. *F* 20 μόνον *O*, corr. *F* 21—28 suppl. *F* 24 εις τὴν *O*, εἰς τὸ corr. *F*

τὸ δικαστήριον [ἐγνώριζεν], οἷς καὶ χρύσινος εἷς καθ' ἡμέραν ἀπὸ τοῦ [δημο]σίου ἀφώριστο. ἡ δὲ αἰτία τῆς προσηγορίας ὧδε.

37. *[Τὸ π]ρὶν καθομαλοῦ ἐν τοῖς δικαστηρίοις — ὥσπερ ἔτι καὶ νῦν [ἐν] τοῖς ἐπιχωρίοις ἐστίν — ἔρυμα, καὶ ὡς ἄν τις [εἴποι, διάφρ]αγμα ξυλουργές, ἀπὸ σχιδάκων μακρῶν ἀν[τιπλαγιαζομένων] ἐφ' αὐτοὺς καὶ διόπτρας [ὀξυτελεῖ]ς, καθά[περ] δικτύου τινός, ἀποτελούντων, ἐπὶ [μέσου διέτεινε τοῦ] δικαστηρίου, χωρίζον τὸν [ἄρχον]τα τῶν ὑποδ[[ίκων]]· κάγκελλον [αὐτὸ] οἱ Ῥωμαῖοι καλοῦσιν ὑποκοριστ[ικῶς] ἀντὶ το[ῦ δικτύδιον], ὅτι πρωτοτύπως κάσσης [αὐτοὶ] τὰ δίκτυα λέγουσιν, ὑποκοριστ[ικῶς δὲ] καγκέλλους. ἐπὶ τού[του] ⟨τοῦ⟩ διατμήματος ἵσταντο δύο ἀφ' ἑκατέρας πλευρᾶς καγκελλάριοι, ἐκ τοῦ πράγματος ἐπιφημιζόμενοι· δι' ὧν, ἐπεὶ μηδεὶς ἐθάρρει, ἀλλ' οὐδὲ συνεχωρεῖτο προσψαῦσαι τῷ βήματι, οἵ τε πρὸς ὑπογραφὴν χάρται τῇ ἀρχῇ προσεφέροντο ἥ τε τῶν ἀναγκαίων ἐγίγνετο μήνυσις. ἀλλ' ἤδη πρότερον εἰς πλῆθο[ς τοῦ ἀξιώ]ματος ὑβρισθέντος, τὸ μὲν δη[μόσιον ἀνήρτησε] τὴν ἐπίδοσιν, πάντες δὲ σχεδὸν οἱ ὁπωσοῦν δικα[[στηρίοις]] περικείμενοι καγκελλάριοι καθ' ἡμᾶς χ[ρηματίζ]ουσι, καὶ οὐκ αὐτοὶ μόνον, ἀλλὰ καὶ οἱ ἐν ταῖς ἐπαρχίαις χαλκολογοῦντες τὸ καγκελλαρίων περιάπτουσιν ἑαυτοῖς ἀξίωμα, ὅπως αὐτοῖς τὰ τῶν ἐπαρ[[χιῶν]] ἀδεῶς προσάγοιτο·*

38. *Τοιαῦτα μὲν τὰ περὶ τῆς συγχύσεως καὶ τοῦδε*

v. 6 *διαφραγμον O*, corr. *F* 10 *υποδ .... O*, quod explevi; *ὑπ' [[αὐτὸν]] F* 11 *δικτυδιον O*, corr. *F* ep. p. 296 et *B* 13 *τουτον O*, *τοῦδε* coni. *F* 14 *τοῦ* add. *F* 16 *μηδεθαρρει O*, corr. *F* 21 *δικα .... O*, quod explevi 25 *ἐπαρ .... O*, quod supplevi; *εὐηφενῶν* F 26 post *σχήματος (p. 126, 1)* paragraphos distinguit F

τοῦ σχήματος· τοῖς δὲ σκρινιαρίοις προστέθεινται καὶ οἱ τοῦ στρατιωτικοῦ, οἱονεὶ ἀννωνιακοῦ προεστηκότες φροντίσματος· οὐχ ὅ[τι καὶ αὐτοὶ μέρος ἐτύγ]χανον τῆς παλαιᾶς ὄψεως τοῦ δικαστηρίου, ἀλλ' ὅτι τῶν στρατηγικῶν παρωθηθέντων σκρινιαρίων, καὶ τούτων συνέβη ἀποτελεσθῆναι τὸν κατάλογον. τῇ δὲ βασιλέως ἀρετῇ τὸ πρὸς ἄλλων ἐπηρείας ἐξηυρῆσθαι νομισθὲν εἰς λυσιτελοῦν καλῶς διοικούμενον ἀπεδείχθη. τοῦ γε μὴν σιτωνικοῦ ἀνέκαθεν ὑπὸ τὴν πολιαρχίαν τελοῦντος, δυνάμει δὲ καὶ αὐθεντίᾳ τοῦ βδελυροῦ Καππαδόκου — περὶ οὗ μικρὸν ὕστερον ἐρῶ — ἀφαιρεθέντος — προσδεῖν γὰρ ᾤετο τοῖς κατὰ τῶν ἐπαρχιῶν ἀδικ[ήμασιν] αὐτοῦ καὶ αὐτὴν τὴν βασιλέως πόλιν ὑπαγαγεῖν — μόνος Γαβριήλιος πολιαρχῶν ἀποκατέστησεν ἐκεῖνο τῷ δικαστηρίῳ· πέφυκε γὰρ ὁ βασιλεύς, καλὸς ὢν καὶ ἐλεύθερος, ἐρυθριᾶν τοὺς γένει καὶ βίῳ καὶ φιλοτιμίᾳ ζηλοῦντας [αὐτὸν] κατὰ δύναμιν. αὐτοῦ δὲ Γαβριηλίου [τὴν ἀρχὴν ἀπο]⟦δυσα⟧μένου αὖθις πρὸς τὸ μεῖζον ἡ φροντὶς τῆς εὐθηνίας δικαστήριον ἐπανῆλθεν· ὡς δῆλον ἀντικρὺ πᾶσιν ἀποδει[χθῆ]ναι, ὅτι Γαβριηλίῳ κατ' ἀξίαν χαίρων ὁ βασιλεὺς ἐνδέδωκεν. ἔδει γὰρ αὐτόν, ἄνδρα ἀγαθὸν ὄντα καὶ ταῖς ἀρεταῖς ἀσύγκριτον, τὸ πλέον εὑρεῖν παρὰ βασιλεῖ τιμῶντι δικαιοσύνην τε καὶ θεοφιλίαν καὶ γένους λαμπρότητα.

39. Ὑπόλοιπον ἄρα τυγχάνει τὰς αἰτίας τῆς ἐλαττώσεως καὶ τῆς τοσαύτης τῶν πραγμάτων παραλλαγῆς ἀποδοῦναι. κἂν εἰ τυχὸν αὐτὴν τὴν ἀρχὴν ἑαυτῆς καὶ

v. 11 vide infra III 57

v. 2 τοῦ O, σίτου coni. F 9 σιτονικου O, corr. F | τελούντων O, corr. F 14 εκεινω O, corr. B 18 ἀπο⟦δεξα⟧μένου suppl. F, ἀπο⟦δυσα⟧μένου Gu. Kroll

μείζονα καὶ κλεινοτέραν τῇ βασιλέως ἀγρυπνίᾳ ἔτι καὶ νῦν ἔστι συνιδεῖν — οὐδὲ γὰρ μέλος ἐστὶ τῆς ὅλης πολιτείας, ὃ μὴ καθόλου εἰς ὕψος τε ἅμα καὶ δύναμιν ἰσχυρὰν ὁ βασιλεὺς μετὰ κάλλους ἀνέστησε, περινοστῶν ἅμα καὶ περιθεώμενος, μήτε τῶν ἀνέκαθεν ὑπαρξάντων αὐτῇ γνωρισμάτων, ὃ μὴ μετὰ προσθήκης τῶν ἀρετῶν ὑπολάβοι —, ἀλλ' ⟦οὖν⟧ ὁ χρόνος λυμαντικὸς ὢν κατὰ φύσιν τὰ πολλὰ τῶν τῆς πειθομένης τῇ ἀρχῇ τάξεως, χρειώδη ἅμα καὶ κόσμια, ἢ παντελῶς ἔσβεσεν ἢ τοσοῦτον ἐνήμειψεν, ὡς ἴχνος ἀμυδρὸν τῶν ποτε θαυμαζομένων τὸ λοιπὸν διασώζειν, τῆς μὲν ἀρχῆς ἐν τῇ σφετέρᾳ δυνάμει συνισταμένης, τῆς δὲ τάξεως, νῦν μὲν ἐκ τῶν ἐκείνης παραλλαγῶν, νῦν δὲ ἐκ τῶν οἰκείων ῥαθυμιῶν — εἰ μὴ θεὸς καὶ βασιλεὺς οὗτος ὁ πάντα καλὸς ἐπεκούρει — ἐγγὺς εἰς παντελῆ κατάλυσιν ὀλισθαινούσης. εἰ δέ που τυχὸν τῷ περὶ τὴν κοινὴν ἐλευθερίαν ζήλῳ τινὸς τῶν μὴ κατὰ σκοπὸν τῆς βασιλέως καλοκἀγαθίας τὰς ἀρχὰς διανυσάντων δριμύτερον ἠρέμα προϊὼν ὁ λόγος καθάψεται, μὴ ταῖς ἀρχαῖς αὐταῖς, ἀλλὰ τοῖς οὐ προσηκόντως ἀποχρησαμένοις αὐταῖς τὴν ἀγανάκτησιν οἱ σωφρόνως εἰς τὰ πράγματα βλέποντες ἀναγέτωσαν. οὐδὲ γὰρ τοὺς κακοὺς ἐλέγχειν μόνον ὁ λόγος ἐτόλμησεν, ἀλλὰ καὶ τοὺς ἀγαθούς, εἰ καὶ μὴ κατ' ἀξίαν, ἐκόσμησεν. οὕτω γὰρ ὑβρίζειν μὲν τὴν ἐλευθερίαν καὶ σπαράττειν τοὺς ὑπηκόους οἱ τὸν ὅρον τῆς ἀρχῆς ἀγνοοῦντες ἐντραπήσονται, οἵ τε ζηλοῦντες τὴν βασιλέως πρᾳότητα καὶ πρὸς τὰς ἄλλας

v. 7 αλλ . . . ὁ *O*, ⟦ὅτι⟧ suppl. *F*, ⟦οὖν⟧ *B*   15 καλῶς *O*, corr. *F* | ὀλισθενούσης *O*, corr. *F*   16 το *O*, τῷ corr. F   18 ταραρχας, quod in τας αρχας correxit, O   19 καθαψεται ταις, postea addito μή, *O*   23 μόνους O, corr. F

ἀρετὰς αὐτοῦ ὀξεῖ τῷ δρόμῳ σπουδάσουσι. καιρὸς δὲ ἄρα τὴν ἀφήγησιν διελθεῖν καὶ τὰς αἰτίας εἰπεῖν, ὧν ἕνεκα τὰ τῆς τάξεως ἐπὶ τοσαύτην ἐναλλαγὴν κατηνέχθη.

40. Κωνσταντίνου, ὥσπερ ἔφην, μετὰ τῆς Τύχης τὴν Ῥώμην ἀπολιπόντος καὶ τῶν δυνάμεων, ὅσαι τὸν Ἴστρον ἐφρούρουν, ἐπὶ τὴν κάτω Ἀσίαν ψήφῳ τοῦ βασιλέως διασπαρεισῶν, Σκυθίαν μὲν καὶ Μυσίαν καὶ τοὺς ἐξ ἐκείνων φόρους ἐζημιώθη τὸ δημόσιον, τῶν ὑπὲρ Ἴστρον βαρβάρων μηδενὸς ἀνθισταμένου κατατρεχόντων τὴν Εὐρώπην· τῶν δὲ πρὸς τὴν ἕω δασμοῖς οὐ μετρίως βαρυνθέντων, ἀνάγκη γέγονε τὸν ὕπαρχον μηκέτι μὲν τῆς αὐλῆς καὶ τῶν ἐν ὅπλοις ἄρχειν δυνάμεων, τῆς μὲν τῷ λεγομένῳ μαγίστρῳ παραδοθείσης, τῶν δὲ τοῖς ἄρτι προελθοῦσι στρατηγοῖς ἐκτεθεισῶν, ἀλλ' οὖν ὕπαρχον τῆς ἀνατολῆς χρηματίζειν. διεσύρη δὲ οὐδὲν ἧττον θανατῶσα καθ' ἑκάστην ἡ τῆς ἀρχῆς δυναστεία ἄχρι τῆς Ἀρκαδίου, τοῦ πατρὸς Θεοδοσίου τοῦ Νέου, βασιλείας· ἐφ' οὗ συμβέβηκε Ῥουφῖνον τὸν ἐπίκλην ἀκόρεστον, ὃς ἦν ὕπαρχος αὐτῷ, τυραννίδα μελετήσαντα τοῦ μὲν σκοποῦ ὑπὲρ λυσιτελείας τῶν κοινῶν ἐκπεσεῖν, εἰς βάραθρον δ' ἀχανὲς τὴν ἀρχὴν καταρρῖψαι. αὐτίκα μὲν γὰρ ὁ βασιλεὺς τῆς ἐκ τῶν ὅπλων ἰσχύος ἀφαιρεῖται τὴν ἀρχήν, εἶτα τῆς τῶν λεγομένων φαβρικῶν οἱονεὶ ὁπλοποιῒῶν ἐξουσίας, τῆς

v. 5 vide supra II 10 III 31. 33

v. 1 αὔτους *O*, αὐτοῦ corr. *F* | σπουδάσωσι *O*, mutavit *F* 6 ἀπολειποντος *O*, corr. *F* 11 δασμως, quod in δασμῶ mutavit *O*; e II 10 corr. *F* 12 μετρίοις legitur II 10 in *O* | βαρηθέντων *O*, e II 10 corr. *F* 13 δυναμένων *O*, e II 10 corr. *F* 15 προσελθοῦσι *O*, corr. *F* | στρατηγικοῖς *O*, e II 10 corr. *F* 16 ἄλλων *O*, ἀλλ' οὖν corr. F

⟨τε⟩ τοῦ δημοσίου δρόμου φροντίδος καὶ τῆς ἑτέρας αὐθεντίας, δι' ὧν τὸ λεγόμενον συνέστη μαγιστέριον. ὡς δὲ δύσεργον ἦν, ἀποτρέφειν μὲν τὸν ὕπαρχον ἀνὰ τὰς ἐπαρχίας τοὺς δημοσίους ἵππους καὶ τοὺς αὐτοῖς ἐφεστῶτας, ἑτέρους δὲ κεκτῆσθαι τὴν ἐπ' αὐτοῖς ἐξουσίαν καὶ διοίκησιν, νόμος ἐτέθη θεσπίζων, ἀντέχεσθαι μὲν τὸν ὕπαρχον τῆς τοῦ δημοσίου δρόμου φροντίδος, τὸν πρῶτον μέντοι τῶν φρουμενταρίων — πρίγκιπα αὐτὸν σήμερον τοῦ μαγιστερίου καλεῖσθαι συμβαίνει — παρεῖναι διὰ παντὸς τῷ δικαστηρίῳ τοῦ τῶν πραιτωρίων ὑπάρχου καὶ πολυπραγμονεῖν καὶ τὰς αἰτίας ἐξερευνᾶν, ὧν ἕνεκα πολλοὶ ποριζόμενοι παρὰ τῆς ἀρχῆς τὰ λεγόμενα συνθήματα τῷ δημοσίῳ κέχρηνται δρόμῳ — ταύτῃ καὶ κουριῶσος ὠνομάσθη ἀντὶ τοῦ περίεργος· καὶ οὐκ αὐτὸς μόνος, ἀλλὰ καὶ πάντες, ὅσοι κὰν ταῖς ἐπαρχίαις τοῖς δημοσίοις ἐφεστήκασιν ἵπποις — προϋπογράφοντος τοῖς ἐπὶ τῷ δρόμῳ συνθήμασι καὶ τοῦ λεγομένου μαγίστρου. ὅτι δὲ οὕτως, αὐτῆς δυνατὸν ἀκοῦσαι τῆς διατάξεως, ἐν μὲν τῷ παλαιῷ Θεοδοσιανῷ κειμένης, ἐν δὲ τῷ νεαρῷ παροφθείσης.

41. Οὕτως οὖν ὥσπερ δι' ὑποβάθρων τινῶν καταφερομένης τῆς ἀρχῆς, τοὺς μὲν στρατιωτικοὺς καταλόγους ἔταξεν ἡ βασιλεία ὑπὸ τοῖς τότε καλουμένοις κόμισιν καὶ στρατηγοῖς, τὰς δὲ ἐν τῷ παλατίῳ τάξεις ὑπὸ τῷ πρωτεύοντι τῶν δυνάμεων τῆς αὐλῆς· ὃν καὶ

v. 20 cf. cod. Theod. VIII 5, 35

v. 1 *τε* e II 10 addidi 2 *μαγιστήριον O*, quod mutavi ad II 10 al. 3 *ωστε O*, *ὡς δὲ* e II 10 corr. *F* | *ἀποστρεφειν O*, corr. *F* 8 *μὲν τῶν O*, *μέντοι τῶν* corr. F, *τῶν* delet F ep. p. 38 9 *μαγίστρου O*, quod correxi 10 *πραιτωρίω* O, corr. *F* 21 *ὑποβαράθρων O*, e II 11 corr. F

αὐτὸν ἄρχοντα, οὐ μικρὸν καθάπερ τοὺς λεγομένους στρατηλάτας, αἱ τῆς ἐπαρχότητος ἐλαττώσεις ἀπετέλεσαν. τὰ γὰρ πολυτελῆ τῶν οἰκοδομημάτων καταλυόμενα πολλοῖς ἐπαρκεῖ πρὸς οἰκοδομήν. καὶ ἕως μὲν τοὺς βασιλέας ἐπεξιέναι δι' ἑαυτῶν τοῖς πολέμοις συνέβαινεν, εἶχέ τινα ἡ ἀρχή, εἰ καὶ μὴ τοσαύτην, πλὴν ὑπὲρ πάσας τὰς ἄλλας ἰσχύν τε καὶ δύναμιν· ἐξότε ⟨δὲ⟩ συνέβη τελευταῖον Θεοδόσιον νέον κομιδῇ τῆς βασιλείας ἐπιλαβέσθαι καὶ κατὰ τὴν τοῦ πατρὸς νομοθεσίαν μὴ συγχωρεῖσθαι τοῖς πολέμοις παρεῖναι, καὶ τούτου νόμῳ γενικῷ κωλυθέντος ἀπολέγοντι βασιλεῖ Ῥωμαίων ὁρμᾶν ἐπὶ πόλεμον, εἰκότως τοῖς μὲν στρατηγοῖς τὰ τῶν πολέμων, τῷ δὲ μαγίστρῳ τὰ τοῦ παλατίου γέγονε χώρα· ὡς μηδὲν ἕτερον ἔχειν τὸ λοιπὸν τὴν ἐπαρχότητα ἢ μόνον τὴν ἐπὶ ταῖς δαπάναις φροντίδα, ἣν εἰκός ἐστι γενέσθαι κατὰ τὸ ἀναγκαῖον περί τε τοὺς ἐξ αὐτῆς παραφυομένους ἄρχοντας καὶ περὶ ἐκείνους γε μήν, ὧν αὐτοὶ δῆθεν ἐτάχθησαν ἄρχειν.

42. Εἰ δέ τις καὶ τοὺς ἐκ τῶν προρρήσεων στοχασμούς, οὕς τινες καλοῦσι χρησμούς, ἐν ἀριθμῷ λόγων παραλαβεῖν ὑπομένοι, πέρας ἔλαβε τὰ Φοντηΐῳ τῷ Ῥωμαίῳ ῥηθέντα ποτέ· φησὶ γὰρ ἐκεῖνος καὶ στίχους τινὰς δοθέντας δῆθεν Ῥωμύλῳ ποτὲ πατρίοις ῥήμασιν ἀναφέρει τοὺς ἀναφανδὸν προλέγοντας, τότε Ῥωμαίους τὴν Τύχην ἀπολείψειν, ὅτε αὐτοὶ τῆς πατρίου φωνῆς

v. 5 διαυτων, quod correxit, *O* 8 δὲ e Π 11 add. *F* 10 πολεμίοις *O*, corr. *B* 14 γεγονα, quod correxit, *O* | μηδενι *O*, corr. *F* 16 ἣν *O*, ἃς coni. *F* | εικῶς *O*, e Π 11 corr. *F* 17 καιπερ, quod in καὶ περὶ correxit, *O* 20 οὓς *O*, ἃς coni. *F* 21 φωντηίω *O*, ego ut p. 1, 13 correxi 23 δεθεντας, quod correxit, *O* 25 ἀπέλειπεν *O*, e Π 12 corr. F

ἐπιλάθωνται· καὶ τὸν μὲν λεγόμενον χρησμὸν τοῖς περὶ μηνῶν γραφεῖσιν ἡμῖν ἐντεθείκαμεν. πέρας δὲ μᾶλλον ἔσχε τὰ τοιαῦτα μαντεύματα· Κύρου γάρ τινος Αἰγυπτίου, ἐπὶ ποιητικῇ ἔτι καὶ νῦν θαυμαζομένου, ἅμα τὴν πολίαρχον ⟨ἅμα⟩ τὴν τῶν πραιτωρίων ἐπαρχότητα διέποντος καὶ μηδὲν παρὰ τὴν ποίησιν ἐπισταμένου, εἶτα παραβῆναι θαρρήσαντος τὴν παλαιὰν συνήθειαν καὶ τὰς ψήφους Ἑλλάδι φωνῇ προενεγκόντος, σὺν τῇ Ῥωμαίων φωνῇ καὶ τὴν τύχην ⟨ἀπέβαλεν⟩ ἡ ἀρχή. νόμον γὰρ ἀντιγράφειν ὁ βασιλεὺς ἀνεπείσθη πάσης ἀφαιρούμενον ἐξουσίας τὴν ἐπαρχότητα· ἡ γὰρ ἄρτι καὶ κουφίσαι φόρους καὶ σιτήσεις καὶ φῶτα καὶ θέας καὶ ἀνανεώσεις ἔργων αὐθεντοῦσα ταῖς πόλεσιν ἐπιδοῦναι οὐκ ἤρκεσε τὸ λοιπὸν οὐδὲ ἐτόλμησε μικρᾶς γοῦν τινος παραψυχῆς ἐκ τῶν δημοσίων μεταδοῦναί τινι. ὁ δὲ καθ' ἡμᾶς Δημοσθένης, ὃς καὶ αὐτὸς ὕπαρχος ἦν, οὐδὲ μετὰ κέλευσιν ⟨τῶν⟩ τῆς βασιλείας γραμμάτων, χωρὶς εἰ μὴ πραγματικὸς ἡγήσατο νόμος, ἄδειαν ἔχειν [τὴν] ἐπαρχότητα ἐπιδοῦναι τοῖς ὑπηκόοις, κατεπράξατο, μὴ μόνον αὐτὸς εὖ ποιῆσαι τοὺς ὑποτελεῖς παραφυλαξάμενος, ἀλλὰ καὶ ἄλλοις τὸ λοιπὸν ἀποκλείσας. τῆς δὲ ἀρχῆς ἤδη καὶ αὐτὴν τὴν ἐπιπόλαιον ὄψιν ζημιωθείσης, ἠκολούθησε τοῖς τὰς δίκας λέγουσιν ἐκ-

1 de mens. p. 180, 10

1 ἐπιλάθονται *O*, e Π 12 corr. *F* 5 ἅμα et 9 ἀπέβαλεν e Π 12 add. *F* 10 αὐτιγαρφειν *O*, αὐτιγράφειν volebat *F*, qui αὐτίκα γράφειν coni. ep. p. 38; ἀντιγράφειν scripsi 12 ορους *O*, φόρους corr. *F* 13 ἀνανεωσις *O*, corr. *F* 14 λογιον *O*, λοιπὸν corr. *F* 17 τῶν addidi 18 ἡ μὴ *O*, εἰ μὴ corr. *F* | πραγματικῶς *O*, corr. *F* | ηργησατο *O*, εἰργήσατο coni. *F*, ἡγήσατο scripsi 20 μόνος *O*, corr. Gu. Kroll 21 παραφυλαξαμένους *O*, corr. *F* 22 ἐπὶ πόλεων O, corr. B \ ὄψιν *O*, ἔποψιν coni. *F* 23 ζημιωθεὶς εἰς O, corr. F

κλήτους εὐτελίσαι τὸ δικαστήριον ⟨τὸ⟩ παρὰ τὸ ⟨εἰωθὸς⟩ πάντῃ κεκωλυμένον. καὶ νόμῳ τοῦτο διωρίσθη· οὐ γὰρ ὑπέμεινεν ἡ βασιλέως πρᾳότης τοῖς δικαζομένοις τὴν ἀπὸ τῆς ἐφέσεως περικόπτειν ἐλπίδα, ἣν προθεωροῦντες οἱ δικάζοντες ἴσως ἀδεκάστως εἰς τὰ πράγματα εἰσβλέψουσι.

43. Τοσαῦτα περὶ τῆς ἀρχῆς ἐπιδακρύσας φημί. κωλύσει δὲ οὐδέν, ὥσπερ ἐν ὑποτυπώσει μνησθῆναι τῆς κατὰ μικρὸν ἐλαττώσεως· οὐ γὰρ ἄν τις ἐπιδείξει σαφῶς τὴν ἀφαίρεσιν, μὴ προαριθμησάμενος ταῦθ' ἃ παρόντα τὸ πρὶν ὕστερον ἀφῃρέθη. μετὰ γοῦν Θεοδόσιον καὶ Μαρκιανὸν τὸν μέτριον ἐλθὼν ὁ Λέων καὶ τὸν πλοῦτον εὑρών, ὃν Ἀττίλας ὁ τῆς οἰκουμένης πολέμιος λαμβάνειν ἤμελλεν — ἦν δὲ ὑπὲρ τὰς χιλίας ἑκατοντάδας τοῦ χρυσίου λιτρῶν —, ὀγκωθεὶς τῇ δυνάμει ἔγνω Βανδήλοις, ἔθνει Γερμανικῷ, ἀπὸ τῆς ἀρκτῴας ἐπὶ τὰς Ἱσπανίας διὰ τοῦ Πυρηναίου ⟨μεταβάντι καὶ ἐκεῖθεν⟩ ἐνσκήψαντι τῇ Λιβύῃ, πολεμεῖν. μυρίαις οὖν ναυσὶ μακραῖς, ἃς καλοῦσι λιβύρνας, ἐπιστήσας στρατόν, οἷον ὁ μακρὸς ⟨οὔπω⟩ ἀπεθαύμασε χρόνος, εἰς ἐσχάτην ἀπορίαν περιέστησε τὴν ἀρχήν, ἀποτείνων αὐτὴν καὶ βιαζόμενος εἰς δαπάνην τεσσαρά-

v. 1 *ἐκκλητοις* *O*, quod correxi | *τὸ* et *εἰωθὸς* addidi 2 *κεκωλυμένον* ⟨*ἐκκαλέσασθαι* (aut *ἐφιέναι*), *ἐξεῖναι*⟩ supplebat Ed. Huschke, Incerti auctoris magistratuum et sacerdotiorum populi Romani expositiones ineditae, diss. Vratisl. 1829 p. 121 | *ἀφωρίσθη* coni. *F* ep. p. 39 6 *τοσαῦτα — φημί* contra codicis auctoritatem cum eis quae praecedunt iungit *F* 9. 10 *ταυθαπερ οντα* *O*, *ταῦθ' ἅπερ ὄντα* scripsit *F*, *ταῦθ' ἃ παρόντα* aut *ταῦθ' ἃ ὑπάρχοντα* coni. *B* 13 *ημελλεν* *O*, *ἔμελλεν* scripsit *F* 14 *τοῦ* del. *B* 15 *γερμανικως* *O*, corr. *F*, qui in sequentibus lacunam statuit, quam explere temptavi 19 *μακρὸς ἀπεθαύμασε* *O*, ⟨*οὐκ*⟩ add. *F*, *οὔπω* inserui 21 *καὶ δαπάνην* *O*, *καὶ* delebat in editione et retinebat in epist. p. 39 *F*, *εἰς δαπάνην* coni. *B*

κοντα μυριάσιν ἀνδρῶν πρὸς μάχην διαπόντιον καὶ γῆς ἀλιμένοις ὅρμοις ὠχυρωμένης δυσχωρίαν καὶ βαρβάρων ὑπὲρ λόγον πλουτούντων δύναμιν ἀρκεῖν. ἀνάλωται γὰρ περὶ τὸν κακοδαίμονα πόλεμον ἐκεῖνον, Βασιλίσκου τῶν δεινῶν ἡγησαμένου, χρυσίου μὲν λιτρῶν μυριάδες ἓξ πρὸς πεντακισχιλίαις, ἀργύρου δὲ χιλιάδες λιτρῶν ἑπτακόσιαι, ἵππων δὲ καὶ ὅπλων καὶ ἀνδρῶν τοσοῦτον, ὅσον ἄν τις τῷ παντὶ χρόνῳ ἐκλιπεῖν καλῶς ἀφορίσηται.

44. *Καὶ μετὰ ταῦτα πάντα ναυάγιον τῆς ὅλης πολιτείας. οὐ γὰρ ἀρκέσαντος τοῦ δημοσίου χρήματος, καὶ ὅσον ἦν ἴδιον τῇ βασιλείᾳ, πάντα τὰ τῶν στρατειῶν πληρώματα ταῖς ἀστοχίαις ἐναπώλετο τοῦ πολέμου· καὶ ἵνα μὴ μακρηγορῶ, ἐξ ἐκείνου τοῦ συμπτώματος οὐκέτι τὸ ταμιεῖον ἐπήρκεσεν ἑαυτῷ, ἀλλὰ προσδαπανᾷ τοῖς πράγμασι πρὸ καιροῦ τὰ μήπω ἐν ἐλπίδι, ἤγουν τοῖς ὑποτελέσιν ὄντα, ὡς ἀπέραντον εἶναι τὴν ἀπορίαν τοῦ δημοσίου. ἐπιλείποι δὲ ἂν ἡμᾶς ὁ χρόνος, εἰ τὰς ὑπὸ Λέοντι πεσούσης τῆς πολιτείας ἀπαριθμησώμεθα συμφοράς· τῷ τότε οἴκοι κακῷ τῶν ἐν μέσῳ πυρὶ δαπανηθέντων συνέμιξεν τῶν τότε πολέμων τὸ δυστυχὲς καὶ ἄλλων μυρίων ἀτυχημάτων· ὡς αὐτὸν ἐκεῖνον, τὸν βασιλέα λέγω, τοῖς οἰκείοις κακοῖς ταραττόμενον μὴ μόνον τὴν αὐλὴν ἀπολιπεῖν, φασμάτων*

v. 2 *αλιμμενοις O*, corr. *F* | *οχυρωμενην O*, corr. *F* 6 *μυριαδων O*, corr. *F* | *πεντακισχιλιας O*, corr. *F* 7 *χιλιας O*, *χιλιάδες* corr. *F* 8 *ἐλλειπειν O*, corr. *F* 9 *αφορησηται O*, *ἀφορίσεται F*, quod correxi 12 *στρατιων O*, corr. *F* ep. p. 39 17 *ηγον O*, *ἤγουν* corr. *F* | *οσαπερ αν τον*, quod correxit, *O* 20 *των . . κακων O*, *τοῖς . . κακοῖς* coni. *F*, *τῷ . . κακῷ* scripsi 21 *συνεμιξαν O*, *συμμίξαν* coni. F, *συνέμιξεν* scripsi 24 et p. 134, 3 *ἀπολειπεῖν O*, corr. F

αὐτὸν ὥσπερ Ὀρέστην ἄντανδρον ἐνοχλούντων, ⟨καὶ⟩ ἑτέρωθι διαιτᾶσθαι, ἀλλὰ καὶ αὐτὴν δὲ τὴν πάγχρυσον ἀπολιπεῖν διασκέψασθαι πόλιν· καὶ εἰς τοιαύτην βασιλείαν μετέτρεψεν ⟨ἄν⟩, εἰ μὴ θεὸς τοῦθ' ὃ δέδωκε τῇ πόλει διεσώσατο κράτος.

45. Καὶ Λέων μέν ποτε ἀπηλλάττετο· ἡ δὲ ἀρχὴ τοῖς ἐκείνου κατακλυσμοῖς ἐβυθίζετο, Ζήνωνος ἔνθεν τὸ τοῦ κηδεστοῦ κράτος ὑπεξελόντος. δειλὸς δὲ ἦν, μᾶλλον δὲ δείλαιος, καὶ τοὺς πολέμους ἀπηργυρίζετο, μηδὲ ἐν εἰκόσι μάχην ὑπομένων δρᾶν, καὶ συνώθει τὸν ὕπαρχον χρυσίῳ πολλῷ τὴν εἰρήνην ὠνεῖσθαι, αὐτὸς περὶ δημεύσεις καὶ ὄλεθρον τῶν ἐν τέλει τῆς πολιτείας ἀγρυπνῶν· ἔσχε δὲ ὅμως καὶ αὐτὸς ἀναίσιον πέρας. τοσούτων ⟨δὲ⟩ κακῶν ἐπιχεθέντων τῇ πρόσθεν εὐδαίμονι τῶν ἀρχῶν, ἡ Τύχη βραχύ τι, γνήσιον δὲ γελῶσα τὸν Ἀναστάσιον θανατῶσιν ἐπέστησε τοῖς ὑπηκόοις, ὃς διὰ πάσης ἦλθεν ὁδοῦ τὴν ἔνδειαν τῶν κοινῶν ἀποτίσασθαι, καὶ δίκην οἰκοδεσπότου τινὸς τοὺς φόρους, ὅσοι σώζεσθαι δύναιντο, ταῖς ἀληθείαις ταῖς δαπάναις προσαρμόσας καὶ λογισμοὺς ἀπήτει τῶν δαπανῶν καὶ δικαίως ἐτίθετο, τὴν ἀμετρίαν διαφεύγων· ⟨οὐχ⟩ ὥσπερ ὁ Νέρων ποτὲ καὶ εἴ τινες ἐκεῖνον ζηλώσαντες δαπάνας μὲν ἀμέτρους ἐποιήσαντο, λογισμοὺς δὲ ⟨μηδὲ⟩ μέχρι μνήμης ἢ λαβεῖν πρὸς τῆς ἐπαρχότητος ἢ πρᾶξαι πρὸς αὐτὴν ἠξίωσαν, ποταμοὺς

v. 1 τον *O*, αὐτὸν corr. *F* | ἄνανδρον *O*, quod correxi | καὶ addidi 3 απολει *O*, ἀπωλείᾳ coni. *F*, πόλιν corr. *B* | εἰς *O*, εἰς corr. *F* 4 μετατρεψαι *O*, μετέτρεψεν ἄν corr. Th. Preger 8 υπεξελθοντος *O*, quod correxi 10 εικοσει *O*, corr. *F* | θρᾶν, quod in δρᾶν correxit, *O* 14 δὲ addidi 16 θανατωσειν, quod correxit, *O* 17 ὡς *O*, ὃς corr *F* 19 ἀληθείαις ταῖς *O*, ἀληθεστάταις coni. *B* 22 οὐχ add. *F* 24 μηδὲ add. *Gu. Kroll* 25 ηξιωσαν *O*, ⟨οὐκ⟩ ἠξίωσαν coni. F, ἀπηξίωσαν B

ἢ τάχα θάλασσαν ὅλην βλύζειν αὐτοῖς τὸ χρυσίον οἰόμενοι.

46. Νεμεσήσασα δ' ὅμως ἡ Τύχη καὶ σκοπῷ διοικήσεως τὰ νεῦρα παρέλυσε τῆς πολιτείας. τῶν γὰρ βουλευτικῶν συστημάτων διοικούντων τὰς πόλεις καὶ τὸν στρατιώτην ἀποτρεφόντων καὶ ἀληθῶς πολιτευομένων τοῖς πράγμασι, Μαρῖνός τις ἐκ τῶν λεγομένων σκρινιαρίων τῆς ἑῴας διοικήσεως παρεισδὺς ἐντέχνως τῷ βασιλεῖ ἀναπείθει, πᾶσαν αὐτῷ τὴν πολιτείαν διαψηφίσαντι τοὺς φόρους καταπιστεῦσαι, ὁμολογήσας χρυσίον τῷ βασιλεῖ περιποιεῖν. φιλοκερδὴς δὲ ἠρέμα ἐτύγχανεν ἐκεῖνος, οἷα Ταυλάντιος ἐξ Ἐπιδάμνου τῆς Ἰλλυρίδος — Δουρράχιον αὐτὴν Κρῆτες ἀποικήσαντες ἐκεῖ προσηγόρευσαν — ἀπὸ Δουρράχου τότε βασιλεύοντος Κρητῶν, ὡς ὁ Ῥωμαῖος Λουκανὸς ἐν τῇ δευτέρᾳ τῶν ἐμφυλίων φησίν — ἢ Κορκυραῖοι, Κορινθίων ἄποικοι κατὰ τὸν συγγραφέα —, καὶ πολὺς ἦν λόγος ἀπληστίας κατηγορῶν τοῦ Ἀναστασίου, ὡς καὶ ἐλεγείας τινὰς ἐπὶ τοῦ ἱπποδρομίου ἀνατεθῆναι πρὸς τοῦ δήμου κατ' αὐτοῦ, εἰκόνος αὐτᾷ σιδηρᾶς ἐπὶ τοῦ ἱπποδρόμου ἀνατεθείσης. οἱ δὲ στίχοι ⟨ἤθους⟩ τοῦ λεγομένου παρὰ μὲν Ῥωμαίοις φαμώσου, καθ' ἡμᾶς δὲ βλασφημίας, ὧδε·

Εἰκόνα σοι, βασιλεῦ κοσμοφθόρε, τήνδε σιδήρου
στήσαμεν, ὡς χαλκῆς οὖσαν ἀτιμοτέραν,

v. 15 cf. Luc. Phars. II 610 17 Thuc. I 24 23—p. 136, 2

v. 3 *νεμασα O*, *νείμασα* coni. *F*, *νεμεσήσασα F* ep. p. 39, *νεμεσᾷ B* | *οιμως O*, *ὠμῶς* coni. *F*, *ὅμως B*, *οἴμῳ* Gu. Kroll | *και σκοπω O*, an *κατὰ σκοπόν*? vide p. 127, 17. 159, 10 9 *ἀναπιθειν O*, corr. *F* 12 *καὶ O*, *ἐξ* corr. *B* 13 *αποικησαν O*, corr. *F* 16 *οικορκυραῖοι O*, *ἢ Κορκυραῖοι* corr. *F* 18 *τους O*, *τοῦ* corr. F. Skutsch | *ἐλεγεῖά τινα* coni. *F* 20 *ανατεθησεις O*, corr. O_2 21 *ἤθους* addidi 22 *ὧδε* O, *οἷδε* coni. B 24 *ἄνθεσαν ὡς χαλκοῦ πολλὸν ἀτιμοτέρην* Anth.

ἀντὶ φόνου πενίης τ' ὀλοῆς λιμοῦ τε καὶ ὀργῆς,
ἣ πάντα φθείρει, σῇ φιλοχρημοσύνῃ.
γείτονα δὲ Σκύλλης ὀλοὴν ἀνέθεντο Χάρυβδιν,
ἄγριον ὠμηστὴν τοῦτον Ἀναστάσιον.
δείδιθι καὶ σύ, Σκύλλα, τεαῖς φρεσί, μή σε καὶ αὐτὴν
βρώξῃ, χαλκείην δαίμονα κερματίσας.

διαβάλλονται γὰρ πρὸς τῶν ἀρχαίων οἱ τὴν Εὐρώπην οἰκοῦντες σχεδὸν ἅπαντες ἐπὶ φιλαργυρίᾳ, ἅμα κερδαίνοντες ἅμα δαπανῶντες τὰ περιγινόμενα αὐτοῖς, οἱ δ' Ἠπειρῶται μάλιστα, Σύρων ὄντες ἄποικοι, ὡς ὁ Πολέμων ἐν πέμπτῃ ἐξη[γ]ήσεων τῆς κατὰ Λουκανὸν τὸν Ῥωμαῖον ἐμφυλίου συγγραφῆς ἀπεφήνατο. ὅθεν καὶ Παλαιστήνη πρὸς τῶν ἀρχαίων καλεῖται, ἐν ᾗ Ἡρώδης ποτὲ πρὸς τιμῆς Αὐγούστου Νικόπολιν ἐδείματο τὴν πόλιν παρὰ Λευκάτην καὶ τὸν Ἄκτιον κόλπον, ὅπου Κλεοπάτραν μετ' Ἀντωνίου παρεστήσατο.

47. *Ἦν μὲν οὖν τοιοῦτος ὁ βασιλεύς, τὰ δὲ ἄλλα συνετὸς καὶ πεπαιδευμένος, ἐπιεικής τε ἅμα καὶ δραστήριος, μεγαλόδωρός τε καὶ κρείττων ὀργῆς, ἐρυθριῶν τε τοὺς λόγους, ὡς καὶ πλήρωμα χρόνου καὶ βαθμὸν*

Anth. Pal. XI 270 (*εἰς εἰκόνα Ἀναστασίου βασιλέως ἐν τῷ Εὐρίπῳ*), vide Th. Preger, Inscriptiones graecae metricae no. 224 v. 3—6 Anth. Pal. XI 271, Preger no. 225 11 cf. Luc. Phars. V 460

v. 1 *δε ολοῆς O*, *τε ολοῆς* corr. O_2, *τ' ὀλοῆς F* | *λοιμου O*, *λιμοῦ* Anth. 2 *η παντα φθειρεσει O*, *οἷς πάντα φθείρεις* Anth., *οἷς πάντα φθείρει σὴ* coni. *F*, *ἣ πάντα φθείρει σὴ* (*σῇ* scripsi) corr. *F* ep. p. 39 | *φιλοχρημοσύνη* O, quod correxi; *ἐκ φιλοχρημοσύνης* Anth. 3 *ἐγγύθι τῆς Σκύλλης χαλεπὴν στήσαντο Χάρυβδιν* Anth. | *κύλλης O*, corr. *F* 4 *ομιστην O*, corr. *F* 7 *τον αρχαιον O*, corr. *F* 11 suppl. *F* 12 *ἐμφυλίους O*, *ἐμφυλίων* coni. *F*, *ἐμφυλίου* corr. *B* | *συγγραφεῖς O*, corr. *F* 13 *Παλαίστη* coni. *F* collatis Caes. b. c. III 6 et Lucano l. s. 16 *μαρεστησατο*, quod correxit, *O*

τοῖς τῶν λόγων διδασκάλοις βουληθέντα παρασχεῖν ταῖς αὐτῶν διχονοίαις ἐμποδισθῆναι· πέφυκε γὰρ ἐξ ἀπραγμοσύνης τὸ λογικὸν πρὸς ἑαυτὸ διαφωνεῖν. ἦν οὖν ἀγαθός, ὡς ἔφην, καὶ μηδένα τῶν δεομένων σκυθρωπὸν ἀποπέμπων, ὡς μὴ πόλιν, μὴ φρούριον, μὴ συσκήνιον ἢ λιμένα ἢ τόπον οὖν τινα τῆς πάσης Ῥωμαίων πολιτείας ἀμοιρεῖν τῶν ἐκείνου κατὰ τὸ ἀναγκαῖον δωρεῶν. ὅτι δὲ μόνος αὐτὸς μετὰ Κωνσταντῖνον τὴν τῶν ψυχῶν ἐκούφισε δασμολογίαν, εἰ καὶ μὴ πᾶσαν — οὐδὲ γὰρ ἔφθασε —, θεὸν ἐχέτω ἵλεων τῶν ὁπωσδήποτε πλημμεληθέντων αὐτῷ· καὶ γὰρ ἄνθρωπος ἦν. πολλῶν δὲ ὄντων καὶ ὑπὲρ ⟨ἀριθμόν, ἃ ὑπὲρ⟩ τῶν κοινῶν Ἀναστάσιος ἔπραξεν, ἀρκέσει μόνη πρὸς ἀπόδειξιν ἡ παρ' αὐτοῦ ὑπὲρ Εὐφράτην κατασκευασθεῖσα πόλις — Δάραν αὐτὴν οἱ ἐπιχώριοι, Ἀναστασίου δὲ πόλιν ἐξ αὐτοῦ προσαγορεύουσι καθ' ἡμᾶς —, ἣν εἰ μὴ θεὸς πρὸς ἐκείνου ταῖς φάρυγξι Περσῶν ἐπέβρισεν, ἔκπαλαι ἂν τὰ Ῥωμαίων Πέρσαι, ὅσα προσεχῆ αὐτοῖς ἐστι, κατεσχήκεσαν.

48. Χαλεπὸν δὲ οὐδὲν καὶ μιᾶς αὐτοῦ σκοτίας καὶ λανθανούσης ἔτι ἐπιμνησθῆναι πράξεως· δεῖ γὰρ καὶ τῶν ἰδικῶν τἀνδρὸς ἀρετῶν μίαν ἐναποθέσθαι τῷ λόγῳ. Παῦλος ἀνὴρ εὐπατρίδης ἐκ Βιβιανοῦ πατρὸς ἐπισημοτάτου γέγονεν ὑπ' αὐτῷ, ὃς καὶ τοὺς πώποτε τῶν ἔμπροσθεν ἐπὶ μεγαλοφροσύνῃ θαυμασθέντων ὑπάτων ταῖς φιλοτιμίαις ἀπέκρυψεν. οὗτος χρειῶν ἰδιωτικῶν ἕνεκα λυσιτελῶν αὐτῷ ἐπωφείλησε Ζηνοδότῳ,

v. 4 ἀγαθὸν *O*, corr. *F* 6 ευσινιον *O*, εὐθήνιον coni. *F*, συσκήνιον scripsi 10 ἰλεω *O*, ἵλεων scripsi 11 πλημμεληθέντων *O*, corr. *F* ep. p. 41 12 ὄντων καὶ *O*, ὄντων ἃ coni. *F*, suppl. *B* 18 οιον *O*, ὅσα corr. *B* 25 θαυμασθέντας ὑπάτους coni. Th. Preger 26 ουτως *O*, corr. F 27 εποφελησεν O, corr. F

ὃς καὶ αὐτὸς τοῖς ὑπάτοις προσ⟨ηριθμήθη⟩, ἀξιώματος καὶ μόνου τυχών, ἀναφαίρετον χρυσίον εἰς χιλίας χρυσίου λίτρας συναγόμενον. τοῦ δὲ Παύλου πρὸς τὴν ἔκτισιν ἀθυμοῦντος, ὁ Ζηνόδοτος ποτνιώμενος τὸν Ἀναστάσιον ἀντεβόλει ἀμύνειν αὐτῷ. ὁ δὲ συνορῶν μηδὲ τὸν Παῦλον ἀρκεῖν πρὸς ἀπόδοσιν μηδὲ Ζηνόδοτον πρὸς ἔνδοσιν, δύο χιλιάδας χρυσίου δέδωκε λιτρῶν αὐτῷ, τὰς μὲν χιλίας τῷ χρήστῃ, τὰς δὲ λειπομένας — τοσαῦται δὲ ἦσαν — τῷ Παύλῳ χαρισάμενος.

49. Ἐγὼ δὲ ἀναστρέφω τῷ λόγῳ πρὸς Μαρῖνον. ἐκλαβὼν τοίνυν Σύρος ἀνὴρ καὶ πονηρὸς ὡς ἐπιεικὲς τοὺς φόρους, τὰ μὲν βουλευτήρια πασῶν παρέλυσε τῶν πόλεων, ἀπεμπολῶν τοὺς ὑπηκόους παντί, ὡς ἔτυχεν, εἰ μόνον αὐτῷ τὸ πλέον ὑπόσχοιτο, καὶ ἀντὶ τῶν ἀνέκαθεν στηριζόντων τὰ προστάγματα βουλευτῶν προχειρίζεται τοὺς λεγομένους βίνδικας — ⟨οὕτως γὰρ ἔθος⟩ Ἰταλοῖς θεὸν ἀποκαλεῖν —, οἳ παραλαβόντες τοὺς συντελεῖς οὐδὲν πολεμίων ἧσσον τὰς πόλεις διέθηκαν. καὶ γίνεται μὲν πολύχρυσος, εἴπερ τις ἄλλος, ὁ βασιλεὺς καὶ μετ᾽ αὐτὸν ὁ Μαρῖνος καὶ ὅσοι Μαρινιῶντες ἁπλῶς· ἀπορία δὲ παντελὴς καὶ πενίας βάθος κατέπιε τὰ πράγματα, τὸ λοιπὸν τῆς ἐπαρχότητος τρόπῳ χαμαιζήλου δικαστοῦ μόναις ταῖς ἰδιωτικαῖς διαδικασίαις σχολαζούσης. ἠρυθρία δὲ ὅμως ὁ Μαρῖνος καὶ τὴν ἀρχὴν ἐδόκει τιμᾶν, τέχνῃ τὸν φθόνον ἀπωθούμενος. ἔνθεν τῶν δημοσίων ὥσπερ ὑφ᾽ ἑτέρους τελούντων

v. 1 ὡς *O*, corr. Gu. Kroll; idem supplementum huic versui additum inseruit 2 ἀναφερετον *O*, corr. *F* 4 ποτνιουμενος *O*, quod correxi 11 ἐπιεικὴς *O*, corr. F. Skutsch 14 ὑπόσχοι τὸ (quod correxit) βίνδικας καὶ *O*, βίνδικας del. *F* 16 lacunam indicavit *F*, quam explere studui 17 θεον *O*; ἀπ ⟨τοὺς ἐπιτρόπους⟩ θεῶν? 20 μαρινιοντες *O*, Μαρῖνοι ὄντες coni. *F*, Μαρινιῶντες corr. *B*

καὶ μὴ κατὰ τάξιν πραττομένων, ὑπώλισθεν ἡ τάξις καὶ πενίας ἐνήρχετο· τί γὰρ περιεγίνετο αὐτῇ, μόναις ταῖς δίκαις τῶν ἰδιωτῶν ἐξυπηρετουμένῃ;

50. Οὕτως οὖν τῶν πραγμάτων ὑπὸ τῷ Μαρίνῳ πεσόντων, συνεῖδεν ὁ βασιλεὺς ἑτέρᾳ τιμῇ τὴν ἀτιμίαν παραμυθήσασθαι τῆς ἀρχῆς. τῶν γοῦν δικανικῶν ῥητόρων τοὺς ἀρίστους ἐπὶ τὴν ἀρχὴν προὔφερε, καί ποτε πρὸς τῆς γαμετῆς Ἀριάδνης ὀχλούμενος, Ἀνθεμίῳ τῷ Ἀνθεμίου, τοῦ Ῥώμης βεβασιλευκότος, παιδὶ τὴν ἀρχὴν ἐγχειρίσαι, ἠγανάκτησεν, εἰπὼν δέ, μηδενὸς ἢ μόνων λογικῶν ἀξίαν εἶναι τὴν ἐπαρχότητα. ὅπως δὲ ἠρυθρία τὴν ἀρχήν, γνώσεταί τις ἐκ τούτου. Ἑρμίας τις τοῖς Λυδίας σκρινιαρίοις συναριθμούμενος ὑπὸ μέμψιν γέγονε Σεργίου, τοῦ τότε τὴν ἐπαρχότητα διέποντος, ἀγανακτήσαντος. ὁ δὲ βασιλεὺς πρὸς τῆς Ἑρμίου μητρὸς ὀχλούμενος πολὺς ἐγίνετο τὸν ὕπαρχον παρακαλῶν, παραχωρεῖν Ἑρμίᾳ· ἐκεῖνος δὲ μέχρι παντὸς ἀνεβάλλετο, καὶ ὁ βασιλεὺς ἐνεδίδου, τήν τε ἀρχὴν τήν τε Σεργίου σεμνότητα παρατηρούμενος· ἴσχυσε δ' ὅμως ὑπὲρ δικαίου παρακαλῶν. αὐτῶν οὖν τῶν ἐν λόγῳ ἀμοιβαδὸν τὴν ἀρχὴν παραλαμβανόντων, δίδωσιν ἐκ τῶν λεγομένων Αὐγουσταλίων, οἳ μάλιστα τοῖς λόγοις ἐνέπρεπον, καὶ μὴν καὶ ταχυγράφων τοῖς ἀκολούθοις παριέναι καὶ λόγους παραδιδόναι καὶ ἀκροάσεσι δημοσίαις ἐπιδείκνυσθαι τὴν οὖσαν αὐτοῖς ἐπὶ τοῖς λόγοις παρασκευήν, γερῶν τε οὐ μικρῶν τυγχάνειν.

v. 1 κατὰ ⟨τὴν⟩ τάξιν coni. *F* ep. p. 41 | πραττομενον *O*, corr. *F* 2 πενίᾳ συνείχετο coni. *B* 4 οὐτῶν *O*, οὖν τῶν corr. *F* 15 μηπρος *O*, μητρὸς corr. *F* 16 ἐγενετο *O*, corr. *B* 17 παραχωρων, quod correxit, *O* 21 παραδωσιν *O*, παραδίδωσιν coni. *F*, δίδωσιν corr. *B* 24 δημοσίοις O, corr. F 26 μικρον *O*, corr. *F*

51. Τοιαῦτα μέν τινα τότε ἐπράττετο. ὁ δὲ βασιλεὺς ἐτρύφα ταῖς Μαρίνου περινοίαις πλουτῶν καὶ ταῖς τῶν ὑπάτων εὐφημίαις ἐναβρυνόμενος. εἰρήνη δὲ βαθεῖα τὴν πᾶσαν ἐχαύνου πολιτείαν καὶ οὐχ ἥκιστα τὸν στρατιώτην, πάντων ὁμοῦ τὴν τῆς αὐλῆς ῥᾳστώνην ζηλούντων καὶ διωκόντων τὰ βασιλέως ἐπιτηδεύματα. καὶ πέρας ἦν λοιπὸν Ἀναστασίου τοῦ βίου τοῖς ἀπὸ τῶν δογμάτων καὶ Βιταλιανοῦ θορύβοις ταραττόμενον. Ἰουστίνου δὲ τὴν βασιλείαν παραλαβόντος — ἀνὴρ δὲ ἦν ἀπράγμων καὶ μηδὲν ἁπλῶς παρὰ τὴν τῶν ὅπλων πεῖραν ἐπιστάμενος — Μαρῖνος μέν, καὶ ὅσοι Ἀναστασίου τῆς αὐξήσεως ⟨ἔτυχον, ἀπηλλάττοντο⟩· οὐκ ὄντων δὲ τὸ λοιπὸν τοῖς κρατοῦσι κερδῶν, ὥσπερ τὸ πρότερον — καὶ γὰρ ἀπεστρέφοντο τὰς κατὰ τῶν ὑπηκόων ἐπηρείας —, ἅπας μὲν ὁ πλοῦτος Ἀναστασίου εἰς ἀπείρους μυριάδας χρυσίου λιτρῶν συναγόμενος διερρύη. ὄχλος δὲ πολέμων τὰ Ῥωμαίων ἐδόνει, Περσῶν τὴν ἀειθρύλητον ἐπὶ ταῖς Κασπίαις πύλαις ἀπαιτούντων δαπάνην. ὁ δὲ περὶ αὐτῆς λόγος τοιοῦτος.

52. Πρὸς ἀνίσχοντα ὑπὸ λέοντι ἥλιον ἐν ἀρχῇ στενῇ τοῦ Καυκάσου, πρὸς βορέαν ἄνεμον κατὰ τὴν Κασπίαν χωριζομένων φύσει τῶν τοῦ Καυκάσου σφυρῶν, εἴσοδος ἀπετελέσθη βαρβάρων τοῖς ἀγνοουμένοις ἡμῖν τε καὶ Πέρσαις, οἳ περὶ τὴν Ὑρκανὴν νέμονται· δι' ἧς εἰσβάλλοντες τά τε πρὸς εὖρον Πέρσαις, τά τε πρὸς βορέαν Ῥωμαίοις ἀνήκοντα ἐδῄουν. καὶ ἕως μὲν Ἀρτάξατα καὶ ἔτι ἐπέκεινα εἶχον ὑφ' ἑαυτοῖς οἱ Ῥωμαῖοι, ἀντέβαινον παρόντες ἐκεῖ· ὡς δὲ τούτων ἐξέστη-

v. 8 ταραττομένων *O*, corr. *F* 12 lacunam statuit *F*, *quam explere conatus sum* 18 αειθρυλλητον *O*, mutavit *B* 23 ουμενοις ημ in rasura *O* 26 ἔδη οὖν, quod correxit *O*

σαν καὶ ὅσων ἄλλων ἐπὶ Ἰοβιανοῦ, οὐκ ἐξήρκουν οἱ Πέρσαι τά τε ἑαυτῶν τά τε πάλαι Ῥωμαίων φρουρεῖν, καὶ θόρυβος ἀεὶ τὰς ἑκατέρων Ἀρμενίας εἶχεν ἀφόρητος. γίνονται δὴ οὖν λόγοι μετὰ τὴν ἐπὶ Ἰουλιανοῦ Ῥωμαίων ἀστοχίαν Σαλλουστίῳ τε, ὃς ἦν ὕπαρχος, ἐξ ἡμῶν, καὶ Περσῶν τοῖς ἐξοχωτάτοις, καὶ Ἰσδιγέρδῃ ὕστερον, ὥστε κοιναῖς δαπάναις ἄμφω τὰ πολιτεύματα φρούριον ἐπὶ τῆς εἰρημένης εἰσόδου κατασκευάσαι, ἐπιστῆσαί τε βοήθειαν τοῖς τόποις πρὸς ἀναχαιτισμὸν τῶν κατατρεχόντων δι' αὐτῆς βαρβάρων. Ῥωμαίων δὲ τοῖς περὶ τὴν ἑσπέραν καὶ τὴν ἄρκτον πολέμοις ἐνοχλουμένων οἱ Πέρσαι ἔσχον ἀνάγκην, οἷα προσεχέστεροι ταῖς τῶν βαρβάρων ἐφόδοις, ἀντοικοδομεῖν φρούριον ἐκεῖ, Βιραπαρὰχ πατρίως αὐτὸ καλέσαντες, καὶ δυνάμεις ἐπέστησαν· καὶ πολέμιος οὐκ εἰσῄει.

53. Ἐκ ταύτης τῆς ἀφορμῆς οἱ Πέρσαι Ῥωμαίοις ἐπετέθησαν, κατὰ σμικρὸν ἐπὶ τὰς Συρίας καὶ Καππαδοκίας ἐκχεόμενοι, ὡς δῆθεν ἀδικούμενοι καὶ τὴν ὑπὲρ τῶν κοινῶν γενομένην δαπάνην κατὰ τὸ ἐπιβάλλον Ῥωμαίοις ἀποστερούμενοι, ὥστε Σποράκιον τὸν πρῶτον ὑπὸ Θεοδοσίου τοῦ μείζονος ἐκπεμφθῆναι διαλεχθησόμενον Πέρσαις· ὁ δὲ δυνάμει τε χρημάτων καὶ συνέσει λόγων ἐγγὺς ἔπειθε Πέρσαις, Ῥωμαίων ὥσπερ χαριζομένων αὐτοῖς, ὑπο⟨φόρων⟩ Ῥωμαίων ἡσυχάζειν καὶ φίλους εἶναι· καὶ ταῦτα ἕως τοῦ καθ' ἡμᾶς Ἀναστασίου διεσύρη, λαλούμενά τε καὶ τυπούμενα καὶ ἁπλῶς

v. 1 ὅσον ἄλλον *O*, corr. *F* | εξηρκον *O*, corr. *F* 5 σαλουστιω *O*, quod mutavi 6 εισδιγερδη, quod correxit, *O* 8 εἰρήνης *O*, εἰρημένης corr. *F* 9 ανασχετισμον, deleto postea σ, *O*, corr. *F* 13 μειν φρουριον in rasura *O* 22 χρωματων, quod correxit, *O* 23 περσαις O, Πέρσας volebat B 24 ὑπο ρωμαίων *O*, delet *F*, ego supplere studui

ἠρτημένα. ἐπὶ δὲ αὐτοῦ, Κωάδου τοῦ γέροντος ὅλην Περσίδα κατὰ Ῥωμαίων ἄγοντος γίνεται πόλεμος· καὶ χειρὶ μὲν νικᾶν οἱ Ῥωμαῖοι δυνάμενοι, ἀσωτίᾳ δὲ καὶ τρυφῇ Ἀρεοβίνδου τοῦ τελευταίου — ἦν γὰρ φιλῳδὸς καὶ φίλαυλος καὶ φιλορχήμων — καὶ ἀπειρίᾳ καὶ δειλίᾳ Πατρικίου καὶ Ὑπατίου τῶν στρατηγῶν ἠλαττώθησαν μὲν τὸ πρότερον, ἐξαπίνης τῶν Περσῶν ἐπιχεθέντων· τὸ δὲ λοιπὸν τούς τε Πέρσας διωξάντων καὶ Ἀμίδαν ἁλοῦσαν ῥυσαμένων αὖθις, ὁ Πέρσης λόγους ἐκίνησε πρὸς Κέλερα, ὃς ἦν μάγιστρος τῶν ⟨ὀφφικίων⟩ τῷ Ἀναστασίῳ, περὶ Βιραπαράχ, ὡς προέφαμεν, καὶ τῆς κατὰ μόνας ὑπὸ Περσῶν γενομένης περὶ αὐτοῦ δαπάνης. καὶ πέρας ἔσχεν ἡ φιλονεικία, μετρίων τινῶν ὑπὸ Ἀναστασίου χαρισθέντων Κωάδῃ· τὸ γὰρ μεγαλόφρον Ἀναστασίου καὶ εὐμέθοδον εὐσεβῶς τὴν ὑπὲρ εἰρήνης ζημίαν ὑπέμενε. τοιοῦτος μὲν οὖν περὶ τῶν Κασπίων πυλῶν τοῖς Ῥωμαίων συγγραφεῦσιν ὁ λόγος, ⟨ὃν⟩ Ἀρριανὸς ἐπὶ τῆς Ἀλανικῆς ἱστορίας καὶ οὐχ ἥκιστα ἐπὶ τῆς ὀγδόης τῶν Παρθικῶν ἀκριβέστερον διεξέρχεται, αὐτὸς τοῖς τόποις ἐπιστάς, οἷα τῆς χώρας αὐτῆς ἡγησάμενος ὑπὸ Τραϊανῷ τῷ χρηστῷ· τοιούτους γὰρ ἄρχοντας ἐκεῖνος ἔσχεν, οἳ τοῖς τε λόγοις τοῖς τε ἔργοις εἰς τοσαύτην εὔκλειαν τὴν πολιτείαν ἀνέστησαν.

v. 5 *φιλορήμων* O, corr. F 6 *πατρικου* O, corr. F 7 *ἐπισχεθέντων* O, corr. F 8 *των*, eraso postea *ν*, O, *τὸ* scripsi | *λοιπον* O, *τῶν..λοιπῶν* volebat F | *ἐδίωξεν τῶν* O, *διωξάντων* corr. F 9 *ῥυσαμένων· αὐθις* O, corr. F 10 *κελλερα*, altero *λ* eraso, O | *ὀφφικίων* add. F 11 *βιριπαραχ* O, quod ad p. 141, 14 correxi; de nominis forma vide Pauly-Wissowa *Real-Enc.* III 489 13 *πέρσας* O, *πέρας* corr. F 16 *οὐν ὁ περὶ* O, *ὁ* del. Gu. Kroll 18 *ὃν* add. B | *σαλανικῆς* O, corr. F | *ὀχ* O, *οὐχ* corr. F 19 *παροικων* O, corr. B 20 *αὐτοις* O, *αὐτὸς* corr. B 21 *τραιανου* O, corr. F 23 *την τε πολιτειαν* O, *τε* del. F

54. *Τοιούτων μὲν περὶ Πέρσας, μυρίων δὲ ἄλλων πολέμων ἀναπτομένων τὸ λοιπὸν λογικοῖς πάροδος οὐκ ἦν ἐπὶ τὴν ἐπαρχότητα. ἔδει δὲ χρημάτων, καὶ οὐδὲν ἦν ἄνευ αὐτῶν πραχθῆναι τῶν δεόντων. ὅπως δὲ μηδὲν τῶν πρὸς ἀνατροπὴν τῆς πρόσθεν εὐπραγίας παροφθείη, σάλοι σκιρτῶντες καὶ διιστῶντες τὴν γῆν ῥιζόθεν τὴν Σελεύκου Ἀντιόχειαν κατέαξαν, τῷ ὑπερκειμένῳ βουνῷ τὴν πόλιν σκεπάσαντες, ὡς μηδεμίαν διαφορὰν ὄρους καὶ πόλεως ἀπολειφθῆναι τῷ χωρίῳ, νάπην δὲ τὸ πᾶν καὶ σκοπέλους, οἳ πάλαι τὸν Ὀρόντην παρολισθαίνοντα τῇ πόλει ἐσκίαζον. χρυσίον οὖν ἄπειρον ἐχρῆν ἐπομβρίσαι τὴν ἐπαρχότητα πρὸς ἐκφορὰν τέως τῶν ἀπὸ τοῦ πτώματος ἐξογκωθέντων καὶ εἰς ἠλίβατον δυσχωρίαν ἀνοιδησάντων χωμάτων· οὐδὲ γὰρ ἦν ἀσφαλὲς τὴν Σύρων πρωτεύουσαν παριδεῖν ἐρριμμένην εἰς ἔδαφος. ὡς δὲ κόπῳ πολλῷ καὶ χρημάτων ἀφθονίᾳ καὶ τεχνῶν συνεργείᾳ ὥσπερ ἐρεβόθεν ἡ πόλις ἀνεφύετο, Ἰουστίνου τέλος λαβόντος Χοσρόης ὁ κακοδαίμων διὰ τῆς Ἀραβίας ἐμπεσὼν σὺν ἀπείρῳ στρατιᾷ ταῖς Συρίαις αὐτὴν μὲν τὴν ἄρτι καταπεσοῦσαν, εὐχείρωτον αὐτῷ φανεῖσαν ὡς ἄφρακτον λαβὼν πολέμῳ κατέφλεξε, φόνον ἄπειρον ἐργασάμενος· τοὺς δὲ ἀνδριάντας, οἷς ἐκοσμεῖτο τὸ ἄστυ, σὺν πλαξὶ καὶ λίθοις καὶ πίναξιν ἁπλῶς ἀναρπάσας ὅλην εἰς Πέρσας Συρίαν ἀπήλασε. γεωργὸς δὲ οὐκ ἦν, οὐχ ὑποτελὴς τῷ δημοσίῳ λοιπόν, καὶ δασμὸς μὲν οὐκ εἰσεφέρετο τῇ βασιλείᾳ, τὸν δὲ στρατιώτην ἀποτρέφειν ὁ ὕπαρχος ἠναγκάζετο, καὶ πάσας τὰς συνήθεις ἐπιδιδόναι τῇ πο-*

v. 5 παρωφθεις *O*, παροφθῇ coni. O_2, παροφθείη scripsi 12 ἐπομβρίσαι *O*, ἐπομβρῆσαι coni. O_2 13 τε ωστων O, corr. O_2 25 *υποτελεις O*, corr. O_2 28 συνηθείας O, corr. O_2

σπῶσι Ῥωμαίων τε τοὺς ἀνέκαθεν εὐπατρίδας ὑβρίζουσιν ἐπελθὼν ἥρπασεν αὐτοὺς πανεστίους σύν ⟦τε⟧ Βιττίγει τῷ τυράννῳ παρεστήσατο, τῇ δὲ Ῥώμῃ τὰ Ῥώμης ἀπέσωσεν.

56. Ὡς δὲ καὶ Συγάμβροις ἐπαγρυπνεῖν ἠπείλει — Φράγγους αὐτοὺς ἐξ ἡγεμόνος καλοῦσιν ἐπὶ τοῦ παρόντος οἱ περὶ Ῥῆνον καὶ Ῥοδανόν —, αὖθις Χοσρόης, ὡς μηδενὸς ἄρτι πραχθέντος, ἐπὶ τὰς Συρίας ἀπροόπτως ἐξεχύθη, τῶν Ῥωμαϊκῶν δυνάμεων Λιβύης τε πρὸς Μαυρουσίων σειομένης καὶ τῆς ἑσπέρας πρὸς Γετῶν ὅλης ταραττομένης ὑπερμαχουσῶν, Κόλχους τε καὶ τὸν Καύκασον Σκυθῶν καὶ τὴν Θρᾴκην μυρίων ὅσων θηρίων ἐνοχλούντων. καὶ ὁ μὲν βασιλεὺς ἤρκει πρὸς πάντας τοὺς πολέμους, ὡσεὶ πρὸς ἕνα μαχόμενος, ἡ δὲ ἐπαρχότης θεηλάτοις συνείχετο θυέλλαις, τῶν μὲν ὑπηκόων ταῖς ἀκινήτοις κτήσεσι δι' ἔνδειαν ἀπολεγόντων, τῶν δὲ πρακτόρων μηκέτι τοὺς φόρους εἰσάγειν, οὐκ ὄντων ὑποτελῶν, τοῖς κρατοῦσιν ἰσχυόντων· ὑπουργεῖν δὲ ὅμως ταῖς δαπάναις τοσαύταις οὔσαις καὶ οὕτως ἀνενδότοις ⟨ὁ⟩ κατὰ καιρὸν ὕπαρχος συνωθεῖτο. εἰκότως οὖν ἄλλος ἐξ ἄλλου συνεχεῖς ὁμοῦ καὶ βαρεῖς ἐξ ἀνάγκης διαδεχόμενοι, τὴν ἀρχὴν διέσπασαν. ἡ δὲ τάξις 'οὐδ' ἐν λόγῳ οὐδ' ἐν ἀριθμῷ', ἀπωλώλει δὲ παντελῶς· τῶν γὰρ περιεχόντων ἀπολλυμένων εἰκὸς ἦν ἀπολέσθαι τὰ περιεχόμενα.

v. 23 vide quae adferuntur supra ad p. 105, 11

v. 2 ante *ουιττιγι* (quod mutavi) duae litterae evanidae in *O*, unde ⟦τε⟧ supplevi, ⟨καὶ⟩ σὺν Οὐϊττίγει scripsit *F* 5 σιγγαμβροι *O*, corr. *F* 11 ὅλων *O*, corr. *F* 15 θειλατοις *O*, corr. O_2 20 ὁ add. *F* 23 ουδεν λογω ουδε O, e p. 105, 11 corr. *F*

57. Καί που με τὸ δαιμόνιον συνωθεῖ πρὸς ἀνάμνησιν ἐξάγον μυρίων κακῶν. Ἰωάννης τις ἐκ Μαζάκων ὁρμώμενος — Καισάρειαν τὴν πόλιν Τιβέριος Καῖσαρ μετωνόμασεν, Ἀρχέλαον τὸν Καππαδοκῶν βασιλέα δόλῳ μεταστειλάμενος ἐν τῇ Ῥώμῃ καὶ κατασχὼν ἐν αὐτῇ· τὴν δὲ Καππαδοκίαν, οὐκ οὖσαν ἄνωθεν, πρῶτος ἐπαρχίαν Ῥωμαίοις ὑπόφορον ἀπέφηνεν — οὗτος ὥρμητο μέν, ὡς ἔφην, ἐξ ἐκείνης, τοῖς δὲ τῆς στρατηγίδος ἀρχῆς σκρινιαρίοις συναριθμούμενος, δολερῶς, οἷα Καππαδόκης, παρεισδὺς οἰκειοῦται τῷ βασιλεῖ καὶ κρείττονα πίστεως ἐπαγγειλάμενος πρᾶξαι ὑπὲρ τῆς πολιτείας εἰς λογοθέτας προῆλθεν· εἶτ᾽ ἐκεῖθεν, ὥσπερ κατ᾽ ἐπιβάθραν, ἐπὶ τοὺς λεγομένους ἰλλουστρίους [ἀνελθὼν καὶ μήπω γνω]σθείς, ὁποῖός τίς ἐστι τὴν φύσιν, [ἀθρ]όως [εἰς τ]ὴν ὕπαρχον ἀνηρπάσθη τιμήν· οὐδὲ γὰρ ὕστε[ρον] [ὑπέμεν]εν ὁ βασιλεύς, καλὸς καὶ ἐπιεικὴς τυγ[χάνων, πονηροῖς] ἄρχουσι καταπιστεῦσαι τὴν ἀρχήν, ἤδη [μαθὼν καὶ] τοῖς ἔργοις εὑρών, ὡς

Καππαδόκαι φαῦ[λοι μὲν ἀεί·] ζώνης δὲ τυχόντες
    φαυλότεροι· κέρδους δ᾽ εἵνεκα φαυλότατοι·
ἢν δ᾽ ἄρα δὶς καὶ τρὶς μεγάλης δράξωνται ἀπήνης,
    δή ῥα τότ᾽ εἰς ὥρας φαυλεπιφαυλότεροι.

v. 20 sqq. Anth. Pal. XI 238

v. 1 μετα *O*, τα delevi | συνωθει *O*, συνώθει ediderunt *FB*, συνωθεῖ correxi 2 ἐξάγων *O*, quod correxi 4 τῶν *O*; τὸν corr. *F* 13 επιβαραθραν *O*, corr. O_2 16 suppl. *F* 21 ἕνεκα *O*; corr. *F* | ἐπιφαυλότατοι *O*, ἐπι del. *F* 22 δράξωνται μεγαλως απηνεις *O*, ex Anthologia corr. *F* 23 δ᾽ ἤρατο τις ὅρας φαυλ᾽ επιφαυλοτέρας O, corr. *F*; δὴ τότε γίγνονται φαυλεπιφαυλότατοι Anthol.

οὕτως οὖν, ὡς ἔφθην εἰπών, ὁ πονηρὸς Καππαδόκης δυνάμεως ἐπιλαβόμενος δημοσίας ἀπειργάσατο συμφοράς, πρῶτον μὲν δεσμὰ καὶ πέδας καὶ ποδοκάκας καὶ σίδηρα προθείς, ἔνδον τῆς πραιτωρίας αὐλῆς ἰδιωτικὴν ἐν σκότῳ φυλακὴν ἀφορίσας ταῖς ποιναῖς τῶν ὑπ' αὐτῷ τελούντων, Φάλαρις ὥσπερ ἄνανδρος καὶ μόνοις τοῖς δούλοις ἰσχυρότατος, ἐκεῖ τε ἐνείργων τοὺς πιεζομένους, οὐδένα τύχης οἱασοῦν ἐξαιρούμενος τῶν αἰκισμῶν, ἀναρτῶν τε ἁπλῶς ἀζητήτως τοὺς μόνον ἔχειν χρυσίον διαβαλλομένους, καὶ ἢ γυμνοὺς ἢ νεκροὺς ἀπολύων. καὶ τούτων μάρτυς μὲν ὁ δῆμος, ἐγὼ δὲ οἶδα θεωρὸς γενόμενος καὶ παρὼν τοῖς πραττομένοις· καὶ ὅπως, ἐρῶ. Ἀντίοχός τις, ἤδη γέρων τὴν ἡλικίαν, ἐμηνύθη αὐτῷ χρυσίου δεσπότης εἶναί τινος. συσχὼν οὖν αὐτὸν καλῳδίοις στιβαροῖς ἀνέδησεν ἐκ χειροῖν, ἕως ἔξαρνος γενόμενος ὁ γέρων νεκρὸς τῶν δεσμῶν ἠλευθερώθη. ταύτης ἐγὼ τῆς [μιαι]φονίας γέγονα θεωρός· ἠπιστάμην γὰρ τὸν Ἀντίοχον.

58. [Πρᾶξ]ις μὲν οὖν αὕτη τῷ Καππα[δόκῃ πασ]ῶν μετριωτάτη, καὶ εἴθε γοῦν μόνος ταῖς ἀδικίαις ἐνηγρύπνει· [Βριά]ρεως δὲ καθάπερ ὁ τοῦ μύθου μυρίας χεῖρας ἔχειν τοῖς π[οιη]ταῖς λέγεται, οὕτως [[καὶ]] ἐκεῖνος ἀλάστωρ ἀπείρους [[ὑπουργοὺς]] [τῶν κακῶν ἔ]χων, οὐκ ἐπὶ τῆς βασιλέως μόνον εἰργάζετο, ἀλλ' ἐπὶ πάντα τόπον [τε καὶ χώραν ἀπέστελλε] τοὺς ὁμοίους αὐτῷ, δίκην ἐξυγροτῆρος [τὸν ἅπαντα]χοῦ λανθάνοντα

v. 21 cf. Iliad. I 403

v. 3 παιδας O, πέδας corr. O_2 | παιδοκάκας O; corr. F 6 ανανδρος O; an, ut p. 134, 1, ἄντανδρος? 9 αναρτωνται O, ἀναρτῶν τε corr. F 16 ἐξαρ . ος; quod videtur fuisse ἔξαρνος, O; ἔξαρμος corr. O_2. 20 μόναις O, corr. F 22 lacunam trium litterarum explevi 23 suppl. F

τέως ὀβολὸν ἀνιμώμενος. ἐκ δὲ τῶν πολλῶν ἑνὸς πρὸς ἀπόδειξιν τῆς τῶν λοιπῶν βδ[ελυρίας] ἀναμνησθήσομαι. ὁμώνυμός τις ἦν αὐτῷ, πρὸς γένος ἐγγύς, ἀνὴρ ὑπὲρ πᾶσαν ἐπίνοιαν θεηλάτου κα[κί]ας, Καππαδόκης μὲν καὶ αὐτὸς καὶ ἐκ μόνης τῆς τοῦ σώματος διασκευῆς τὸ βδελυρὸν τῆς ψυχῆς ἐκκαλύπτων. ἦν μὲν γάρ τις πολύσαρκος καὶ περιττὸς τὴν ὄψιν· πλάτει μὲν ἀμόρφῳ καὶ κρεῶν περιττώμασι τὰς σιαγόνας ἐξῳδημένος, καὶ τῷ βάρει τῶν σαρκῶν οἷα μανδύην ἀποκρεμάσας τοῦ προσώπου τὸν θύλακον· μαξι[λλο]π[λουμ]άκιον αὐτὸν ὁ δῆμος ἀπεκάλει. οὗτος ὁ Κέρβερος ὁ καρχαρόδους κοινὸς μὲν ἐτύγχανεν ἁπάντων ὄλεθρος· τὴν δ' ἐμὴν Φιλαδέλφειαν οὕτως εἰς λεπτὸν ἀπεμασή[σατο], ὡς μετ' αὐτὸν ἔρημον οὐ χρημάτων μόνον ἀλλὰ καὶ ἀνθρώπων γενομένην μηδεμίαν ἐπιδέχεσθαι τὸ λοιπὸν ἀφορμὴν [τῆς] ἐπὶ τὸ κρεῖττον μεταβολῆς. περιηχηθεὶς γὰρ ὁ μηδὲν ἢ νερτέριος δαίμων, ὡς Εὐριπίδης εἶπε, 'Λυδῶν' ὑπάρχειν 'τὰς πολυχρύσους γύας', στῖφος θηρίων καὶ Καππαδοκῶν στρατὸν ἐπαγόμενος ἐνσκήπτει τῇ χώρᾳ, οὐδὲν κοινόν, οὐδὲν μέσον, ἀλλ' ἔπαρχος πραιτωρίων [χ]ρηματίζων· εἶτα διατρίβων ἐν αὐτῇ οὐδενὶ τῶν δειλαίων τῆς χώρας οἰκητόρων οὐ σκεῦος οἱονοῦν, οὐ γαμετήν, οὐ παρθένον, οὐ μειράκιον ἀπήμαντον καὶ φθορᾶς ἔξω καταλέλοιπε, ταῖς μὲν ποιναῖς τῶν ἀναιτίων [ὡς Φά]λαρις, ταῖς δὲ ξενοκτονίαις ὡς

v. 17 Eur. Bacch. 13

v. 3 *γενος O*, *γένους* coni. O_2 8 *ἐξοιδημένος O*; mutavit *F* 10 *τῶν θυλάκων O*, quod correxi | *μαξιλλοθυλάκιον* coni. *F*; *aux lourdes mâchoires* vertit Ch. Diehl, *Iustinien et la civilisation byzantine* p. 105 12 *δεμὴν O*, *δ' ἐμὴν* distinxit *F* 17 *οι O*, *ἢ* corr. O_1 *18 τὰς O* cum libris Euripideis, in quibus *τοὺς* correxit *Elmsleius* | *γαιας O*, *γύας* ex Eur. corr. B 22 οικηστορων O, corr. O_1

Βούσιρις, ταῖς δὲ ῥᾳθυμίαις [καὶ τρυφ]αῖς ὡς Σαρδανάπαλος διατελῶν.

59. *[Καὶ εἴθε ⟦ἄχρι⟧ τού]των καὶ μόνων, καὶ μὴ καὶ φόβων ὑπὲρ τραγῳδίαν ἐγίνετο τοῖς ὑπηκόοις αἰτιώτατος· τὰ πλεῖστα [δὴ] οὖν [τῶν] αὐτοῦ μιασμάτων ἐξηγεῖσθαι φρίττων — [ἄπειρα] δέ ἐστιν, ὡς καὶ αὐτὰ μόνα μεγίστας βίβλους πενθήρεις ἀποτελεῖν — μίαν αὐτοῦ πρᾶξιν τέως χρημάτων ἕνεκα τραγῳδήσω τῷ λόγῳ. Πετρώνιός τις ἐπὶ τῆς ἐμῆς Φιλαδελφείας — ἀνὴρ ἀξιόλογος, γένει τε ⟨καὶ⟩ περιουσίᾳ καὶ λόγοις διαπρεπής — οὗτος ἐκ προγόνων κύριος ἦν λίθου τιμίας πολλῆς, ἅμα καὶ διὰ κάλλος καὶ μέγεθος τοῖς ἰδιώταις ἀπ⟦όπ⟧του. τοῦτον ἁρπάσας ὁ Κύκλωψ σίδηρά τε περιθεὶς γυμνὸν ῥάβδοις ἔξαινε διὰ βαρβάρων ἀφειδῶς, ἐνείρξας αὐτὸν ἐπὶ τῆς ἐπαύλεως τῶν ἡμιόνων· στάβλον αὐτὸν Ἰταλοὶ λέγουσιν. οὗ δὴ γνωσθέντος*

ὦρτο πόλις [πτήξασα] καὶ ὄμμασι πήξατο χεῖρας,

ἀνεκώκυέ τε ὁ δῆ[μος ⟨μηδὲ⟩ βοη]θεῖν τῷ διασπωμένῳ μηδὲ πείθειν τολμῶν τὸν ἀλάστορα. ὅ γε μὴν τὴν πόλιν ἐπισκοπῶν σὺν τοῖς ἱερωμένοις ἅπασιν ἀναλαβὼν καὶ τὰ θεῖα λόγια ἔδραμεν ὡς αὐτόν, πείθειν δι' αὐτῶν ἐννοήσας· ὁ δὲ Σαλμωνεὺς εἰς τοὺς ἀνθρώπους καὶ θεὸν ὁρῶν ἐκέλευσεν ἐπὶ σκηνῆς ἐλθόντας πράττειν τὰ ἑαυτῶν, μηδὲν ὑποστελλόμενος τῶν ὅσα

v. 3 suppl. *F* | *τούτων καὶ μὴ καὶ μόνων O*, *καὶ* ante *μόνων* del. O_2, *καὶ πόνων* coni. *F*, transposuit *B* 6 *φρίττω O*, corr. *B* 9 *περώνιος O*, corr. *F* 10 *καὶ* add. *F* 11 *ουτως O*, corr. *F* 13 *α| . . . τως*, quod *αποπτως* videtur fuisse, *O*, *ἀπόβλεπτος* coni. O_2, *ἀχρήστως* legit *F*, *ἀχρήστου* coni. Roquefort apud *F* ep. p. 42, *ἀπόπτου* scripsi 15 *ενειξας O*, corr. O_2 18 *μηδὲ* add. *F* 22 *τοῖς ἀνθρώποις O*, *τοὺς ἀνθρώπους* scripsit *F* 24 *υποστελλομένους O*, corr. *F*

ἐν ⟨τοῖς⟩ πορνείοις κεκλημένοις τοῖς ἀκολάστοις λόγοις ἀσελγαίνεται. καὶ ἀσκεπῆ καὶ πᾶσι κάτοπτα παρῆν τὰ θεοῦ γνωρίσματα καὶ ὁ ἱερεὺς μετ' αὐτῶν ὑβριζόμενος [ἐθρή]νει πικρῶς, οὕτως ὁρῶν τὸ θεῖον περιορώμενον [ἀτί]μως. ὁ δὲ Πετρώνιος τῆς οἰκείας περιουσίας [πρῶ]τον ὁρῶν τὸν θεόν, πέμψας εἰς οἶκον πάντα ὅσα [ἦν αὐ]τῷ σὺν καὶ ταῖς λίθοις ἐκείνοις ἐνεγκὼν ἔρριψεν ἐπὶ [[τοῦ]] αὐλείου τοῦ Κύκλωπος. καὶ τότε χρυσίον λαβὼν ἐπὶ τόκῳ κατέθηκεν ἐπὶ τοὺς τιμωρούς, ὡς δὴ κεκμηκότας ἐπ' αὐτῷ, σπορτούλων ἕνεκα· οὕτω δὲ τὸν ἔρανον οἱ Ῥωμαῖοι προσαγορεύουσιν.

60. Μετρίου δὲ τούτου δόξαντος εἶναι συνεῖδεν ὁ Κέρβερος καὶ μιαιφονίας ἐργάσασθαι. Πρόκλον οὖν τινα, ἀπόμαχον τῆς [ἐπι]χω[ρίο]υ στρατιᾶς, εἴκοσι χρυσίνους ἀπαιτῶν εἰσφέρειν αὐτῷ συνώθει οὐκ ἔχοντα, καὶ [πάντα τὰ] τῶν ποινῶν ὄργανα ἀπήμβλυνε τοῖς νεύροις τοῦ ἀθλίου πένητος· ὃς τὸ λοιπὸν μηδὲ ζῆν ὑπομένων [μη]δὲ τελευτᾶν συγχωρούμενος τέχνῃ μετῆλθε τὸν θάνα[τον. λαβὼ]ν οὖν τοὺς ποινουργοὺς καὶ δοῦναι τοὺς εἴκοσι χρυσοῦς ἐξ ἀνάγκης ἀπαγγειλάμενος, εἰ τυχὸν ἕψονται ἐπὶ [τὸ] καταγώγιον αὐτῷ γινομένῳ, ὡς ἦλθεν ἐκεῖ, παρελθών, τῶν φυλάκων ἔξωθεν προστηρούντων, βρόχον ἐνάψας τῷ τραχήλῳ τῆς ζωῆς ἀπηλλάγη. ὡς δὲ τὸ λοιπὸν οὐ προῆλθεν, εἰσφρήσαντες ἐκεῖνοι καὶ ἐξηρτημένον αὐτὸν ἰδόντες τὸν μὲν νεκρὸν αὐτοῦ ἔρριψαν [ἐπ' ἀγορᾶς] συμπα-

v. 1 τοῖς add. Gu. Kroll 2 ἀσελγένεσθαι O, corr. Gu. Kroll | τα O, τὰ corr. O_2, hoc loco finem emendandi faciens 5 περιουσίας προτιμῶν τὸν coni. Gu. Kroll 7 ταῖς . . ἐκείναις volebat F 8 τοῦ supplevi in lacuna trium litterarum | αλιου O, αὐλείου corr. F | ante τό, τε (τότε ego) lacunam statuit F 17 ως O, ὃς corr. F 20 ἐπαγγειλάμενος coni. B

τοῦντες, ὡς δῆθεν ἠπατη[μένοι]· τὰ δὲ [ὄντα αὐτῷ δι]ήρπασαν, μηδὲ πρὸς ταφὴν [οἰκτροῦ] τινος ἐπιρρίμματος ἀξιώσαντες.

61. Τοιούτοις κατορθώμασιν ἐν[ασχο]λούμενος ὁ Λαιστρυγὼν ἢ μᾶλλον 'ὁ τεκνοραίστης λυ⟦μ⟧εὼν ἐμῆς π[ά]τρης' — ὥς φησιν ὁ Λυκόφρων ἐκεῖνος — ἐφ' ὅλ[ον ἔ]τος τὴν πόρθησιν τῶν Λυδῶν διέτεινε. γλίσχρον δὲ καὶ φαῦλον [ἡγού]μενος, εἰ μόνην τὴν πρόσθεν εὐδαίμονα Λυδίαν ὑπά[γοι] τοῖς ἀδικήμασιν, ἐφ' ὅλην ὁμοῦ τὴν τῆς Ἀσιανῆς ῥάχεως διοίκησιν συνεῖδεν ἐκτεῖναι τὴν ἀσέβειαν. Νόμος ἄνωθεν ἐκράτησε, πλατὺν ἅμα καὶ ὀξὺν δρόμον ἐνιδρῦσθαι ταῖς ἐπαρχίαις· ὧν ὁ μὲν πλατὺς ὀχήμασιν ἐχρῆτο, ὁ δὲ ὀξὺς ὑποζυγίοις ἵπποις — βεραίδους [αὐτοὺς] οἱ κρατοῦντες ὠνόμασαν, καὶ τὴν αἰτίαν ἐν τοῖς περὶ μηνῶν ἴσμεν ἀποθέμενοι. τῆς γὰρ ἠπείρου σχε[δὸν] ἁπάσης ⟨τελούσης⟩ ὑπ' αὐτοῖς, οὐκ ἦν εὐχερὲς τὰ πρὸς τὴν ἕω [συμ]βαίνοντα ἐπὶ τοὺς κυρίους τοῦ πολιτεύματος ὡς θᾶττον ἀναφέρειν, ἔστιν ὅτε καὶ αὐτὸν ὠκεανὸν τοῖς ὅπλοις ⟦ὑπ⟧άγοντας. τῷ γοῦν ὀξεῖ δρόμῳ τὰ τῆς μηνύσεως [πρὸ] τῆς ἀκοῆς ἐγίνετο, καὶ ταύτην τὴν οὕτω σωτηριώδη τοῖς πράγμασιν ἐπίνοιαν συνεῖδεν ὁ πλατύγναθος ἀπ[αλ]εῖψαι δι' οἰκείας μηνύσεως, ἀναπείσας τὸν ὁμόγνιον καὶ ὁμόψυχον τῆς αὐτοῦ βδελυρίας ὕπαρχον, περιττὴν εἶναι διαγνοὺς τὴν τῶν δημοσίων ἵππων

v. 6 Lycophr. Alex. v. 38   15 de mens. p. 15, 18

v. 2 επιριματος *O*, quod correxi; ἐπιρρήματος legit et ἐπιβλήματος coniecit *F*   5 ληστρυγων *O*, quod correxi | τεκνορέστης *O*, corr. *F* | λυ⟦μ⟧εών suppl. *F*   6 ἐπολον et 9 ἐπολην *O*, corr. *F*   12 ὀξύδρομον, quod correxit, *O*   14 βεραδους *O*, corr. *F*   16 τελούσης add. *B*   19 . . . αγοντας *O*, ⟦περι⟧άγοντας coni. *F*, ⟦ὑπ⟧άγοντας scripsi

ὑπηρεσίαν, οὐ συνορῶν ὁ Νιόβης αὐτῆς λιθωδέστερος ⟨τὸ⟩ τοῦ πράγματος χρήσιμον· ὁ δὲ ὕπαρχος ἀγνοούσης τῆς βασιλείας — πῶς γὰρ ἐνεδίδου τοῖς κοινοῖς ἀτυχήμασι; — καὶ ταύτην τὴν ὄψιν τῆς πολιτείας ἠφάνισεν. ἔνθεν τῶν εἰδῶν ἀπράτων ἐνσηπομένων ταῖς κτήσεσιν, ἐξαλεύρου σχεδὸν τῆς Ἀσιανῆς τυγχανούσης, ὁ συντελεστὴς ἀπώλετο, χρυσίον πρὸς τῶν δασμολογούντων ἀντὶ τῶν εἰδῶν εἰσπραττόμενος, μηδὲ διαπωλεῖν τὰ εἴδη δυνάμενος πόρρω θαλάσσης ἀπῳκισμένος, μηδὲ δαπανᾶν, ὡς πάλαι, τῷ δημοσίῳ συγχωρούμενος. τούτοις ἠκολούθησε καὶ ἡ τῶν ἐνιδρυμένων τοῖς τόποις στρατευμάτων μετάθεσις πρὸς τὸ χρειῶδες ὑπὸ τῶν κοινῶν γενομένη, ὡς κἀκ τούτου τοῦ συγκυρήματος, τῶν καρπῶν ἐναπομενόντων τῇ χώρᾳ, τοὺς μὲν φόρους εἰς χρυσίον μεταβληθῆναι, τοὺς δὲ καρποὺς ἀπογαιοῦσθαι κατ' ἔτος. καὶ εἴθε μόνος αὐτὸς καὶ μόνην ἐκείνην τὴν ἐπαρχίαν ἔτυχε διατρώγων, καὶ μὴ καθ' ἑκάστην πόλιν τε καὶ χώραν, οἷος αὐτός, ἄλλοι καὶ χείρους αὐτοῦ τὸν ὁποῖα δ' ἂν κατορωρυγμένον ὀβολὸν ἀνασπῶντες παρῆλθον, στρατὸν ἀλαστόρων καὶ στίφη Καππαδοκῶν ἐπισυρόμενοι.

62. Συνήχθη οὖν πλοῦτος ἄπειρος τῷ δικαιοτάτῳ ὑπάρχῳ, ὥστε αὐτὸν καὶ πρὸς τυραννίδα παρακαλεῖν, τῆς αὐθαδεστέρας μοίρας τοῦ δήμου συνούσης αὐτῷ καὶ τοῖς ἐγχειρουμένοις συναπτομένης. θεραπεύων οὖν καὶ προσοικειούμενος αὐτὴν οὐκ ᾤετο πείθειν, ὡς ἐρα-

v. 2 τὸ add. *B* 6 ἐξαλιου, quod in ἐξαλιρου mutavit, *O*; ἐξ ἀλεύρου coni. *F*, ἐξαλεύρου scripsi 9 απωκεισμένον *O*, ἀποκείμενα coni. *F*, corr. *F* ep. p. 43 et *B* 12 ὑπὸ *O*, ὑπὲρ coni. *B* 14 χώρα καὶ τοὺς *O*, καὶ del. *B* 16 ἀπογεοῦσθαι *O*, corr. *F* 20 αναπῶντες *O*, corr. *F* 21 επὶ ἐπισυρομενοι *O*, corr. *F*

στῆς εἴη τοῦ κατ' αὐτὴν κόμματος, εἰ μὴ πρὸς τὴν ἔω διαβαίνων αὐτὸς καὶ στολὴν ἀνθηρῷ χλοάζουσαν χρώματι περιθέμενος διαφανὴς ἅπασι γένοιτο. οἷα μὲν οὖν ἔπραξε περὶ Κίλικας καὶ ὅσοις τοὺς δασμοὺς ἐπέβρισεν ἄχθεσι παρὰ τὴν βασιλέως εὐμένειαν, οὐδενὶ τῶν πάντων ἠγνόηται· ἐπανελθὼν δὲ πρὸς ἡμᾶς, ὡς εἶδεν ὠκεανοὺς χρημάτων περιρρέοντας αὐτόν, πάντας μὲν ᾠκειωμένους αὐτῷ καὶ τοὺς ὀψοποιούς γε μὴν ἐπὶ τὰ πρῶτα τῶν τῆς πολιτείας ἀξιωμάτων ἀνήρπασεν, ὡς μηδένα καὶ τῶν ἀργυρωνήτων αὐτοῦ ἔξω πλούτου βαθέως καὶ τιμῆς βουλευταῖς εὐκταίας ἀφεθῆναι γυμνόν. αὐτὸς δὲ ἐτρύφα, μειρακίοις ψιλοῖς καὶ μήπω, ⟨τῷ⟩ λείῳ τοῦ σώματος, ἀρρενοφανέσι καὶ πορνῶν ταῖς ἀκολάστοις συμβαλανευόμενος καὶ ἀκολασταίνων τὸ πράττειν ἅμα καὶ πάσχειν, ἐξ ἑκατέρας ὠχριῶν νόσου, ἕλκων τε ἐπὶ τῶν ἐμπύρων τὸν ἄκρατον οὕτως ἀφειδῶς, ὡς φοράδην ἐκκεχυμένον ὑπὸ τῶν γυμνῶν ἀναβαστάζεσθαι. πρὸς ⟨δ'⟩ ἀντιβολὴν ὄψων ἐπιχωννύντος τὸν οἶνον οὐκ ἐξαρκοῦντος τῇ τρυφῇ οὐ τοῦ ὑποκειμένου τῇ πόλει πορθμοῦ, οὐχ Ἑλλησπόντου σύμπαντος, τὸ λοιπὸν οὐ κτενός, οὐκ ἔλοπος, ⟨οὐ⟩ χρυσοστάθμου ἰχθύων ποικιλίας καταλειφθείσης τῷ πελάγει, ἐπὶ τὸν Εὔξεινον οἱ τῆς τρυφῆς ὑπηρέται ἐτρέποντο, μὴ τῇ θαλάττῃ ἰχθύος, μὴ τοῖς ὄρεσιν ἢ τοῖς ἄλσεσιν ὀρνέου συγχωρουμένου, μὴ Φάσιδος ὅλου ταῖς εὐωχίαις ἀπο-

v. 1 ἡμὶ *O*, εἰ μὴ corr. *F* 2 ἀνθηροχλοάζουσαν *O*, corr. *F* 3 διὰ φανὴ *O*, corr. *F* 4 δεσμοὺς *O*, corr. *F* 12 μηρακίοις *O*, corr. *F* | μηπω *O*, δὴ τῷ coni. Gu. Kroll, μήπω ⟨τῷ⟩ ego 13 λιω *O*, λείω corr. *F* 17 post *οἶνον* (v. 19) distinxere *FB*, post *ἀναβαστάζεσθαι* ego 18 δ' addidi 19 ἐξαρκοῦντος ⟨δὲ⟩ proposuit *B* 21 οὐ add. *F* | χρυσοστάθμους *O*, χρυσοβαφοῦς coni. *F*, χρυσοστάθμου corr. B 22 καταληφθήσης *O*, corr. *F*

χρῶντος· ὡς ἀφίστασθαι τοὺς κτένας, μὴ τῇ κατὰ φύσιν ἐκ τόπου εἰς τόπον πτήσει καταπιστεύοντας ἑαυτούς, ἀλλ' εἰς ἀέρα τοῖς ὀστράκοις ὡσεὶ πτέρυξι χρωμένους δοκεῖν ἐκκλίνειν τὴν Καππαδοκῶν ἀδηφαγίαν.

63. Ὅτι δὲ τυχὸν ἔλοπος τοῦ ἰχθύος μνήμη παρῆλθε, περὶ αὐτοῦ τὰ γνωσθέντα μοι παραθήσομαι. ἰχθύς ἐστιν ἁπαλός, διαυγής, ὡς πηκτὴν καὶ κρυσταλλώδη, ἀλλ' οὐ ναστὴν καὶ ἰνώδη δοκεῖν ἔχειν τὴν σάρκα· ζωοτόκος μὲν καὶ μηρυκισμόν τινα ἀνάγων. πέφυκε δὲ τοῖς εὐτυχέσιν ἐνδιατρίβειν τόποις, ὅθεν μετ' αὐλῶν καὶ κυμβάλων τοῖς Ῥωμαίοις παρετίθετο, ὥς φησιν Ἀθήναιος. ἐν δὲ τῷ νήχεσθαι σκέπει τοὺς ὀφθαλμοὺς ταῖς παραπεφυκυίαις αὐτῷ πτέρυξι. καὶ ἔλοπα μὲν αὐτὸν Ἀριστοτέλης καὶ πάντες οἱ φυσικοὶ καλοῦσι, καὶ Ἀριστοφάνης δὲ ὁ Βυζάντιος ἐν τῇ ἐπιτομῇ τῶν ἐν ἰχθύσι φυσικῶν· οἱ δὲ Ῥωμαῖοι ἀκυϊπήνσερα, δι' ἃς αὐτοὶ γεγράφασιν αἰτίας· Κορνήλιος δὲ ⟨Νέ⟩πως καὶ Λαβέριος ὁ ποιητής, ἄμφω Ῥωμαῖοι, φασὶν Ὀπτᾶτόν τινα ναύκληρον τοῦ Καρπαθίου στόλου, οἰκεῖον Κλαυδίου βασιλέως, ἐνεγκόντα ἐκ τῆς κάτω θαλάσσης ἔλοπας ἀνὰ μέσον τῆς Ὀστίας καὶ Καμπανῆς περισπεῖραι θαλάσσης.

64. Τοιαῦτα μέν τινα τοῦ ἰχθύος χάριν εἰρήσθω· περὶ δὲ τὴν ἄνοδον, μᾶλλον δὲ ἀνακομιδὴν τοῦ

v. 12 Ath. VII p. 294ᵉ 14 Aristot. Hist. anim. II 13 p. 505ᵃ 15

v. 2 καπιστεύοντας *O*, corr. *F* 7 ωσιαπικτην *O*, ὡσεὶ πηκτὴν corr. *F*, ὡς πηκτὴν scripsi 8 οὐν αστην *O*, corr. *F* | εἰνώδη *O*, corr. *F* | δοκῶν coni. *F* 10 αὐλῶν καὶ στεφάνων Athen. 17 δὲ πῶς *O*, Νέπως corr. *F*, δὲ ⟨Νέ⟩πως scripsi 19 *οἰκίον O*, corr. *F* 21 ανανα μεσον *O*, corr. *F* | οστειας *O*, *quod correxi* 23 post εἰρήσθω paragraphos distinguit *F*

Καππαδόκου στιχηδὸν αὐτῷ παρεφαίνοντο κόραι σάνδυξι περικεχυμέναι τὰ μέλη, προφανῶς ἐκκαλύπτουσαι ὅσα ʽκαλύπτειν ὄμματ᾽ ἀρσένων ἐχρῆν᾽. πρὸς βραχὺ δὲ τὸ προκείμενον ἀφείς, ὅ,τι τυγχάνει σάνδυξ, καὶ ποῖον εἶδος ἐσθήματος γέγονε Λυδοῖς τὸ πάλαι, ἑρμηνεῦσαι πειράσομαι. σπουδὴ γέγονε τοῖς πολυχρύσοις τὸ πάλαι Λυδοῖς εὐπορίᾳ χρυσίου, ὅσον αὐτοῖς ὁ Πακτωλὸς μετὰ τὸν Ἕρμον ἐχορήγει, καὶ χρυσοστήμονας διεργάζεσθαι χιτῶνας — καὶ μάρτυς ὁ Πείσανδρος εἰπών· ʽΛυδοὶ χρυσοχίτωνες᾽ — καὶ οὐκ αὐτοὺς μόνους, ἀλλὰ καὶ τοὺς καλουμένους σάνδυκας· χιτῶνες δὲ ἦσαν ὑπ᾽ αὐτῶν εὑρημένοι, λινῶν μὲν οἱ διειδέστατοι, σάνδυκος δὲ χυλῷ τῆς βοτάνης κατέβαπτον αὐτούς — σαρκοειδὴς δὲ ὁ χρὼς τῆς βοτάνης —, οἷς αἱ γυναῖκες τῶν Λυδῶν γυμνῷ τῷ σώματι ἐπισκιάζουσαι οὐδὲν μὲν ἐδόκουν ἢ ἀέρα μόνον περικεῖσθαι, κάλλει δὲ ἔξω τοῦ καλοῦ καὶ σώφρονος ἐφείλκοντο τοὺς θεωμένους. τοιούτῳ τὸν Ἡρακλέα χιτῶνι περιβαλοῦσα Ὀμφάλη ποτὲ αἰσχρῶς ἐρῶντα παρεθήλυνε. ταύτῃ καὶ Σανδὼν Ἡρακλῆς ἀνηνέχθη, ὡς Ἀπολήϊος ὁ Ῥωμαῖος φιλόσοφος ἐν τῷ ἐπιγραφομένῳ ἐρωτικῷ, καὶ Τράγκυλλος δὲ πρὸ αὐτοῦ ἐν τῷ περὶ ἐπισήμων πορνῶν ἀνενηνόχασιν. ἔνθεν οἶμαι σανδόνας ἔτι καὶ νῦν πρὸς διασυρμοῦ λέγεσθαι, οὓς τὸ πλῆθος ἀπὸ τῆς κατασκευῆς τῶν σινδόνων σανδόνας ὡσανεὶ σινδόνας οἴεται χρηματίζειν.

v. 3 Eur. Hec. 570 22 Suet. frgm. 202 Reifferscheid

v. 3 ἃ κρύπτειν et χρεών Eur. 4 τυγχάνοι O, corr. B 9 πισανδρος O, corr. F 11 καλουμένους ἄνδυκας O, corr. F 13 καταβάπτοντες O, corr. B 14 ους O, οἷς corr. F 21 ἐρωτικὸν coni. F 22 τρακυλλος O, mutavit B

65. *Τοιαῦτα μὲν ἄν τις ὡς ἐν παρεκβάσει λέγοι, ἐγὼ δὲ πρὸς τὸν Καππαδόκην ἐπάνειμι. ἐπεσπῶντο δὲ αὐτὸν πόρναι ὑπ' ἄλλων πορνῶν γυμνοφανῶν βασταζόμενον φιλήμασιν ἐκλύτοις πρὸς μῖξιν αὐτίκα βιαζομένοις· ὁ δὲ κεχυμένος ἐκ τῶν προτεινομένων ὄψων τε καὶ ποτῶν πρὸς κιναίδων ἄλλων ἐλάμβανε· τοσαῦτα δὲ ἦν καὶ οὕτω μαλακά, ὡς ἔμετον αὐτῷ κινεῖν, μηκέτι χωροῦντος τοῦ στόματος, χειμάρρου δὲ δίκην ἐξαυλακίζοντος τὴν ἑστίαν καὶ κίνδυνον οὐ μικρὸν ἐξολισθαίνουσι τοῖς κόλαξι τῷ στιλπνῷ τῶν ψηφολογημάτων ἐπιφέροντος. οὕτω διετέλει σηπόμενος, συνάπτων ταῖς νυξὶ τὰς ἡμέρας, ὥστε πέρας μὲν αὐτῷ ἑστιωμένῳ τὸν φωσφόρον, ἀρχὴν δὲ πραγμάτων τὸν ἕσπερον γίνεσθαι. ὅπως δὲ μὴ τυχὸν ἐμπόδισμα ταῖς ῥᾳθυμίαις ἐγγένοιτο, ἀπολέγει καθάπαξ τῷ τεμένει τῆς δίκης — σήκρητον αὐτὸ καλοῦσιν ἐν τοῖς δικαστηρίοις — φαίνεσθαι μόνον ὑπομένων ἐν αὐτῷ, ὅτε περιφερόμενος τῇ ἀμετρίᾳ τῶν σιτίων τοὺς ἐπιφανεστάτους τῆς τάξεως ταῖς ποιναῖς ἐξέθετο. δικαστὰς δὲ προβάλλεται ἐπὶ τῆς βασιλέως στοᾶς, ὥστε ἐκείνων τῶν ἐπὶ χρήμασι δικῶν ἀκροωμένων, αὐτόν, οἷς ἔφθημεν εἰπόντες, ἀγρυπνεῖν.*

66. *Οὐκ ἦν οὖν τὸ λοιπὸν οὐ δικηγόρῳ σπουδῇ λόγῳ κοσμῆσαι τὴν συνηγορίαν πείθειν ἄρχοντα δυναμένῳ μέγιστον, οὐδενὸς τὸ λοιπὸν ἐπὶ σηκρήτου πραττομένου, οὐ πρεσβείας ἢ μονομεροῦς ἐντυχίας ἢ διδασκαλικοῦ ἢ μετρήσεως ἢ ἐξισώσεως ἤ τινος ἑτέρου*

v. 1 post *λέγοι* paragraphos distinguit *F* 7 *αιμετον O*, corr. *F* | *αυτὸ O*, *αὐτῷ* corr. *F* 15 *ἀπολέγειν O*, corr. *F* 17 *αὐτοῖς O*, *αὐτῷ* corr. *F* 21 *αὔτων O*, *αὐτόν* corr. *F* | *ως O*, *οἷς* corr. *B* | *ἔφθην O*, quod correxi | *εἰπών* coni. *F* 22 *οὐ⟨δὲ⟩ δικηγόρῳ* coni. *B* 23 *λόγων O*, correxerunt Gu. Kroll et F. Skutsch | *ἢ* ante *πείθειν* inserendum censuit *B* | *δυναμένων* coni. B

τῶν πάντων· ὥστε λοιπὸν οὐδένα τῶν ἔμπροσθεν εἰωθότων εὐδοκιμεῖν περὶ λόγους τοιούτοις τισὶν ἐπαγρυπνεῖν. τίνι γὰρ ἤμελλέ τις ἀρκέσειν, ἢ τίνος χάριν τῶν ἐπαίνων ἀντέχεσθαι, ὅτε μηδὲ μάρτυς ἦν τις ἢ ὅλως ἐπαινεῖν τὸ σχῆμα τῶν δικαστηρίων δυνάμενος; ἔνθεν ἀπόλωλεν ἡ τάξις, καὶ πραγμάτων οὐκ ὄντων ἀσχήμων ἐρημία κατερρύπωσε τὸ δικαστήριον, οἰμωγαί τε καὶ δάκρυα τῶν πρὸς τὸ πέρας τῆς στρατείας ἀφικνουμένων, εἰς γῆρας ἄπορον καταφερομένων. εἰκότως οὖν οὐδεὶς ἐπὶ στρατείαν ἀπήγγελλε, τὸ πρὶν εἰωθός, ὑπὲρ χιλίους κατ' ἔτος ἕκαστον ταχυγράφους στρατευομένους τοῖς παυομένοις τῶν πόνων καὶ μάλιστα τῷ λεγομένῳ ματρικουλαρίῳ — ἀντὶ τοῦ τῶν καταλόγων φύλακι — πόρον οὐ μικρὸν περιποιεῖν. καὶ ταύτης ἐγὼ μετέσχον τῆς ἀστοχίας, μηδὲ τὴν ἐφήμερον δαπάνην ἐν τῷ πληροῦν τὴν στρατείαν εὑράμενος. μαρτυρούσης γάρ μοι τῆς ἀληθείας, ἕνα ταχυγράφον παρ' ὅλον τὸν ἐνιαυτὸν τοῦ πληρώματος οὐκ οἶδα στρατευσάμενον, πολυτρόπου τῆς ἀφορμῆς τυγχανούσης· πρῶτον μὲν τῆς ἐν τοῖς πράγμασι παντελοῦς ἀπορίας, εἶτα δὲ καὶ τῆς τῶν καλουμένων προβατωριῶν δυσπορίστου μεταλήψεως· καὶ ὅπως, ἐρῶ.

67. *Ἡ παλαιότης πέντε χρυσίνους οἶδε παρεχομένους τοῖς μεμοριαλίοις ὑπὲρ προβατωρίας ἀδιούτορος, πρὸς τὴν ἔπαρχον ἐξουσίαν καταπεμπομένης καὶ τότε, ἡνίκα κατὰ τὸν μυθικὸν ὁ χρυσοῦς αἰὼν ἐξέλαμπε·*

v. 26 Hesiodi Opera v. 109 sqq.

v. 1 *πάντων* bis scripsit *O*, alterum delevit *F* 2 *τοιούτους O*, corr. *B* 3 *ἔμελλε* scripsit *F* | *ἀρέσκειν* coni. *B* 7 *κατερριπωσε O*, *κατηρίπωσε* coni. *F* ep. p. 43, corr. *B* 8 *ἀφικνουμενον O*, corr. *F* 9 *πηρας* O, corr. F 20 *τοῖς ἐν*, quod in *τῆς ἐν* correxit, *O* 26 *τὸ μυθικὸν* coni. F, *τὸν μῦθον* coni. B

νῦν δέ, ὅτε οὐδὲ ὄνομα ἔστιν εὑρεῖν τῷ καθ' ἡμᾶς χρόνῳ ἀρκοῦν ἐπιδεῖξαι τὴν ἐν αὐτῷ μοχθηρίαν, εἴκοσι χρυσῶν ἔκριναν αὐτοῖς ἀποδίδοσθαι τὴν προβατωρίαν. ὡς δὲ ἔγνωσαν μηδένα τολμᾶν, μᾶλλον δέ, μὴ ἔχειν τοσούτου χρήματος προβατωρίαν πορίζεσθαι, τύπον πραγματικὸν ἑαυτοῖς ἐξεμύζησαν μηδενὶ συγχωροῦντα γραμμάτων ἄνευ βασιλικῶν ἐπὶ στρατείαν ὑπὸ τοῖς ἐπάρχοις διαβαίνειν. τὸ δὲ ὅλου πρὸς ἀτιμίας ἐπράττετο τῆς ἀρχῆς, τοῦ νόμου δόντος ἀνέκαθεν αὐτῇ, δι' οἰκείων ψήφων οὓς ἂν ἐθέλῃ τοῖς ταχυγράφοις τοῦ δικαστηρίου συναριθμεῖν· καὶ πολλοὺς αὐτὸς ἐπίσταμαι ἀπὸ διαλαλιᾶς στρατευσαμένους, διαπρέψαντάς τε ἅμα καὶ τὴν ζώνην ἐντίμως ἀποθεμένους. καὶ ταύτης δὴ οὖν τῆς ὁδοῦ τὸ λοιπὸν σχολαζούσης εἰς παντελῆ δυστυχίαν ἤλασε τὰ τῆς τάξεως· τὸ δὲ τῶν καλουμένων ματρικουλαρίων ῥιζόθεν ἀνασπασθὲν ὄλωλε φρόντισμα· καὶ τί λέγω, αὐτῶν πάντων καθομαλοῦ μετὰ τὸ τῆς στρατείας πέρας ἐν ἀπορίᾳ αἰσχρᾷ ὀδυνηρὸν τὸν λοιπὸν τῆς ζωῆς χρόνον παρασυρόντων; τὴν οὖν στρατείαν ἀπεθέμην τεσσαράκοντα ἐνιαυτοὺς προσεδρεύσας καὶ μηδὲν παρὰ τὴν ἐπωνυμίαν τοῦ πληρώματος ἀπενεγκάμενος. καὶ καλὸν μὲν ἀναχωρῆσαι τὸ λοιπόν, τῆσδε τῆς τραγῳδίας ἀποχρώσης τῆς ἐκβάσεως ἐπιδεῖξαι τὴν ἀλήθειαν· πλὴν καὶ ἄλλης χρῆναι νομίζω ἀφηγήσεως ἅψασθαι.

68. Νόμος ἀρχαῖος ἦν, πάντα μὲν τὰ ὁπωσοῦν πραττόμενα παρὰ τοῖς ἐπάρχοις, τάχα δὲ καὶ ταῖς ἄλλαις τῶν ἀρχῶν, τοῖς Ἰταλῶν ἐκφωνεῖσθαι ῥήμασιν·

v. 26 vide supra II 12 et III 42

v. 6 ἐξεμοιζησαν *O*, corr. *F*   12 διαπρεψαντες, quod correxit *O*   21 μηδὲ *O*, μηδὲν corr. *F*

οὗ παραβαθέντος, ὡς εἴρηται, — οὐ γὰρ ⟨ἦν⟩ ἄλλως — τὰ τῆς ἐλαττώσεως προὔβαινε· τὰ δὲ περὶ τὴν Εὐρώπην πραττόμενα πάντα τὴν ἀρχαιότητα διεφύλαξεν ἐξ ἀνάγκης, διὰ τὸ τοὺς αὐτῆς οἰκήτορας, καίπερ Ἕλληνας ἐκ τοῦ πλείονος ὄντας, τῇ τῶν Ἰταλῶν φθέγγεσθαι φωνῇ, καὶ μάλιστα τοὺς δημοσιεύοντας. ταῦτα μετέβαλεν ὁ Καππαδόκης εἰς γραώδη τινὰ καὶ χαμαίζηλον ἀπαγγελίαν, οὐχ ὡς σαφηνείας φροντίζων, ἀλλ' ὅπως πρόχειρα ὄντα καὶ κοινὰ μηδεμίαν ἐμποιῇ δυσχέρειαν τοῖς κατὰ σκοπὸν ⟨αὐτοῦ⟩ πληροῦν τὰ μηδαμόθεν αὐτοῖς ἀνήκοντα τολμῶσι. πράττων γὰρ καὶ γράφων καὶ καινοτομῶν καὶ ἐκ παντὸς τρόπου σαλεύων τὴν ἀρχαιότητα, οὐ τοῖς ἁρμοδίοις τῶν χωρῶν ἐπιστάταις — οὓς καλοῦσι τρακτευτὰς ἀντὶ τοῦ κλιματάρχας — ἢ διαψηφισταῖς ἐδίδου κατὰ τὸ σύνηθες τὰ πραττόμενα πρὸς πλήρωσιν, ὥστε μηδὲν παρὰ τὸν νόμον γίνεσθαι, ἀλλ' αὐτὸς διὰ τῶν οἰκείων πληροῦσθαι τὰ σύμβολα ἐκέλευσε, τῶν εἰωθότων παρέχεσθαι δαπανημάτων τοῖς ἁρμοδίοις πληρωταῖς αὐτὸς γενόμενος κύριος. εἶτα ἐκ τῆς μὴ κατὰ τὸ προσῆκον τολμωμένης τῶν χαρτῶν ἐκδόσεως μεγίστων ἀνισταμένων τοῖς ὑποτελέσι δυσχερειῶν αὐτὸς ἠγανάκτει καὶ θανάτους ἐπέφερε τοῖς οὐκ ἐπισταμένοις τὴν τῶν ἀνέδην καὶ ὡς ἔτυχεν ἀπολελυμένων χαρτῶν δύναμιν· καὶ νόμος ἐκράτησεν ἐξ ἐκείνου καὶ πάντες ὡς ἔτυχε καὶ γράφουσι καὶ πληροῦσι καὶ ἀπολύουσι τὰ παντελῶς αὐτοῖς ἀγνοούμενα, τὸ πρὶν μυρίοις κατησφαλισμένα τρόποις, τοῖς τε λεγομένοις

v. 1 ἦν addidi 9 ἐμποιεῖ O, corr. F 10 αὐτοῦ add. F | πληρουντα O, πληροῦν τὰ corr. F 14 κληματουρχας, quod in κληματάρχας correxit, O; κλιματάρχας emendavit F 16 διδου, postea addito ε, O 19 γινομενος O, corr. F 21 δυσχερων O, corr. B 23 ἀναιδην O, corr. F

κοττιδιανοῖς, οἷον ἐφημέροις, τοῦ ἀβ ἄκτις, τοῖς τε προσφόροις σκρινίοις καὶ αὐτοῖς δὲ τοῖς ἐξ αὐτῶν ἔχουσι τὸν πόρον. καὶ τί μακρηγορῶ; πάντα παντελῶς διαπέπτωκε μηδεμίαν ἐπίγνωσιν τῶν πρὶν κατορθωμάτων διασώζοντα.

69. Οὕτω τοῦ μιαρωτάτου πολεμίου τῶν νόμων διαγενομένου ἐπεστράφη θεός, ἐκδοῦναι τὸν αἴτιον τῶν κακῶν ταῖς ἰδίαις πράξεσι ψηφισάμενος, πείθων αὐτόν, ὡς

ἔστι δίκη νέμεσίς τε κακοῖς κακότητα φέρουσα.

τοῦ γὰρ ἠπιωτάτου βασιλέως μηδὲν τούτων ἐπισταμένου, πάντων δὲ διὰ τὴν ἄκρατον δυναστείαν, καίπερ ἀδικουμένων, συνηγορούντων τῷ πονηρῷ Καππαδόκῃ καὶ τοῖς πάντων ἐξοχωτάτοις ἐπαίνοις ἐπ' αὐτῷ παρὰ βασιλεῖ χρωμένων — τίς γὰρ ἂν ἐτόλμησε καὶ μόνης ἐπαίνων χωρὶς μνησθῆναι τῆς αὐτοῦ προσηγορίας; — μόνη ἡ ὁμόζυγος γυνή, κρείττων τῶν ὄντων ὁτεδήποτε ἐπὶ συνέσει καὶ συμπαθείᾳ τῶν ἀδικουμένων ἀγρυπνοῦσα, μὴ φέρουσα τὸ λοιπὸν περιορᾶν τὴν πολιτείαν βυθιζομένην, οὐ μετρίοις λόγοις ὡς τὸν βασιλέα ὁπλισθεῖσα διαβαίνει, [ἅπαν]τα αὐτὸν τὰ τέως διαλανθάνοντα διδάσκουσα, καὶ ὡς κινδυνεύοι οὐ τὸ ὑπήκοον μόνον ἐναπολεῖσθαι τοῖς κακοῖς, ἀλλὰ καὶ αὐτὴν ἐγγὺς σαλεύεσθαι τὴν βασιλείαν. εἰκὸς οὖν ὁ βασιλεύς, καλὸς ὢν καὶ πρὸς ἀμύνην τῶν κακῶν βραδύς, ἀμηχάνοις ἀπορίαις εἴχετο, μηδὲ ἀποκινεῖν τὸν καταστροφέα τοῦ πολιτεύματος εὑρίσκων — οὕτως ἔτυχεν, οἷα κακῶς

v. 11 ηπιστατου, quod correxit, O 12 δυνασιαν O, corr. F 17 κριττον O, corr. F 24 εικως O, εἰκὸς scripsit F, εἰκότως coni. B 25 ἄμυναν scripsit F 27 κακὸς coni. F

ταράξας τὰ πράγματα καὶ τοὺς φόρους ἀπορίᾳ καὶ συγχύσει ἀδιακρίτῳ σκοτώσας, ἀλλήλαις τὰς λεγομένας ἐπινεμήσεις ἐμμίξας, ὡς μηδέποτε πέρας αὐτῷ γενέσθαι τῆς ἀρχῆς μηδέ τινα τῶν ἀπὸ τῆς βουλῆς ἢ ὅλως τοῦ δικαίου πέρι ἀγρ⟨υπν⟩οῦντα τολμᾶν ἐπιλαβέσθαι τῆς διοικήσεως —· ἐπεκούρει δὲ ὅμως τοῖς ὑπηκόοις ὁ βασιλεὺς καθ' ὅσον ἀνθρώποις δυνατόν.

70. Οἱ δὲ ὑποτελεῖς τὸ λοιπὸν οὐκ οὔσης αὐτοῖς οὐδὲ ἀφεθείσης περιουσίας διὰ τὰς συνωνὰς καὶ ἀγγαρείας καὶ τοὺς ἐξ αὐτῶν πόνους, γυναικῶν τε σὺν ἐπιμαζίοις βρέφεσιν ἀχθοφορουσῶν καὶ διακομιζουσῶν τὰ εἴδη ἐκ μεσογείου μακρᾶς ἐπὶ θάλασσαν ἀνελεεῖς καὶ ἀτάφους ἐπὶ τῆς ὁδοιπορίας θανάτους τῶν τε τοὺς δασμοὺς πρατ[τομένων πο]λυτρόπους καὶ πολυσημάντους ἐφό⟦δους, αἰτούντων⟧ [κηνσουάλια ὁλογρα]φικὰ βουλευτικὰ ὁμόδουλα ὁμ[όκηνσα ἀφαντικὰ ἐγ]καταλελειμμένα πολιτικὰ ταμιακὰ [δηπου]τᾶτα [ῥ]ε[κολ-λ]ᾶτα ⟦ῥ⟧ελεγᾶτ[α ῥεφοῦσα κεραστ]ισμοὺς [ῥοπ]ὰς [παραλλα]⟦γ⟧ὰ⟦ς⟧ τόκους ἐνδοματικὰ μητατορικά, [καὶ με]τὰ τὴν [τούτων] ⟦ἀν⟧ελεῆ φόρων ἀπαίτησιν ἐπὶ τοῦ νομίσματος ἄλλων μυρίων ὥσπερ ἐξ ὕδρας ἀνισταμένων κακῶν τοῖς ὑποτελέσιν ὑπεράνω, μεριτικῶν σουφραγιῶν [..............ίμων] κομιτατησίων μονοπτέ-

v. 5 περιαγροῦντα O, quod correxi; περιαλγοῦντα aut περιεργοῦντα coni. B 6 ὁμοίως O, ὅμως τοῖς corr. F 9 ἀγγαρίους O, quod correxi 11 ἐπιμαζίους O, corr. F 12 ηδη O, εἴδη corr. F 13 ἄταφοι . . θάνατοι O, quod correxi 14 τοῖς O, τοὺς corr. F 15 supplevi 17 [δεπο]τατα O, quod mutavi | ρεκολατα O, quod correxi 18 . ελεκατα O, quod supplevi et correxi | [κεραστι]σμοις O, corr. F 19 [παραλλα] . α O, quod explevi 20 . . ελληφορον O, quod supplevit et correxit Th. Preger 22 σουσοσπαι\[δων O, quod correxi ex *Iustin. Nov. VIII* prooem. 1

ρων μονασ⟦τικῶν⟧ [ἀπημελημ]ένων λευκοχρύσων, ⟦καὶ τὸ⟧ πέρας τὰς ἐν⟦ιδρυμένας ἀεὶ στρατιὰς⟧ [καὶ] ⟦τ⟧ῶν ὑπερμαχούντων τὰς κατ' α⟦ὐτῶν τῶ⟧ν προνοουμένων λαφυραγωγοὺς ἁρπαγάς, βίας τε καὶ φθορὰς τῶν παραπορευομένων διὰ τῶν ἐπαρχιῶν στρατευμάτων, ὅσα κατὰ τὸ ἀναγκαῖον ἐπὶ τοὺς πολέμους ὁρμᾶν συμβαίνει, διὸ κουφοτέραν τὴν ἐπιδρομὴν τῶν βαρβάρων τῆς ἐπιστασίας τῶν οἰκείων τὸ ὑπήκοον ἑαυτῷ συλλογίζεται· διὰ ταύτας τοίνυν τὰς αἰτίας, μᾶλλον δὲ περιστάσεις, τὰς ἐνεγκούσας αὐτοὺς ἀπολείποντες [ἅπαν]τες καὶ ῥᾳθυμεῖν μᾶλλον ἢ κάμνειν σωφρόνως ἐθέλοντες, οἷα μηδὲ συγχωρούμενοι, τὴν βασιλέως πόλιν ὄχλων ἀχρήστων ἐνεφόρησαν· καὶ πολὺς ἦν ὁ νόμος πρὸς ἀπειρίαν πταισμάτων τῷ πλήθει συνεκτεινόμενος, ὥστε καὶ τοὺς τὸ πρὶν ἠμελημένους ἄρχοντας προαγαγεῖν, πραίτοράς τε καὶ κυαισίτορας, κατὰ τήν ποτε κρατήσασαν παρὰ Ῥωμαίοις συνήθειαν, ὡς προαφηγησάμεθα. τῶν δὲ τοῖς ἁμαρτήμασι τοῦ δήμου ἐπεξιόντων σφοδρότερον ἀναστὰν τὸ πλῆθος καὶ εἰς κακοδαίμονα συναχθὲν ὁμόνοιαν, πᾶσαν ἐγγὺς τὴν πόλιν ἐνέπρησε. καὶ ὁ μὲν Καππαδόκης [ἄφ]αντος ἐγένετο, ἀρχῆς δὲ λαβόμενον τὸ πῦρ ἐκ τῶν τῆς αὐλῆς εἰσόδων, εἶτα ἐξ αὐτῶν ἐπὶ τὸ πρῶτον ἱερόν, ἐξ οὗ ἐπὶ τὴν Ἰουλιανοῦ [γερουσίαν] — ἣν καλοῦσι σενᾶτον κατὰ τὴν Αὐγούστου

v. 17 vide supra II 27

v. 1 μονασι . . . *O*, quod supplere temptavi | [απηλλημ]ενων *O*, quod correxi 2. 3 quae deerant supplevi; ἐνιδρυμένας ἀεὶ στρατιὰς sumpsi e p. 152, 11 6 πολεμους bis scriptum in *O*, alterum del. *F* 9 αρτιας *O*, αἰτίας corr. *F* 12 ⟨εἰς⟩ τὴν coni. *F* | ὀχλον ἀχρηστον *O*, quod correxi; ὄχλου ἀχρήστου coni. *B* 14 συνεκτινομενος *O*, corr. *F* 19 κακοδαίμονας *O*, corr. *B* | ὁμονοίας coni. *F* 23 ων O, οὗ correxi 24 σηνατον *O*, quod mutavi | καὶ τὴν coni. F ep. p. 44

[πανήγυριν — ἀφ' ἧς ἐπὶ τὴν] ἀγοράν, ἣν καλοῦσι [Ζεύ]ξιππον ἀπὸ Ζευξίππου βασιλέως, [ὑφ' ᾧ ἐπὶ τῆς τριακοστῆς ὀγδόης] Ὀλυμπιάδος Μεγαρεῖς εἰς Βυζάντιον ἀποικήσαν]τες πρὸς τιμὴν αὐτοῦ [τὴν ἀγορὰν οὕτως] ἐπωνόμασαν, καθάπερ τὰς Χαριδήμου στοὰς [οἱ Κύ-ζ]ικον οἰκίσαντες Μεγαρεῖς· καὶ οὗ[τος] βασιλεῦσαι Ἑλλήνων μνημονεύεται, ὡς ὁ Κά[στωρ ἐ]ν ἐπιτ[ομῇ χρονικῶν] ἀπέθετο· τὸ γὰρ δημόσιον βαλανεῖον Σεβήρειον ἀπὸ Σεβήρου, [Ῥωμαίων ἡγησαμένου, παρωνόμασται, ὃς ἀρθρίτιδι νόσῳ [ἐνοχλο]ύμενος ἐδείματο τὸ βαλανεῖον, προσκαρτερῶν τῇ Θρᾴκῃ διὰ τὴν πρὸς Νίγρον διαφοράν·] — τῶν δὲ τηλικούτων σωμάτων [εἰς πῦρ] μεταβαλόντων ἡρπάγησαν αἱ μέχρι τῆς Κωνσταντίνου ἀγο[ρᾶς τὴν πόλιν] διευθύνουσαι στοαί, κάλλει καὶ μεγέθει κιόνων εὐγράμμως [διασκη]νοῦσαι τὴν πλατεῖαν· Καμπανοὶ ταύτας εἰς χάριν Κωνσταντίνου λέγονται κατασκευάσαι, ἀπὸ Παρθενόπης τῆς καθ' ἡμᾶς Νεαπόλεως καὶ τῆς ποτε Δικαιαρχίας, νῦν δὲ Πουτεόλων, εἰς Βυζάντιον πρὸς χάριν, ὡς εἴρηται, τοῦ βασιλέως παραγ[ενόμ]ενοι. συναπετεφρώθη οὖν — πῶς γὰρ οὐκ ἤμελλον; — τὰ συνημμένα τοῖς μέσοις πρὸς τὸ βόρειον καὶ νότον ἄνεμον οἰκοδομήματα, καὶ ὅρος ἦν ἡ πόλις καὶ βουνοὶ μέλανες ἀπερρωγότες κα-

v. 7 cf. Castoris frg. 6 (coll. C. Mueller in calce Herodoti Dindorfiani p. 167)

v. 3 *μεσγαρις O*, corr. *F* 4 *πρὸς τιμῆς* coni. *B* 5 *χαριδημους O*, corr. *F* 6 *οικησαντες O*, corr. *F* | *καὶ ου .... βασιλεῦσαι O*, quod supplevi; *καὶ* [*γὰρ*] *βασιλεῦσαι* scripsit *F* 8 *σεβηριον O*, corr. *B* 10 supplevit *F* ep. p. 44 13 *μεταβαλλόντων O*, corr. *F* | *μη O*, *αἱ* corr. *F* 14 *διευθηνουσαι O*, corr. *F* 20 *παραγ[εναμ]ένων O*, *παραγενομένων* F, corr. B 21 *ἔμελλον* scripsit *F* | *τῇ Μέσῃ* coni. Th. Preger 22 *οικοδομητα O*, corr. *B*

θάπερ ἐν Λιπάρῃ ἢ Βεσβίῳ, κόνει καὶ καπνῷ καὶ δυσωδίᾳ τῶν ἀποτεφρουμένων ὑλῶν ἀοίκητος, φόβον ἐλεεινὸν τοῖς θεωμένοις ἐνσείουσα. καὶ ὁ μὲν δῆμος, μᾶλλον δὲ τὸ βάρβαρον καὶ ἀνελεὲς πλῆθος ποιναῖς ταῖς ἀξίαις πρὸς αὐτῆς ὑπεστάλη τῆς νίκης, [εἰς] πέντε σύνεγγυς μυριάδας σιδήρῳ χύδην δ[ια]φθαρέν· ἡ δὲ πόλις ἔρριπτο πυρὶ καὶ χώμασι καὶ λειψάνων ἀμορφίᾳ κατάπληκτος. ἀλλὰ θεός — μόνου γὰρ ἦν αὐτοῦ — τὴν τοσαύτην παραμυθήσας . . . .

71. . . . . *[ἐνίκησε δὲ ὅ]μως [μ]ετὰ θεὸν ἡ βασιλέως [τύχη κατὰ] πά[ντα] τὸν ἐρειπιῶνα καὶ ἐν βραχεῖ χρό[νῳ· κρείττων] δὲ ἡ πόλις καὶ ⟦καλλίων ὤ⟧φθη ἰσχυρά τε δ[μ]οῦ [καὶ ἀσφαλής, καθά]πε[ρ ἐξ ἀ]μόρφου [ὅλου αὖ]θις τοῦ δη[μιουργοῦ κ]αθάπερ τό⟦δε τὸ⟧ πᾶν εἰς φῶς μόνῃ τῇ δυ[νά]μει [τῆς] βου[λῆς] ἀνακαλοῦντος.*

72. *[Πέρ]ας οὖν τοῦτο τῆς πρώτης λῃσταρχίας τοῦ πονηροῦ Καππαδόκου. ἀντίρροπον δὲ θεὸς τῇ κακίᾳ εὐμένειαν ταῖς συμφοραῖς ἐπιδέδωκε. Φωκᾶς γέγονεν [ἀνὴρ] εὐπατρίδης, [Σα]λβίου μὲν τοῦ δικαιοτά[του] ἔγγονος, Κρατέρου δὲ τοῦ πάντων εὐσεβεστάτου π[αῖ]ς, ὃς τὰ πρῶτα τοῖς λεγομένοις σιλεντιαρίοις τῆς αὐλῆς*

v. 10 ante *ἐνίκησε* septem versus quinarum fere et trigenarum litterarum desunt, qui iam Fussii temporibus evanuerant. hodie nihil in codice legitur nisi v. 1 extr. *τὴν πό⟦λιν⟧*, 3 med. *τεχ*, 5 extr. *ν τοῦ παρ*, 6 extr. *σ προτερο*, 7 med. *γ⟦ί⟧ας*, 7 extr. *τῶν ὑπ* . . .   11 *[κατὰ] πά[ντα] σ[υ]ν[ει]πων O*, *κατὰ πάντα συνειποῦσα* coni. *F* ep. p. 44, *καθάπερ ἔφθην εἰπών* coni. *B*, ego emendare studui   12 *δὲ ἡ O*, *τε ἡ* coni. *F* ep. p. 44 | quae sequuntur, explevi   14 *το* . . . . *παν O*, quod supplevi, *τό⟦τε⟧, πᾶν* volebat *F*   17 ante *πέρας* legitur inscriptionis loco *ΛΟΓΟϹ in O*, libri quarti initium falso a librario indicatum   21 *εὐσεβεστάτους O*, corr. F   22 ως O, ὃς corr. F

διαπρέψας, τοὺς πώποτε ἐπὶ τῇ μεγαλειότητι ψυχῆς <θαυμαζομένους> μετὰ δόσεων ἀμετρίας ὑπερβαλλόμενος, ἐπὶ τοὺς πατέρας τῆς βασιλείας κατ' ἀξίαν ἀνελήλυθε, πλούτῳ <δὲ> [κομ]ῶν καὶ τοῖς δεομένοις ἐπαρκῶν αὐτὸς ἑαυτῷ μόνῳ τὴν φειδωλίαν διέ[σωζ]εν. δίαιτα γὰρ ἦν αὐτῷ καὶ τρ[ο]φῆς ἀσιτία τοσαύτη, ὅση τοῖς ἄγαν μεμετρημένοις τὸν βίον ἐν εὐτελέσιν ἠριθ[μεῖ]το. καὶ τῆς μὲν [περιου]σίας τύχης αὐτοῦ ἀξίως τὰ τῆς ἑστίας διέ⟦νεμε⟧ τοῖς φίλοις· αὐτὸς δὲ μόναις τῶν δαιτυ[μόνων] εὐθυμίαις ἐτρέφετο σεμνὸς μὲν καὶ φιλόκαλος ὤν, ἀλλ' οὐ καλλωπιστής, ἐξ αὐτοῦ καὶ μόνου ...

73. ... καὶ δόλους ῥάπτειν, αἰτεῖν μὲν ἠρυθρία τῶν ἀναγκαίων δεόμενος· ἔστενε δὲ καὶ οἴμωζε, καὶ δάκρυσι πεφορτωμένος τὰς ὄψεις δῆλος ἦν καὶ τοῖς ἄγαν ἀγνοοῦσιν αὐτόν, ὡς εἴη λυπούμενος. τοῦτον ὁ Φωκᾶς ἐκ τύχης ἰδὼν καί, ὡς ἀνὴρ ἀγαθὸς καὶ λαβεῖν ἱκανὸς ψυχῆς ὀδύνην ἐκ μόνης ὀλιγωρίας [τοῦ π]ροσώπου γνωριζομένην, εἰπεῖν τι πρὸς αὐτὸν ἀνε⟦βά⟧λ-

v. 1 μεγαλητι *O*, μεγαλότητι corr. *F*, μεγαλειότητι scripsi 2 θαυμαζομένους add. Gu. Kroll 3 ανηλυθε *O*, corr. *B* 4 δὲ add. *B* | κωμων *O*, corr. *B* 6 αὐτη *O*, αὐτῷ corr. *F* | τρ[υ]φης *O*, corr. *B* 7 μεμετριμένοις *O*, corr. *F* 9 suppl. *F* | δαι[μονων] *O*, corr. *B* 10 ἐστρεφετο *O*, corr. *F* | σεμνη *O*, corr. *F* 12 ante καὶ δολουράπτειν (sic *O*, δολορράπτειν coni. *F*, corr. *B*) deest una codicis pagina, quam ut legeret, ne Fussio quidem contigit; desiderantur igitur triginta duo versus trigenarum quinarum fere litterarum, quarum has solas cognovi: v. 3 init. ..γετας, 6 init. ἀσκέπαστον, 7 init. ἀπάδο⟦ντα⟧, 13 init. ἁ⟦ν⟧αρπά⟦σα⟧ς ⟦ἔ⟧χοι· φ.., 17 init. β]ασιλέως τὰ, 20 init. συμ.ριως, 21 init. ηγ⟦ε⟧ ὁ πν..., 21 med. σκηπ]τροκρα⟦τεῖν, 24 extr. ὄντων τῶν, 25 ἠματω⟦μένο⟧ν ἁ..., 26 med. εσι⟦ν ἄ⟧λλην, 27 extr. et 28 init. ὁμο⟦ίως⟧ καθέστηκεν· τὰς μείζ⟦ονας δὲ ὁ⟧ Σπεκιῶσος λ..ας, 28 extr. ..καν δη⟦μ⟧ο.., 29 init. ..ωσι τὰ ἐπὶ τὸ, 29 med. μ]ετρίω⟦ς, 30 extr. τηνμας πάτριο⟦ν, 31 extr. ..στον δὲ.., 32 extr. π..εσσο ..... υπα .... 18 suppl. F

λετο· ἐμὲ δὲ μεταστειλάμενος — καὶ γὰρ ἀγαπᾶν [πα]ρὰ τοὺς ἄλλους ἠξίου, ἀπατώμενος μᾶλλον ὡ[ς εἴην π]ερὶ λογυδρίων τινῶν δῆθεν οὐκ ἄφροντις — καὶ χάριν ⟦ἐθέλων⟧ [παρ'] ἐμοῦ λαβεῖν, ἠξίου περινοῆσαί τινα πρὸς διδασκαλίαν αὐτῷ τῆς Ἰταλίδος φωνῆς, [Λί]βυν ἐπιζητῶν· αὐτοὺ[ς] γὰρ ἔφασκεν ἐγνωκέναι στομυλωτέρως παρὰ τοὺς Ἰταλοὺς διαλέγεσθαι. ἑνὸς δὲ τῶν παρόντων Σπεκιώσου μνήμην ἀνάγοντος ἐξαναστὰς ἐμέ τε καὶ τὸν εἰπόντα ἀντεβόλει, πρὸς ἔντευξιν ἐκείνου παρακαλῶν· ἐγὼ δὲ ἑρμαῖον ἡγησάμενος ὡς τάχος τὸν Σπεκιῶσον ἄγω πρὸς αὐτόν· καὶ γὰρ ἠπιστάμην τὸν ἄνθρωπον. ὁ δὲ λαβὼν αὐτὸν κατ' ἰδίαν γονυπετῶν διετέλει καὶ σωφρόνως ἐκλιπαρῶν ᾔτει τῆς οὔσης αὐτῷ μεταδοῦναι φωνῆς. ἐμὲ δὲ χωρίσας βραχὺ τοῦ λόγου ἑκατὸν χρυσίνους λαβεῖν ἠξίωσε δοθησομένους ἐκείνῳ· ὃ δὴ πράξας ἐγὼ καὶ τῶν λεγομένων συστατικῶν ἕνεκα τῷ Σπεκιώσῳ δοὺς ἔπεισα συχνότερον πρὸς τὸν πάντα ἀγαθὸν ἐκεῖνον ἄνθρωπον φοιτᾶν. ⟨ὁ δὲ⟩ — πῶς γὰρ οὐκ [ἤ]μελλεν; — ὄρθριος παρῆν, πρὸ τῆς αὐλείου τοῦ δῆθεν ἠξιωκότος αὐτὸν παραφυλάττων· ὁ δὲ μεταστειλάμενος καὶ θεραπ[εύ]σας ἀντεβόλησε, μὴ πρότερον προσεδρεύειν αὐτῷ, πρὶν αὐτὸς διαστειλάμενος ἀξιώσῃ γενέσθαι πάρ' αὐτόν. καὶ τὸ λοιπὸν ὁ Σπεκιῶσος συμβάλλων τὴν τέχνην περιόδῳ τοῦ σκέμματος ⟦ἐπαύ⟧θη τῆς προσεδρίας· οὐδὲ γὰρ ἔμελε τῷ Φωκᾷ, [μάλα π]ρὸς

v. 2 ω[σει π]ερὶ *O*, corr. *B* 3 λογουφιων, quod in λογοιδρυων mutavit, *O*; corr. *B* 4 suppl. *F* 6 αυτο[ς] *O*, corr. *F* 12 καθιδιαν *O*, corr. *F* 15 εκεινο *O*, corr. *F* 16 συστατικον *O*, corr. *F* 18 ὁ δὲ add. *F* 19 ἔμελλεν *F*, [ἤ]μελλεν scripsi 22 αξιως *O*, corr. *B* 24 τη τέχνη *O*, quod correxi; τῇ τεχνικῇ coni. *F* | ...θει *O*, quod supplevi et correxi; ⟦ἐφ⟧θη *F* 25 ἐμελλε *O*, quod correxi

ἑκατέραν παρεσκευασμένῳ παι[δεί]αν, μαθητείαν εὑρεῖν ἐκείνοις, ἃ παρὰ τοὺς πολλοὺς ἀξιολόγως ἠπίστατο. καὶ τίς ⟨οὐ⟩ στοχάσεται ἐκ τῶν περὶ ἀνθρώπους τἀνδρὸς κατορθωμάτων, πόσης [ἦν] περὶ τὸ θεῖον εὐσεβείας; μιᾶς οὖν πράξεως αὐτοῦ ἐπιμνησθεὶς πέρας ἐπιθήσω ταῖς ὑπὲρ ἀριθμὸν αὐτοῦ τῶν ἀγαθῶν ἀφηγήσεσιν.

74. Πρὸς Πεσινοῦντι, πόλει [τῆς Γαλα]τίας — οὕτω δὲ τὸ χωρίον ὀνομασθῆναι [συμβέβηκεν] ἐκ τοῦ πεσεῖν ἀπείρους ἐκεῖ Γαλατῶν τῶν περὶ Ῥοδανόν, ἐπιπεσόντων [τῇ] χώρᾳ Βρέννου ἡγησαμένου καὶ τὴν ὁμώνυμον [αὐ]τοῖς χώραν ἐκδικεῖν βιαζομένων, ὡς Φενεστέλλας καὶ Σισέννας οἱ Ῥωμαῖοί φασιν, ὧν τὰς χρήσεις ὁ Βάρρων [ἐπὶ] τῶν ἀνθρωπίνων πραγμάτων ἀνήγαγεν· [ἐγὼ δὲ τὰς] βίβλους οὔπω τεθέαμαι — ἐκεῖ τοίνυν [τέμενος ἦ]ν τῇ ἀχράντῳ στρατιᾷ τῶν ἱερῶν ἀγγέλων τοῦ ἀρρήτου θεοῦ καθωσιωμένον· περὶ οὗ μετὰ πάντας ἀνθρώπους γνοὺς ὁ Φωκᾶς, ὡς Ἔλλαμός [τις τῷ θ]είῳ χρυσίου λίτρας εἴκοσιν ὑφ' ἓν εἴη δούς, [τοῖς ἱε]ρουμένοις πρόσοδον ὀγδοήκοντα χρυσῶν προσ[γενέσθαι], τῷ ἱερῷ εἰς φιλοξενίαν, ἐσπούδασε.

75. Τοιαύ[ταις] μὲν οὖν τέχναις ἐπὶ τῆς πόλεως ἐχρῆτο, χρυ[σίον] δὲ κατ' ἔτος ἕκαστον ἐπὶ λύτροις αἰχμαλώτ[ων λαθραίως] ἐκχέων διετέλει, δακρύων, εἴ πού τις [περὶ πο]λεμίων ἐφόδου καὶ ἀπαγωγῆς αἰχμαλώτων [πρὸς] αὐτὸν διεξίοι τῷ λόγῳ. καὶ μάρτυρα

v. 11 Fenestella: Hist. Rom. frg. coll. H. Peter p. 273 no. 8
12 Sisenna: Hist. Rom. rell. coll. H. Peter p. 296 no. 133

v. 1 παρασκευασμένω O, corr. F | ευρεκεινοις O, corr. F 3 οὐ addidi 4 ποσος O, πόσης corr. F 7 προσπεσειν ουν τηι O, corr. F | Πεσσινοῦντι volebat B 12 σισενας O, quod mutavi 16 τῶ ἀρρήτω θεῶ O, corr. F 18 επιδους O, εἴη δούς scripsi 25 διεξιη O, quod mutavi

τὴν Ἀλήθειαν [οὐκ αἰδ]οῦμαι καλεῖν ἀλη[θεύ]ων· οἶδα κ[οιτωνιτῶν ⟦αὐτῷ⟧ χρ]υσίου τοσούτου [τυχ]ὼν ἀπόντος [αὐτοῦ] πρὸς τὸ πλῆθ]ος τῶν λυ[τρου]μένων. [ταύτης γὰρ] ⟦τῆς φιλανθρωπίας ὑπερ⟧ανθούσης [ἐσθῆτα διεπώλησεν] καὶ προσθεὶς ὅσον ἦν αὐτῷ δυνατὸν πρὸ⟦ς χρεί⟧αν τῶν λύτρων ἐξέπεμψε [τούτων ἀμύνην ἀντί]ρροπον καὶ Θεοπρέπους ἀνέλαβε τὸν [υἱὸν] κατὰ πάντα τρόπον [ἐκπαιδεύσας] τούτοις ἐνασχολεῖσθαι. ὁ δὲ τὸν παριόντα ⟨πατέρα⟩ καὶ μαρτυροῦντα τοῖς γινομένοις κατ' εὐχὰς ἀπενίκησεν, ὡς ἐκεῖν[ον] χάριτας εἰδέναι τῷ θείῳ, ὅτι τῷ σώματι τελευτῶν ταῖς εὐσεβείαις ἀθάνατος διὰ τῶν παρὰ τοῦ παιδὸς πραττομένων διαμένοι.

76. Τοσοῦτον ὄντα τὸν ἄνδρα χαίρων ὁ [βασιλεὺς] πείθει καμάτῳ πολλῷ, κοινὴν εἰς ἅ[παντας] ἐπιδείξασθαι [τὴν οὖσαν αὐ]τῷ τῆς ψυχῆς ἐλευθερίαν καὶ τὴν ὑπὲρ τῶν κοινῶν ἀναδέξασθαι φροντίδα καὶ διϊθῦναι τὸν οἴακα βυθιζομένης ἤδη τοῖς κακοῖς τῆς ὅλης πολιτείας. ὁ δὲ ἄκων — οὐδὲ γὰρ ἀσφαλὲς βασιλέως αἴτησιν παρακρούσασθαι τοιούτου — τὴν μὲν λειτουργίαν [ὑπῆλθε]· ⟦δεδ⟧ιὼς δὲ ὅμως καὶ τῷ μεγέθει τῶν φό⟦βων⟧ ἰλιγγιῶν εἶδε τὸν θεὸν παρόντα βοηθεῖν αὐτῷ προθυμούμενον. ἅμα γὰρ τὴν ἀρχὴν παραλαβὼν καὶ τῆς αὐλῆς προφανεὶς ἐπὶ τῆς ἀ[πήνης] ἀνεφέρετο, ⟨καὶ⟩ σύμπας ὁ δῆμος ἡλικία τε πᾶσα [καὶ] φύσις ὁμοῦ τὰς χεῖρας εἰς τὸν οὐρανὸν ἀνατείναντες ὕμνους εὐχαρι-

v. 2 *κυτονιστων O*, corr. *F* | lacunam expl. *F* 4 explere temptavi 5 *διεπωλεσεν O*, quod correxi 6 *προ. ... αν O*, quod explevi; *πρό⟦νοι⟧αν* scripsit *F* ep. p. 45 | [*τουτον*] *O*, quod correxi 7 *ἀμύνειν καὶ ἀντίρροπον τοῦ θεοπρεποῦς* coni. *F* ep. p. 45 9 *πατέρα* add. F. Skutsch 10 *εκειν[ων] O*, quod correxi *18 οικα, quod correxit, O* 21. 22 suppl. *F* 25 *καὶ* addidi

στηρίους μετὰ δακρύων ἀνέφερον τῷ θεῷ τοσαύτης ἀξιώσαντι προνοίας τοὺς [μυρίοις] κακοῖς κατεστρωμένους. πείθειν δὲ θεὸς ἀνθρώπους ἀξιώσας δείκνυσι παρεῖναι τοῖς πραττομένοις καὶ βουλαῖς αὐτοῦ προϊέναι τὰ χρηστά. [ὡς γὰρ ἔστη] τῆς ἀπήνης ἔμπροσθεν ὁ ὕπαρχος, [βέλος ἀνα]θεὶς τόξῳ πονηρός [τις] — ἔτι γὰρ ὁ δῆμος τεύχεσιν ἐχρῆτο — στοχάζεται [μὲν αὐ]τοῦ, [τοῦ δὲ βέ]λους ἀμπλακόντος αὐτὸς [μὲν ἀβλαβὴς] [[ὢν ἄνθρ]]ωπος τῆς προνοίας φανερῶς ἀπεδείχθη. τού[του δὲ συμ]βάντος ὁ μὲν δῆμος τῶν ὅπλων καὶ θορύβων [παρε]χώρει τόν τε κράτιστον ἀνυμνῶν βασιλέα ἐν εὐ[θυμ]ίαις [ἡδυ]παθῶν καὶ σκιρτήμασι διετέλει, ἀθρόως ἐκ μεγίστων θορύβων καὶ φόβων εἰς αὐλοὺς καὶ χορείας [μ]εταβαλών. πᾶσα δὲ ἀφθονία τῶν ἐπιτηδείων κατελήλυθε τὴν πόλιν, ἀδεῶς καὶ μετ' εὐφροσύνης πάντων τῶν ὁπουδήποτε κρυπτομένων καὶ διαφυγόντων τοὺς κινδύνους εἰσρεόντων τῇ πόλει, καὶ παντοίαν συμφορούντων εὐετηρίαν· ἤδη γὰρ ἅπας [[ἤλ]]πισεν ἀβλαβῆ καὶ λυσιτελῆ τὸ λοιπὸν ἔσεσθαι [τοῖς ὑπη]κόοις τὴν τοῦ βίου μέθοδον, τῶν γε ἀγαθῶν [ἐν αὐτῇ] πλημμυρούντων· ἐξ ὧν ὁ βασιλεὺς μετὰ τὸν αὐτὸν ὕπαρχον ἐνάρχεται προθύμως ἀνιστᾶν τὸ τοῦ μεγάλου θεοῦ τέμενος· καὶ ποταμὸς ἔρρει χρημάτων ταῖς βασιλέως εὐχαῖς καὶ τῇ δικαιοσύνῃ τοῦ ὑπάρχου χεόμενος. τέσσαρας οὖν χιλιάδας αὐτίκα χρυσίου λιτρῶν ὁ ὕπαρχος τοῖς ἔργοις ἐπέχεε τοῦ ἱεροῦ, μηδενὸς

v. 3 πειθει *O*, corr. *F* 6 [ανα]φεις *O*, corr. *B* 7 ατυχεσιν *O*, ἀτυχήσεσιν coni. *F*, τεύχεσιν coni. F. Skutsch 8 ἐμπλακέντος *O*, corr. *B* 9 . . . . . . ωπος *O*, quod supplevi; [[ὡς θεόπαις]] scripsit *F* | φανερος *O*, quod correxi 18 συμφερούντων *O*, corr. *B* 19 supplevi 21 ἔχων *O*, ἐξ ὧν corr. F 24 καὶ τῇ *O*, καὶ del. *F* ep. p. 45 26 ἐπεχεν O, ἐπέσχε coni. F, corr. B

ἀδικουμένου μηδὲ τῆς τυχούσης εὐετηρίας εἰς ἀσεβῆ ποίησιν ἐπινοηθείσης· ἔχαιρε γὰρ ἠξιωμένος εἰς θεοῦ τιμὴν καὶ σπουδὴν εὐσεβείας παρατεινόμενος. καὶ θαυμάζειν οὐκ ἔνεστιν, εἰ θεοῦ παρόντος πάντα παρεῖναι συμβαίνει τοῖς αὐτῷ μᾶλλον ἢ περινοίαις ἀνθρώπων τὴν ἀφθονίαν τῶν ἀγαθῶν ἀναφέρουσιν. ἡ δὲ τάξις, καθάπερ ⟨εἴ⟩ τις σβεννυμένης ἤδη φλογὸς ἔλαιον ἀφθόνως ἐπιχέει, ἀνέλαμψε· καὶ θόρυβος ἦν τοῖς πραττομένοις χαρίεις καὶ κέρδη σώφρονα καὶ φίλα τῷ νόμῳ τοῖς ὑπηρετοῦσιν ἠκολούθει καὶ τὸ τέμενος τῆς δίκης ἀνεῴγει καὶ ῥήτορες [τοῖς λό]γοις ἐνέπρεπον καὶ βιβλίων προαγωγαὶ καὶ φιλονεικία [[ἐφ' ὅ]]λον τὸ χρῶμα ἐπανήει τοῦ πολιτεύματος, ὁ . . . .

v. 5 αυτον O, αὐτῷ corr. F 7 εἰ add. F ep. p. 45 12 φιλονικία O, corr. F | lacunam explevit F 13 επανιη O, corr. F | post πολιτεύματος ὁ reliqua desunt in O

INDICES.

(Rerum potiorum indicem prooemio Ioannes inseruit, editionis p. 3—7. quae infra asterisco notantur nomina, in Lydiano *de mensibus* opere recurrunt.)

I.

INDEX AUCTORUM.

Ἀθήναιος 154, 12
Αἰλιανός 49, 16
Αἰμίλιος ἐν τῷ ὑπομνήματι τῶν Σαλλουστίου ἱστοριῶν 93, 22
Αἰνείας 49, 17
+Ἀπολήϊος ἐν τῷ ἐπιγραφομένῳ ἐρωτικῷ 155, 21
Ἀπολλόδωρος ἐν τοῖς πολιορκητικοῖς 49, 17
Ἀρισταῖος 32, 19
+Ἀριστοτέλης 154, 14
Ἀριστοφάνης ἐν Ἀχαρνεῦσι 15,22
Ἀριστοφάνης ὁ Βυζάντιος ἐν τῇ ἐπιτομῇ τῶν ἐν ἰχθύσι φυσικῶν 154, 15
+Ἀρριανός 49, 16. ἐν τοῖς περὶ Ἀλεξάνδρου 50, 3. ἐπὶ τῆς Ἀλανικῆς ἱστορίας καὶ ἐπὶ τῆς ὀγδόης τῶν Παρθικῶν 142,18.
ἀρχεῖα τοῦ δημοσίου ἰνστρουμέντου 124, 7
Ἄσπρος 13, 21
Αὐρήλιος ὁ νομικός 19, 5
Ἀφρικανός 8, 12

+Βάρρων 1, 14 8, 12. ἐν προοιμίοις τῶν πρὸς Πομπήϊον γεγραμμένων 11, 21. ἐν ταῖς εἰκόσι 17, 6. ἐν βιβλίῳ πέμπτῳ περὶ Ῥωμαϊκῆς διαλέκτου 69, 23. ἐπὶ τῶν ἀνθρωπίνων πραγμάτων 167, 13
+Βεργίλιος 52, 8. ὁ Ῥωμαίων ποιητής 35, 20. ἐν τῷ πρώτῳ τῆς Αἰνηΐδος 17, 13. ἐν ἕκτῳ τ. Α. 28, 14. ἐν βιβλίῳ ἑβδόμῳ 13, 5. ἡ παλαιότης 25, 1
Βίκτωρ ὁ ἱστορικὸς ἐν τῇ ἱστορίᾳ τῶν ἐμφυλίων 92, 20

Γάϊος *ad legem XII tabularum* 29, 5. ὁ νομογράφος 34, 14
Γραγχιανός v. Ἰούνιος
+γραμματικοί 11, 24

Δανιήλ 32, 16
Διογενιανὸς ὁ λεξογράφος 11, 16 21, 25
Διόδωρος ὁ Σικελιώτης 118, 2. ἐν δευτέρᾳ βιβλιοθηκῶν 50,10
Δίων v. Κάσσιος

+Ἑρέννιος 17, 9
+Εὐριπίδης 148, 17. ἐν Πηλεῖ 112, 6
(Εὐσέβιος) ὁ Παμφίλου 8, 13

+(Ἡσίοδος) ὁ μυθικός 157, 26

(Θουκυδίδης) ὁ συγγραφεύς 135, 17

Ἰουβενάλιος 23, 16
+Ἰουλιανὸς ὁ βασιλεὺς ἐν τοῖς μηχανικοῖς 49, 18
Ἰούνιος Γρακχιανός 2, 4. ἐν τῷ περὶ ἐξουσιῶν 27, 9. 16. 22
+ἱστορικοί 34, 22 44, 10 50, 25 51, 15 80, 14 82, 14
+Ἰωάννης ὁ Λυδὸς ἐν τῷ περὶ μηνῶν 14, 18 15, 17 58, 12 68, 1 69, 14 75, 6. 12 131, 2 151, 15. ἐν τῇ περὶ μηνῶν πρώτῃ βίβλῳ 1, 8

+Καῖσαρ ἐν βιβλίῳ πρώτῳ τῆς Γαλλικῆς ἐφημερίδος 120, 8
+Καπίτων 1, 13
+(Κάσσιος Δίων) Κοκκήϊος 13, 14
Κάστωρ 8, 13. ἐν ἐπιτομῇ χρονικῶν 163, 7
Κατιλίνας 49, 14
Κάτων ὁ πρῶτος 8, 11 49, 14. ἐν τῷ περὶ Ῥωμαϊκῆς ἀρχαιότητος 11, 19
Κέλσος 49, 13 122, 5. 20
Κικέρων ἐν τοῖς κατὰ Βέρρου 18, 15
Κλαυδιανὸς ἐν τῷ πρώτῳ τῶν Στιλικῶνος ἐγκωμίων 49, 21
Κοκκήϊος v. Κάσσιος
Κορνήλιος Νέπως 154, 17
Κρίτων 83, 18
κώδηξ Θεοδοσιανός 66, 17 111, 10 129, 20
Κωνσταντῖνος ἐν διαλέξεσι 85, 13. ἐν συγγράμμασι 121, 20

Λαβέριος 154, 18
Λέπιδος ἐν τῷ περὶ ἱερέων 22, 15
+Λουκανὸς ἐν τῇ δευτέρᾳ τῶν ἐμφυλίων 135, 15. v. Πολέμων
+Λυκόφρων 151, 6

Νέπως v. Κορνήλιος
νομογράφοι 2, 6
νόμος 66, 4 70, 25 72, 1 74, 4 96, 14 97, 5 99, 2 107, 14 110, 25 130, 11 132, 2
+(Ὅμηρος) ὁ ποιητής 36, 17 61, 17 62, 14
Ὀνήσανδρος 49, 17
Οὐλπιανὸς ἐν τῷ de officio quaestoris 27, 22. ἐν μονοβίβλῳ περὶ τῆς τοῦ κυαίστορος τάξεως 30, 10. ἐν τοῖς προγραφομένοις προτριβουναλίοις 51, 8

Πάτερνος 49, 13. ἐν πρώτῃ τακτικῶν 14, 20
Πάτρων 49, 17
Παῦλος ὁ νομοθέτης 53, 2. 10
Πείσανδρος 155, 9
Πέρσιος ὁ Ῥωμαῖος σατυρικός 23, 10 33, 16
+Πολέμων ἐν πέμπτῃ ἐξηγήσεων τῆς κατὰ Λουκανὸν ἐμφυλίου συγγραφῆς 136, 10
Πομπώνιος 51, 6
+Πλούταρχος 77, 20

Ῥενᾶτος 49, 15

+Σαλλούστιος 93, 23. ἐπὶ τῆς πρώτης ἱστορίας 1, 15
Σαμωνικὸς (ἐν ποικίλοις ζητήμασι) 121, 10
Σισέννας 167, 12
+Σοφοκλῆς (ἐν Αἴαντι) 9, 24
στίχοι 135, 21

τακτικοί 6, 16
Τράγκυλος 35, 15. (ἐν προοιμίῳ τῶν βίων Καισάρων) 61, 1. ἐν τοῖς περὶ Αὐγούστου 18, 4. περὶ ἐπισήμων πορνῶν 155, 22
Τρεβάτιος 27, 16

Φενεστέλλας 27, 16 167, 11
+Φιλόξενος 43, 10

+*Φοντήϊος* 1, 13 67, 18 130, 21
Φροντῖνος 49, 15 89, 17. *ἐν τῷ de officio legati* 49, 19
Χριστόδωρος ὁ ποιητὴς ἐν τῷ περὶ τῶν ἀκροατῶν τοῦ μεγάλου Πρόκλου 113, 14

II.

INDEX GLOSSARUM.

A. Glossae latino graecae.

a. Latinis litteris redditae.

ad legem XII tabularum εἰς τὸν νόμον τοῦ δυοκαιδεκαδέλτου 29, 6
advocati προσκαλούμενοι 94, 9
aediles ἀγορανόμοι 36, 4
conscriptus συγγεγραμμένος 21, 1
custos urbis φύλαξ τῆς πόλεως 38, 25
de nepotibus περὶ ἀσώτων 43, 5
de officio legati περὶ στρατηγίας 49, 20
dominus τυραννήσας 12, 13
et collocare eum in legione prima adiutrice nostra καὶ τάξειας αὐτὸν ἐν τῷ πρώτῳ τάγματι τῷ βοηθοῦντι ἡμῖν 89, 7
imperare ἐπιτάττειν 10, 17
nepos ἄσωτος 43, 11
omnes collegiati adeste πάντες ἑταῖροι συνδράμετε 53, 13
quaerere ἐρευνᾶν 28, 7
queror μέμφομαι 28, 25

b. Graecis litteris redditae.

ἀβ ἄκτις τοῖς ἐπὶ χρήμασι πραττομένοις ἐφεστώς 106, 21
ἀγκίλα δορίκτητος γυνή 16, 14
+*ἀγκίλιον εἶδος ἀσπιδισκαρίου* 16, 13
ἀδιούτορες βοηθοί 88, 15 123, 23. *ὑποβοηθοί* 48, 12
ἀδωράτορες ἀπόμαχοι 49, 9
ἀδωρέα ζειά, τοῦ πολέμου δόξα 49, 10
αἴδεις ναοί 36, 6
ἀκυϊπήνσερ ἔλωψ 154, 16
ἄλαι ἶλαι 46, 17
ἀλοῦμεν στυπτηρία 33, 6
ἀλοῦτα τὸ ἀπὸ στυπτηρίας δέρμα 33, 5
ἀνδαβάται κατάφρακτοι 47, 10
ἀντεκήνσωρ ἀντιγραφεύς 115, 9
ἀ πιγμέντις ἐπὶ τῶν ἀρωμάτων 106, 23
ἀπλικιτάριοι ῥαβδοῦχοι 93, 11
ἀρκουάριοι τοξοποιοί 48, 15
ἄρκυτες τοξόται 47, 12
ἀρματοῦρα πρίμα ὁπλομελέτη πρώτη 48, 6
ἀρματοῦρα σημισσάλια ὁπλομελέτη μείζων 48, 7
ἀρμίγεροι ὁπλοφόροι 47, 20
ἀρμιλλίγεροι ψελιοφόροι 47, 19
ἀ σαβάνις ἐπὶ τῶν βαλανείων 107, 3
ἀστᾶτοι δορυφόροι 48, 8
ἀτραβαττικαί χλαμύδες 21, 18
ἄτρον φαιόν 21, 19
ἀττένδερε φιλονεικεῖν 18, 18

ἀττηνσίω βασιλικὴ ὑποζύγιος βασταγή 4, 2
ἀττῆνσοι οἰκιακοὶ ὑπηρέται 18, 16
+Αὔγουστος καλοιώνιστος 26, 25
αὐρίγαμμος χρυσοῖς γαμματισκίοις ἀναλελογχωμένος 58, 22
αὐξιλιάριοι ὑπασπισταί 47, 23

βαγινάριοι θηκοποιοί 48, 14
βαλλιστάριοι καταπελτισταί 48, 19
βάλτεος ζωστήρ 69, 19
βάρκα δρόμων 70, 19.
Βᾶρος πλαγιόσκελος 26, 23
βενεφικιάλιοι ἐπὶ θεραπείᾳ τῶν βετερανῶν τεταγμένοι 47, 16
+βεραῖδος πάριππος 92, 9. ὑποζύγιος ἵππος 151, 14
+βερνάκλος οἰκογενὴς οἰκέτης 45, 1
βερουτάριοι δισκοβόλοι 48, 17
βετερανοί ἐγγεγηρακότες τοῖς ὅπλοις 49, 12
+βήξιλλα δόρατα μακρὰ ἐξηρτημένων ὑφασμάτων 14, 15
βηξιλλάριοι δορυφόροι 47, 5
βίνδικες ἐπίτροποι (?) θεῶν 138, 16
βινεάριοι τειχομάχοι 48, 21
Βιτέλλιος κροκοειδής 26, 25
βίτελλος λέκυθος 26, 26
Βλαῖσος πλαγιόσκελος 26, 23
βουκινάτορες σαλπισταὶ ἱππέων 47, 8
βοῦλλα ψῆφος 56, 21
βουριχάλλια ἅμαξαι 22, 24
βραττεολᾶτος χρυσοπέταλος 59, 6
βραχιᾶτοι ψελιοφόροι 47, 19
βροῦτος μωρός 32, 3
Βώπισκος ἐκ διδύμων μόνος σωζόμενος 26, 4

Γάϊος (οἱονεὶ Γαύδιος) χαρίεις *26, 16*
γάρβουλα ὑποδήματα 17, 5
γεμμᾶτος διάλιθος 59, 6
γλῆβα λεία γῆ 35, 12
γλόβα δορά 17, 18
γλοβᾶρε ἐκδεῖραι 17, 19

Δανούβιος νεφελοφόρος 121, 8
δεκεμπρῖμοι δεκάπρωτοι 47, 15
δηπουτᾶτοι ἀφωρισμένοι 47, 22 96, 23
δικτατοῦρα ἐξουσία λόγῳ καὶ μόνῳ διορθοῦσα 37, 4
δικτάτωρ μεσοβασιλεύς 36, 22 40, 21
δομινατίω τυραννίς 12, 15
δρακονάριοι δρακοντοφόροι 48, 11

ἐκσκεπτάριοι ὑποδέκται τοῦ σίτου 101, 9
ἐκσκουβίτορες φύλακες ἄγρυπνοι 17, 24
ἐξπεδῖτοι εὔζωνοι 49, 3

ἰμαγινιφέροι εἰκονοφόροι 48, 4
ἰνπεράτωρ αὐτοκρατῶς διοικεῖν εἰληχὼς τὸν πόλεμον 89, 13
ἰνστρουμεντάριος χαρτοφύλαξ 106, 6
ἰοῦβα λοφιά 14, 13

κάγκελλον δικτύδιον 125, 10
Καῖσαρ ἀνατμηθείσης μητρὸς ἀποσωθείς 26, 6
καλλίκλιον κναθίσκος 70, 10
κάμπος πεδίον 22, 11
κανδιδᾶτος λευχείμων 30, 14. ὁ μέλλων εἰς ἀρχὴν παριέναι 30, 18
κάπερε χωρεῖν 46, 12
καπητὰ ἀπὸ ῥάβδων κόφινοι 46, 11
καρτάλαμον περίζωμα 69, 21
κάσσης δίκτυα 125, 12
κάστρα ἐν πολέμῳ παρεμβολαί 60, 15
κέλερ ταχύς 70, 21

κέλωξ ταχινός 70, 20
κεντουρίων ἑκατόνταρχος 15, 3
κηλίβανα (οἱονεὶ κηλάμινα) σιδηρᾶ καλύμματα 48, 25
κῆνσος ἀπογραφὴ τῶν ἀρχαίων 85, 22
κηνσουᾶλες ἀρχαιοφύλακες 86, 1
κήνσωρ τιμητής 41, 9
κιρκίτορες περὶ τοὺς μαχομένους περιϊόντες 49, 5
κλαβικουλάριοι δεσμὰ περιτιθέμενοι 93, 11
κλασσικοί ναυάρχαι 30, 2
κλιβανάριοι ὁλοσίδηροι 48, 25
κλιέντης (οἱονεὶ κολιέντης) τιμῶντες 23, 20
κλίπεον ἀσπίς 3, 21. θυρεός 16, 2
κολλήγιον σύστημα 53, 7
κόμης λαργιτιώνων προεστὼς τῶν θησαυρῶν 82, 16
κόμης πριβάτων προεστὼς τῶν ἰδίᾳ τοῖς βασιλεῦσι προσηκόντων 82, 18
κομιτᾶτος βασιλέως συνοδία 62, 19
κόμιτες φίλοι καὶ συνέκδημοι 62, 18
κομιτιανός δευτεροστρατηλατιανός 62, 17
κομμενταρίσιοι ὑπομνηματογράφοι 90, 22 93, 16
κομπλητίω πλήρωσις 94, 12
κόνδερε κρύπτειν 31, 15
κονσεκρατίω ἀποθέωσις 85, 9
κονσίλια βουλεύματα 31, 14
κόνσουλ πρύτανις 31, 9. κρυψίνους 31, 16
κοόρτης σπεῖραι 46, 15
κορνίκινες κεραῦλαι 47, 9
κορνικουλάριος κερατίτης ἢ πρόμαχος 89, 10
κορνοκόπιον φίβουλα 58, 16
κοττιδιανός ἐφήμερος 107, 18 160, 1
κουρία φυλή 20, 22
κουριῶσος περίεργος 66, 12
κούρσορες ταχυδρόμοι 93, 9
κουσπάτορες φυλακισταί 48, 1
κοῦσπος ξυλοπέδη 48, 1
κουστώδης πεδῶν ποδοφύλακες 48, 2
Κράσσος κρεώδης καὶ παχὺς τὸ σῶμα 26, 12
κρεπίδαι ὑποδήματα 17, 5
κυαισίτωρ τιμωρός 28, 9. βιωτικῶν ἐγκλημάτων ἐρευνάς 85, 1
κυαιστίω τιμωρία 28, 15
κυαιστιωνάριοι ποινῶν ὑπηρέται 28, 16
κυαίστορες παρρικιδίου δικασταὶ τῶν πολίτας ἀνελόντων 29, 14
κυαίστους πόρος 28, 20
κυαίστωρ ζητητής 28, 7. ἐρευνάς 28, 8. ταμίας 30, 3
κυερῆλα μέμψις 29, 2
κυεριμώνια μέμψις 29, 1
+Κυρῖνος κύριος 11, 15
κωδικίλλοι δέλτοι 90, 18

λαγκιάριοι ἀκοντοβόλοι 47, 14
λαγκιολᾶτος λογχωτός 59, 6
λεγιῶνες λογάδες 21, 9
ληγᾶτοι ὑποστράτηγοι 60, 3. πρεσβευταί 89, 19
λιβύρνη ναῦς μακρά 132, 18
Λικίνιος ἀκρόουλος τὴν κόμην 26, 11
λιμβοί τρίβωνες 58, 19
λιτιγάτωρ δίκης ἕνεκα παραφυλάττων 98, 9
Λούκιος ἀνίσχοντος ἡλίου τεχθείς 26, 10
λῶρος χρυσήλατος ἐπωμίς 55, 27

μάγιστρος τοῦ κήνσου ἄρχων τῶν ἀρχετύπων συμβολαίων 85, 20
μάγιστρος ὀφφικίων ἄρχων τῶν αὐλικῶν στρατευμάτων 78, 20
+μάγκιπες δημώδους ἄρτου δημιουργοί 92, 12

μάνικα περιχερίς 21, 22
μανιπλός σημειοφόρος 15, 5
μαντίον χλαμύδος εἶδος 69, 1
+μάππα ἐκμαγεῖον 33, 8
μάτρικες ἀπογραφαὶ τῶν καταλόγων 88, 12
ματρικουλάριος φύλαξ τῶν καταλόγων 157, 13
μήνσορες προμέτραι 47, 6
μητάτορες χωρομέτραι 47, 11
μονόμισσα καθάπαξ ἀνάπαυλα 103, 1
μουνεράριοι λειτουργοί 47, 21

Ναίβιος ἀλφώδης 26, 8
Νάσων εὔρινος 26, 21
νέπα σκορπίος 43, 13
νεπέτα καλαμίνθη 44, 3
νέπως ἔγγονος καὶ ἄσωτος 5, 1 43, 7. σκορπιστής 44, 4
νηνία ἐπιτάφιον 34, 9
νωμενκλάτορες ἀναφωνῆται 93, 18. 23 107, 12

ὀκρεᾶτοι σιδήρῳ τὰς κνήμας περιπεφραγμένοι 48, 5
ὀπτιῶνες αἱρετοὶ ἢ γραμματεῖς 47, 4
ὀρδινάριοι ταξίαρχοι 47, 2
οὐρβανός πολιτικός 40, 11

παλάτιον αὐλή 60, 13
παλουδαμέντα δίπλακες ἀπὸ κόκκου 58, 14
παραγαύδης εἶδος χιτῶνος 4, 9 21, 23 58, 22 69, 7
παρατοῦρα στολὴ ἐπίσημος 13, 17 70, 4
παρέντες πολῖται καὶ γονεῖς 29, 17
παρθικά φλογοβαφῆ δέρματα 68, 23
πάρμα ἀσπίς 3, 21 16, 11
παρρικῖδα γονέων καὶ πολιτῶν φονεύς 29, 15
+πατρίκιοι εὐπατρίδαι 20, 24
πατριμώνιος φύλαξ τῆς περιουσίας 82, 24
πεδάνεος χαμαιδικαστής 94, 7
Πεινάριος πεινῶν 26, 14
πεκούνια χρήματα 24, 26
περεγρῖνος ξενοδόκης 40, 12
πέρ ση δι' ἑαυτοῦ 64, 17
περσίκιον σκῆπτρον 64, 16
πιλάριοι ἀκοντισταί 48, 16
πλανιπεδαρία καταστολαρία 42, 1
+ποντίφικες ἀρχιερεῖς γεφυραῖοι 58, 8. νεωκόροι 36, 1
Πόστουμος τελευτήσαντι τεχθείς 26, 4
Πουπλικόλας δημαγωγός 34, 1
+πραίτορες στρατηγοί 89, 19
πραιτωριανοί στρατηγικοί 47,13
πραιτώριον στρατηγικὸν ἐπὶ ξένης κατάλυμα 60, 18
πραίφεκτος προεστηκώς 60, 17
πρίγκεψ πρώτη κεφαλή 10, 26. πρῶτος 66, 7 129, 8. πρωτεύων 100, 5
πριμισκρίνιοι πρῶτοι τῆς τάξεως 90, 21
πριμοσαγιττάριοι τοξόται πρῶτοι 48, 24
πριμοσκουτάριοι ὑπερασπισταί 48, 22
προβᾶρε μετὰ δοκιμῆς ἐπιδεῖξαι 88, 21
προβατωρίαι συστάσεις καὶ ἀποδείξεις 88, 18
Πρόκουλος ἀποδημοῦντι τεχθείς 26, 3
προτίκτορες ὑπερασπισταί 48, 22

ῥατιῶνες λογισμοί 92, 17
ῥέγεστα ἀπογραφὴ (τῶν πραττομένων) 85, 23; v. 107, 18
ῥεκιτᾶτον (?) ἀντιβολή 98, 3
ῥήγεστα πρᾶξις τοῦ πολιτεύματος 107, 21
ῥήγιος τυραννικός 9, 15

σαγιττάριοι βελοφόροι 47, 12
σάκρος θεῖος 71, 5
σαμιάριοι τῶν ὅπλων στιλπνωταί 48, 13
σάρκινα ἄχθος 70, 22
σαρκιναρία ὁλκάς 70, 21
σέλλα καθέδρα 33, 18
σενᾶτος γερουσία 63, 26. πανήγυρις 162, 24
Σέρβιος διασωθείς 26, 19
σέρβος δοῦλος 16, 18
Σερρανός γεωργικός 26, 24
σηγμέντα (σημέντα) χρυσόσημα 59, 4 69, 5
σήκρητον ἀτάραχον καὶ σιγῇ σεμνόν 97, 20. τέμενος τῆς δίκης 156, 15
σιγγουλάριος μονήρης 92, 11
σιγνηφέροι σημειοφόροι 47, 3
σῖκα ὑποζώνιον ξίφος 64, 25
σικάριος κρεουργός 64, 26
σικᾶτα εἰς λεπτὰ κατακοπεῖσα ἐδωδή 65, 1
σκουτᾶτος ἀσπιδιώτης 15, 7
σκουτλᾶτος ἰσχνὸς καὶ στεγνός 15, 23
σκοῦτον ἀσπίς 3, 21. ἰσχυρὸν καὶ ἰσχνόν 15, 20
σκρῖβα ὑπογραφεύς 85, 24
σκρινιάριος χαρτοφύλαξ 123, 13
σκρινίον δρυφακτικὴ λάρναξ 123, 14
σόλιδος ὁλόκληρος 13, 22
σόλιον βασιλέως καθέδρα 8, 17. θρόνος 13, 20
σουβαδιοῦβα ὑποβοηθός 72, 22
σουγγεστίω διδασκαλία 115, 6
σπόρτουλα ἔρανος 150, 10
στάβλον ἔπαυλις 149, 15
Στάτιος εὔηλιξ 26, 14

ταβερναρία σκηνωτὴ ἢ θεατρικὴ κωμῳδία 41, 21
τάβλιον πτυχίον 69, 3
τέγερε σκέπειν 13, 12
τεμποράλιος ἐμπρόθεσμος 71, 4.
τεσσεράριοι τὰ σύμβολα περιφημίζοντες 48, 9
Τιβέριος ὁ παρὰ Τίβεριν τεχθείς 26, 17
+τίρωνες ταπεινοί 50, 1
+τίτλος προγραφή 23, 1 23, 8 43, 4
Τῖτοι ἐκ προγόνων εὐγενεῖς 23, 9
τόγα σκέπασμα 13, 11
τογᾶτοι δικολόγοι 94, 1. φαινόλαις περικείμενοι 94, 3
τορκουᾶτοι στρεπτοφόροι 47, 18
τουβαλαμέντα σωληνωτὰ ὑφάσματα 58, 20
τουβίκινες σαλπισταὶ πεζῶν 47, 7
Τούκκας κρεωβόρος 26, 22
τοῦφα λοφιά 3, 19 14, 13
τρακτεύειν διαψηλαφᾶν 107, 10
τρακτευτής κλιματάρχης 159, 14
+τριβοῦνοι δήμαρχοι 47, 1
+τρίβους φυλή 50, 22

φάβρικα ὁπλοποιία 65, 25 128, 25
φακίης ὄψις 33, 9
φακιόλιν ἐκμαγεῖον 33, 9
φάμις λιμός 16, 21
φάμουλος δοῦλος 16, 21
φαμῶσος βλάσφημος 135, 22
Φαῦστος (εὐδαίμων) 26, 15
φερεντάριοι ἀκροβολισταί 49, 4
Φλάβιος εὔνους 26, 15
Φλάκκος ὦτα μείζονα ἔχων 26, 8
φλαμμουλάριοι ὧν ἐπὶ τοῦ δόρατος φοινικᾶ ῥάκη ἐξήρτηντο 49, 1
φουνδίτορες σφενδονῆται 48, 18
φοῦσκος μελάγχρως 110, 15
+φρουμεντάριοι σιτῶναι 92, 20

B. Glossae gallograecae.

Βάρρων ἀνδρεῖος 17, 7 27, 1
καρταμέρα περίζωμα 69, 20

C. Glossa germanograeca.

βροῦται γυναῖκες 34, 6

D. Glossa punicograeca.

Βάρρων Ἰουδαῖος 17, 7 27, 1

E. Glossa sabinograeca.

+Νέρων ἰσχυρός 26, 20

III.

INDEX NOMINUM.

+Ἀβεντῖνος 35, 19
Ἀβορίγινες 25, 14
+Ἀγαθοκλῆς 13, 19
Ἀγάπιος 113, 14. 17
+Ἀθῆναι 32, 7 34, 22
+Ἀθηναῖος 35, 2 50, 11. 20
+Αἴας 9, 25
Αἰγυπτιακός 78, 2
+Αἰγύπτιος 11, 4 68, 2 131, 3
+Αἴγυπτος 50, 11 57, 12 118, 2
+Ἅιδης 28, 13
+Αἰνείας 3, 3. 23 8, 6. 9 9, 5 17, 9 18, 3 24, 21 v. Σίλβιος
Αἰμίλιος v. Μάρκος
Αἰολικός 16, 22 69, 25
Αἰολίς 3, 12 11, 19. 23
Ἄκτιος κόλπος 136, 15
Ἀλανικός 142, 18
Ἄλβη 17, 12
Ἀλβῖνος v. Λούκιος
+Ἀλέξανδρος 40, 3. 6 50, 3
Ἄλπεις 52, 6
Ἀμαζόνες 16, 23
Ἄμασις 77, 24
Ἀμίδα 142, 9
Ἀμμιανός 114, 4 115, 22
Ἀναστάσιος ὁ βασιλεύς 3, 7 6, 22. 26 8, 19 9, 5 76, 18 82, 16 83, 1 104, 16 114, 2 116, 13 124, 16 134, 16 135, 18 136, 4 137, 13 138, 5 140, 7. 12. 15 141, 25 142, 11. 14. 15
Ἀναστασίου πόλις 137, 15
Ἀνθέμιος 139, 8. 9
Ἀνίκιος 11, 3
+Ἀννίβας 40, 16
Ἀντιόχεια ὑπὸ Μυγδωνίῳ 123, 2
+Ἀντιόχεια ἡ Σελεύκου 7, 3 143, 7
Ἀντίοχος 147, 13. 18
Ἀντιστία 54, 19
+Ἀντώνιος 56, 19 57, 10. 12 136, 16
Ἀπίων 104, 17
Ἀππία ὁδός 26, 18
Ἄππιος 26, 18. Ἀ. Κλαύδιος 44, 11
+Ἀραβία 143, 19
Ἀρεοβίνδης 142, 4
Ἀριάδνη 139, 8
Ἀριστοτελικός 113, 18
Ἀρκάδιος 65, 19 96, 14 110, 25 111, 9 128, 18
+Ἀρκάς 11, 22
Ἀρμενία 141, 3
Ἀρτάξατα 140, 27
Ἀρχέλαος 146, 4
+Ἀσία 65, 6. 16 87, 15 120, 1 128, 7
+Ἀσιανός 151, 10 152, 6
Ἀσσύριοι 32, 17

Ἄστιγγοι 144, 23
Ἀτελλάνη 41, 17. 20
Ἀτία 56, 10
Ἀττίλας 132, 12
+Αὐγουστάλιοι 57, 24 91, 23 94, 18. 24 96, 24 97, 4. 9 103, 19 107, 8 123, 25 124, 26 139, 22
+Αὔγουστος 5, 17 12, 19 18, 5. 6 20, 5. 9 35, 14 68, 12 83, 23 88, 13 110, 16 136, 14 162, 24. v. Καῖσαρ et Ὀκταβιανός
Αὖλος Μάρκιος 34, 23
Αὖλος Σεμπρώνιος 39, 3
Ἀχάτης 17, 15

Βαλέριος 25, 20 38, 12
Βάλης 106, 11
Βάνδηλοι 56, 4 132, 15 144, 19
Βασίλισκος 133, 5
Βασσιανὸς Καρακάλλας 51, 17
Βεργίνιος 35, 22
Βέρρης 18, 15
+Βέσβιος 164, 1
Βέσσοι 50, 8
Βήϊοι 46, 6
Βιβιανός 137, 23
Βιραπαράχ 141, 14 142, 11
Βιταλιανός 140, 8
Βίττιγις 145, 3
Βλαῖσος 42, 5
Βούσιρις 149, 1
Βρέννος 52, 5 167, 10
Βρεττανικός 120, 19
+Βριάρεως 147, 21
+Βροῦτος 31, 24 32, 1 33, 24 34, 5 63, 13
+Βυζάντιον 163, 3. 19
+Βυζάντιος 154, 15

Γαβριήλιος 126, 14. 17. 20
Γάϊος Ἰούλιος 39, 4. v. Καῖσαρ
Γάϊος Λικίνιος 44, 23
Γάϊος Μάμερκος 39, 8
+Γαλάτης 1, 12 52, 4 167, 9
Γαλατία 121, 18 167, 7
Γαλατικός 52, 2 120, 12. 13
Γαλέριος ὁ γέρων 121, 11. v. Μαξιμιανός
Γαλλικός 69, 25 120, 9
+Γάλλος 69, 21
Γέλιμερ 56, 4 144, 22
Γενούκιος v. Λούκιος
Γερμανική 120, 13
Γερμανικός 132, 15 144, 19
+Γέτης 83, 13 144, 26 145, 11
Γηπαῖδαι 120, 25

Δανούβιος 6, 15 120, 4 121, 3
Δάρα 116, 12 137, 15
+Δάφνη 7, 4
Δεκέβαλος 83, 12
Δημοσθένης ὁ Βυζάντιος 131, 16
+Δικαιαρχία 163, 18
Δίκη 112, 11
+Διοκλητιανός 11, 8 121, 11
+Διόνυσος 75, 5
+Δομιτιανός 51, 16 74, 22 75, 13 110, 15. 23
Δουρράχιον 6, 24 135, 13
Δούρραχος 135, 14

Ἕβδομον 124, 10
+Ἑβραῖος 32, 16
Ἑβραΐς 32, 19
Ἕλλαμος 167, 17
+Ἑλλάς (adi.) 11, 18 68, 7 131, 8. +μεγάλη 42, 7
+Ἕλλην 9, 8 passim
+Ἑλληνικός 16, 22 34, 9 41, 15. 19 43, 9 93, 3
+Ἑλλήσποντος 153, 20
Ἐπίδαμνος 6, 24 135, 12
Ἑρμίας 139, 12. 15. 17
Ἕρμος 155, 8
+Ἐτροῦσκος 1, 5 70, 1
+Εὔανδρος 11, 22 24, 27
Εὔξεινος πόντος 153, 23
Εὔπολις 42, 13
Εὐρώπη 65, 10 87, 14 100, 22 128, 11 136, 7 159, 2
+Εὐφράτης 137, 14

Ζεύξιππος 7, 18 163, 2
Ζηνόδοτος 137, 27 138, 4. 6
Ζήνων ὁ βασιλεύς 124, 14 134, 7
Ζωτικός 113, 21 115, 20

Ἠπειρώτης 30, 1 136, 10
Ἡρακλείδης 35, 20
+Ἡρακλῆς 155, 18. 20
Ἡρώδης 136, 13
Ἥφαιστος ὁ βασιλεὺς *Αἰγύπτου* 118, 1
Ἥφαιστος ὁ ὕπαρχος 117, 26

Θεοδόσιος 110, 24 132, 10. +ὁ *Νέος* 64, 12 65, 19 128, 18 130, 8. ὁ *πρῶτος* 67, 6 123, 18. ὁ *μείζων* 141, 21
Θεοδώρα 7, 24
Θεοπρέπης 168, 7
+Θοῦσκος 1, 7. 10 14, 9 22, 14 70, 1
Θρᾷκες 121, 3
Θρᾴκη 145, 12 163, 11
Θρᾳκία 121, 1
Θρᾳκικός 91, 7
Θύβρις 24, 5. v. *Τίβερις*

+Ἰανουάριος 37, 15
+Ἰλία *Σιλβία* 25, 3
Ἰλλυρίς 121, 18 135, 13
+Ἰοβιανός 141, 1
Ἰουβενάλιος 42, 18
+Ἰουδαῖος 17, 9 27, 2
Ἰουλία 54, 22
+Ἰουλιανὸς ὁ βασιλεύς 141, 4 162, 23
+Ἰούλιος v. *Γάϊος* et *Καῖσαρ*
Ἰούνιος 29, 24 31, 24
Ἰουστινιανός 6, 4 7, 6 82, 11 85, 3 144, 10
Ἰουστῖνος 83, 4 140, 9 143, 18
Ἰσδιγέρδης 141, 6
+Ἱσπανία 132, 16
Ἴστρος 6, 14 16, 10 65, 6. 9 120, 1. 4. 10. 20 128, 7. 10
+Ἰταλία 3, 4 8, 9 11, 22 17, 10 40, 17 52, 6 80, 9 121, 18
+Ἰταλικός 31, 21
Ἰταλίς 166, 5
Ἰταλιστί 108, 13
+Ἰταλός 9, 14 16, 11. 19 31, 9 32, 3 50, 18 52, 4 62, 18 72, 26 76, 4 82, 17 92, 11 149, 16 158, 28 159, 5 166, 7
Ἰωάννης ὁ Καππαδόκης 148, 3
Ἰωάννης ὁ *Λυδός* 116, 18 118, 7. 26
Ἰωάννης ὁ ἐκ *Μαζάκων* 146, 2
Ἰωνίδες νῆσοι 84, 6

Καῖσαρ (ἀξίωμα) 3, 10 passim
+Καῖσαρ (Ἰούλιος) 3, 6 8, 16. 18 11, 2 40, 23 45, 24 53, 17 54, 21 55, 4. 6 56, 8. 18. 27 59, 23. ὁ *νέος* 53, 21 56, 27 57, 4. 11. v. *Ὀκταβιανός*
Καισάρεια 146, 3
Καλχηδών 64, 24
Καμπανή 154, 21
Καμπανοί 163, 16
+Καπιτώλιον 52, 9 55, 11
Καπιτωλίς 117, 10
Καππαδόκης 73, 5 76, 3. 23. 25 126, 10 146, 4. 10. 20 147, 1. 19 148, 4. 19 152, 21 154, 4 155, 1 156, 2 159, 7 160, 13 162, 21 164, 18
Καππαδοκία 141, 17 146, 6
Καρακάλλας v. *Βασσιανός*
Καρία 84, 6
Καρπάθιος 154, 19
Κάσιος v. *Σπούριος*
Κασπία 140, 22
Κασπίαι πῦλαι 140, 18 142, 17
Καύκασος 140, 21. 22 145, 12
Κέθηγος 25, 16
Κέλερ 105, 7 142, 10
Κελέριος 15, 11 18, 22 37, 22
+Κελτική 120, 7. 13
Κελτοί 17, 8 27, 2
Κεραστίς 84, 3

+*Κέρβερος* 148, 11 150, 13
Κίλιξ 153, 4
+*Κλαύδιος ὁ βασιλεύς* 154, 19. v. *Ἄππιος*
+*Κλεοπάτρα* 57, 10 136, 16
Κόϊντος 39, 19
Κόϊντος Σερβίλιος 46, 5
Κόϊντος Φάβιος 39, 5
Κολχίς 122, 21
+*Κόλχος* 145, 11
Κόνσος 31, 11
Κονσουάλια 31, 18
Κορβουλών 122, 24
Κορίνθιος 22, 20 43, 3 135, 16
Κορκυραῖος 135, 16
Κορνήλιος 11, 3. v. *Πούπλιος*
Κόσσος v. *Πούπλιος*
Κούρσωρ v. *Παπίριος*
Κράτερος 164, 21
Κρατῖνος 42, 12
+*Κρής* 28, 12 135, 13. 15
Κύντιος v. *Τίτος*
Κύζικος 163, 5
Κύκλωψ 149, 13 150, 8
+*Κύπρις* 84, 4
+*Κύπρος* 84, 4
+*Κυρῖνος* 3, 11 11, 15
Κύρις 12, 1
Κῦρος ὁ Αἰγύπτιος 68, 2 131, 3
Κωάδης 104, 18 142, 1. 14
Κωνσταντιανός 85, 3. 20
+*Κωνσταντῖνος ὁ βασιλεύς* 3, 6 8, 18 9, 2 65, 4 80, 15 85, 8 119, 15. 22 121, 13. 21 123, 7 128, 5 137, 8 163, 13. 16
Κωνσταντῖνος ὁ ὕπαρχος 75, 25
Κῷος 68, 18

Λαζική 122, 22
Λαιστρυγών 151, 5
+*Λατῖνος* 13, 2. *ὁ βασιλεύς* 13, 6
Λεόντιος 104, 19
Λέπιδος 40, 26 56, 20 57, 9 60, 5
Λέων ὁ βασιλεύς 21, 10 75, 24 76, 5 123, 25 132, 11 133, 19 *134, 6*
+*Λιβύη* 7, 8 17, 15 56, 4 87, 12 121, 17 132, 17 144, 20 145, 9
+*Λίβυς* 166, 5
Λικίνιος 80, 13. 15. v. *Γάϊος*
+*Λιπάρα* 84, 11 164, 1
+*Λούκερες* 15, 16
Λουκίλιος 42, 10
Λούκιος Ἀλβῖνος 44, 23
Λούκιος Γενούκιος 46, 5
+*Λυδία* 1, 4 113, 8 139, 13 151, 9
+*Λυδός* 1, 6 148, 18 151, 7 155, 5. 7. 10. 15
Λυκόφρων 42, 17

+*Μάζακα* 146, 2
Μαζάκη 76, 1
Μακεδόνιος 105, 3
+*Μακεδών* 40, 4
Μάλλιος 52, 12
Μάμερκος v. *Γάϊος*
Μαξιμιανὸς ὁ Γαλέριος 80, 19
Μαραθωνομάχοι 15, 23
Μαρινιῶντες 138, 20
Μαρῖνος 6, 22 124, 17 135, 7 138, 10. 20. 24 139, 4 140, 2. 11
+*Μάριος* 12, 15 21, 8 50, 25 54, 7. 10. 13. 14. 24 122, 13
Μαρκιανός 132, 11
Μάρκιος v. *Αὖλος* et *Τίτος*
Μάρκος 83, 25
Μάρκος Αἰμίλιος 39, 15
Μαρτινιανός 80, 13
+*Μαυρούσιος* 145, 10
Μεγαρεύς 163, 3. 6
Μίνως 28, 12
Μοισία v. *Μυσία*
Μόσος 120, 16
Μυγδόνιος 123, 2
Μυσία 65, 7 119, 23 121, 13 128, 8

Νεάπολις 163, 18
+*Νέρων* 122, 25 134, 22
+*Νίγρος* 163, 12
+Νιόβη 152, 1
Νίσιβις 123, 3

Νικόπολις 136, 14
+Νουμᾶς 1, 11 25, 5

Ὀκταβιανός 56, 10 60, 7. v. Καῖσαρ
+Ὀλυμπιάς 39, 23 163, 3
Ὀμφάλη 155, 19
Ὀπτᾶτος 154, 18
+Ὁράτιος 42, 15
Ὀρέστης 134, 1
Ὀρόντης 143, 10
+Ὀστία 24, 4 154, 21

Παιονία 120, 22
Πακτωλός 155, 8
Παλαιστήνη 136, 13
Παλαιστίνη 121, 15
+Παλατῖνος 12, 3
Παλλάδιος 80, 17
Παννονία 120, 22
Παπίριος Κούρσωρ 40, 5
Παρθενόπη 163, 17
Παρθικός 142, 19
Παρθυαῖος 68, 22
Πατρίκιος 142, 6
Παῦλος 137, 23 138, 3. 6. 9
+Πέρσης 6, 16 7, 1. 4 21, 24 80,18 104,19 116,11 121,20 122, 4. 7. 11. 17. 23 123, 4 137,17.18 140,17. 24. 25 141, 2. 6. 12. 16. 22. 23 142, 7. 8. 9. 12 143, 1. 24 144, 5. 17
+Περσικός 123, 1
Πέρσιος 42, 16
+Περσίς 122, 26 142, 2
Πεσινοῦς 167, 7
Πέτρος 80, 21 81, 7
Πετρώνιος ὁ Ῥωμαῖος 42, 18. ἕτερος 149, 9 150, 5
Πλακωτόν 124, 6
Πλατωνικός 113, 19
Πολύκαρπος 124, 15
+Πομπήϊος 11, 21 40, 24 54, 19. 21. 23 55, 2 77, 20
+Πομπίλιος 25, 5. v. *Νουμᾶς*
+Ποσειδῶν 31, 11. 20

Ποστούμιος v. Σπούριος
Πουπλικόλας 25, 21 34, 1
Πούπλιος 25, 20 39, 15
Πούπλιος Κορνήλιος Κόσσος 39, 20
Πούπλιος Σουλπίκιος 34, 23
Πουτεόλοι 163, 19
Πρόκλος ὁ κναίστωρ 108, 24
Πρόκλος ὁ φιλόσοφος 113, 16
Πρόκλος ἕτερος 150, 13
+Πτολεμαῖος 11, 6 32, 20
Πυρηναῖος 132, 17
Πύρρος 30, 1

+Ῥάμνιτες 15, 15
Ῥέα Σιλβία 25, 2
+Ῥέμος 9, 13
Ῥήγουλος 29, 23
Ῥῆνος 52,3 120,9. 11. 20 145,7
Ῥητικός 120, 7
Ῥίνθων 42, 5. 8. 13
Ῥινθωνική κωμῳδία 41, 18. 22
Ῥοδανός 120, 14 145, 7 167, 9
Ῥουφῖνος 65, 20 92, 23 110, 24 111, 6 128, 19
Ῥοῦφος 76, 9
+Ῥωμαϊκός 9, 16 12, 9 16, 25 21, 6 30, 21 40, 22 41, 16. 20 51,13 69,22 81,9 82,15 105, 21 110, 12 119, 14. 24 145, 9
+Ῥωμαῖος 1, 3 passim
+Ῥώμη 3, 4 passim
+Ῥωμύλος 3, 12 9, 12 11, 13. 17 13, 2. 7 14, 6. 22 18, 1. 2. 10 20, 23 24, 19 25, 7 37, 22 57, 20 67, 20 130, 23

+Σαβῖνος 12, 1 14, 9 20, 25 21, 5 23, 3 25, 4. 6. 8. 22 26, 18. 21
Σαλαμίς 9, 26
Σάλβιος 164, 20
Σαλλούστιος 141, 5
Σαλμωνεύς 149, 22
Σανδών 155, 20
Σαρδανάπαλος 149, 1
Σαυρομάται 21, 24

Σεβήρειον 163, 8
+*Σεβῆρος* 163, 9
Σεκουνδιανός 113, 7
Σεμπρώνιος v. *Αὖλος*
+*Σεπτέμβριος* 38, 15
Σεπτίκιος 61, 3
Σερβίλιος v. *Κόϊντος*
Σέργιος 76, 17 108, 24 139, 14. 19
Σερρανός 33, 13
Σέσωστρις 77, 24
+*Σικανός* 1, 6
+*Σικελία* 13, 19
+*Σικελιώτης* 118, 2
Σιλβία v. *Ἰλία* et *Ῥέα*
Σίλβιος 24, 19. 23 25, 1. *Σ. Αἰνείας* 24, 20
Σίρμιον 120, 24
Σκίρας 42, 5
+*Σκύθης* 16, 12 145, 12
Σκυθία 6, 4 65, 7 82, 11 84, 9 119, 23 121, 13 128, 8
Σκυθικός 84, 2
Σκύλλα 136, 3. 5
Σόλων 50, 10
Σουλπίκιος v. *Πούπλιος*
Σπεκιῶσος 165 app. 166, 8. 11. 17. 23
Σποράκιος 141, 20
Σπούριος Κάσιος 37, 21
Σπούριος Ποστούμιος 34, 22
Στιλικών 49, 22
Σύγαμβροι 52, 4 145, 5
Σύλλας 12, 14 54, 8. 11. 13. 15 bis. 18
+*Συρία* 121, 14 124, 18 143, 25. *Συρίαι* 141, 17 143, 20 145, 8
+*Σύρος* 136, 10 138, 11 143, 15 144, 1
Σώφρων 42, 17

+*Ταρκύνιος* 36, 19. +*Τ. Πρίσκος* 14, 8. +*Τ. ὁ τύραννος* 32, 5 63, 15
Ταυλάντιος 135, 12
Τεγεάτης 24, 27
+*Τιβέριος Καῖσαρ* 12, 19 18, 1 146, 3
Τίβερις 12, 4 26, 17. v. *Θύβρις*
Τιτίνιος 41, 11
+*Τίτιοι* 15, 15
Τίτος 26, 17 38, 12 51, 14 83, 24 84, 20
Τίτος Κύντιος 39, 10. 21
Τίτος Μάρκιος 37, 12 38, 11
Τίτος Τάτιος 23, 3. 6. 8 26, 18
+*Τμῶλος* 113, 8
Τοῦλλος 27, 12
Τοῦρνος 42, 18
+*Τραϊανός* 83, 13. 19. 22 142, 21
Τριβαλλοί 50, 2
Τριβουνιανός 108, 25
Τρίβυρες 52, 2
Τρίβυρις 52, 3
+*Τρωϊκός* 25, 14
+*Τυρρηνός* 1, 4 39, 16. adi. 39, 13
+*Τύχη* 65, 4 67, 22 128, 5

Ὑπάτιος 142, 6
Ὑρκανή 122, 27 140, 24

+*Φάβιος* 11, 2. v. *Κόϊντος*
Φάλαρις 147, 6 148, 25
+*Φαραών* 11, 5. 6
Φᾶσις 153, 25
+*Φιλαδέλφεια* 113, 8 148, 13 149, 9
Φίλιππος ὁ ὕπαρχος 64, 24
Φλάβιος 11, 3
+*Φοῖνιξ* 17, 8 27, 2
Φουλβία 57, 11
Φοῦσκος 74, 22 110, 14
Φράγγοι 52, 4 145, 6
Φωκᾶς 164, 19 165, 16 166, 25 167, 17

Χαρίδημος 163, 5
Χάρυβδις 136, 3
Χοσρόης 143, 18 144, 17 145, 7

B. G. TEUBNER
IN LEIPZIG UND BERLIN.

Januar 1911.

A. Ausgaben griechischer und lateinischer Schriftsteller.

1a. Bibliotheca scriptorum Graecorum et Romanorum Teubneriana. [8.]

Diese Sammlung hat die Aufgabe, die gesamten noch vorhandenen Erzeugnisse der griechischen und römischen Literatur in neuen, wohlfeilen Ausgaben zu veröffentlichen, soweit dies zugunsten der Wissenschaft oder der Schule wünschenswert ist. Die Texte der Ausgaben beruhen auf den jeweils neuesten Ergebnissen der kritischen Forschung, über die die beigefügte adnotatio critica, die sich teils in der praefatio, teils unter dem Text befindet, Auskunft gibt. Die Sammlung wird ununterbrochen fortgesetzt werden und in den früher erschienenen Bänden durch neue, verbesserte Ausgaben stets mit den Fortschritten der Wissenschaft Schritt zu halten suchen.

Die Sammlung umfaßt zurzeit gegen 550 Bände, die bei einmaligem Bezuge statt ca. 1800 Mark geheftet, 2050 Mark gebunden zum Vorzugspreise von ca. 1350 Mark, bzw. 1600 Mark abgegeben werden.

Alle Ausgaben sind auch gleichmäßig in Leinwand gebunden käuflich!

Textausgaben der griechischen und lateinischen Klassiker.

Die mit einem * bezeichneten Werke sind Neuerscheinungen seit Anfang 1910.

a) Griechische Schriftsteller.

Abercii titulus sepulcralis. Ed. W. Lüdtke et Th. Nissen. ℳ 1.— **1.80.**

Aeliani de nat. anim. ll. XVII, var. hist., epistt., fragmm. Rec. R. Hercher. 2 voll. ℳ 12.20 **13.20.**

— **varia historia.** Rec. R. Hercher. ℳ 1.50 **1.90.**

Aeneae commentarius poliorceticus. Rec. A. Hug. ℳ 1.35 **1.75.**

*— **tacticus.** Ed. R. Schöne. [U. d. Pr.]

Aeschinis orationes. Ed. Fr. Blass. Ed. II. min. ℳ 2.80 **3.30.**

— — — Ed. maior (m. Index v. Preuss). ℳ 9.20 **9.80.**

*— **Socratici reliquiae.** Ed. H. Krauß. [U. d. Pr.]

Aeschyli tragoediae. Iter. ed. H. Weil. ℳ 2.40 **3.—**

Einzeln jede Tragödie (Agamemnon. Choëphorae. Eumenides. Persae. Prometheus. Septem c. Th. Supplices) ℳ —.40 **—.70.**

— **cantica.** Dig. O. Schroeder. ℳ 2.40 **2.80.**

[—] **Scholia in Persas.** Rec. O. Dähnhardt. ℳ 3.60 **4.20.**

Aesopicae fabulae. Rec. C. Halm. ℳ —.90 **1.30.**

***Alciphronis Rhetoris* epistularum lib. IV.** *Ed. M. A. Schepers.* ℳ 3.20 **3.60.**

Alexandri Lycopol. c. Manich. Ed. A. Brinkmann. ℳ 1.— **1.25.**

Alypius: s. Musici.

Ammo: s. Maximus.

Anacreontis carmina. Ed. V. Rose. Ed. II. ℳ 1.— **1.40.**

Anaritius: s. Euclid. suppl.

Andocidis orationes. Ed. Fr. Blass. Ed. III. ℳ 1.40 **1.80.**

Annae Comnenae Alexias. Rec. A. Reifferscheid. 2 voll. ℳ 7.50 **8.60.**

Anonymi chronographia syntomos e cod. Matrit. No. 121 (nunc 4701). Ed. Ad. Bauer. ℳ 2.— **2.40.**

Anonymus de incredibilibus: s. Mythographi.

Anthologia Graeca epigr. Palat. c. Plan. Ed. H Stadtmueller.

Vol. I: Pal. l. I—VI (Plan. l. V—VII). ℳ 6.— **6.60.**

*Vol. II. P. 1: Pal. l. VII (Plan. l. III). ℳ 8.— **8.60.** [P. 2 in Vorb.]

*Vol. III. P. 1: Pal. l. IX. (Epp. 1—563. Plan. l. I) ℳ 8.— **8.60.** [P. 2 in Vorb.]

— **lyrica** s. lyr. Graec. rell. Ed. Th. Bergk Ed. IV cur. E. Hiller et O. Crusius. ℳ 3.— **3.60.**

Antiphontis orationes et fragmenta. E Fr. Blaß. Ed. II. ℳ 2.10 **2.50.**

Antonini, M. Aurel., commentarr. ll. Rec. I. Stich. Ed. II. ℳ 2.40 **2**

Die **fetten** *Ziffern verstehen sich für* **gebundene** *Exemp*

Antoninus Liberalis: s. Mythographi.

Apocalypsis Anastasiae. Ed. R. Homburg. ℳ 1.20 1.60.

Apollodori bibliotheca: s. Mythographi. Vol. I.

Apollonius Pergaeus. Ed. et Lat. interpr. est I. L. Heiberg. 2 voll. ℳ 9.— 10.—

Apollonii Rhodii Argonautica. Rec. R. Merkel. ℳ 1.50 1.90.

Appiani hist. Rom. Ed. L. Mendelssohn. 2 voll. [Vol. I. ℳ 4.50 5.— Vol. II. Ed. P. Viereck. Ed. II. ℳ 6.— 6.60.] ℳ 10.50 11.60.

Archimedis opera omnia. Ed. et Latine vertit I. L. Heiberg. 3 voll. ℳ 18.— 19.80. *Ed. II. Vol. I. ℳ 6.— 6.60.

Aristeae ad Philocratem epistula c. cet. de vers. LXX interpr. testim. Ed. P. Wendland. ℳ 4.— 4.50.

Aristophanis comoediae. Ed. Th. Bergk. 2 voll. Ed. II. ℳ 4.— 5.—
Vol. I: Acharn., Equites, Nubes, Vespae, Pax. ℳ 2.—, 2.50.
— II: Aves, Lysistrata, Thesmoph., Ranae, Eccles., Plutus. ℳ 2.— 2.50.
Einzeln jedes Stück ℳ —.60 —.90.

— cantica. Dig. O. Schroeder. ℳ 2.40 2.80.

Aristotelis ars rhetorica. Ed. A. Roemer. Ed. II. ℳ 3.60 4.—
de arte poetica l. Rec. W. Christ. ℳ —.60 —.90.

— ethica Nicomachea. Rec. Fr. Susemihl. Ed. II cur. O. Apelt. ℳ 2.40 2.80.

— magna moralia. Rec. Fr. Susemihl. ℳ 1.20 1.60.

[— ethica Eudemia.] Eudemi Rhodii ethica. Adi. de virtutibus et vitiis l. rec. Fr. Susemihl. ℳ 1.80 2.20.

— politica. Post Fr. Susemihlium rec. O. Immisch. ℳ 3.— 3.50.

— oeconomica. Rec. Fr. Susemihl. ℳ 1.50 1.90.

— Πολιτεία Ἀθηναίων. Ed. Fr. Blass. Ed. IV. ℳ 1.80 2.20.

— — Post Fr. Blassium ed. Th. Thalheim. ℳ 1.50 1.90.

— de animalibus historia. Ed. L. Dittmeyer. ℳ 6.— 6.60.

— de partib. anim. ll. IV. Ed. B. Langkavel. ℳ 2.80 3.20.

*— de animalium motu. Ed. Fr. Littig. [In Vorb.]

— physica. Rec. C. Prantl. [z. Zt. vergr. Neuaufl. i. Vorb.]

— de coelo et de generatione et corruptione. Rec. C. Prantl. ℳ 1.80 2.20.

— quae feruntur de coloribus, de audibilibus, physiognomonica. Rec. C. Prantl. ℳ —.60 —.90.

Aristotelis quae feruntur de plantis, mirab. auscultat., mechanica, de lin. insec., ventorum situs et nomina, Melisso Xenophane Gorgia. Ed. Apelt. ℳ 3.— 3.40.

— de anima ll. III. Rec. Guil. Bie[hl] ℳ 1.20 1.60.

— parva naturalia. Rec. Guil. Bie[hl] ℳ 1.80 2.20.

— metaphysica. Rec. Guil. Chri[st] Ed. II. ℳ 2.40 2.80.

— qui fereb. libror. fragmenta. Co[ll.] V. Rose. ℳ 4.50 5.—

[— —] Divisiones quae vulgo dicun[tur] Aristoteleae. Ed. H. Mutschman[n] ℳ 2.80 3.20.

—: s. a. Musici.

Arriani Anabasis. Rec. Car. Abic[ht] [z. Zt. vergr.]

— quae exstant omnia. Ed. A. G. Roo[s] Vol. I. Anabasis. Ed. maior. Mit 1 Taf[el] ℳ 3.60 4.20.

— Anabasis. Ed. A. G. Roos. Ed. m[inor] ℳ 1.80 2.20.

— scripta minora. Edd. R. Herch[er] et A. Eberhard. Ed. II. ℳ 1.80 2.[20]

Athenaei dipnosophistae ll. XV. Rec. Kaibel. 3 voll. ℳ 17.10 18.90.

Autolyci de sphaera quae movetur l., ortibus et occasibus ll. II. Ed. Hultsch. ℳ 3.60 4.—

Babrii fabulae Aesopeae. Rec. O. Crusi[us] Acc. fabul. dactyl. et iamb. rell. Ignatii al. tetrast. iamb. rec. a O. Fr. Muell[er] Ed. maior. ℳ 8.40 9.— Rec. O. Crusiu[s] Ed. minor. ℳ 4.— 4.60.

— — Ed. F. G. Schneidewi[n] ℳ —.60 1.—

Bacchius: s. Musici.

Bacchylidis carmina. Ed. Fr. Bla[ss] Ed. III. ℳ 2.40 2.90.

Batrachomyomachia: s. Hymni Homerici.

Bion s. Bucolici.

Blemyomachia: s. Eudocia August[a]

Bucolicorum Graecorum Theocriti, Bion[is] Moschi reliquiae. Rec. H. L. Ahren[s] Ed. II. ℳ —.60 1.—

Caecilii Calactini fragmenta. Ed. E. Ofenloch. ℳ 6.— 6.60.

Callistratus: s. Philostratus (min.).

Callinici de vita S. Hypatii l. Edd. Se[m.] Philol. Bonn. sodales. ℳ 3.— 3.40.

Cassianus Bassus: s. Geoponica.

Cebetis tabula. Ed. C. Praechter. ℳ —.60 —.90.

Chronica minora. Ed. C. Frick. Vol. [I.] Acc. Hippolyti Romani praeter Canone[m] Paschalem fragmm. chronol. ℳ 6.80 7.4[0]

Claudianus: s. Eudocia Augusta.

[Cle]omedis de motu circulari corporum caelestium ll. II. Ed. H. Ziegler. *M* 2.70 **3.20.**
[Col]luthus: s. Tryphiodorus.
[Co]rnuti theologiae Graecae compendium. Rec. C. Lang. *M* 1.50 **2.—**
[Co]rpusculum poesis epicae Graecae ludibundae. Edd. P. Brandt et C. Wachsmuth. 2 fascc. *M* 6.— **7.—**
[Da]mascii vita Isidori. Ed. J. Hardy. [In Vorb.]
[De]mades: s. Dinarchus.
[De]metrii Cydon. de contemn. morte or. Ed. H. Deckelmann. *M* 1.— **1.40.**
[D]emetrii *Τύποι Ἐπιστολικοί* **et Libanii** *Ἐπιστολιμαῖοι Χαρακτῆρες* ed. V. Weichert. *M* 2.60 **3.20.**
[De]mosthenis orationes. Rec. G. Dindorf. Ed. IV. cur. Fr. Blass. Ed. maior. [Mit adnot. crit.] 3 voll. je *M* 2.80 **3.20.** Ed. minor. [Ohne die adnot. crit.] 3 voll. je *M* 1.80 **2.20.** 6 partes. je *M* —.90 **1.20.**
- Vol. I. Pars 1. Olynthiacae III. Philippica I. De pace. Philippica II. De Halonneso. De Chersoneso. Philippicae III. IV. Adversus Philippi epistolam. Philippi epistola. De contributione. De symmoriis. De Rhodiorum libertate. De Megalopolitis. De foedere Alexandri. *M* —.90 **1.20.**
- — I. Pars 2. De corona. De falsa legatione. *M* —.90 **1.20.**
- — II. Pars 1. Adversus Leptinem. Contra Midiam. Adversus Androtionem. Adversus Aristocratem. *M* —.90 **1.20.**
- — II. Pars 2. Adversus Timocratem. Adversus Aristogitonem II. Adversus Aphobum III. Adversus Onetorem II. In Zenothemin. In Apaturium. In Phormionem. In Lacritum. Pro Phormione. In Pantaenetum. In Nausimachum. In Boeotum de nomine. In Boeotum de dote. *M* —.90 **1.20.**
- — III. Pars 1. In Spudiam. In Phaenippum. In Macartatum. In Leocharem. In Stephanum II. In Euergum. In Olympiodorum. In Timotheum. In Polyclem. Pro corona trierarchica. In Callippum. In Nicostratum. In Cononem. In Calliclem. *M* —.90 **1.20.**
- — III. Pars 2. In Dionysodorum. In Eubulidem. In Theocrinem. In Neaeram. Oratio funebris. Amatoria. Prooemia. Epistolae. Index historicus. *M* —.90 **1.20.**

Didymus de Demosthene. Rec. H. Diels et W. Schubart. *M* 1.20 **1.50.**
Dinarchi orationes adiectis Demadis qui fertur fragmentis *ὑπὲρ τῆς δωδεκαετίας*. Ed. Fr. Blass. Ed. II. *M* 1.— **1.40.**
Diodori bibliotheca hist. Edd. Fr. Vogel et C. Th. Fischer. 6 voll. Voll. I—III. je *M* 6.— **6.60.** Vol. IV. *M* 6.80 **7.40.** Vol. V. *M* 5.— **5.60.** [Vol. VI in Vorb.]
Diodori bibliotheca hist. Ed. L. Dindorf. 5 voll. Vol. I u. II. [Verg[r.]] Vol. III u. IV. je *M* 3.—. Vol. [V] *M* 3.75.
Diogenis Oenoandensis fragmenta. O[rd.] et expl. J. William. *M* 2.40 **2.80.**
Dionis Cassii Cocceiani historia Roman[a]. Ed. J. Melber. 5 voll. Vol. I. *M* 6.— **6.6[0].** Vol. II. *M* 4.80 **5.40.** [Die weiteren Bän[de] in Vorb.]
—— —— Ed. L. Dindorf. 5 voll. je *M* 2. [Vol. I—III vergr.]
Dionis Chrysostomi orationes. Rec. Dindorf. 2 voll. Vol. I. [Vergr.] Vol. [II] *M* 2.70 **3.60.** [*Neubearbeitung von Sonny in Vorb.]
Dionysi Halic. antiquitates Romanae. C. Jacoby. 4 voll. *M* 16.— **18.40.**
—— **opuscula.** Edd. H. Usener et Radermacher. Vol. I. *M* 6.— **6.[60]**
—— —— Vol. II. Fasc. I. *M* 7.—
*—— —— Vol. II. Fasc. II. [In Vorb.]
Diophanti opera omnia c. Gr. commen[t.] Ed. P. Tannery. 2 voll. *M* 10.— **11.**
Divisiones Aristoteleae, s. Aristotel[es].
Eclogae poetarum Graec. Ed. H. Stadtmueller. *M* 2.70 **3.20.**
Epicorum Graec. fragmenta. Ed. Kinkel. Vol. I. *M* 3.— **3.50.**
Epicteti dissertationes ab Arriano dig. R[ec.] H. Schenkl. Acc. fragmm., enchiridi[on,] gnomolog. Epict., rell., indd. Ed. mai[or.] *M* 10.— **10.80.** Ed. minor. *M* 6.— **6.**
Epistulae privatae graecae in pap. a[etate] Lagid. serv. Ed. St. Witkows[ki.] *M* 3.20 **3.60.**
Eratosthenis catasterismi: s. Mythographi III. 1.
***Erotici scriptores Graeci.** Ed. A. Mewal[dt.] [In Vorb.]
Euclidis opera omnia. Edd. I. L. Heibe[rg] et H. Menge.
- Voll. I-V. **Elementa.** Ed. et Lat. inter[pr.] est Heiberg. *M* 24.60 **27.60.**
- — VI. **Data.** Ed. H. Menge. *M* 5.— **5.[60]**
- — VII. **Optica, Opticor. rec. Theon[is,] Catoptrica,** c. schol. ant. Ed. H[ei]berg. *M* 5.— **5.60.** [Forts. in Vor[b.]]

—— —— —— Supplem.: **Anaritii com[m.] ex interpr. Gher. Crem.** ed. M. Curt[ze.] *M* 6.— **6.60.**
——: s. a. Musici.
Eudociae Augustae, Procli Lycii, Cl[au]diani carmm. Graec. rell. Acc. Blemy[o]machiae fragmm. Rec. A. Ludwi[ch.] *M* 4.— **4.40.**
—— **violarium.** Rec. I. Flach. *M* 7[.50] **8.10.**

Die fetten Ziffern verstehen sich für gebundene Exempl[are.]

*Euripidis cantica dig. O. Schroeder. ℳ 4.— 4.40.

—— tragoediae. Rec. A. Nauck. Ed. III. 3 voll. ℳ 7.80 9.30.
Vol. I: Alcestis. Andromacha. Bacchae Hecuba. Helena. Electra. Heraclidae Hercules furens. Supplices. Hippolytus. ℳ 2.40 2.90.
— II: Iphigenia Aulidensis. Iphigenia Taurica. Ion. Cyclops. Medea. Orestes. Rhesus. Troades. Phoenissae. ℳ 2.40 2.90.
— III: Perditarum tragoediarum fragmenta. ℳ 3.— 3.50.
Einzeln jede Tragödie ℳ —.40 —.70.

Eusebii opera. Rec. G. Dindorf. 4 voll ℳ 23.60 25.80.

Fabulae Aesopicae: s. Aesop. fab.

Fabulae Romanenses Graec. conser. Rec. A. Eberhard. Vol. I. [Vergr. Forts. erscheint nicht.]

Florilegium Graecum in usum primi gymnasiorum ordinis collectum a philologis Afranis. kart. Fasc. 1—10 je ℳ —.50; Fasc. 11—15 je ℳ —.60.
Hierzu unentgeltlich an Lehrer: Index argumentorum et locorum.
Außer der Verwendung bei den Maturitätsprüfungen hat diese Sammlung den Zweck, dem Primaner das Beste und Schönste aus der griech. Literatur auf leichte Weise zugänglich zu machen und den Kreis der Altertumsstudien zu erweitern.

Galeni Pergameni scripta minora. Recc. I. Marquardt, I. Müller, G. Helmreich. 3 voll. ℳ 7.50 9.20.

—— institutio logica. Ed. C. Kalbfleisch. ℳ 1.20 1.60.

—— de victu attenuante l. Ed. C. Kalbfleisch. ℳ 1.40 1.80.

—— de temperamentis. Ed. G. Helmreich. ℳ 2.40 2.80.

—— de usu partium ll. XVII. Rec. G. Helmreich. 2 voll. Vol. I. Libb. I—VIII. Vol. II. Libb. IX—XVII. je ℳ 8.— 8.60.

Gaudentius: s. Musici.

Geoponica sive Cassiani Bassi Schol. de re rustica eclogae. Rec. H. Beckh. ℳ 10.— 10.80.

Georgii Acropol. annales. Rec. A. Heisenberg. Vol. I. II. 11.60 14.—

Georgii Cypri descriptio orbis Romani. Acc. Leonis imp. diatyposis genuina. Ed. H. Gelzer. Adi. s. 4 tabb. geograph. ℳ 3.— 3.50.

Georgii Monachi Chronicon. Ed. C. de Boor. Vol. I. II. ℳ 18.— 19.20.

Heliodori Aethiopic. ll. X. Ed. I. Bekker. ℳ 2.40 2.90.

Hephaestionis enchiridion. c. comm. vet ed. M. Consbruch. ℳ 8.— 8.60.

Heracliti quaestiones Homericae. Edd Societatis Philologae Bonnensis sodales. ℳ 3.60 4.—

——: s. a. Mythographi.

Hermippus, anon. christ. de astrologia dialogus. Edd. C. Kroll et P. Viereck. ℳ 1 80 2.20.

Herodiani ab excessu divi Marci ll. VIII. Ed. I. Bekker. ℳ 1.20 1.60.

Herodoti historiarum ll. IX. Ed. H. R. Dietsch. Ed. II cur. H. Kallenberg. 2 voll. [je ℳ 1.35 1.80] ℳ 2.70 3.60.
Vol. I: Lib. 1—4. Fasc. I: Lib. 1. 2. ℳ —.80 1.10.
Fasc. II: Lib. 3. 4. ℳ —.80 1.10.
— II: Lib. 5—9. Fasc. I: Lib. 5. 6. ℳ —.60 —.90.
Fasc. II: Lib. 7. ℳ —.45 —.75.
Fasc. III: Lib. 8. 9. ℳ —.60 —.90.

*Herondae mimiambi. Acc. Phoenicis Coronistae, Mattii mimiamb. fragmm. Ed. O. Crusius. Ed. IV minor. ℳ 2.40 2.80. Ed. maior. [U. d. Pr.]

Heronis Alexandrini opera. Vol. I. Druckwerke u. Automatentheater, gr. u. dtsch. v. W. Schmidt. Im Anh. Herons Fragm. üb. Wasseruhren, Philons Druckw., Vitruv z. Pneumatik. ℳ 9.— 9.80. Suppl.: D. Gesch. d. Textüberliefrg Gr. Wortregister. ℳ 3.— 3.40.

—— —— Vol. II. Fasc. I. Mechanik u. Katoptrik, hrsg. u. übers. von L. Nix u. W. Schmidt. Im Anh. Excerpte aus Olympiodor, Vitruv, Plinius, Cato, Pseudo-Euclid. Mit 101 Fig. ℳ 8.— 8.80.

—— —— Vol. III. Vermessungslehre u. Dioptra, griech. u. deutsch hrsg. von H. Schöne. M 116 Fig. ℳ 8.— 8.80.

*—— —— Vol. IV. Ed. Heiberg. [U.d.Pr.]

Hesiodi carmina. Rec. A. Rzach. Ed. II. ℳ 1.80 2.30.

Hesychii Milesii qui fertur de viris ill. l. Rec. I. Flach. ℳ —.80 1.10.

Hieroclis synecdemus. Acc. fragmenta ap. Constantinum Porphyrog. servata et nomina urbium mutata. Rec. A. Burckhardt. ℳ 1.20 1.60.

Hipparchi in Arati et Eudoxi Phaenomena comm. Rec. C. Manitius. ℳ 4.— 4.60.

Hippocratis opera. 7 voll. Recc. H. Kuehlewein et I. Ilberg. Vol. I (cum tab. phototyp.). ℳ 6.— 6.60. Vol. II. ℳ 5.— 5.50. [Fortsetz. noch unbestimmt.]

Historici Graeci minores. Ed. L. Dindorf. 2 voll. [z. Zt. vergr. Neubearb. in Vorb.]

Homeri carmina. Ed. Guil. Dindorf: **Ilias.** Ed. Guil. Dindorf. Ed. V cur. C. Hentze. 2 partes. [je *M.* —.75 **1.10.**] *M.* 1.50 **2.20.** [In 1 Band geb. *M.* 2.—.] Pars I: Il. 1—12. Pars II: Il. 13—24.

Odyssea. Ed. Guil. Dindorf. Ed. V cur. C. Hentze. 2 partes. [je *M.* —.75 **1.10.**] *M.* 1.50 **2.20.** [In 1 Band geb. *M.* 2.—.] Pars I: Od. 1—12. Pars II: Od. 13—24.

—— —— Rec. A. Ludwich. 2 voll. Ed. min. [je *M.* —.75 **1.10.**] *M.* 1.50 **2.20.**

Hymni Homerici acc. **epigrammatis et Batrachomyomachia.** Rec. A. Baumeister. *M.* —.75 **1.10.**

Hyperidis orationes. Ed. Fr. Blaß. Ed. III. [Vergr. Neubearb. v. Jensen in Vorb.]

Iamblichi protrepticus. Ed. H. Pistelli. *M.* 1.80 **2.20.**

—— **de communi math. scientia l.** Ed. N. Festa. *M.* 1.80 **2.20.**

—— **in Nicomachi arithm. introduct. l.** Ed. H. Pistelli. *M.* 2.40 **2.80.**

*—— **vita Pythagorae.** Ed. L. Deubner. [In Vorb.]

Ignatius Diaconus: s. Babrius u. Nicephorus.

Inc. auct. Byzant. de re milit. l. Rec. R. Vári. *M.* 2.40 **2.80.**

Inscriptiones Graecae ad inlustrandas dialectos selectae. Ed. F. Solmsen. *Ed. III. *M.* 1.60 **2.—**

*—— **Latinae Graecae bilingues.** Ed. F. Zilken. [In Vorb.]

Ioannes Philoponus: s. Philoponus.

Iosephi opera. Rec. S. A. Naber. 6 voll. *M.* 26.— **29.—**

Isaei orationes. Ed. C. Scheibe. *M.* 1.20 **1.60.**

—— Ed. Th. Thalheim. *M.* 2.40 **2.80.**

Isocratis orationes. Rec. H. Benseler. Ed. II cur. Fr. Blass. 2 voll. *M.* 4.— **4.80.**

***Iuliani imp. quae supers. omnia.** Rec. C F. Hertlein. 2 voll. [Vergr. Neubearbeit. von Fr. Cumont u. J. Bidez in Vorb.]

Iustiniani imp. novellae. Ed. C. E. Zachariae a Lingenthal. 2 partes. *M.* 10.50 **11.60.**

—— —— —— Appendix (I). *M.* —.60 **1.—**

—— —— —— Appendix (II). **De dioecesi Aegyptiaca lex ab imp. Iustiniano anno 554 lata.** *M.* 1.20 **1.60.**

Leonis diatyposis: s. Georgius Cyprius.

***Libanii opera.** Rec. R. Foerster. Vol. I—V. *M.* 55.— **59.40.** Vol. VI. [Unter d. Presse.]

—— Ἐπιστολιμαῖοι Χαρακτῆρες: s. Demetrius.

Luciani opera. Rec. C. Jacobitz. [6 part. je *M.* 1.05 **1.40.**] 3 voll. *M.* 6.30 **7.50.**

—— Ed. N. Nilén. Vol. I. Fasc. I. *lib. I—XIV.* *M.* 2.80 **3.20.** Fasc. II. *[U. d. Pr.]*

Luciani opera Prolegg. *M.* 1.— **1.25.**

[——] **Scholia in Lucianum.** Ed. H. Rabe. *M.* 6.— **6.60.**

Lycophronis Alexandra. Rec. G. Kinkel. *M.* 1.80 **2.20.**

Lycurgi or. in Leocratem. Ed. Fr. Blass. Ed. maior. *M.* —.90 **1.30.** Ed. minor. *M.* —.60 **—.90.**

Lydi l. de ostentis et Calendaria Graeca omnia. Ed. C. Wachsmuth. Ed. II. *M.* 6.— **6.60.**

—— **de mensibus l.** Ed. R. Wünsch. *M.* 5.20 **5.80.**

—— **de magistratibus l.** Ed. R. Wünsch. *M.* 5.— **5.60.**

Lysiae orationes. Rec. Th. Thalheim. Ed. maior. *M.* 3.— **3.60.** Ed. minor. *M.* 1.20 **1.60.**

Marci Diaconi vita Porphyrii, episcopi Gazensis. Edd. soc. philol. Bonn. sodales. *M.* 2.40 **2.80.**

Maximi et Ammonis carminum de actionum auspiciis rell. Acc. **anecdota astrologica.** Rec. A. Ludwich. *M.* 1.80 **2.20.**

***Maximi Tyrii philosophumena.** Ed. H. Hobein. *M.* 12.— **12.60.**

Menandrea. Ed. A. Körte. Ed. maior *M.* 3.— **3.40.** Ed. minor *M.* 2.— **2.40.**

Metrici scriptores Graeci. Ed. R. Westphal. Vol. I: Hephaestion. *M.* 2.70 **3.20.**

Metrologicorum scriptorum reliquiae. Ed. F. Hultsch. 2 voll. Vol. I: Scriptores Graeci. *M.* 2.70 **3.20.** [Vol. II: Scriptores Romani. *M.* 2.40 **2.80.**] *M.* 5.10 **6.—**

Moschus: s. Bucolici.

Musici scriptores Graeci. Aristoteles, Euclides, Nicomachus, Bacchius, Gaudentius, Alypius et melodiarum veterum quidquid exstat. Rec. C. Ianus. Ann. s. tabulae. *M.* 9.— **9.80.**

—— —— —— Supplementum: Melodiarum rell. *M.* 1.20 **1.60.**

Musonii Rufi reliquiae. Ed. O. Hense. *M.* 3.20 **3.80.**

Mythographi Graeci. Vol. I: **Apollodori bibliotheca, Pediasimi lib. de Herculis laboribus.** Ed. R. Wagner. *M.* 3.60 **4.20.**

—— Vol. II. Fasc. I: **Parthenii lib.** περὶ ἐρωτικῶν παθημάτων, ed. P. Sokolowski. **Antonini Liberalis** μεταμορφώσεων συναγωγή, ed. E. Martini. *M.* 2.40 **2.80.** Suppl.: Parthenius, ed. E. Martini. *M.* 2.40 **2.80.**

—— Vol. III. Fasc. I: **Eratosthenis catasterismi.** Ed. Olivieri. *M.* 1.20 **1.60.**

—— Vol. III. Fasc. II: **Palaephati** περὶ ἀπίστων, **Heracliti** lib. περὶ ἀπίστων, **Excerpta Vaticana** (vulgo Anonymus de incredibilibus). Ed. N. Festa. *M.* **3.20.**

Die fetten Ziffern verstehen sich für gebundene Exemp

Naturalium rerum scriptores Graeci minores. Vol. I: Paradoxographi, Antigonus, Apollonius, Phlegon, Anonymus Vaticanus. Rec. O. Keller. *M.* 2.70 **3.10.**

Nicephori archiepiscopi opuscc. hist. Ed C. de Boor. Acc. **Ignatii Diaconi vit. Nicephori.** *M.* 3.30 **3.70.**

—— **Blemmydae curr. vitae et carmina.** Ed. A. Heisenberg. *M.* 4.— **4.40.**

Nicomachi Geraseni introductionis arithm. ll. II. Rec. R. Hoche. *M.* 1.80 **2.20.**

——: s. a. Musici.

Nonni Dionysiacorum ll. XLVIII. Rec. A. Koechly. Voll. I u. II. je *M.* 6.— **6.50.**

—— —— Rec. A. Ludwich. Vol. I. Libri I—XXIV. *M.* 6.— **6.60.** Vol. II. *M.* 6.60 **7.20.**

—— **paraphrasis s. evangelii Ioannei.** Ed. A. Scheindler. *M.* 4.50 **5.—**

***Olympiodorus in Platonis Phaedonem.** Ed. W. Norvin. [In Vorb.]

Palaephatus: s. Mythographi.

Parthenius: s. Mythographi.

Patrum Nicaenorum nomina Graece, Latine, Syriace, Coptice, Arabice, Armeniace. Edd. H. Gelzer, H. Hilgenfeld, O. Cuntz. *M.* 6.— **6.60.**

Pausaniae Graeciae descriptio. Rec. Fr. Spiro. Voll. I—III. *M.* 7.60 **9.—**

Pediasimus: s. Mythographi.

Philodemi volumina rhetorica. Ed. S. Sudhaus. 2 voll. u. Suppl. *M.* 11.— **12.60.**

—— **de musica ll.** Ed. I. Kempe. *M.* 1.50 **2.—**

—— *π. οἰκονομίας* lib. Ed. Chr. Jensen. *M.* 2.40 **2.80.**

—— *π. τοῦ καθ' Ὅμηρον ἀγαθοῦ βασιλέως* lib. Ed. Al. Olivieri. *M.* 2.40 **2.80.**

Philoponi de opificio mundi ll. Rec. W. Reichardt. *M.* 4.— **4.60.**

—— **de aeternitate mundi c. Proclum.** Ed. H. Rabe. *M.* 10.— **10.80.**

Philostrati (mai.) opera. Ed. C. L. Kayser. 2 voll. [z. Zt. vergr.]

—— **imagines.** Recc. O. Benndorf et C. Schenkl. *M.* 2.80 **3.20.**

Philostrati (min.) imagines et Callistrati descriptiones. Recc. C. Schenkl et Aem. Reisch. *M.* 2.40 **2.80.**

***Phrynichus.** Ed. H. v. Borries. [U. d. Pr.]

Physiognomonici scriptores Graeci et Latini. Rec. R. Foerster. 2 voll. Vol. I. II. *M.* 14.— **15.20.**

Phoenix Coloph.: s. Herondas.

Pindari carmina. Ed. W. Christ. Ed. II. *M.* 1.80 **2.20.**

—— —— ed. O Schroeder. *M.* 2.40 **2.80.**

[——] Scholia vetera in Pindari carmina. 2 voll. Vol. I. Scholia in Olympionicas. Rec. A. B. Drachmann. *M.* 8.— **8.60.** **Vol. II. Scholia in Pythionicas.* Rec. A. B. Drachmann. *M.* 6.— **6.60.**

Platonis dialogi secundum Thrasylli tetralogias dispositi. Ex recogn. C. F. Hermanni et M. Wohlrab. 6 voll. *M.* 14. **17.50.** [Voll. I. III. IV. V. VI. je *M.* 2. **3.—** Vol. II. *M.* 2.— **2.50.**]

Auch in folgenden einzelnen Abteilungen:

Nr. 1. Euthyphro. Apologia Socratis. Crito. Phaedo. *M.* —.70 **1.—**

— 2. Cratylus. Theaetetus. *M.* 1.— **1.40**

— 3. Sophista. Politicus. *M.* 1.— **1.40**

— 4. Parmenides. Philebus. *M.* —.90 **1.30**

— 5. Convivium. Phaedrus. *M.* —.70 **1.—**

— 6. Alcibiades I et II. Hipparchus. Erastae. Theages. *M.* —.70 **1.—**

— 7. Charmides. Laches. Lysis. *M.* —.70 **1.—**

— 8. Euthydemus. Protagoras. *M.* —.70 **1.—**

— 9. Gorgias. Meno. *M.* 1.— **1.40.**

— 10. Hippias I et II. Io. Menexenus. Clitophon. *M.* —.70 **1.—**

— 11. Rei publicae libri decem. *M.* 1.80 **2.20.**

— 12. Timaeus. Critias. Minos. *M.* 1.— **1.40.**

— 13. Legum libri XII. Epinomis. *M.* 2.40 **3.—**

— 14. Platonis quae feruntur epistolae XVIII. Acc. definitiones et septem dialogi spurii. *M.* 1.20 **1.60.**

— 15. Appendix Platonica continens isagogas vitasque antiquas, scholia, Timaei glossar., indices. *M.* 2.— **2.40.**

Inhalt von Nr. 1— 3 = Vol. I.
— 4— 6 = Vol. II.
— 7—10 = Vol. III.
— 11. 12 = Vol. IV.
— 13 = Vol. V.
— 14. 15 = Vol. VI.

Plotini Enneades praem. Porphyrii de vita Plotini deque ordine librorum eius libello. Ed. R. Volkmann. 2 voll. *M.* 9.— **10.20.**

Plutarchi vitae parallelae. Rec. C. Sintenis. 5 voll. Ed. II. *M.* 13.60 **16.10.** [Vol. I. *M.* 2.80 **3.30.** Vol. II. *M.* 3.40 **4.—**. Voll. III—IV. je *M.* 2.50 **3.—**. Vol. V. *M.* 2.40 **2.80.**

Auch in folgenden einzelnen Abteilungen:

Nr. 1. Theseus et Romulus, Lycurgus et Numa, Solon et Publicola. *M.* 1.50 **1.90.**

— 2. Themistocles et Camillus, Pericles et Fabius Maximus, Alcibiades et Coriolanus. *M.* 1.50 **1.90.**

— 3. Timoleon et Aemilius Paulus, Pelopidas et Marcellus. *M.* 1.20 **1.60.**

— 4. Aristides et Cato, Philopoemen et Flamininus, Pyrrhus et Marius. *M.* 1.40 **1.80.**

Plutarchi vitae parallelae.
Nr. 5. Lysander et Sulla, Cimon et Lucullus. ℳ 1.20 **1.60.**
— 6. Nicias et Crassus, Sertorius et Eumenes. ℳ 1.— **1.40.**
— 7. Agesilaus et Pompeius. ℳ 1.— **1.40.**
— 8. Alexander et Caesar. ℳ 1.— **1.40.**
— 9. Phocion et Cato minor. ℳ —.80 **1.10.**
— 10. Agis et Cleomenes, Tib. et C. Gracchi. ℳ —.80 **1.10.**
— 11. Demosthenes et Cicero. ℳ —.80 **1.10.**
— 12. Demetrius et Antonius. ℳ —.80 **1.10.**
— 13. Dio et Brutus. ℳ 1.20 **1.60.**
— 14. Artaxerxes et Aratus, Galba et Otho. ℳ 1.40 **1.80.**

Inhalt von Nr. 1. 2 = Vol. I.
— 3—5 = Vol. II.
— 6—8 = Vol. III.
— 9—12 = Vol. IV.
— 13. 14 = Vol. V.

*—— —— Edd. Cl. Lindskog, J. Mewaldt et K. Ziegler. 3 Bde. [In Vorb.]

—— **moralia.** Rec. G. N. Bernardakis 7 voll. je ℳ 5.— **5.60.**

Polemonis declamationes duae. Rec. H. Hinck. ℳ 1.— **1.40.**

Polyaeni strategematicon ll. VIII. Rec E. Woelfflin. Ed. II cur. J. Melber. ℳ 7.50 **8.—**

Polybii historiae. Rec. L. Dindorf. Ed. II cur. Th. Büttner-Wobst. 5 voll. ℳ 20.60 **23.60.**

Polystrati Epic. *π. ἀλόγου καταφρονήσεως.* Ed. C. Wilke. ℳ 1.20 **1.60.**

Porphyrii opuscc. sel. Rec. A. Nauck. Ed. II. ℳ 3.— **3.50.**

—— **sententia ad intelligibilia ducentes.** Ed. B. Mommert. ℳ 1.40 **1.80.**

——: s. a. Plotinus.

Procli Lycii carmina: s. Eudocia Augusta.

Procli Diadochi in primum Euclidis elementorum librum commentarii. Rec. G. Friedlein. ℳ 6.75 **7.30.**

—— **in Platonis rem publicam commentarii.** Ed. G. Kroll. 2 voll. Vol. I. ℳ 5.— **5.60.** Vol. II. ℳ 8.— **8.60.**

—— **in Platonis Timaeum commentaria.** Ed. E. Diehl. Vol. I—III. ℳ 30.— **32.20.**

—— **in Platonis Cratylum commentaria.** Ed. G. Pasquali. ℳ 3.— **3.40.**

—— ***hypotyposis astronomicarum positionum.*** *Ed. C. Manitius.* ℳ 8.— **8.60.**

Procopii Caesariensis opera omnia. Rec. I. Haury. Voll. I. II. je ℳ 12.— **12.80.** Vol. III 1. ℳ 3.60 **4.—**

Prophetarum vitae fabulosae. Edd. H. Gelzer et Th. Schermann. ℳ 5.60 **6.—**

Ptolemaei opera. Ed. I. L. Heiberg. Vol. I. Syntaxis. P. I. libri I—VI. ℳ 8.— **8.60.** P. II. libri VII—XIII. ℳ 12.— **12.60.** Vol. II. Op. astron. min. ℳ 9.— **9.60.**

Quinti Smyrnaei Posthomericorum ll. XIV. Rec. A. Zimmermann. ℳ 3.60 **4.20.**

Repertorium griech. Wörterverzeichnisse u. Speziallexika v. H. Schöne. ℳ —.80 **1.—**

Rhetores Graeci. Rec. L. Spengel. 3 voll. Vol. I. Ed. C. Hammer. ℳ 4.20 **4.80.** [Voll. II u. III vergr. Neubearb. in Vorb.]

Scriptores erotici, s. Erotici scriptores.

—— **metrici,** siehe: Metrici scriptores.

—— **metrologici,** siehe: Metrologici scriptores.

—— **originum Constantinopolit.** Rec. Th. Preger. 2 fascc. ℳ 10.— **11.20.**

—— **physiognomonici,** siehe: Physiognomonici scriptores.

—— **sacri et profani.**
Fasc. I: s. Philoponus.
Fasc. II: s. Patrum Nicaen. nomm.
Fasc. III: s. Zacharias Rhetor.
*Fasc. IV: s. Stephanus von Taron.
Fasc. V: E. Gerland, Quellen z. Gesch. d. Erzbist. Patras. ℳ 6.— **6.60.**

Sereni Antinoensis opuscula. Ed. I. L. Heiberg. ℳ 5.— **5.50.**

***Sexti Empirici opera.** Ed. H. Mutschmann. 3 voll. Vol. I. [U. d. Pr.]

Simeonis Sethi syntagma. Ed. B. Langkavel. ℳ 1.80 **2.20.**

Sophoclis tragoediae. Rec. Guil. Dindorf. Ed. VI cur. S. Mekler. Ed. maior. ℳ 1.65 **2.20.** Ed. minor. ℳ 1.35 **1.80.**
Einzeln jede Tragödie (Aiax. Antigone. Electra. Oedipus Col. Oedipus Tyr. Philoctetes. Trachiniae) ℳ —.30 **—.60.**

Sophoclis cantica. Dig. O. Schroeder. ℳ 1.40 **1.80.**

[——] **Scholia in S. tragoedias vetera.** Ed. P. N. Papageorgios. ℳ 4.80 **5.40.**

Stephanus von Taron. Edd. H. Gelzer et A. Burckhardt. ℳ 5.60 **6.—**

Stobaei florilegium. Rec. A. Meineke. 4 voll. [vergr.]

—— **eclogae.** Rec. A. Meineke. 2 voll. [z. Zt. vergr.]

Strabonis geographica. Rec. A. Meineke. 3 voll. ℳ 10.80 **12.60**

***Synkellos.** Ed. W. Reichardt. [U. d. Pr.]

*Die **fetten** Ziffern verstehen sich für **gebundene** Exemplar*

Syriani in Hermogenem comm. Ed. H. Rabe. 2 voll. ℳ 3.20 **4.10.**

Testamentum Novum Graece ed. Ph. Buttmann. Ed. V. ℳ 2.25 **2.75.**

Themistii paraphrases Aristotelis ll. Ed. L. Spengel. 2 voll. ℳ 9.— **10.20.**

Theocritus: s. Bucolici.

Theodoreti Graec. affect. curatio. Rec. H. Raeder. ℳ 6.— **6.60.**

Theodori Prodromi catomyomachia. Ed. B. Hercher. ℳ —.50 **—.75.**

Theonis Smyrnaei expositio rer. mathemat. ad leg. Platonem util. Rec. E. Hiller. ℳ 3.— **3.50.**

Theophrasti Eresii opera. Rec. F. Wimmer. 3 voll. [Vol. I. II. vergr.] Vol. III. ℳ 2.40.

—— π. λέξεως libri fragmenta. Coll. A. Mayer. ℳ 5.— **5.40.**

Theophylacti Simocattae historiae. Ed. K. de Boor. ℳ 6.— **6.60.**

Thucydidis de bello Peloponnesiaco ll. VIII. Rec. C. Hude. Ed. maior. 2 voll. [je ℳ 2.40 **3.—**] ℳ 4.80 **6.—** Ed. minor 2 voll. [je ℳ 1.20 **1.80**] ℳ 2.40 **3.60.**

Tryphiodori et Colluthi carmm. Ed. G. Weinberger. ℳ 1.40 **1.80.**

Xenophontis expeditio Cyri. Rec. W. Gemoll. Ed. maior. ℳ 2.40 **3.—.** Ed. minor. ℳ —.80 **1.10.**

—— **historia Graeca.** Rec. O. Keller. Ed. minor. ℳ —.90 **1.30.**

—— —— Rec. L. Dindorf. ℳ —.90.

—— **institutio Cyri.** Rec. A. Hug. Ed. maior ℳ 1.50 **2.—** Ed. minor ℳ —.90 **1.30.**

—— **commentarii.** Rec. W. Gilbert Ed. maior ℳ 1.— **1.40.** Ed. minor ℳ —.45 **—.75.**

—— **scripta minora.** Rec. L. Dindorf. 2 fascc. ℳ 1.40 **2.10.**

—— P I: Oeconomicus, Symposion, Hiero, Agesilaus, Apologia. Ed. Th. Thalheim. ℳ 1.40 **1.80.**

Zacharias Rhetor, Kirchengeschichte. Deutsch hrsg. v. K. Ahrens u. G. Krüger. ℳ 10.— **10.80.**

Zonarae epitome historiarum. Ed. L. Dindorf. 6 voll. ℳ 27.20 **30.80.**

b) Lateinische Schriftsteller.

[Acro.] Pseudacronis scholia in Horatium vetustiora. Rec. O. Keller. Vol. I/II. ℳ 21.— **22.60.**

Ammiani Marcellini rer. gest. rell. Rec. V. Gardthausen. 2 voll. [z. Zt. vergr. Neubearb. in Vorb.]

Ampelius, ed. Woelfflin, siehe: Florus.

Anthimi de observatione ciborum epistola. Ed. V. Rose. Ed. II. ℳ 1.— **1.25.**

Anthologia Latina sive poesis Latinae supplementum.

Pars I: Carmm. in codd. script. rec. A. Riese. 2 fascc. Ed. II. ℳ 8.80 **10.—**

— II: Carmm. epigraphica conl. Fr. Buecheler. 3 fascc. Fasc. I. ℳ 4 — **4.60.** Fasc. II. ℳ 5.20 **5.80.** [Fasc. III. Ed. Lommatzsch in Vorb.]

Suppl.: s. Damasus.

Anthologie a. röm. Dichtern v. O. Mann. ℳ —.60 **—.90.**

Apulei opera. Vol. I. Metamorphoses. Ed. R. Helm. ℳ 3.— **3.40.** Vol. II. Fasc. I. Apologia. Rec. R. Helm. ℳ 2.40 **2.80.** Vol. II. Fasc. II. Florida. Ed. R. Helm. ℳ 2.40. **2.80.** Vol. III. De philosophia ll. Ed. P. Thomas. ℳ 4.— **4.40.**

—— **apologia et florida.** Ed. J. v. d. Vliet. ℳ 4.— **4.50.**

Augustini de civ. dei ll. XXII. Rec. *B. Dombart. Ed. III.* 2 voll. Vol. I. Lib. *I—XIII.* ℳ *5.—* ***5.60.*** *Vol. II.* Lib. XIV—*XXII.* ℳ *4.20* ***4.80.***

Augustini confessionum ll. XIII. Rec. *P. Knöll.* ℳ *2.70* ***3.20.***

Aulularia sive Querolus comoedia. Ed. R. Peiper. ℳ 1.50 **2.—**

Ausonii opuscula. Rec. R. Peiper. Adi. est tabula. ℳ 8.— **8.60.**

***Aurelius Victor, S.** Ed. F. Pichlmayer. [U. d. Pr.]

Avieni Aratea. Ed. A. Breysig. ℳ 1.— **1.40.**

Benedicti regula monachorum. Rec. Ed. Woelfflin. ℳ 1.60 **2.—**

Boetii de instit. arithmetica ll. II, de instit. musica ll. V. Ed. G. Friedlein. ℳ 5.10 **5.60.**

—— **commentarii in l. Aristotelis περὶ ἑρμηνείας.** Rec. C. Meiser. 2 partes. ℳ 8.70 **9.70.**

Caesaris comment. cum A. Hirti aliorumque supplementis. Rec. B. Kübler. 3 voll.

Vol. I: de bello Gallico. Ed. min. ℳ —.75 **1.10.** Ed. mai. ℳ 1.40 **1.80.**

— II: de bello civili. Ed. min. ℳ —.60 **—.90.** Ed. mai. ℳ 1.— **1.40.**

— III. P. I: de b. Alex., de b. Afr. Rec. E. Woelfflin. Ed. min. ℳ —.70 **1.—** Ed. mai. ℳ 1.10 **1.50.**

— III. P. II: de b. Hispan., fragmenta, indices. ℳ 1.50 **1.90.**

—— —— —— Rec. B. Dinter. Ausg. 1 Bd. (ohne d. krit. praefatio). ℳ 1.50 **2.10**

—— —— **de bello Gallico.** Ed. minor Ed. II. ℳ —.75 **1.10.**

—— —— **de bello civili.** Ed. minor Ed II. ℳ —.60 **—.90.**

Calpurni Flacci declamationes. G. Lehnert. ℳ 1.40 **1.80.**

Die **fetten** *Ziffern* **verstehen sich für gebundene** Exemplare

Cassiodorii institutiones divinarum et saecularium artium. Ed. Ph. Stettner. [In Vorb.]

Cassii Felicis de medicina l. Ed. V. Rose. *M* 3.— **3.40.**

Catonis de agri cultura l. Rec. H. Keil. *M* 1.— **1.40.**

Catulli carmina. Recens. L. Mueller. *M* —.45 **—.75.**

——, **Tibulli, Propertii carmina.** Rec. L. Mueller. *M* 3.— **3.60.**

Celsi de medicina ll. Ed. C. Daremberg. *M* 3.— **3.50.**

Censorini de die natali l. Rec. Fr. Hultsch. *M* 1.20 **1.60.**

Ciceronis scripta. Edd. F. W. Müller et G. Friedrich. 4 partes. 10 voll. *M* 26.20 **30.60.**

Pars I: **Opera rhetorica,** ed. Friedrich. 2 voll. Vol. I. *M* 1.60 **2.—** Vol. II. *M* 2.40 **2.80.**

— II: **Orationes,** ed. Müller. 3 voll. je *M* 2.40 **2.80.**

— III: **Epistulae,** ed. Müller. 2 voll. [Vol. I. *M* 3.60 **4.20.** Vol. II. *M* 4.20 **4.80.**] *M* 7.80 **9.—**

— IV: **Scripta philosophica,** ed. Müller. 3 voll. je *M* 2.40 **2.80.**

Auch in folgenden einzelnen Abteilungen:

Nr. 1. Rhetorica ad Herennium, ed. Friedrich. *M* —.80 **1.10.**

— 2. De inventione, ed. Friedrich. *M* —.80 **1.10.**

— 3. De oratore, ed. Friedrich. *M* 1.10 **1.50.**

— 4. Brutus, ed. Friedrich. *M* —.70 **1.—**

— 5. Orator, ed. Friedrich. *M* —.50 **—.75.**

— 6. De optimo genere oratorum, partitiones et topica, ed. Friedrich. *M* —.50 **—.75.**

— 7. Orationes pro P. Quinctio, pro Sex. Roscio Amerino, pro Q. Roscio comoedo, ed. Müller. *M* —.70 **1.—**

— 8. Divinatio in Q. Caecilium, actio in C. Verrem I, ed. Müller. *M* —.50 **—.75.**

— 9a. Actionis in C. Verrem II sive accusationis ll. I—III, ed. Müller. *M* 1.— **1.40.**

— 9b. —— —— ll. IV. V, ed. Müller. *M* —.50 **—.75.**

— 10. Orationes pro M. Tullio, pro M. Fonteio, pro A. Caecina, de imperio *Cn Pompeii (pro lege Manilia)*, ed. *Müller. M* —.50 **—.75.**

Ciceronis scripta. Edd. F. W. Müller et G. Friedrich.

Nr. 11. Orationes pro A. Cluentio Habito, de lege agr. tres, pro C. Rabirio perduellionis reo, ed. Müller. *M* —.80 **1.10.**

— 12. Orationes in L. Catilinam, pro L. Murena, ed. Müller. *M* —.70 **1.—**

— 13. Orationes pro P. Sulla, pro Archia poeta, pro Flacco, ed. Müller. *M* —.50 **—.75.**

— 14. Orationes post reditum in senatu et post reditum ad Quirites habitae, de domo sua, de haruspicum responso, ed. Müller. *M* —.70 **1.—**

— 15. Orationes pro P. Sestio, in P. Vatinium, pro M. Caelio, ed. Müller. *M* —.70 **1.—**

— 16. Orationes de provinciis consularibus, pro L. Cornelio Balbo, in L. Calpurnium Pisonem, pro Cn. Plancio, pro Rabirio Postumo, ed. Müller. *M* —.70 **1.—**

— 17. Orationes pro T. Annio Milone, pro M. Marcello, pro Q. Ligario, pro rege Deiotaro, ed. Müller. *M* —.50 **—.75.**

— 18. Orationes in M. Antonium Philippicae XIV, ed. Müller. *M* —.90 **1.30.**

— 19. Epistt. ad fam. l. I—IV, ed. Müller. *M* — 90 **1.30.**

— 20. Epistt. ad fam. l. V—VIII, ed. Müller. *M* —.90 **1.30.**

— 21. Epistt. ad fam. l. IX—XII, ed. Müller. *M* —.90 **1.30.**

— 22. Epistt. ad fam. l. XIII—XVI, ed. Müller. *M* —.90 **1.30.**

— 23. Epistulae ad Quintum fratrem, Q. Ciceronis de petitione ad M. fratrem epistula, eiusdem versus quidam de signis XII, ed. Müller. *M* —.60 **—.90.**

— 24. Epistt. ad Att. l. I—IV, ed. Müller. *M* 1.— **1.40.**

— 25. Epistt. ad Att. l V—VIII, ed. Müller. *M* 1.— **1.40.**

— 26. Epistt. ad Att. l. IX—XII, ed. Müller. *M* 1.— **1.40.**

— 27. Epistt. ad Att. l. XIII—XVI, ed. Müller. *M* 1.— **1.40.**

— 28. Epistt. ad Brutum et epist. ad Octavium, ed. Müller. *M* —.60 **—.90.**

— 29. Academica, ed. Müller. *M* —.70 **1.—**

— 30. De finibus, ed. Müller. *M* 1.— **1.40.**

— 31. Tusculanae disputationes, ed. Müller. *M* —.80 **1.10.**

— 32. De natura deorum, ed. Müller. *M* —.70 **1.—**

Die **fetten** *Ziffern* **verstehen sich für gebundene Exemplar**

Ciceronis scripta. Edd. F. W. Müller et G. Friedrich.
Nr. 33. De divinatione, de fato, ed Müller. ℳ —.70 1.—
— 34. De re publica, ed. Müller ℳ —.70 1.—
— 35. De legibus, ed. Müller. ℳ —.70 1.—
— 36. De officiis, ed. Müller. ℳ —.70 1.—
— 37. Cato Maior de senectute, Laelius de amicitia, Paradoxa, ed. Müller. ℳ —.50 —.75.

Inhalt von

Nr. 1. 2	= Pars I, vol.	I.
— 3— 6	= Pars I, vol.	II.
— 7— 9	= Pars II, vol.	I.
— 10—14	= Pars II, vol.	II.
— 15—18	= Pars II, vol.	III.
— 19—23	= Pars III, vol.	I.
— 24—28	= Pars III, vol.	II.
— 29—31	= Pars IV, vol.	I.
— 32—35	= Pars IV, vol.	II.
— 36. 37 u. Fragm.	= Pars IV, vol.	III.

—— **orationes selectae XXI.** Rec. C. F. W. Müller. 2 partes. ℳ 1.70 2.30.
Pars I: Oratt. pro Roscio Amerino, in Verrem ll. IV et V, pro lege Manilia, in Catilinam, pro Murena. ℳ —.80 1.10.
— II: Oratt. pro Sulla, pro Archia, pro Sestio, pro Plancio, pro Milone, pro Marcello, pro Ligario, pro Deiotaro, Philippicae I. II. XIV. ℳ —.90 1.20.

—— **orationes selectae XIX.** Edd., indices adiecc. A. Eberhard et C. Hirschfelder. Ed. II. ℳ 2.— 2.50.
Oratt. pro Roscio Amerino, in Verrem ll. IV. V, de imperio Pompei, in Catilinam IV, pro Murena, pro Ligario, pro rege Deiotaro, in Antonium Philippicae I. II, divinatio in Caecilium.

—— **epistolae.** Rec. A. S. Wesenberg. 2 voll. [je ℳ 3.— 3.60.] ℳ 6.— 7.20.
—— **epistolae selectae.** Ed. R. Dietsch. 2 partes. [P. I. ℳ 1.— 1.40. P. II. ℳ 1.50 2.—] ℳ 2.50 3.40.
—— **de virtut. l. fr.** Ed. H. Knoellinger. ℳ 2.— 2.40.
[——] **Scholia in Ciceronis orationis Bobiensia** ed. P. Hildebrandt. ℳ 8.— 8.60.
Claudiani carm. Rec. J. Koch. ℳ 3.60 4.20.
Claudii Hermeri mulomedicina Chironis. Ed. E. Oder. ℳ 12.— 12.80.
Commodiani carmina. Rec. E. Ludwig. 2 partt. ℳ 2.70 3.50.
[Constantinus.] Inc. auct. de C. Magno eiusque matre Helena libellus Ed. E. Heydenreich. ℳ —.60 —.90.
Cornelius Nepos: s. Nepos.
Curtii Rufi hist. Alexandri Magni. Iterum rec. E. Hedicke. Ed. maior ℳ 3.60 4.20. *Ed. minor ℳ 1.20 1.60.*
—— *Rec. Th. Vogel. [vergr.]*
Damasi epigrammata. Acc. Pseudodamasiana. *Rec. M. Ihm.* Adi. est tabula *ℳ 2.40 2.80.*

Dictys Cretensis ephem. belli Troi ll. VI. Rec. F. Meister. [z. Zt. v . Neubearb. in Vorb.]
Donati comm. Terenti. Acc. Eugra commentum et scholia Bembina. P. Wessner. I. ℳ 10 — 10.80. Vol. ℳ 12.— 12.80. *Vol. III, 1. ℳ 8.— 8.
—— **interpretat. Vergil.** Ed. H. Georg 2 voll. ℳ 24.— 26.—
Dracontii carmm. min. Ed. Fr. de Du ℳ 1.20 1.60.
***Eclogae poetar. Latin.** Ed. S. Bran Ed. III. ℳ 1.— 1.20.
Eugraphius: s. Donatus.
Eutropii breviarium hist. Rom. Fr. Ruehl. ℳ —.45 —.75.
Favonii Eulogii disp. de somnio Scipio Ed. A. Holder. ℳ 1.40 1.80.
Firmici Materni matheseos ll. VIII. E W. Kroll et F. Skutsch. Fasc. ℳ 4.— 4.50. Fasc. II. [U. d. Pr.]
—— —— **de errore profan. relig.** K. Ziegler. ℳ 3.20 3.60.
Flori, L., Annaei, epitomae ll. II et P. A Flori fragmentum de Vergilio. O. Rossbach. ℳ 2.80 3.20.
***Florilegium Latinum.** Heft 1: D Heft 2: Kleine Erzählungen. [U. d.
Frontini strategematon ll. IV. Ed. Gundermann. ℳ 1.50 1.90.
***Frontonis epistulae ad. M. Caesarem** E. Hauler. [U. d. Pr.]
Fulgentii, Fabii Planciadis, opera. Gordiani Fulgentii de aetatibus mun hominis et S. Fulgentii episcopi su Thebaiden. Rec. R. Helm. ℳ 4.— 4.
Gai institutionum commentt. quatt Rec. Ph. Ed. Huschke. Ed. II E. Seckel et B. Kübler ℳ 2.80 3.
Gellii noctium Attic. ll. XX. Rec. Hosius 2 voll. ℳ 6.80 8.—
Gemini elementa astronomiae. Rec. Manitius. ℳ 8.— 8.60.
Germanici Caesaris Aratea. Ed. A. Br sig. Ed. II. Acc. Epigramm. ℳ 2 — 2.
Grammaticae Romanae fragm. Coll. H. Funaioli. Vol. I. ℳ 12.— 12.
Grani Liciniani quae supersunt. M. Flemisch. ℳ 1.— 1.30.
Hieronymi de vir. inlustr. l. Acc. Gen catalogus viror. inlustr. Rec. G. H ding. ℳ 2.40 2.80.
Historia Apollonii, regis Tyri. A. Riese. Ed. II. ℳ 1.40 1.80.
Historicorum Roman. fragmenta. H. Peter. ℳ 4.50 5.—
Horatii Flacci opera. Rec. L. Muel Ed. maior [vergr.] Ed. minor [vergr.
—— —— Rec. F. Vollmer. Ed. ℳ 2.— 2.40. Ed. minor. ℳ 1.— 1
*[——] **Horazens Versmaße.** Vo Schroeder. [U. d. Pr.]

Die fetten Ziffern verstehen sich für gebundene Exempl

Hygini grammatici l. de munit. castr. Rec. G. Gemoll. ℳ —.75 **1.10.**

***Imperatorum romanorum acta.** P. I. Inde ab Augusto usque ad Hadriani mortem. Coll. O. Haberleitner. [Unter d. Presse.]

Incerti auctoris de Constantino Magno eiusque matre Helena libellus prim. Ed. E. Heydenreich. ℳ —.60 **—.90.**

***Inscriptiones Latinae Graecae bilingues.** Ed. F. Zilken. [In Vorb.]

*—— **Latinae Caesaris morte antiquiores.** Ed. K. Witte. [In Vorb.]

Iurisprudentiae anteiustinianae quae supersunt. In usum maxime academicum rec., adnot. Ph. Ed. Huschke. Ed. V. ℳ 6.75 **7.40.**

*—— —— Ed. VI auct. et emend. edd. E. Seckel et B. Kübler. 2 voll. Vol. I. ℳ 4.40 **5.—** [Vol. II in Vorb.]

—— —— Supplement: Bruchstücke a. Schriften röm. Juristen. Von E. Huschke. ℳ —.75 **1.—**

Iurisprudentiae antehadrianae quae supersunt. Ed. F. P. Bremer. Pars I. ℳ 5.— **5.60.** Pars II. Sectio I. ℳ 8.— **8.60.** II. ℳ 8.— **8.80.**

Iustiniani institutiones. Ed. Ph. Ed. Huschke. ℳ 1.— **1.40.**

Iustini epitoma hist. Philipp. Pompei Trogi ex rec. Fr. Ruehl. Acc. prologi in Pompeium Trogum ab A. de Gutschmid rec. ℳ 1.60 **2.20.**

Iuvenalis satirarum ll. Rec. C. F. Hermann. ℳ —.60 **—.90.**

Iuvenci ll. evangelicorum IV. Rec. C. Marold. ℳ 1.80 **2.20.**

Lactantius Placidus: s. Statius. Vol. III.

Livi ab urbe condita libri. Recc. G. Weissenborn et M. Müller. 6 partes. ℳ 8.10 **11.10.** Pars I—III. Ed. II c. M. Müller je ℳ 1.20 **1.70.** Pars IV. Ed II c. M. Müller. Pars V—VI je ℳ 1.50 **2.—**

Pars I—V auch in einzelnen Heften:
Pars I fasc. I: Lib. 1— 3. ℳ —.70 **1.10.**
— I fasc. II: Lib. 4— 6. ℳ —.70 **1.10.**
— II fasc. I: Lib. 7—10. ℳ —.70 **1.10.**
— II fasc. II: Lib. 21—23. ℳ —.70 **1.10.**
— III fasc. I: Lib. 24—26. ℳ —.70 **1.10.**
— III fasc. II: Lib. 27—30. ℳ —.70 **1.10.**
— IV fasc. I: Lib. 31—35. ℳ —.85 **1.25.**
— IV fasc. II: Lib. 36—38. ℳ —.85 **1.25.**
— V fasc. I: Lib. 39—40. ℳ —.85 **1.25.**
— — Ed. II ed. G. Heraeus. ℳ —.85 **1.25.**
Pars V fasc. II: Lib. 41—140. ℳ —.85 **1.25.**
*— VI: Fragmenta et index. [In Vorb.]

*—— **periochae, fragmenta Oxyrhynchi reperta et Iulii Obsequentis prodigiorum liber.** Ed. O. Rossbach. ℳ 2.80 **3.20.**

Lucani de bello civ. ll. X. It. Ed. C. Hosius. ℳ 4.40 **5.—**

[Lucanus.] Adnotationes super Lucanu Ed. J. Endt. ℳ 8.— **8.60.**

Lucreti Cari de rerum natura ll. VI. A. Brieger. Ed. II. ℳ 2.10 **2.50.** Appendix einzeln ℳ —.30.

Macrobius. Rec. F. Eyssenhardt. Ed. ℳ 8.— **8.60.**

Marcelli de medicamentis. Ed. G. Helreich. ℳ 3.60 **4.20.**

Martialis epigrammaton ll. Rec. W. Gibert. ℳ 2.70 **3.20.**

***Martianus Capella.** Ed. A. Dick. [In Vor

Melae, Pomponii, de chorographia lib Ed. C. Frick. ℳ 1.20 **1.60.**

Metrologicorum scriptorum reliqui Ed. F. Hultsch. Vol. II: Scripto Romani. ℳ 2.40 **2.80.** [Vol. I: Scripto Graeci. ℳ 2.70 **3.20.**] 2 voll. ℳ 5.10 **6.**

Minucii Felicis Octavius. Rec. Her Boenig. ℳ 1.60 **2.—**

Mulomedicina Chironis: s. Claudius.

Nepotis vitae. Ed. C. Halm. Ed. II c A. Fleckeisen. ℳ —.30 **—.60.**

—— —— m. Schulwörterbuch v. H. Haack Stange. 15. Auflage. ℳ **1.75.**

Nonii Marcelli de conpendiosa doctri libb. XX. Ed. W. M. Lindsay. V I—III: lib. I—XX et ind. ℳ 17.20 **19.**

Orosii hist. adv. paganos ll. VII. Rec. Zangemeister. ℳ 4.— **4.50.**

Ovidius Naso. Rec. R. Merkel. Sto ℳ 2.90 **4.10.**

Tom. I: Amores. Heroides. Epistul Medicamina faciei femineae. amatoria. Remedia amoris. Ed. cur. R. Ehwald. ℳ 1.— **1.40.**

Tom. II: Metamorphoses. Ed. ℳ —.90 **1.30.**

Tom. III: Tristia. Ibis. Ex Ponto lib Fasti. Ed. II. ℳ 1.— **1.40.**

—— **tristium ll. V.** Ed. R. Merke ℳ —.45 **—.75.**

—— **fastorum ll. VI.** Ed. R. Merk ℳ —.60 **—.90.**

—— **metamorphoseon delectus Siebeli anus.** Ed. Fr. Polle. Mit Inde ℳ —.70 **1.—.**

Palladii opus agriculturae. Rec. J Schmitt. ℳ 5.20 **5.60.**

***Panegyrici Latini XII.** Rec. Ae Baehrens. Ed. II. ca. ℳ 3.60 **4.2** [U. d. Pr.]

Patrum Nicaenorum nomina Graece, L tine, Syriace, Coptice, Arabice, Arm niace. Edd. H. Gelzer, H. Hilge feld, O. Cuntz. ℳ 6.— **6.60.**

Pelagonii ars veterinaria. Ed. M. Ih ℳ 2.40 **2.80.**

Persii satirarum l. Rec. C. Herman ℳ —.30 **—.60.**

Phaedri fabulae Aesopiae. Rec. L. Muell ℳ —.30 **—.60.**

—— —— mit Schulwörterbuch v Schaubach. 3. Aufl. ℳ —.90

Die **fetten** Ziffern verstehen sich für **gebundene** Exemp

Physiognomonici scriptores Graeci et Latini. Rec. R. Foerster. 2 voll. [Vol. I. *M* 8.— **8.60**. Vol. II. *M* 6.— **6.60**.] *M* 14.— **15.20**.

Plauti comoediae. Recc. F. Goetz et Fr. Schoell. 7 fascc. *M* 10.50 **14.—**

Fasc. I. Amphitruo, Asinaria, Aulularia Praec. de Plauti vita ac poesi testim. vet. *M* 1.50 **2.—**

— II. Bacchides, Captivi, Casina. Ed. II. *M* 1.50 **2.—**

— III. Cistellaria, Curculio, Epidicus. *M* 1.50 **2.—**

— IV. †Menaechmi, Mercator, †Miles glor. *M* 1 50 **2.—**

— V. †Mostellaria, Persa, †Poenulus. *M* 1.50 **2.—**

— VI. †Pseudolus, †Rudens, Stichus. *M* 1.50 **2.—**

— VII. †Trinummus, Truculentus, fragmenta. Acc. conspectus metrorum. *M* 1.50 **2.—**

Einzeln die mit † bezeichneten Stücke je *M* —.60 **—.90**, die übrigen je *M* —.45 **—.75**. Supplementum (De Plauti vita ac poesi testimonia veterum. Conspectus metrorum) *M* —.45 **—.75**.

***Plini naturalis historia.** Rec. C. Mayhoff. 6 voll. Ed. II. [Vol. I. *M* 8.— **8.60**. Vol. II. Ed. III. *M* 8.— **8.60**. Vol. III. *M* 4.— **4.50**. Voll. IV. V. je *M* 6.— **6.60**. Vol. VI. (Index.) Ed. Jan. *M* 3.— **3.50**.] *M* 35.— **38.40**.

—— **ll. dubii sermonis VIII rell.** Coll. I. W. Beck. *M* 1.40 **1.80**.

—— **(iun.) epistulae.** [vergr.]

—— Rec. R. C. Kukula. *M* 3.— **3.60**.

Plinii Secundi quae fertur una cum Gargilii Martialis medicina. Ed. V. Rose. *M* 2.70 **3.10**.

Poetae Latini minores. Rec. Aem. Baehrens. 6 voll. [Voll. II u. VI vergr.] *M* 20.10 **23.40**.

—— —— Rec. F. Vollmer. Vol. I. Appendix Vergiliana. *M* 2 40 **2.80**. *Vol. II, fasc. 1. Ovidi Halieuticon libri I fragmentum. Gratti Cynegeticon libri I fragmentum. *M* —.60 **—.85**.

Pomponius Mela: s. Mela.

Porphyrionis commentarii in Horatium. Rec. G. Meyer. *M* 5.— **5.60**.

Prisciani euporiston ll. III. Ed. V. Rose. Acc. **Vindiciani Afri quae feruntur rell.** *M* 7.20 **7.80**.

Propertii elegiae. Rec. L. Mueller. *M* —.90 **1.20**.

*—— —— Ed. K. Hosius. [U. d. Pr.]

Pseudacronis scholia in Horatium. Ed. O. C. Keller. Vol. I. *M* 9.— **9.80** vol. II. *M 12.— 12.80.*

Quintiliani instit. orat. ll. XII. *Rec. Ed. Bonnell. 2 voll. [vol. I vergr.] je M 1.80 2.20.*

Quintiliani instit. liber X. Rec. C. Hal[m] *M* —.30 **—.60**.

—— —— Ed. L. Radermacher. Pars *M* 3.— **3.50**. [Pars II in Vorb.]

—— **declamationes.** Rec. C. Ritt[er] *M* 4.80 **5.40**.

—— **decl. XIX maiores.** Ed. G. Lehne[rt] *M* 12.— **12.60**.

Remigii Autissiodor. in art. Donati m[inorem] commentum. Ed. W. Fox. *M* 1.80 **2.**

Sallusti Catilina, Iugurtha, ex histo[riis] orationes et epistulae. Ed. A. Eussn[er] *M* — 45 **—.75**.

Scaenicae Romanorum poesis fragmen[ta] Rec. O. Ribbeck. Ed. III. Vol. Tragicorum fragmm. *M* 4.— **4.60**. Vol. Comicorum fragmm. *M* 5.— **5.60**.

Scribonii Largi compositiones. Ed. Helmreich. *M* 1.80 **2.20**.

Scriptores historiae Augustae. Ite[rum] rec. H. Peter. 2 voll. *M* 7.50 **8.60**.

Senecae opera quae supersunt. Vol. Fasc. I. **Dialog. ll. XII.** Ed. E. Herm[es] *M* 3.20 **3.80**. Vol. I. Fasc. II. **beneficiis. De clementia.** Ed. C. Hosi[us] *M* 2.40 **2.80**. Vol. II. **Naturalium quae[st.] ll. VIII.** Ed. A. Gercke. *M* 3.60 **4.[…]** Vol. III. **Ad Lucil. epist. mor.** [...] O. Hense. *M* 5.60 **6.20**. Vol. ***Fragm., Ind.** Ed. E. Bickel. [In Vor[b.]]

—— Suppl. (Fragm. Ind.) Rec. Fr. Haas[e] *M* 1.80 **2.40**.

—— **tragoediae.** Recc. R. Peiper G. Richter. Ed. II. *M* 5.60 **6.20**.

Senecae (rhetoris) oratorum et rhetoru[m] sententiae, divisiones, colores. E[d.] A. Kiessling. *M* 4.50 **5.—**

Sidonius Apollin. Rec. P. Mohr. *M* 5. **6.20**.

Sili Italici Punica. Ed. L. Bauer. 2 vo[ll.] je *M* 2.40 **2.80**.

Sorani gynaeciorum vetus translat[io] Latina cum add. Graeci textus rell. E[d.] V. Rose. *M* 4.80 **5.40**.

Statius. Edd. A. Klotz et R Jahnke Vol. I: Silvae. Rec. A. Klotz. *M* 2.— **2.5[…]**

— II. Fasc. I: Achilleis. Rec. A. Klo[tz] et O. Müller. *M* 1.20 **1.60**.

— II. Fasc. II: Thebais. Rec. A. Klot[z] *M* 8.— **8.60**.

— III: **Lactantii Placidi scholia** Achilleidem Ed. R. Jahnke. *M* 8.— **8.6[…]**

Suetoni Tranquilli opera. Rec. M. Ihm. E[d.] minor. 2 voll. Vol. I. De vita Caesaru[m] libri VIII. *M* 2.40 **2.80**. [Vol. II in Vorb.]

—— —— Rec. C. L. Roth. 2 fascc. [Fasc. vergr.] Fasc. II. De grammaticis et rh[e]toribus. *M* —.80 **1.20**.

Tacitus. Rec. C. Halm. Ed. IV. 2 tom[i] *M* 2.40 **3.20**.

Tomus I. Libb. ab excessu divi August[i] *M* 1.20 **1.60**. [Fasc. I: Lib. I— *M* —.75 **1.10**. Fasc. II: Lib. XI—X[VI] *M* —.75 **1.10**.]

[D]ie **fetten** Ziffern verstehen sich für **gebundene** Exemplare

Tacitus. Tomus II. Historiae et libb. minores. *M* 1.20 **1.60.** [Fasc. I: Historiae. *M* —.90 **1.30.** Fasc. II: Germania. Agricola. Dialogus. *M* —.45 **—.75.**]

Terenti comoediae. Rec. A. Fleckeisen. Ed. II. *M* 2.10 **2.60.**

Jedes Stück (Adelphoe, Andria, Eunuchus, Hauton Timorumenos, Hecyra, Phormio) *M* —.45 **—.75.**

[——] **Scholia Terentiana.** Ed. Fr. Schlee *M* 2.— **2.40.**

Tibulli ll. IV. Rec. L. Mueller. *M* —.45 **—.75.**

Ulpiani fragmenta. Ed. E. Huschke. Ed. V. *M* —.75 **1.10.**

Valeri Alexandri Polemi res gestae Alexandri Macedonis. Rec. B. Kuebler. *M* 4.— **4.50.**

Valerii Flacci Argonautica. Rec. Aem. Baehrens. [Vergr.]

*—— —— Ed. S. Sudhaus. [U. d. Pr.]

Valeri Maximi factorum et dictorum memorab. ll. IX. Cum Iulii Paridis et Ianuarii Nepotiani epitomis. Rec. C. Kempf. Ed. II. *M* 7.20 **7.80.**

Varronis rer. rustic. rell. Rec. H. Ke *M* 1.60 **2.—**

Vegeti Renati digestorum artis mul medicinae libri. Ed. E. Lommatzsc *M* 6.— **6.60.**

—— —— **epitoma rei milit.** Rec. C. Lan Ed. II. *M* 3.90 **4.40.**

Vellei Paterculi hist. Roman. rell. C. Halm. *M* 1.— **1.40.**

—— —— Rec. Fr. Haase. *M* —.60 **—.9**

Vergili Maronis opera. Rec. O. Ribbec Ed. II. *M* 1.50 **2.—**

—— **Aeneis.** Rec. O. Ribbeck. *M* —. **1.30.**

—— **Bucolica et Georgica.** Rec. O. Ri beck. *M* —.45 **—.75.**

—— **Bucolica, Georgica, Aeneis.** O. Güthling. 2 tomi. *M* 1.35 **2.05.**

Tom. I: Bucolica. Georgica. *M* —.50 —.

— II: Aeneis. *M* —.90 **1.30.**

*[——] **Scholia in Vergilii Bucolica** e Ed. Funaioli [In Vorb.]

Virgili Grammatici opera. Ed. J. Hueme *M* 2.40 **2.80.**

Vitruvii de architectura ll. X. Ed. V. Ros Ed. II. *M* 5.— **5.60.**

1b. Bibliotheca scriptorum medii aevi Teubneriana. [8.]

Alberti Stadensis Troilus. Ed. Th. Merzdorf. *M* 3.— **3.40.**

Amarcii sermonum ll. IV. Ed. M. Manitius. *M* 2.25 **2.60.**

Canabutzae in Dionysium Halic. comm. Ed. M. Lehnerdt. *M* 1.80 **2.20.**

Christus patiens. Tragoedia Gregorio Nazianzeno falso attributa. Rec. I. G. Brambs. *M* 2.40 **2.80.**

Comoediae Horatianae tres. Ed. R. Jahnke. *M* 1.20 **1.60.**

Egidii Corboliensis viaticus de signis et sympt. aegritud. ed. V. Rose. *M* 2.80 **3.20.**

Guilelmi Blesensis Aldae comoedia. E C. Lohmeyer. *M* —.80 **1.20.**

Hildegardis causae et curae. Ed. P. Kaiser. *M* 4.40 **5.—**

Horatii Romani porcaria. Ed. M. Lehnerdt. *M* 1.20 **1.60.**

Hrotsvitae opera. Ed. K. Strecke *M* 4.— **4.60.**

Odonis abbatis Cluniacensis occupati Ed. A. Swoboda. *M* 4.— **4.60.**

Thiofridi Epternacensis vita Willibror metrica. Ed K. Rossberg *M* 1.80 **2.2**

Vitae sanctorum novem metricae. E Guil. Harster. *M* 3.— **3.50.**

***Vita s. Genovefae virginis** ed. C. Künstl *M* 1.20 **1.60.**

1c. Bibliotheca scriptorum Latinorum recentioris aetatis. Edidit Iosephus Frey. [8.]

Epistolae sel. viror. clar. saec. XVI. XVII. Ed. E. Weber. *M* 2.40 **2.80.**

Manutii, Pauli, epistulae sel. Ed. M. Fickelscherer. *M* 1.50 **2.—**

Mureti scripta sel. Ed. I. Frey. 2 vo *M* 2.40 **3.20.**

Ruhnkenii elogium Tib. Hemsterhu Ed. I. Frey. *M* —.45 **—.80.**

Die **fetten** *Ziffern verstehen sich für* **gebundene** Exem

2. Sammlung wissenschaftlicher Kommentare zu griechischen und römischen Schriftstellern. [gr. 8.]

Mit der Sammlung wissenschaftlicher Kommentare zu griechischen und römischen Literaturwerken hofft die Verlagsbuchhandlung einem wirklichen Bedürfnis zu begegnen. Das Unternehmen soll zu einer umfassenderen und verständnisvolleren Beschäftigung mit den Hauptwerken der antiken Literatur als den vornehmsten Äußerungen des klassischen Altertums auffordern und anleiten.

Apologeten, zwei griechische. Von J. Geffcken. ℳ 10.— **11.—**

Aetna. Von S. Sudhaus. ℳ 6.— **7.—**

Catulli Veronensis liber. Von G. Friedrich. ℳ 12.— **13.—**

***Johannes von Gaza und Paulus Silentiarius.** Von P. Friedländer. [U. d. Pr.]

Lucretius de rer. nat. Buch III. Von R. Heinze. ℳ 4.— **5.—**

Philostratos über Gymnastik. Von J. Jüthner. ℳ 10.— **11.—**

Sophokles Elektra. Von G. Kaibel. 2. Aufl. ca. ℳ 6.— **7.—** [U. d. Pr.]

Vergilius Aeneis Buch VI. Von E. Norden. ℳ 12.— **13.—**

In Vorbereitung:

Clemens Alex. Paidagogos. Von Schwartz.
Lukian Philopseudes. Von R. Wünsch.
Ovid Heroiden. Von R. Ehwald.
Pindar Pythien. Von O. Schröder.
Properz. Von Jacoby.
Tacitus Germania. Von G. Wissowa.

3. Einzeln erschienene Ausgaben.

[gr. 8, wenn nichts anderes bemerkt.]

Die meisten der nachstehend aufgeführten Ausgaben sind bestimmt, wissenschaftlichen Zwecken zu dienen. Sie enthalten daher mit wenigen Ausnahmen den vollständigen kritischen Apparat unter dem Texte; zum großen Teil sind sie — wie dies dann in der Titelangabe bemerkt ist — mit kritischem und exegetischem Kommentar versehen.

a) Griechische Schriftsteller.

Acta apostolorum: s. Lucas.

Aeschinis orationes. Ed., scholia adi. F. Schultz. ℳ 8.—

— **orat. in Ctesiphontem.** Rec., expl. A. Weidner. ℳ 3.60.

Aeschyli Agamemnon. Ed. R. H. Klausen. Ed. alt. cur. R. Enger. ℳ 3.75.

— **Agamemnon.** Griech. u. deutsch mit Komm. von K. H. Keck. ℳ 9.—

— **fabulae et fragmm.** Rec. G. Dindorf. 4. ℳ 4.—

— **Septem ad Thebas.** Rec. Fr. Ritschelius. Ed. II. ℳ 3.—

Alciphronis rhet. epistolae. Ed. A. Meineke. ℳ 4.—

Ἀλφάβητος τῆς ἀγάπης. Das ABC der Liebe. E. Sammlung rhod. Liebeslieder. Hrsg. v. W. Wagner. ℳ 2.40.

Anthologiae Planudeae appendix Barberino-Vaticana. Rec. L. Sternbach. ℳ 4.—

Apollonius' von Kitium illustr. Kommentar z. d. Hippokrat. Schrift π. ἄρθρων. *Hrsg. v. H. Schöne. Mit 31 Tafeln in Lichtdr. 4. ℳ 10.—*

Aristophanis fabulae et fragmm. Rec. G. Dindorf. 4. ℳ 6.—

— **ecclesiazusae.** Rec. A. von Velsen. ℳ 2.40.

— **equites.** Rec. A. von Velsen. Ed. II cur. K. Zacher. ℳ 3.—

— **pax.** Ed. K. Zacher. ℳ 5.— **6.—**

— **Plutus.** Rec. A. von Velsen. ℳ 2.—

— **thesmophoriazusae.** Rec. A. von Velsen. Ed. II. ℳ 2.—

Aristotelis ars rhet. cum adnotatione L. Spengel. Acc. vet. translatio Latina. 2 voll. ℳ 16.—

— **politica** cum vet. translatione G. de Moerbeka. Rec. Fr. Susemihl. ℳ 18.—

— **ethica Nicomachea.** Ed. et comment. instr. G. Ramsauer. Adi. est Fr. Susemihlii epist. crit. ℳ 12.—

Artemidori onirocritica. Rec. R. Hercher. ℳ 8.—

Bionis epitaphius Adonidis. Ed. H. L. Ahrens. ℳ 1.50.

Bucolicorum Graec. Theocriti, Bionis et Moschi reliquiae. Ed. H. L. Ahrens. 2 tomi. ℳ 21.60.

Die fetten Ziffern verstehen sich für gebundene Exemplare.

Callimachea. Ed. O. Schneider. 2 voll. ℳ 33.—
Vol. I. Hymni cum scholiis vet. ℳ 11.—
— II. Fragmenta. Indices. ℳ 22.—
Carmina Graeca medii aevi. Ed. G. Wagner. ℳ 9.—
—— **popularia Graeciae recentioris.** Ed. A. Passow. ℳ 14.—
Christianor. carmm. Anthologia Graeca. Edd. W. Christ et M. Paranikas. ℳ 10.—
Comicorum Atticorum fragmenta. Ed. Th. Kock. 3 voll. ℳ 48.—
Vol. I. Antiquae comoediae fragmenta. ℳ 18.—
— II. Novae comoediae fragmenta. Pars I. ℳ 14.—
— III. Novae comoediae fragmenta. P. II. Comic. inc. aet. fragm. Fragm. poet. Indices. Suppl. ℳ 16.—
***Corpus fabularum Aesopicarum.** Ed. O. Crusius, A. Hausrath, P. Knoell, P. Marc. [In Vorb.]
—— **medicorum Graecorum.** Vol. X 1, 1. Philumeni de venenatis animalibus eorumque remediis ed. M. Wellmann. ℳ 2.80.
Demetrii Phalerei de elocutione libellus. Ed. L. Radermacher. ℳ 5.—
Demosthenis oratt. de corona et de falsa legatione. Cum argumentis Graece et Latine ed. I. Th. Voemelius. ℳ 16.—
—— **orat. adv. Leptinem.** Cum argumentis Graece et Latine ed. I. Th. Voemel. ℳ 4.—
—— **de corona oratio.** In usum schol. ed. I. H. Lipsius. Ed. II. ℳ 1.60.
Περὶ διαλέκτων excerptum ed. R. Schneider. ℳ —.60.
Didymi Chalcenteri fragmenta. Ed. M. Schmidt. ℳ 9.—
Dionysii Thracis ars grammatica. Ed. G. Uhlig. ℳ 8.—
****Διονυσίου ἢ Λογγίνου περὶ ὕψους.*** De sublimitate libellus. Ed. O. Iahn. Quart. ed. I. Vahlen. ℳ 2.80 **3.20.**
Epicurea. Ed. H. Usener (Anast. Neudruck.) ℳ 12.— **13.—.**
*[**Epiphanius.**] Quaestiones Epiphanianae metrologicae et criticae. Scr. O. Viedebantt. [U. d. Pr.]
Eratosthenis carminum reliquiae. Disp. et expl. Ed. E. Hiller. ℳ 3.—
—— **geographische Fragmente,** hrsg. von Berger. ℳ 8.40.
Etymologicum Gudianum quod vocatur. Rec. et apparatum criticum indicesque adi. Al. de Stefani. Fasc. I: Litteras A-B cont. ℳ 10.—
Euripidis fabulae et fragmenta. Rec. *G. Dindorf.* 4. ℳ 9.—

Euripidis fabulae. Edd. R. Prinz N. Wecklein. ℳ 46.60.
Vol. I. Pars I. Medea. Ed. II. ℳ 2.
— I. — II. Alcestis. Ed. II. ℳ 1.
— I. — III. Hecuba. Ed. II. ℳ 2.
— I. — IV. Electra. ℳ 2.—
— I. — V. Ion. ℳ 2.80.
— I. — VI. Helena. ℳ 3.—
— I. — VII. Cyclops. Ed. II. ℳ 1.
— II. — I. Iphigenia Tauri[...]
ℳ 2.40.
— II. — II. Supplices. ℳ 2.
— II. — III. Bacchae. ℳ 2.—
— II. — IV. Heraclidae. ℳ 2.
— II. — V. Hercules. ℳ 2.40.
— II. — VI. Iphigenia Aulidensis. ℳ 2.80.
— III. — I. Andromacha. ℳ 2.
— III. — II. Hippolytus. ℳ 2.
— III. — III. Orestes. ℳ 2.80.
— III. — IV. Phoenissae. ℳ 2.
— III. — V. Troades. ℳ 2.80.
— III. — VI. Rhesus. ℳ 3.60.
—— **tragoediae.** Edd. A. J. E. Pflug R. Klotz et N. Wecklein. (Mit late[...] Kommentar.)
Medea. Ed. III. ℳ 1.50. — Hecu[...] Ed. III. ℳ 1.20. — Andromacha. Ed. ℳ 1.20. — Heraclidae. Ed. II. ℳ 1. — Helena. Ed. II. ℳ 1.20. — Alces[...] Ed. II. ℳ 1.20. — Hercules fure[...] Ed. II. ℳ 1.80. — Phoenissae. Ed. ℳ 2.25. — Orestes. ℳ 1.20. — Iphige[...] Taurica. ℳ 1.20. — Iphigenia quae Aulide. ℳ 1.20.
Eusebii canonum epitome ex Dion[...] Telmaharensis chronico petita. Verte[...] notisque illustrarunt C. Siegfried H. Gelzer. 4. ℳ 6.—
Galeni de placitis Hippocratis et Platon[...] Rec. I. Müller. Vol. I. Prolegg., te[...] Graec., adnot. crit., vers. Lat. ℳ 20.
Gnomica I. Sexti Pythagorici, Clitarc[...] Euagrii Pontici sententiae. Ed. A. Elt[...] gr. 4. ℳ 2.40.
—— **II. Epicteti et Moschionis sententi[...]** Ed. A. Elter. gr. 4. ℳ 1.60.
Grammatici Graeci recogniti et appar[...] critico instructi. 8 partes. 15 voll. Le[...]
Pars I. Vol. I. Dionysii Thracis grammatica. Ed. G. Uhlig. ℳ [...]
Pars I. Vol. III. Scholia in Diony[...] Thracis artem grammaticam. A. Hilgard. ℳ 36.—
Pars II. Vol. I. Apollonii Dys[...] quae supersunt. Ed. R. Schnei[...] und G. Uhlig. 2 Fasc. ℳ 26.
*Pars II. Vol. II. Apollonii Dys[...] de constructione orationis libri q[...] tuor. Ed. G. Uhlig. ℳ 24.—
*Pars II. Vol. III. Librorum [...]lonii deperditorum fragm[...] R. Schneider. ℳ 14.—

Die **fetten** Ziffern verstehen sich für **gebundene** Exem[...]

Grammatici Graeci recogniti et apparatu critico instructi. 8 partes. 15 voll. Lex.-8.
Pars III. Vol. I. Herodiani technici reliquiae. Ed. A. Lentz. Tom. I. *M* 20.—.
Pars III. Vol. II. Herodiani technici reliquiae. Ed. A. Lentz. Tom. II. 2 Fasc. *M* 34.—
Pars IV. Vol. I. Theodosii canones et Choerobosci scholia in canones nominales. Rec. A. Hilgard. *M* 14.—
Pars IV. Vol. II. Choerobosci scholia in canones verbales et Sophronii excerpta e Characis commentario. Rec. A. Hilgard. *M* 22.—
[Fortsetzung in Vorb.]

Herodas' Mimiamben, hrsg. v. R. Meister. Lex.-8. [Vergr. Neue Aufl. in Vorb.]

Herodiani ab excessu d. Marci ll. VIII. Ed. L. Mendelssohn. *M* 6.80.

— technici rell. Ed., expl. A. Lentz. 2 tomi. Lex.-8. *M* 54.—

Herodots II. Buch m. sachl. Erläut. hrsg. v. A. Wiedemann. *M* 12.—

Ησιόδου τὰ ἅπαντα ἐξ ἑρμηνείας Κ. Σίττλ. *M* 10.—

Hesiodi quae fer. carmina. Rec. R. Rzach. Acc. Homeri et Hesiodi certamen. *M* 18.—

— — Rec. A. Köchly, lect. var. subscr. G. Kinkel. Pars I. *M* 5.—
[Fortsetzung erscheint nicht.]

— — Rec. et ill. C. Goettling. Ed. III. cur. I. Flach. *M* 6.60.

[—] **Glossen und Scholien** zur Hesiodischen Theogonie mit Prolegomena von J. Flach. *M* 8.—

Hesychii Milesii onomatologi rell. Ed. I. Flach. Acc. appendix Pseudohesychiana, indd., spec. photolithogr. cod. A. *M* 9.—

Hipparch, geograph. Fragmente, hrsg. von H. Berger. *M* 2.40.

Homeri carmina. Rec. A. Ludwich. Pars I. Ilias. 2 voll. Vol. I. *M* 16.— 18.— Vol. II. *M* 20.— 23.—. Pars II. Odyssea. 2 voll. *M* 16.— 20.—

— **Odyssea.** Ed. I. La Roche. 2 partt. *M* 18.—

— **Ilias.** Ed. I. La Roche. 2 partt *M* 22.—

— **Iliadis carmina** seiuncta, discreta, emendata, prolegg. et app. crit. instructa ed. G. Christ. 2 partt. *M* 16.—

[—] **D. Homer. Hymnen** hrsg. u. erl. v. A. Gemoll. *M* 6.80.

[—] **D. Homer. Batrachomachia** des Pigres nebst Scholien u. Paraphrase hrsg. u. erl. v. A. Ludwich. *M* 20.—

Incerti auctoris epitome rerum gestarum Alexandri Magni. Ed. O. Wagner. *M* 3.—

Inscriptiones Graecae metricae ex scriptoribus praeter Anthologiam collectae. Ed. Th. Preger. *M* 8.— 8

Inventio sanctae crucis. Ed. A. Hold *M* 2.80.

[**Iohannes.**] **Evangelium** sec. Iohanne Ed. F. Blass. *M* 5.60.

Iohannes Kamateros, *εἰσαγωγὴ ἀστρο μίας.* Bearb. v. L. Weigl. *M* 3.—

Iuliani ll. contra Christianos: s. Scri torum Graecorum e. q. s.

— — deutsch v. J. Neumann. *M* 1.

Kosmas und Damian. Texte und Einlei von L. Deubner. *M* 8.— 9.—

Kyrillos, d. h. Theodosios: s. Theodos

Leges Graecorum sacrae e titulis Edd. J. de Prott et L. Ziehen. 2 f Fasc. I. Fasti sacri. Ed. J. de Pro *M* 2.80. Fasc. II. 1. Leges Graeciae insularum. Ed. L. Ziehen. *M* 12.—

Lesbonactis Sophistae quae supersun Ed. Fr. Kiehr. *M* 2.—

Lexicographi Graeci recogniti et appara critico instructi. Etwa 10 Bände. gr. [In Vorbereitung.]
I. Lexika zu den zehn Rednern (Wentzel).
II. Phrynichus, Aelius Dionysius, Paus nias und and. Atticisten (L. Coh
III. Homerlexika (A. Ludwich).
IV. Stephanus von Byzanz.
V. Cyrill, Bachmannsches Lexikon Verwandtes, insbesond. Bibelglossa (G. Wentzel.)
VI. Photios.
VII. Suidas (G. Wentzel).
VIII. Hesych.
IX. Pollux. Ed. E. Bethe. Fasc. *M* 14.—
X. Verschiedene Spezialglossare, u mentlich botanische, chemische, m zinische u. dgl.
[Näheres s. Teubners Mitteilungen 1 No. 1 S. 2.]

[**Lucas.**] **Acta apostolorum.** Ed. F. Bla *M* 2.—

[—] **Evangelium** sec. Lucam. E F. Blaß. *M* 4.—

**Luciani quae feruntur Podagra et Ocyp* ed. J. Zimmermann. *M* 3.— 4.—

*— **quae fertur Demosthenis laudati** Rec. Albers. [U. d. Pr.]

Lykophron's Alexandra. Hrsg., übers. erklärt von C. v. Holzinger. *M* 15.

[**Lysias.**] **Pseudol. oratio funebris.** M. Erdmann. *M* —.80.

[**Matthaeus.**] **Evangelium** sec. Matthaeu Ed. F. Blaß. *M* 3.60.

Metrodori Epicurei fragmenta coll., scrip inc. Epicurei comment. moralem su A. Koerte. *M* 2.40.

Musäos, Hero u. Leander. Eingel. u. ü v. H. Oelschläger. 16. *M* 1.—

Die **fetten** *Ziffern* **verstehen sich für gebundene Exemplar**

Nicandrea theriaca et alexipharmaca. Rec. O. Schneider. Acc. scholia. ℳ 9.—

Περὶ παθῶν excerpta ed. R. Schneider. ℳ —.80.

***Papyri, Giessener.** 3 Hefte. 1. Heft von E. Kornemann und O. Eger. ℳ 7.— 2. Heft von P. M. Meyer. ℳ 8.—

*— **Hamburger.** ca. 3 Hefte. 1. Heft von P. M. Meyer. [U. d. Pr.]

Papyrus magica mus. Lugd. Bat. a C. Leemans ed. denuo ed. A. Dieterich. ℳ 2.—

Papyrusurkunden: s. Urkunden.

Philodemi Epicurei de ira l. Ed. Th. Gomperz. Lex.-8. ℳ 10.80.

— *περὶ ποιημάτων* l. II fragmm. Ed. A. Hausrath. ℳ 2.—

Philumenos s. Corpus medicorum Graecor.

Phoinix von Kolophon. Texte und Untersuchungen. Von G. A. Gerhard. ℳ 12.— 15.—

[Photios.] Reitzenstein, R., der Anfang des Lexikons des Photios. ℳ 7.— 9.50.

Pindari carmina rec. O. Schroeder. (Poet. lyr. Graec. coll. Th. Bergk. Ed. V. I, 1.) ℳ 14.—

— **Siegeslieder,** erkl. v. Fr. Mezger. ℳ 8.—

— **carmina** prolegomenis et commentariis instructa ed. W. Christ. ℳ 14.— 16.—

— **versezetei kritikai és Magyarázó jegyzetekkel kiadta** Hómann Ottó. I. Kötet. ℳ 4.— [Ohne Fortsetzung.]

Platonis opera omnia. Rec., prolegg. et commentt. instr. G. Stallbaum. 10 voll. (21 sectiones.) (Mit latein. Kommentar.)

Die nicht aufgeführten Schriften sind vergriffen.

Apologia Socratis et Crito. Ed. V cur. M. Wohlrab. ℳ 2.40. — Protagoras. Ed. IV cur. I. S. Kroschel. ℳ 2.40. — Phaedrus. Ed. II. ℳ 2.40. — Menexenus, Lysis, Hippias uterque, Io. Ed. II. ℳ 2.70. — Laches, Charmides, Alcibiades I. II. Ed. II. ℳ 2.70. — *Cratylus. ℳ 2.70. — Meno et Euthyphro itemque incerti scriptoris Theages, Erastae et Hipparchus. Ed. II. cur. A. R. Fritzsche. ℳ 6.— — Theaetetus Ed. M. Wohlrab. Ed. II ℳ 3.60. — Sophista. Ed. II cur. O. Apelt. ℳ 5.60. — Politicus et incerti auctoris Minos. ℳ 2.70. — Philebus. ℳ 2.70. — Leges. 3 voll. [je ℳ 3.60.] ℳ 10.80. [Vol. I. Lib. I—IV. Vol. II. Lib. V—VIII. Vol. III. Lib. IX—XII et Epinomis.]

— **Timaeus** interprete Chalcidio cum eiusdem commentario. Ed. I. Wrobel. ℳ 11.20.

Plutarchi de musica. Ed. R. Volkmann. ℳ 3.60.

— ***de proverbiis Alexandrinorum.*** Rec. *O. Crusius. Fasc. I. 4.* ℳ 2.80.

Plutarchi de proverbiis Alexandrinorum Fasc. II. Commentarius. 4. ℳ 3.—

Plutarchi Themistokles. Für quellenkritische Übungen comm. u. hrsg. v A. Bauer. ℳ 2.—

— *τὸ ἐν Δελφοῖς E.* Ed. G. N. Bernardakis. ℳ 1.50.

— **vitae parallelae Agesilai et Pompeii** Rec. Cl. Lindskog. ℳ 3.60 4.40.

Poetae lyrici Graeci. Ed. V. 2 voll.

Vol. I. 1. Pindari carmina. Recens O. Schröder. ℳ 14.—

— II. Poetae eleg. et iambogr. Rec O. Crusius. [In Vorb.]

Poetarum scenicorum Graecorum Aeschyli Sophoclis, Euripidis et Aristophani fabulae et fragmenta. Rec. Guil. Dindorf. Ed. V. 4. ℳ 20.—

Pollucis onomasticon. Rec. E. Bethe (Lexicographi Graeci IX.) Fasc. I. ℳ 14.

Porphyrii quaestt. Homer. ad Iliade pertin. rell. Ed. H. Schrader. 2 fasc Lex.-8. ℳ 16.—

— — ad Odysseam pertin. rell. Ed H. Schrader. Lex.-8. ℳ 10.—

Ptolemaei *περὶ κριτηρίου καὶ ἡγεμονικο* lib. Rec. Fr. Hanow. gr. 4. ℳ 1.

[Scylax.] Anonymi vulgo Scylacis Caryandensis periplum maris interni cum a pendice. Rec. B. Fabricius. Ed. ℳ 1.20.

Scriptorum Graecorum qui christ. impug relig. quae supers. Fasc. III: **Iulia imp. contra Christianos quae supers.** E C. I. Neumann. **Insunt Cyrilli Ale** fragmm. **Syriaca** ab E. Nestle edi ℳ 6.—

Sophoclis tragoediae et fragmm. Rec. G Dindorf. 4. ℳ 5.—

— — Recc. et explann. E. Wunder e N. Wecklein. 2 voll. ℳ 10.80.

Philoctetes. Ed. IV. ℳ 1.50. — Oedipu Rex. Ed. V. ℳ 1.50. — Oedipus Col neus. Ed. V. ℳ 1.80. — Antigona. Ed. ℳ 1.50. — Electra. Ed. IV. ℳ 1.80. Aiax. Ed. III. ℳ 1.20. — Trachinia Ed. III. ℳ 1.50.

— **König Oidipus.** Griechisch u. deuts m. Kommentar von F. Ritter. ℳ 5

— **Antigone.** Griech. u. deutsch hrsg. v A. Boeckh. Nebst 2 Abhandl. üb. dies Tragödie. (Mit Porträt Aug. Boeckhs. 2. Aufl. ℳ 4.40.

Staatsverträge des Altertums. Hrsg. v R. von Scala. I. Teil. ℳ 8.—

Stoicorum veterum fragmenta. Ed. I. v Arnim. Vol. I. ℳ 8.— Vol. II. ℳ 14 Vol. III. ℳ 12.— Vol. IV. In [In Vorb.]

Die **fetten** Ziffern verstehen sich für **gebundene** Exemp

Theodoros, der h. Theodosios: s. Theodosios.

[**Theodosios.**] D. heil. Theodosios. Schriften d. Theodoros u. Kyrillus, hrsg. von H. Usener. ℳ 4.—

Theophanis chronographia. Rec. C. de Boor. 2 voll. ℳ 50.—

Theophrasts Charaktere. Hrsg. v. d. Philol. Gesellschaft zu Leipzig. ℳ 6.—

Thucydidis historiae. Recens. C. Hude. Tom. I: Libri I—IV. ℳ 10.—
— II: Libri V—VIII. Indices. ℳ 12.—

—— **de bello Peloponnesiaco ll. VIII.** Explann. E. F. Poppo et I. M. Stahl. 4 voll. [8 sectiones.] ℳ 22.80.
Lib. 1. Ed. III. ℳ 4.50. — Lib. 2. Ed. II. ℳ 3.—. — Lib. 3. Ed. II. ℳ 2.40. — Lib. 4. Ed. II. ℳ 2.70. — Lib. 5. Ed. II. ℳ 2.40. — Lib. 6. Ed. II. ℳ 2.40. — Lib. 7. Ed. II. ℳ 2.70. — Lib. 8. Ed. II. ℳ 2.70.

Tragicorum Graecorum fragmenta. Rec. A. Nauck. Ed. II. ℳ 26.—

Urkunden, griechische, d. Papyrussamlung zu Leipzig. I. Band. Mit Bei von U. Wilcken herausg. von L. Mit Mit 2 Tafeln in Lichtdruck. 4. ℳ

*[——] Chrestomathie griechischer Pap urkunden. Von L. Mitteis u. U. Wilcl [U. d. Pr.]

Xenokrates. Darstellg. d. Lehre u. Sam d. Fragmente. V. R. Heinze. ℳ 5.

Xenophontis hist. Graeca. Rec. O. Keil Ed. maior. ℳ 10.—

Xenophontis opera omnia, recensita commentariis instructa.
De Cyri Minoris expeditione ll. (Anabasis), rec. R. Kühner. 2 p Pars I. ℳ 1.80. [Pars II vergr.]
Oeconomicus, rec. L. Breitenbac ℳ 1.50.
Hellenica, rec. L. Breitenbac 2 partt. ℳ 6.60.
Pars I. Libri I et II. Ed. II. ℳ 1.
— II. Libri III—VII. ℳ 4.80.

Zosimi historia nova. Ed. L. Mendelsohn. ℳ 10.—

b) Lateinische Schriftsteller.

Anecdota Helvetica. Rec. H. Hagen. Lex.-8. ℳ 19.—

Aurelii imp. epistt.: s. Fronto, ed. Naber.

Averrois paraphrasis in l. poeticae Aristotelis. Ed. F. Heidenhain. Ed. II. ℳ 1 —

Aviani fabulae. Ed. G. Froehner. gr. 12. ℳ 1.20.

[**Caesar.**] **Pollonis de b. Africo comm.:** s. Polio.

Caesii Bassi, Atilii Fortunatiani de metris ll. Rec. H. Keil. gr. 4. ℳ 1.60

Catonis praeter libr. de re rust. quae extant. Rec. H. Jordan. ℳ 5.—

—— **de agri cult. l., Varronis rer. rust. ll. III.** Rec. H. Keil. 3 voll. ℳ 33.40.
Vol. I. Fasc. I. Cato. ℳ 2.40.
— I. — II. Varro. ℳ 6.—
— II. — I. Comm. in Cat. ℳ 6.—
— II. — II. Comm. in Varr. ℳ 8.—
— III. — I. Ind. in Cat. ℳ 3.—
— III. — II. Ind. in Varr. ℳ 8.—

Catulli l. Recensuit et interpretatus est Aem. Baehrens. 2 voll. ℳ 16.40.
Vol. I. Ed. II cur. K. P. Schulze. ℳ 4.—
* — II. Commentarius. 2 fascc. ℳ 12.40.

Ciceronis, M. Tullii, epistularum ll. XVI. Ed. L. Mendelssohn. Acc. tabulae chronolog. ab Aem. Koernero et O. E. Schmidtio confectae. ℳ 12.—

—— **ad M. Brut. orator.** Rec. F. Heerdegen. ℳ 3.20.

—— *Paradoxa Stoicor.*, academic. rel. *cum Lucullo, Timaeus. Ed. O.* Plasberg. *Fasc. I.* ℳ *8.—*
de nat. deor., de divinat., de fato. *d. O. Plasberg.* *Fasc. II.* [U. d. Pr.]

[**Ciceronis**] **ad Herennium ll. VI:** s. Cornificius und [Herennius].

—— **Q. Tullii, rell.** Rec. Fr. Buecheler ℳ 1.60.

Claudiani carmina. Rec. L. Jeep. 2 v ℳ 20.40.

Commentarii notarum Tironianarum. prolegg., adnott. crit. et exeget. notarumq indice alphabet. Ed. Guil. Schmi [132 autograph. Tafeln.] Folio. In Map ℳ 40.—

Cornifici rhetoricorum ad C. Herennium VIII. Rec. et interpret. est C. L. Kays ℳ 8.—

Corpus glossarior. Latinor. a G. Loe incohatum auspiciis Societatis litte regiae Saxonicae comp., rec., ed. G. G 7 voll. Lex.-8.
Vol. I. [In Vorb.]
— II. Glossae Latinograecae et G latinae. Edd. G. Goetz et G. Gu mann. Acc. minora utriusque glossaria. Adiectae sunt 3 tabb. ph typ. ℳ 20.—
— III. Hermeneumata Pseudodosithe Ed. G. Goetz. Acc. hermeneum medicobotanica vetustiora. ℳ 22
— IV. Glossae codicum Vaticani 3: Sangallensis 912, Leidensis 67 F. G. Goetz. ℳ 20.—
— V. Placidi liber glossarum, glos reliqua. Ed. G. Goetz. ℳ 22.
— VI. Thesaurus glossarum eme tarum. Conf. G. Goetz. 2 fas ℳ 18.—

Corpus glossarior. Latinor. a G. Loewe incohatum auspiciis Societatis litterarum regiae Saxonicae comp., rec., ed. G. Goetz.
Vol. VII Thesaurus gloss. emendatarum. Conff. G. Goetz et G. Heraeus. 2 fascc. Fasc. I. ℳ 24.— Fasc. II. ℳ 12.—

Didascaliae apostolorum fragmenta Veronensia Latina. Acc. canonum qui dic. apostolorum et Aegyptiorum reliquiae. Prim. ed. E. Hauler. Fasc. I. Praefatio, fragmenta. Mit 2 Tafeln. ℳ 4.—

Ennianae poesis reliquiae. Rec. I. Vahlen. Ed. II. ℳ 16.— 18.—

Exuperantius, Epitome. Hrsg. v. G. Landgraf u. C. Weyman. ℳ —.60.

Fragmentum de iure fisci. Ed. P. Krueger. ℳ 1.60.

Frontonis et M. Aurelii imp. epistulae. Rec. S. A. Naber. ℳ 8.—
*—— Ed. H. Hauler. [In Vorb.]

Gedichte, unedierte lateinische, hrsg. von E. Baehrens. ℳ 1.20.

Glossae nominum. Ed. G. Loewe. Acc. eiusdem opuscula glossographica coll. a G. Goetz. ℳ 6.—

Grammatici Latini ex rec. H. Keil. 7 voll. Lex.-8. ℳ 139.20.
Vol. I. Fasc. 1. Charisii ars gramm. ex rec. H. Keil. [Vergr.]
— I. Fasc. 2. Diomedis ars gramm. ex Charisii arte gramm. excerpta ex rec. H. Keil. ℳ 10.—
— II. Fasc. 1 et 2. Prisciani institutiones gramm. ex rec. M. Hertz. Vol. I. [Vergr.]
— III. Fasc. 1. Prisciani institutiones gramm. ex rec. M. Hertz. Vol. II. ℳ 12.—
— III. Fasc. 2. Prisciani de figuris numerorum, de metris Terentii, de praeexercitamentis rhetoricis libri, institutio de nomine et pronomine et verbo, partitiones duodecim versuum Aeneidos principalium, accedit Prisciani qui dic. liber de accentibus ex rec. H. Keil. [Vergr.]
— IV. Fasc. 1. Probi catholica, instituta artium, de nomine excerpta, de ultimis syllabis liber ad Caelestinum ex rec. H. Keil. — Notarum laterculi edente Th. Mommsen. ℳ 11.—
— IV. Fasc. 2. Donati ars grammatica, Marii Servii Honorati commentarius in artem Donati, de finalibus, de centum metris, de metris Horatii, Sergii de littera, de syllaba, de pedibus, de accentibus, de distinctione *commentarius*, explanationes artis *Donati, de idiomatibus* ex rec. H. *Keil*. ℳ 8.—

Grammatici Latini exr ec. H Keil.
Vol. V. Fasc. 1. Cledonii ars gramm Pompeii commentum artis Donat excerpta ex commentariis in Don tum ex rec. H. Keil. ℳ 9.—
— V. Fasc. 2. Consentius, Phocs Eutyches, Augustinus, Palaemo Asper, de nomine et pronomine, dubiis nominibus, Macrobii excerp ex rec. H. Keil. ℳ 10.—
— VI. Fasc. 1. Marius Victorinu Maximus Victorinus, Caesius Bassu Atilius Fortunatianus ex rec. H. Kei ℳ 9.—
— VI. Fasc. 2. Terentianus Ma rus, Marius Plotius Sacerdos, R nus, Mallius Theodorus, fragmenta excerpta metrica ex rec. H. Ke ℳ 14.—
— VII. Fasc. 1. Scriptores de orth graphia Terentius Scaurus, Veli Longus, Caper, Agroecius, Cassiod rius, Martyrius, Beda, Albinus ex re H. Keil. ℳ 10.—
— VII. Fasc. 2. Audacis de Scau et Palladii libris excerpta, Dosith ars gramm., Arusiani Mess exempla elocutionum, Cornel Frontonis liber de differenti fragmenta gramm., index scripto ex rec. H. Keil. ℳ 11.20.
Supplementum continens anecdota He vetica ex rec. H. Hagen. Lex.- ℳ 19.—

[Herennius.] Incerti auctoris de ratio dicendi ad C. H. ll. IV. [M. Tulli Ci ronis ad Herennium libri VI.] Re F. Marx. ℳ 14.—

Historicorum Romanorum reliquiae. E H. Peter. 2 voll. ℳ 28.—

Horatii opera. Rec O. Keller et Holder. 2 voll. gr. 8.
Vol. I. Carmina, epodi, carmen sae Iterum rec. O. Keller. ℳ 12.— [Vol. II vergr.]
—— —— —— Editio minor. ℳ 4.—
—— **carmina.** Rec. L. Mueller. 1 ℳ 2.40 3.60.
—— **Satiren.** Kritisch hergestellt, metris übersetzt u. mit Kommentar versehen v C. Kirchner u. W. S. Teuffel. 2 vo ℳ 16.40.
—— —— Lat. u. deutsch m. Erläuter. v L. Döderlein. ℳ 7.—
—— —— siehe auch: Satura, v. Blümn
—— **Episteln.** Lat. u. deutsch m. Erlä von L. Döderlein. [B. I vergr.] B. ℳ 3.—
—— **Briefe,** im Versmaß der Urschrift deutsch von A. Bacmeister u. O. K 8. ℳ 2.40 3.20.

Die fetten Ziffern verstehen sich für gebundene Exem

Institutionum et regularum iuris Romani syntagma. Ed. R. Gneist. Ed. II. ℳ 5.20

[Iuris consulti.] Kalb, W., Roms Juristen nach ihrer Sprache. ℳ 4.—

Iuvenalis saturae. Erkl. v. A. Weidner. 2. Aufl. ℳ 4.40.

—— —— siehe auch: Satura, v. Blümner.

[Lucanus.] Scholia in L. bellum civile ed. H. Usener. Pars I. ℳ 8.— [Fortsetzung erscheint nicht.]

Lucilii carminum reliquiae. Rec. F. Marx. Vol. I.: Proleg., testim., fasti L., carm. rel., indices, tab. geogr. ℳ 8.— **10.60.**

—— —— Vol. II. (Komment.) ℳ 14.— **17.**—

Nepotis quae supersunt. Ed. C. Halm. ℳ 2.40.

Nonii Marcelli compendiosa doctrina. Emend. et adnot. L. Mueller. 2 partt. ℳ 32.—

Novatiani epist. de cibis Iudaicis. Hrsg. v. G. Landgraf u. C. Weyman. ℳ 1.20.

Optatiani Porfyrii carmina. Rec. L. Mueller. ℳ 3.60.

Oréstis tragoedia. Ed. I. Maehly. 16. ℳ 1.20.

Ovidii ex Ponto ll. Ed. O. Korn. ℳ 5.—

—— **Elegien der Liebe.** Deutsch von H. Oelschläger. 2. Aufl. Min.-Ausg. ℳ 2.40 **3.20.**

Persius, siehe: Satura, v. Blümner.

Phaedri fabulae Aesopiae. Ed. L. Müller. ℳ 3.—

Placidi glossae. Rec. et illustr. A. Deuerling. ℳ 2.80.

Plauti comoediae. Recensuit, instrumento critico et prolegomenis auxit F. Ritschelius sociis operae adsumptis G. Loewe, G. Goetz, F. Schoell. 4 tomi. ℳ 92.20.

Tom. I fasc. I. Trinummus. Rec. F. Ritschl. Ed. III cur. F. Schoell. ℳ 5.60.

— I fasc. II. Epidicus. Rec. G. Goetz. Ed. II. ℳ 4.—

— I fasc. III. Curculio. Rec. G. Goetz. ℳ 2.40.

— I fasc. IV. Asinaria. Recc. G. Goetz et G. Loewe. ℳ 3.60.

— I fasc. V. Truculentus. Rec. F. Schoell. ℳ 4.80.

— II fasc. I. Aulularia. Rec. G. Goetz. ℳ 2.40.

— II fasc. II. Amphitruo. Recc. G. Goetz et G. Loewe. ℳ 3.60.

— *II fasc. III. Mercator.* Rec. F. *Ritschl. Ed. II* cur. *G.* Goetz. ℳ *3 60*

— *II fasc. IV. Stichus.* Rec. F. Ritschl. *Ed. II cur. G. Goetz.* ℳ 3.60.

Plauti comoediae.

Tom. II fasc. V. Poenulus. Recc. F. Ri schelii schedis adhibitis G. Goe et G. Loewe. ℳ 5.—

— III fasc. I. Bacchides. Rec. Ritschl. Ed. II cur. G. Goet ℳ 4.—

— III fasc. II. Captivi. Rec. F. Schoe ℳ 4.—

— III fasc. III. Rudens. Rec. Schoell. ℳ 5.60.

— III fasc. IV. Pseudolus. Rec. Ritschl. Ed. II cur. G. Goet ℳ 5.60.

— III fasc. V. Menaechmi. Rec. Ritschl. Ed. II cur. F. Schoe ℳ 5.60.

— IV fasc. I. Casina. Rec. F. Schoe ℳ 5.60.

— IV fasc. II. Miles gloriosus. F. Ritschl. Ed. II cur. G. Goe ℳ 6.—

— IV fasc. III. Persa. Rec. F. Ritsc Ed. II cur. F. Schoell. ℳ 5.60.

— IV fasc. IV. Mostellaria. Rec. Ritschl. Ed. II cur. F. Schoe ℳ 6.—

— IV fasc. V. Cistellaria. Rec. Schoell. Acc. deperditarum fabul rum fragmenta a G. Goetz recensi ℳ 5.60.

—— —— Ex rec. et cum app. crit. F. Ritsc [Vergriffen außer:]

Tom. I. Pars 3. Bacchides. ℳ 3.—

— III. Pars 1. Persa. ℳ 3.—

— III. Pars 2. Mercator. ℳ 3.—

—— —— Scholarum in usum rec. F. Ritsch [Vergr. außer:] Bacchides, Stichus, Pseudolus, Persa, Me cator. Einzeln je ℳ —.50.

—— **miles gloriosus.** Ed. O. Ribbec ℳ 2.80.

Polemii Silvii laterculus. Ed. Th. Mom sen. Lex.-8. ℳ —.80.

Pollonis de bello Africo comm. Edd. Wölfflin et A. Miodoński. Adi. tab. photolithograph. ℳ 6.80.

[Probus.] Die Appendix Probi. Hrsg. W. Heraeus. ℳ 1.20

Psalterium, das tironische, der Wolf bütteler Bibliothek. Hrsg. v. Kgl. Sten graph. Institut zu Dresden. Mit Einlei und Übertragung des tiron. Textes v O. Lehmann. ℳ 10.—

Quintiliani institutionis orator. ll. XI Rec. C. Halm. 2 partes. [Pars I ver Pars II: Libb. VII—XII. ℳ 9.—

Rhetores Latini minores. Ed. C. Hal Lex.-8. 2 fascc. ℳ 17.—

Saliarium carminum rell. Ed. B. Maure brecher. [Vergr.]

Sallusti Crispi quae supersunt. Rec. Rud. Dietsch. 2 voll. [Vol. I vergr.] Vol. II: Historiarum rell. Index. ℳ 1.20.
— **historiarum fragmenta.** Ed. Fr. Kritz. ℳ 9.—
— **historiarum rell.** Ed. B. Maurenbrecher.
Fasc. I. Prolegomena. ℳ 2.—
Fasc. II. Fragmenta argumentis, commentariis, apparatu crit. instructa. Acc. indices. ℳ 8.—

Satura. Ausgew. Satiren d. Horaz, Persius u. Juvenal in freier metr. Übertragung von H. Blümner. ℳ 5.— **5.80.**

Scaenicae Romanorum poesis fragmenta. Rec. O. Ribbeck 2 voll. Ed. II. ℳ 23.—
Vol. I. Tragicorum fragmenta. ℳ 9.—
— II. Comicorum fragmenta. ℳ 14.—

Servii grammatici qui fer. in Vergilii carmina commentarii. Recc. G. Thilo et H. Hagen. 3 voll.
Vol. I fasc. I. In Aen. I—III comm. Rec. G. Thilo. ℳ 14.—
— I fasc. II. In Aen. IV—V comm. Rec. G. Thilo. ℳ 10.—
— II fasc. I. In Aen. VI—VIII comm. Rec. G. Thilo. ℳ 10.—
— II fasc. II. In Aen. IX—XII comm. Rec. G. Thilo. ℳ 10.—
— III fasc. I. In Buc. et Georg. comm. Rec. G. Thilo. ℳ 10.40.
— III fasc. II. App Serviana. ℳ 20.—
[— III fasc. III (Indices) in Vorb.]

Staatsverträge des Altertums. Hrsg. v. R. von Scala. I. Teil. ℳ 8.—

Statii silvae. Hrsg. von Fr. Vollmer. ℳ 16.—
— **Thebais et Achilleis** cum scholiis. Rec. O. Müller. Vol. I: Thebaidos ll. I—VI. ℳ 8.— [Fortsetzung erscheint nicht.]

Suetoni Tranquilli opera. Rec. M. Ihm. 3 voll. Vol. I: de vita Caesarum libri VIII. [Mit 3 Tafeln.] ℳ 12.— 15.— .

Symmachi relationes. Rec. Guil. Meyer ℳ 1.60.

Syri sententiae. Rec. Guil. Meyer. ℳ 2.40.
— — Rec. E. Woelfflin. ℳ 3.60.

Taciti de origine et situ Germanorum l. Rec. A. Holder. ℳ 2.—
— **dialogus de oratoribus.** Rec. Aem. Baehrens. ℳ 2.—

***Terentii comoediae.** Hrsg. von M. Warren, E. Hauler und R. Knauer. [In Vorb.]

[**Tiro.**] Comm. not. Tir. ed. Schmitz, siehe: Commentarii.
[—] Das tiron. Psalterium, siehe: Psalterium.

Varronis saturarum Menippearum rell. Rec. A. Riese. ℳ 6.—
— **rerum rusticarum ll. III,** rec. Keil, siehe: Cato.
— **antiquitatum rer. divin. ll. I. XIV. XV. XVI.** Praemissae sunt quaestt. Varr. Ed. R. Agahd ℳ 9.20.
*— **de lingua latina.** Edd. G. Götz et Fr. Schöll. ℳ 10 — **12.50.**

Vergilii Maronis opera app. crit. in artius contracto iterum rec. O. Ribbeck. IV voll. ℳ 22.40.
Vol. I. Bucolica et Georgica. ℳ 5.—
— II. Aeneidos libri I—VI. ℳ 7.20.
— III. Aeneidos libri VII—XII. ℳ 7.20.
— IV. Appendix Vergiliana. ℳ 3.—
— — Ed. I. [Vergriffen außer:]
Vol. III. Aeneidos lib. VII—XII. ℳ 8.—
— IV. Appendix Vergiliana. ℳ 5.—
— Jugendverse und Heimatpoesie Vergils. Erklärung des Catalepton. Von Theodor Birt. ℳ 3.60 **4.20.**
[—] **Scholia Bernensia ad Vergilii Buc. et Georg.** Ed. H. Hagen. ℳ 6.—

Volusii Maeciani distributio partium. Ed. Th. Mommsen. ℳ —.30.

4. Meisterwerke der Griechen und Römer in kommentierten Ausgaben. [gr. 8.]

Die Ausgaben beabsichtigen, nicht nur den Schülern der oberen Gymnasialklassen, sondern auch angehenden Philologen sowie Freunden des klassischen Altertums, zunächst zu Zwecken privater Lektüre, verläßliche und die neuesten Fortschritte der philologischen Forschung verwertende Texte und Kommentare griechischer und lateinischer, von der Gymnasiallektüre selten oder gar nicht berücksichtigter Meisterwerke darzubieten.

I. **Aischylos' Perser,** von H. Jurenka. 2 Hefte. ℳ 1.40.

II. **Isokrates' Panegyrikos,** von J. Mesk. 2 Hefte. ℳ 1.40.

III. ***Auswahl a. d. röm. Lyrikern*** (m. griech. *Parallel.),* von *H. Jurenka. 2 Hft. ℳ 1.60.*

IV. **Lysias' Reden geg. Eratosthenes und üb. d. Ölbaum,** von E. Sewera. 2 Hefte. ℳ 1.20.

V. **Ausgewählte Briefe Ciceros,** von E. Gschwind. 2 Hefte. ℳ 1.80.

VI. **Amor und Psyche,** ein Märchen des Apuleius, von F. Norden. 2 Hefte. ℳ 1.40.

Die fetten Ziffern verstehen sich für gebundene Exemplar

VII. **Euripides, Iphigenie in Aulis,** von K. Busche. 2 Hefte. *M* 1.40.

VIII. **Euripides, Kyklops,** v. N. Wecklein. 2 Hefte. *M* 1.—

*IX. **Briefe des jüngeren Plinius,** von R.C. Kukula. 2. Aufl. 2 Hefte. *M* 2.20.

X. **Lykurgos' Rede gegen Leokra** von E. Sofer. 2 Hefte. *M* 1.80.

XI. **Plutarchs Biographie des Aristeid** von J. Simon. 2 Hefte. *M* 1.60.

XII. **Tacitus' Rednerdialog,** v. R. Dien 2 Hefte. *M* 2.—

5. B. G. Teubners Schulausgaben griechischer und lateinisch Klassiker mit deutschen erklärenden Anmerkungen. [gr. 8

Bekanntlich zeichnen diese Ausgaben sich dadurch aus, daß sie das Bedürfn der Schule ins Auge fassen, ohne dabei die Ansprüche der Wissenschaft berücksichtigt zu lassen. Die Sammlung enthält fast alle in Schulen gelesen Werke der klassischen Schriftsteller.

a) Griechische Schriftsteller.

Aeschylus' Agamemnon. Von R. Enger. 3. Aufl., von Th. Plüß. *M* 2.25 **2.75.**

—— **Perser.** Von W. S. Teuffel. 4. Aufl., von N. Wecklein. *M* 1.50 **2.—**

—— **Prometheus.** Von N. Wecklein. 3. Aufl. *M* 1.80 **2.25.**

—— —— Von L. Schmidt. *M* 1.20.

—— **die Sieben geg. Theben.** Von N Wecklein. *M* 1.20 **1.50.**

—— **die Schutzflehenden.** Von N. Wecklein. *M* 1.60 **2.—**

—— **Orestie.** Von N. Wecklein. *M* 6.— Daraus einzeln: I. Agamemnon. II. Die Choephoren. III. Die Eumeniden. je *M* 2.—

Aristophanes' Wolken. Von W. S. Teuffel. 2. Aufl., von O. Kaehler. *M* 2.70 **3.20.**

Aristoteles, der Staat der Athener. Der historische Hauptteil (Kap. I—XLI). Von K. Hude. *M* —.60 **—.85.**

Arrians Anabasis. Von K. Abicht. 2 Hefte. I. Heft. L. I—III. M. Karte. *M* 1.80 **2.25.** II. Heft. L. IV—VII. *M* 2.25 **2.75.** *M* 4.05 **5.—**

Demosthenes' ausgewählte Reden. Von C. Rehdantz u. Fr. Blaß. 2 Teile. *M* 6.60 **8.55.**

*I. Teil. A. u. d. T.: IX Philipp. Reden. 2 Hefte. M 4.70 **6.05.***

*Heft I: I—III. Olynthische Reden. IV. Erste Rede geg. Philippos. 9. Aufl., von K. Fuhr. M 1.40 **1.80.***

Demosthenes' ausgewählte Reden.
Heft II. Abt. 1: V. Rede über den Fried VI. Zweite Rede gegen Philipp VII. Hegesippos' Rede über Halonn VIII. Rede über die Angelegenhei im Cherrones. IX. Dritte Rede ge Philippos. 6. Aufl., von Fr. Bl *M* 1.50 **2.—**
— II. Abt. 2: Indices. 4. Aufl., v Fr. Blaß. *M* 1.80 **2.25.**
*II. Teil. Die Rede vom Kranze. 2. Au Von K. Fuhr. *M* 2.40 **2.90.**

Euripides' ausgewählte Tragödien. V N. Wecklein.
*I. Bdch. Medea. 4. Aufl. *M* 1.80 **2.**
II. Bdch. Iphigenia im Taurierla 3. Aufl. *M* 1.60 **2.10.**
III. Bdch. Die Bacchen. 2. A *M* 1.60 **2.10.**
IV. Bdch. Hippolytos. 2. Aufl. *M* 1. **2.25.**
V. Bdch. Phönissen. *M* 1.80 **2.25.**
VI. Bdch. Electra. *M* 1.40 **1.80.**
VII. Bdch. Orestes. *M* 1.60 **2.—**
VIII. Bdch. Helena. *M* 1.60 **2.—**
*IX. Bdch. Andromache. [U. d. Pr.

Herodotos. Von K. Abicht. 5 Bän *M* 12.50 **16.—**
Band I. Heft 1. Buch I nebst E leitung u. Übersicht über den Dial 5. Aufl. *M* 2.40 **2.90.**
Band I. Heft 2. B. II. 3. A. *M* 1.50 **2**
— II. Heft 1. B III. 3. A. *M* 1.50 **2**
— II. Heft 2. B. IV. 3. A. *M* 1.50 **2**
— III. B. V u. VI. 4. A. *M* 2.— **2.**
— IV. B. VII. M. 2 K. 4. A. *M* 1.80 **2.**
— V. Buch VIII u. IX. Mit 2 4. Aufl. *M* 1.80 **2.30.**

Die **fetten** Ziffern verstehen sich für **gebundene** Exempl

5. Schulausgaben mit deutschen erklärenden Anmerkungen.

Homers Ilias, erklärt von J. La Roche. 6 Teile.

Teil I. Ges. 1—4. 3. Aufl. ℳ 1.50 **2.—**
— II. Ges. 5—8. 3. Aufl. ℳ 1.50 **2.—**
— III. Ges. 9—12. 3. Aufl. ℳ 1.50 **2.—**
— IV. Ges. 13—16. 3. Aufl. ℳ 1.50 **2.—**
— V. Ges. 17—20. 2. Aufl. [Vergr.]
— VI. Ges. 21—24. 2. Aufl. [Vergr.]

—— —— Von K. Fr. Ameis u. C. Hentze. 2 Bände zu je 4 Heften.

Band I. H. 1. Ges. 1—3. 6. A. ℳ 1.20 **1.70**
— I. H. 2. Ges. 4—6. 6. A. ℳ 1.40 **1.80**
— I. H. 1/2 zusammen in 1 Band ℳ **3.20**
— I. H. 3. Ges. 7—9. 5. A. ℳ 1.60 **2.—**
— I. H. 4. Ges. 10—12. 5. A. ℳ 1.20 **1.70**
— I. H. 3/4 zusammen in 1 Band ℳ **3.40**
— II. H. 1. Ges. 13—15. 4. A. ℳ 1.20 **1.70**
— II. H. 2. Ges. 16—18. 4. A. ℳ 1.40 **1.80**
— II. H. 1/2 zusammen in 1 Band ℳ **3.20**
— II. H. 3. Ges. 19—21. 4. A. ℳ 1.20 **1.70**
— II. H. 4. Ges. 22—24. 4. A. ℳ 1.60 **2.20**
— II. H. 3/4 zusammen in 1 Band ℳ **3.50**

—— —— —— Anhang. 8 Hefte.

Heft 1. Ges. 1—3. 3. Aufl. ℳ 2.10 **2.60**
— 2. Ges. 4—6. 2. Aufl. ℳ 1.50 **2.—**
— 3. Ges. 7—9. 2. Aufl. ℳ 1.80 **2.30**
— 4. Ges. 10—12. 2. Aufl ℳ 1.20 **1.70**
— 5. Ges. 13—15. 2. Aufl. ℳ 1.80 **2.30**
— 6. Ges. 16—18. 2. Aufl. ℳ 2.10 **2.60**
— 7. Ges 19—21. ℳ 1.50 **2.—**
— 8. Ges. 22—24. ℳ 1.80 **2.30**

—— **Odyssee.** Von K. Fr. Ameis und C. Hentze. 2 Bände.

Band I. H. 1. Ges. 1—6. 12. A. ℳ 1.80 **2.30**
— I. H. 2. Ges. 7—12. 11. A. ℳ 1.80 **2.30**
— I. H. 1/2 zusammengeb. ℳ **4.20**
*— II. H. 1. Ges. 13—18. 9. A. v. P. Cauer. ℳ 1.60 **2.—**
— II. H. 2. Ges. 19—24. 10. A. ca. ℳ 1.40 **1.80.** [U. d. Pr.]
— II. H. 1/2 zusammengeb. ℳ **3.35**

—— —— —— Anhang. 4 Hefte.

Heft 1. Ges. 1—6. 4. Aufl. ℳ 1.50 **2.—**
— 2. Ges. 7—12. 3. Aufl. ℳ 1.20 **1.70**
— 3. Ges. 13—18. 3. Aufl. ℳ 1.20 **1.70**
— 4. Ges. 19—24. 3. Aufl. ℳ 2.10 **2.60**

Isokrates' ausgewählte Reden. Von O. u. M. Schneider. 2 Bändchen. ℳ 3.— **3.95.**

I. Bändchen. Demonicus, Euagoras, Areopagiticus. 3. Aufl., v. M. Schneider. ℳ 1.20 **1.70.**

II. Bändchen. Panegyricus u. Philippus. 3. Aufl. ℳ 1.80 **2.25.**

Lucians ausgewählte Schriften. Von C. Jacobitz. 3 Bändchen.

I. Bändchen. Traum. Timon. Prometheus. Charon. 4. Aufl., von K. Bürger. ℳ 1.50 **2.—** [2. u. 3. Bdch. vergr.]

Lykurgos' Rede gegen Leokrates. Von C. Rehdantz. ℳ 2.25 **2.75.**

[Lyriker.] Anthologie a. d. Lyrikern d[er] Griechen. Von E. Buchholz. 2 Bdc[hn.] ℳ 4.20 **5.20.**

*I. Bändchen. Elegiker u. Iambograph[en.] 6. Aufl., von R. Peppmüll[er.] ℳ 2.10 **2.60.**

*II. Bändchen. Die melischen und c[ho]rischen Dichter. 5. Aufl., von J. Sit[z]ler. ℳ 2.10 **2.60.**

Lysias' ausgew. Reden. Von H. Fro[h]berger. Kleinere Ausg. 2 Hefte.

I. Heft. Prolegomena. — R. geg[en] Eratosthenes. — R. geg. Agoratos. Verteidigung geg. die Anklage weg[en] Umsturzes der demokratischen V[er]fassung. — R. f. Mantitheos. — geg. Philon. 3. Aufl., v. Th. Th[al]heim. ℳ 1.80 **2.25.**

II. Heft. Reden gegen Alkibiades. R. geg. Nikomachos. — R. üb. d. V[er]mögen d. Aristophanes. — R. üb. Ölbaum. — R. geg. die Kornhändl[er] — R. geg. Theomnestos. — R. f. Gebrechlichen. — R. geg. Diogei[ton.] 2. Auflage, von Th. Thalhei[m.] ℳ 1.80 **2.25.**

—— —— —— Größere Ausgabe. 3 Bän[de.] [Bd. II u. III vergr.]

I. Bd. R. geg. Eratosthenes, Agora[tos.] Verteidigung geg. die Anklage w[egen] Umsturzes d. Verfassung. 2. A[ufl.,] von G. Gebauer. ℳ 4.50.

Platons ausgew. Schriften. Von Chr. Cro[n,] J. Deuschle u. a.

I. Teil. Die Verteidigungsrede d. Sokra[tes.] Kriton. Von Chr. Cron. 11. A[ufl.,] von H. Uhle. ℳ 1.— **1.40.**

II. Teil. Gorgias. Von J. Deusch[le.] 5. Aufl., von W. Nestle. ℳ 2.10 **2.**[...]

III. Teil. 1. Heft. Laches. Von C[hr.] Cron. 5. Aufl. ℳ —.75 **1.20.**

III. Teil. 2. Heft. Euthyphron. Von Wohlrab. 4. Aufl. ℳ —.60 **—.**[...]

*IV. Teil. Protagoras. Von J. Deusc[hle] u. Chr. Cron. 6. Aufl v. W. Nest[le.] ℳ 1.60 **2.—**

V. Teil. Symposion. Von A. Hug. 3. A[ufl.,] von H. Schöne. ℳ 2.40 **3.—**

*VI. Teil. Phaedon. Von M. Wohlr[ab.] 4. Aufl. ℳ 1.60 **2.10.**

VII. Teil. Der Staat. I. Buch. Von Wohlrab. ℳ —.60 **—.90.**

VIII. Teil. Hippias maior. Ed. W. Zill[...] [In Vorb.]

Plutarchs ausgew. Biographien. O. Siefert und Fr. Blaß. 6 Bändc[hen.] ℳ 6.90 **9.60.**

I. Bändchen. Philopoemen u. [Flami]nus. Von O. Siefert. 2. [Aufl., von] Fr. Blaß. ℳ —.90 **1.30**

Die fetten Ziffern verstehen sich für gebundene Exem[plare.]

Plutarchs ausgew. Biographien. Von O. Siefert und Fr. Blaß.

II. Bändchen. Timoleon u. Pyrrhos. Von O. Siefert. 2. Aufl., von Fr. Blaß. ℳ 1.50 **2.—**

*III. Bändchen. Themistokles u. Perikles. Von Fr. Blaß. 3. Aufl., v. B. Kaiser. ℳ 1.80 **2.25.**

IV. Bändchen. Aristides u. Cato. Von Fr. Blaß. 2. Aufl. ℳ 1.20 **1.70.**

V. u. VI. Bändchen. [Vergr.]

Quellenbuch, histor., zur alten Geschichte. I. Abt. Griechische Geschichte. Von W. Herbst und A. Baumeister. 3. Aufl. 1. Heft. [Vergr.] 2. Heft. ℳ 1.80 **2.30.**

Sophokles. Von G. Wolff und L. Bellermann.

I. Teil. Aias. 5. Aufl. ℳ 1.50 **2.—**
II. — Elektra. 4. Aufl. ℳ 1.50 **2.—**
III. — Antigone. 6. Aufl. ℳ 1.50 **2.—**
IV. — König Oidipus. 5. Aufl. ℳ 1.60 **2.—**
V. — Oidipus auf Kolonos. [Vergr.]

Supplementum lect. Graecae. Von C. A. J. Hoffmann. ℳ 1.50 **2.—**

Testamentum novum Graece. Von Fr. Zelle. 5 Teile.

I Evangelium d. Matthäus. Von Fr. Zelle 1.80 **2.25.**

IV. Evangelium d. Johannes. Von B. Wohlfahrt. ℳ 1.50 **2.—**

V. Apostelgeschichte. Von B. Wohlfahrt. ℳ 1.80 **2.25.**

[Teil II u. III in Vorb.]

Thukydides. Von G. Böhme u. S. Widmann. 9 Bändchen. ℳ 11.— **15.40.**

1. Bdchn. 1. Bch. 6. Aufl. ℳ 1.20 **1.70.**
2. — 2. — 6. — ℳ 1.20 **1.70.**
3. — 3. — 5. — ℳ 1.20 **1.70.**
4. — 4. — 5. — ℳ 1.20 **1.70.**

Thukydides. Von G. Böhme u. S. Wimann.

5. Bdchn. 5. Bch. 5. Aufl. ℳ 1.20 **1.7**
6. — 6. — 6. — ℳ 1.20 **1.7**
*7. — 7. — 6. — ℳ 1.40 **1.8**
8. — 8. — 5. — ℳ 1.20 **1.7**
9. Bdchn. Einleitung u. Register. 5. Au ℳ 1.20 **1.70.**

Xenophons Anabasis. Von F. Vollbrech Ausgabe m. Kommentar unter d. Tex

I. Bdchn. B. I. II. 10. Aufl. M. 2 Figure taf. u. 1 Karte. ℳ 1.40 **2.**
II. — B. III. IV. 9. u. 8. Aufl. ℳ —. **1.20.**
III. — B. V—VII. 8. Aufl. ℳ 1. **2.—**

—— —— —— B. I—IV. Text u. Ko mentar getrennt.

Text. M. e. Übersichtskarte. ℳ —. **1.20.**

Kommentar. Mit Holzschnitten u Figurentafeln. ℳ 1.35 **1.80.**

—— **Kyropädie.** Von L. Breitenbac 2 Hefte. je ℳ 1.50 **2.—**

I. Heft. Buch I—IV. 4. Auflage, vo B. Büchsenschütz.
II. — Buch V—VIII. 3. Aufl.

—— **griech. Geschichte.** Von B. Büchsenschütz. 2 Hefte.

*I. Heft. Buch I—IV. 7. Aufl. ℳ 2.— **2.4**
II. — Buch V—VII. 5. Aufl. ℳ 1.80 **2.2**

—— **Memorabilien.** Von Raph. Kühne 6. Aufl., von Rud. Kühner. ℳ 1.60 **2.2**

—— **Agesilaos.** Von O. Güthling. ℳ 1.50 **2.**

—— **Anabasis u. Hellenika in Ausw.** M Einleitung, Karten, Plänen u. Abbild. Te und Kommentar. Von G. Sorof. 2 Bdch

I. Bdchn. Anab. Buch 1—4.
Text. ℳ 1.20 **1.50.**
Kommentar. ℳ 1.20 **1.5**
II. — Anab. Buch 5—7 u. Hellenik
Text. ℳ 2.— **2.20.**
Kommentar. ℳ 1.40 **1.6**

b) Lateinische Schriftsteller.

Caesaris belli Gallici libri VII und Hirtii liber VIII. Von A. Doberenz. 9. Aufl., von B. Dinter. 3 Hefte. ℳ 2.55 **4.—**

I. Heft Buch I—III. M. Einleit. u. Karte v. Gallien. ℳ —.90 **1.40.**
II. — Buch IV—VI. ℳ —.75 **1.20.**
III. — Buch VII u. VIII u. Anhang. *ℳ —.90* ***1.40.***

commentarii de bello civili. Von *Doberenz. 5. Aufl.,* von *B. Dinter.* *2.40* ***2.90.***

Ciceronis de oratore. Von K. W. Piderit 6. Aufl., von O. Harnecker. 3 Heft ℳ 4.80 **6.25.**

I. Heft. Einleit. u. Buch I. ℳ 1.80 **2.25**
II. — Buch II. ℳ 1.50 **2.—**
III. — Buch III. M. Indices u. Registe z. d. Anmerkungen. ℳ 1.50 **2.**

Aus Heft III besonders abgedruckt: Erklär. Indices u. Register d. Anmerk ℳ —.45.

—— —— —— 5. Aufl., von Fr. Th. Adle In 1 Band. ℳ 4.50.

Ciceronis Brutus de claris oratoribus. Von K. W. Piderit. 3. Aufl., von W. Friedrich. *M* 2.25 **2.75.**

—— **orator.** Von K. W. Piderit. 2. Aufl. *M* 2.— **2.60.**

—— **partitiones oratoriae.** Von K. W. Piderit. *M* 1.— **1.40.**

—— **Rede f. S. Roscius.** Von Fr. Richter u. A. Fleckeisen. 4. Aufl., von G. Ammon. *M* 1.— **1.40.**

—— **div. in Caecilium.** Von Fr. Richter. 2. Aufl., von A. Eberhard. *M* —.45 **—.80.**

—— **Reden gegen Verres.** IV. Buch. Von Fr. Richter u. A. Eberhard. 4. Aufl. von H. Nohl. *M* 1.50 **2.—**

—— —— V. Buch. Von Fr. Richter. 2. Aufl., von A. Eberhard. *M* 1.20 **1.70.**

—— **Rede üb. d. Imperium d. Cn. Pompejus.** Von Fr. Richter. 5. Aufl., von A. Eberhard. *M* —.75 **1.20.**

—— **Reden g. Catilina.** Von Fr. Richter. 6. Aufl., von A. Eberhard. *M* 1.— **1.40.**

—— **Rede f. Murena.** Von H. A. Koch. 2. Aufl., von G. Landgraf. *M* —.90 **1.30.**

—— **Rede f. Sulla.** Von Fr. Richter. 2. Aufl., von G. Landgraf. *M* —.75 **1.20.**

—— **Rede f. Sestius.** Von H. A. Koch 2. Aufl., von A. Eberhard. *M* 1.— **1.40.**

—— **Rede f. Plancius.** Von E. Köpke. 3. Aufl., von G. Landgraf. *M* 1.20 **1.70.**

—— **Rede f. Milo.** V. Fr. Richter u. A. Eberhard. 5. Aufl., von H. Nohl. *M* 1.20 **1.60.**

—— **I. u. II. Philipp. Rede.** Von H. A. Koch. 3. Aufl.; v. A. Eberhard. *M* 1.20 **1.70.**

—— **I., IV. u. XIV. Philipp. Rede.** Von E. R. Gast. *M* —.60 **—.90.**

—— **Reden f. Marcellus, f. Ligarius u. f. Deiotarus.** Von Fr. Richter. 4. Aufl., von A. Eberhard. *M* 1.20 **1.70.**

—— **Rede f. Archias.** Von Fr. Richter u. A. Eberhard. 5. Aufl., von H. Nohl. *M* —.50 **—.80.**

—— **Rede f. Flaccus.** Von A. du Mesnil. *M* 3.60 **4.10.**

—— **ausgew. Briefe.** Von J. Frey. 6. Aufl. *M* 2.20 **3.—**

—— **Tusculanae disputationes.** Von O. Heine. 2 Hefte.

I. Heft. Buch I. II. 4. Aufl. *M* 1.20 **1.70.**

II. — Buch III—V. 4. Aufl. *M* 1.65 **2.15.**

—— **Cato maior.** Von C. Meißner. 5. Aufl., von Landgraf. *M* —.60 **1.—**

—— ***somnium Scipionis.*** Von C. Meißner. *5. Aufl., von G. Landgraf. M* —.50 ***—.80.***

Ciceronis Laelius. Von C. Meißner. 2. A *M* —.75 **1.20.**

—— **de finibus bon. et mal.** Von H. Holstein. [Vergr.]

—— **de legibus.** Von A. du Mesn *M* 3.90 **4.50.**

—— **de natura deorum.** Von A. Goeth *M* 2.40 **2.90.**

[——] **Chrestomathia Ciceroniana.** E Lesebuch f. mittlere u. obere Gymnas klassen. Von C. F. Lüders. 3. A bearb. v. O. Weißenfels. Mit Titelb *M* **2.80.**

[——] **Briefe Ciceros u. s. Zeitgenosse** Von O. E. Schmidt. I. Heft. *M* 1.— **1.4**

Cornelius Nepos, siehe: Nepos.

Curtius Rufus. Von Th. Vogel und Weinhold. 2 Bändchen.

I. Bd. B. III—V. 4. A. *M* 2.40 **2.**

II. — B. VI—X. 3. A. *M* 2.60 **3.**

——: s. a. Orationes sell.

[**Elegiker.**] **Anthologie a. d. El. der Röm** Von C. Jacoby. 2. Aufl. 4 Hft. *M* 3.50 **5.1**

1. Heft: Catull. *M* —.90 **1.30.**

2. Heft: Tibull. *M* —.60 **1.—**

3. Heft: Properz. *M* 1.— **1.40.**

4. Heft: Ovid. *M* 1.— **1.40.**

***Horaz, Oden u. Epoden.** Von C. W. Nauc 17. Aufl., v. O. Weißenfels. ca. *M* 2. **2.75.** [U. d. Pr.]

[—] **Auswahl a. d. griech. Lyrik z. Gebrau b. d. Erklärg. Horaz. Oden**, von Gro mann. *M* —.15.

—— **Satiren und Episteln.** Von G. A. Krüger. 2 Abteilungen.

I. Abt. Satiren. 15. Aufl., v. G. Krüg *M* 1.80 **2.30.**

II. — Episteln. 15. Aufl., v. G. Krüg *M* 2.— **2.50.**

—— **Sermonen.** Von A. Th. Fritzsc 2 Bände. *M* 4.40 **5.40.**

I. Bd. Der Sermonen Buch I. *M* 2.40 **2.**

II. — Der Sermonen Buch II. *M* 2.— **2.**

Livii ab urbe condita libri.

Lib. 1. Von M. Müller. 2. Aufl. *M* 1.50 **2**

*Lib. 2. Von M. Müller. 2. Aufl. von Heraeus. *M* 1.50 **2.—**

Lib. 3. Von F. Luterbacher. *M* 1.20 **1.**

Lib. 4. Von F. Luterbacher. *M* 1.20 **1.**

Lib. 5. Von F. Luterbacher. *M* 1.20 **1.**

Lib. 6. Von F. Luterbacher. *M* 1.20 **1.**

Lib 7. Von F. Luterbacher. *M* 1.20 **1.**

Lib. 8. Von F. Luterbacher. *M* 1.20 **1.**

Lib. 9. Von F. Luterbacher. *M* 1.20 **1.**

Lib. 10. Von F. Luterbacher. *M* 1.20 **1.**

Lib. 21. Von E. Wölfflin. 5. Aufl. *M* 1. **1.70.**

Lib. 22. Von E. Wölfflin 4. Aufl. *M* 1 **1.70.**

Lib. 23. Von F. Luterbacher. 2. *M* 1.20 **1.70.**

Die fetten Ziffern verstehen sich für gebundene Exem

Livii ab urbe condita libri.
Lib. 24. Von H. J. Müller. 2. Aufl. ℳ 1.35 1.80.
Lib. 25. Von H. J. Müller. ℳ 1.20 1.70.
Lib. 26. Von F. Friedersdorff. ℳ 1.20 1.70.
Lib. 27. Von F. Friedersdorff. ℳ 1.20 1.70.
Lib. 28. Von F. Friedersdorff. ℳ 1.20 1.70.
Lib. 29. Von F. Luterbacher. ℳ 1.20 1.70.
Lib. 30. Von F. Luterbacher. ℳ 1.20 1.70.

Nepos. Von J. Siebelis-Jancovius. 12. Aufl., von O. Stange. Mit 3 Karten ℳ 1.20 1.70.
—— Von H. Ebeling. ℳ —.75.
—— Ad historiae fidem rec. et usui scholarum accomm. Ed. E. Ortmann. Editio V. ℳ 1.— 1.40.

Ovidii metamorphoses. Von J. Siebelis u. Fr. Polle. 2 Hefte. Bearb. v. O. Stange. je ℳ 1.50 2.— Zus. in einem Band ℳ 4.—
*I. Heft. Buch I—IX. 18. Aufl. Mit Karte.
II. — Buch X—XV. 14. Aufl.
—— **fastorum libri VI.** Von H. Peter. 2 Abteilungen.
I. Abt. Text u. Kommentar. 4. Aufl. ℳ 2.80 3.20.
II. — Krit. u. exeget. Ausführungen. 3. Aufl. ℳ —.90 1.30.
—— **ausgew. Gedichte** m. Erläut. für den Schulgebr. Von H. Günther. ℳ 1.50 2.—

Phaedri fabulae. Von J. Siebelis und F. A. Eckstein. 6. Aufl., v. Fr. Polle. ℳ —.75 1.20.

Plautus' ausgewählte Komödien. Von E. J. Brix. 4 Bdchn.
I. Bdchn. Trinummus. 5. Aufl., von M. Niemeyer. ℳ 1.60 2.—
*II. — Captivi. 6. Aufl., von M. Niemeyer. ℳ 1.40 1.80.
III. — Menaechmi. 4. Auflage, von M. Niemeyer. ℳ 1.— 1.40.
IV. — Miles gloriosus. 3. Auflage. ℳ 1.80 2.30.

Plinius' d. J. ausgewählte Briefe. Von A. Kreuser. ℳ 1.50 2.—

Quellenbuch, histor., zur alten Geschichte. II. Abt. Römische Geschichte. Von A. Weidner. 2. Aufl. 1. Heft ℳ 1.80 2.30. 2. Heft. ℳ 2.40 3.— 3. Heft. ℳ 2.70 3.30.

Quintiliani institut. orat. liber X. V G. T. A. Krüger. 3. Aufl., von G. Krüg ℳ 1.— 1.40.

Sallusti Crispi bell. Catil., bell. Iugurt oratt. et epist. ex historiis excerp Von Th. Opitz. 3 Hefte. ℳ 2.50 3.
*I. Heft: Bellum Catilinae. 2. A ℳ —.60 1.—
II. — Bellum Iugurthinum. 2. A ℳ 1.— 1.40.
III. — Reden u. Briefe a. d. Histori ℳ —.45 —.80.

Tacitus' Historien. Von K. Herae 2 Teile. ℳ 4.30 5.40.
I. Teil. Buch I u. II. 5. Aufl., von W. H raeus. ℳ 2.20 2.80.
II. — Buch III—V. 4. Auflage, v W. Heraeus. ℳ 2.10 2.60.
—— **Annalen.** Von A. Draeger. 2 Bän ℳ 5.70 7.50.
I. Band. 1. Heft. (Buch 1 u. 2.) 7. Aufl., v W. Heraeus. ℳ 1.50 2
2. Heft. [Buch 3—6.] 6. A von F. Becher. ℳ 1.50 2.
II. — 2 Hefte: Buch XI—XIII. Bu XIV—XVI. 4. Aufl., von Becher. je ℳ 1.35 1.75.
—— **Agricola.** Von A. Draeger. 6. A von W. Heraeus. ℳ —.80 1.20.
—— **dialogus de oratoribus.** Von G. A dresen. 3. Aufl. ℳ —.90 1.30.
—— **Germania.** Von E. Wolff. 2. A ℳ 1.40 1.80.

Terentius, ausgewählte Komödien. V C. Dziatzko.
*I. Bändchen. Phormio. 4. Aufl., v E. Hauler. ca. ℳ 2. 2.90. [U. d. Pr.]
II. — Adelphoe. 2. Aufl., von Kauer. ℳ 2.40 2.90.

Vergils Aeneide. Von K. Kappes. 4 Hef
I. Heft. Buch I—III. 6. Aufl., v. M. Fickscherer. ℳ 1.40 1.90.
II. — Buch IV, V, VI. 4. Aufl., von Wörner. 3 Abt. je ℳ —.50 —.
II. — Buch IV—VI (4. Aufl.) in 1 Ba ℳ 2.—
III. — Buch VII—IX. 3. Aufl. ℳ 1. 1.70.
IV. — Buch X, XI, XII. 3. Aufl., v M. Fickelscherer. 3 Abt. ℳ —.50 —.80.
IV. — Buch X—XII. 3. Aufl. 3 Abt. 1 Band. ℳ 2.—

6. Schultexte der „Bibliotheca Teubneriana". [gr. 8. geb.]

Die Schultexte der „Bibliotheca Teubneriana" bieten in denkba bester Ausstattung zu wohlfeilem Preise den Zwecken der Schule besonder entsprechende, in keiner Weise aber der Tätigkeit des Lehrers vorgreifende, unverkürzt und zusatzlose Texte Sie geben daher einen auf kritischer Grundlage ruhenden, abe aller kritischen Zeichen sich enthaltenden, in seiner inneren wie äußeren Gestaltun vielmehr inhaltliche Gesichtspunkte zum Ausdruck bringenden 'lesbaren' Tex Die Schultexte enthalten als Beigaben eine Einleitung, die in abrißartiger For das Wichtigste über Leben und Werke des Schriftstellers sowie über sach lich im Zusammenhange Wissenswertes bietet; ferner gegebenenfalls eine Inhalts übersicht oder Zeittafel (jedoch keine Dispositionen) sowie ein Namenverzeich nis, das außer geographischen und Personennamen auch sachlich wichtig Ausdrücke enthält, bzw. kurz erklärt.

Demosthenes' neun Philippische Reden. Von Th. Thalheim. *M.* 1.—
Herodot B. I—IV. Von A. Fritsch. *M.* 2.40.
—— **B. V—IX.** Von A. Fritsch. *M.* 2.—
Lysias' ausgew. Reden. Von Th. Thalheim. *M.* 1.—
Thukydides B. I—III. Von S. Widmann. *M.* 1.80.
Einzeln: Buch I, Buch II. je *M.* 1.—
—— **B. VI—VIII.** Von S. Widmann. *M.* 1.80.
Xenophons Anabasis. Von W. Gemoll. 3. Aufl. *M.* 1.60.
*—— —— Buch I—IV. 3. Aufl. *M.* 1.10.
—— **Memorabilien.** Von W. Gilbert. *M.* 1.10.

Caesar de bello Gallico. Von J. H. Schmalz. *M.* 1.20.
***Ciceros Catilinar. Reden.** Von C. F. W. Müller. *M.* —.55.
—— **Rede üb. d. Oberbefehl des Cn. Pompeius.** Von C. F. W. Müller. *M.* —.55.
Ciceros Rede f. Milo. Von C. F. W. Mülle *M.* —.55.
—— **Rede für Archias.** Von C. F. W. Mülle *M.* —.40.
—— **Rede für Roscius.** Von G. Landgraf. *M.* —.60.
—— **Reden geg. Verres. IV. V.** Von C. W. Müller. *M.* 1.—
Horaz. Von G. Krüger. *M.* 1.80.
Livius Buch I u. II (u. Auswahl a. Buc[h] III u. V). Von K. Heraeus. *M.* 2.—
—— **Buch XXI—XXIII.** Von M. Mülle *M.* 1.60.
Ovids Metamorphosen in Auswahl. Vo O. Stange. *M.* 2.—
Sallusts Catilinar. Verschwörung. Vo Th. Opitz. *M.* —.55.
—— **Jugurthin. Krieg.** Von Th. Opitz *M.* —.80.
Beides zusammengeb. *M.* 1.20.
Vergils Äneide. Von O. Güthling. *M.* 2.—

7. Verschiedene Ausgaben für den Schulgebrauch.

[Lyrik.] Lyricorum Graecorum carmina quae ad Horatium pertinent, selecta ite edidit Adolfus Großmann. *M.* —.15.

Opitz, Th., u. A. Weinhold, Chrestomathie aus Schriftstellern der sogenannten silberne Latinität. *M.* 2.80 3.40.

Auch in 5 Heften: Heft I. 2. Aufl. *M.* 1.20. Heft II A 2 Aufl. *M.* —.50, Heft II 2. Aufl. *M.* —.40, Heft III—V je *M.* —.60 1.—

Heft I. Suetonius, Velleius und Florus.
— II A. Tacitus, Iustinus, Curtius, Valerius [Maximus.
— II B. Plinius d. J.
III. Heft. Plinius d. Ä. und Vitruvius.
IV. — Seneca und Celsus.
V. — Quintilianus.

Tirocinium poeticum. Erstes Lesebuch aus lateinischen Dichtern. Zusammengestell und mit kurzen Erläuterungen versehen von Johannes Siebelis. 18. Auflage von Otto Stange. *M.* 1.20. Mit Wörterbuch von A. Schaubach. *M.* 1.60

Ciceros philosophische Schriften. Auswahl f. d. Schule nebst einer Einleitung in die Schriftstellerei Ciceros und in die alte Philosophie von Professor Dr. O. Weißenfels. Mit Titelbild. *M.* 2.— 2.60.

Ciceros philosophische Schriften in einzelne mit Vorbemerkungen usw. versehenen Heften 1. Heft: Einleitung in die Schriftsteller[ei] Ciceros und die alte Philosophie. Titelbild. kart. *M.* —.80.

Die fetten Ziffern verstehen sich für gebundene Exem[plare]

Ciceros philosophische Schriften.
2. Heft: De officiis libri III. kart. M. —.60.
3. Heft: Cato Maior de senectute. kart. M. —.30.
4. Heft: Laelius de amicitia. kart. M. —.30.
5. Heft: Tusculanarum disputationum libri V. kart. M. —.60.
6. Heft: De natura deorum libri III und de finibus bonorum et malorum I, 9—21. kart. M. —.30.
7. Heft: De re publica. kart. M. —.30.

Ciceros rhetorische Schriften. Auswahl f. Schule nebst Einleitung u. Vorbemerkung von Prof. Dr. O. Weißenfels. M. 1.80 2.4
—— —— in einzelnen mit Vorbem kungen usw. versehenen Heften:
1. Heft: Einleitung in die rhetorisch Schriften Ciceros nebst einem A der Rhetorik. kart. M. 1.—
2. Heft: De oratore und Brutus. A gewählt, mit Vorbemerkungen u Analysen. kart. M. 1.—
3. Heft: Orator. Vollständiger Text ne Analyse. kart. M. —.60.

---

8. B. G. Teubners Schülerausgaben griech. u. lat. Schriftstelle [gr. 8. geb.]

Jedes Bändchen zerfällt in 3 Hefte:

1. **Text** enthält diesen in übersichtlicher Gliederung, mit Inhaltsangab über den Hauptabschnitten und am Rande, nebst den Karten und Plänen;
2. **Hilfsheft** enthält die Zusammenstellungen, die die Verwertung d Lektüre unterstützen sollen, nebst den erläuternden Skizzen und Abbildunge
3. **Kommentar** enthält die fortlaufenden Erläuterungen, die die Vorbereitu erleichtern sollen.

2/3. als Erklärungen auch zusammengebunden erhältlich.

Die Sammlung soll wirkliche „Schülerausgaben" bringen, die den B dürfnissen der Schule in dieser Richtung in der Einrichtung wie der Au stattung entgegenkommen wollen, in der Gestaltung des „Textes", wie der Fass der „Erklärungen", die sowohl Anmerkungen als Zusammenfassung bieten, ferner durch das Verständnis fördernde Beigaben, wie Karten Pläne, Abbildungen und Skizzen.

Das Charakteristische der Sammlung ist das zielbewußte Streben n organischem Aufbau der Lektüre durch alle Klassen und nach Hebung u Verwertung der Lektüre nach der inhaltlichen und sprachlichen Seite hin, d Einheit der Leitung, Einmütigkeit der Herausgeber im ganzen bei all Selbständigkeit im einzelnen, wie sie deren Namen verbürgen, und ernstes B mühen, wirklich Gutes zu bieten, seitens des Verlegers.

Ziel und Zweck der Ausgaben sind, sowohl den Fortschritt der Lektü durch Wegräumung der zeitraubenden und nutzlosen Hindernisse zu erleichter als die Erreichung des Endzieles durch Einheitlichkeit der Methode u planmäßige Verwertung der Ergebnisse zu sichern.

a) Griechische Schriftsteller.

Aristoteles (Auswahl), s: Philosophen.

Demosthenes, ausgew. politische Reden. Von H. Reich.
1. Text. 2. Aufl. M. 1.20.
2. Hilfsheft. M. 1.—
3. Kommentar. I. II. steif geh. je M. —.80. Zus. in 1 Bd. geb. M. 1.40.
2/3. Erklärungen. M. 2.20.

Epiktet, Epikur (Auswahl), siehe: *Philosophen.*

Herodot in Auswahl. Von K. Abicht.
1. *Text.* 3. Aufl. M. Karte u. 4 Plänen im Text. M. 1.80.

Herodot in Auswahl. Von K. Abicht.
2. Hilfsh. 2. Aufl. Mit Abb. i. Text. M. —.80.
3. Komment. 2. Aufl. M. 1.80.
2/3. Erklärunge M. 2.40.
|| Text B. Mit Einleitung. 3. Aufl. M. 2. Dazu Kommentar. 2. Aufl. M. 1.8

Homer. I: Odyssee. Von O. Henke.
1. Text. 2 Bdchn: B. 1—12. 5. A B. 13—24. 4. Aufl. Mit 3 Karten. M. 1.60. — B. 1—24 in 1 Band M. 3.2
2. Hilfsheft. 3. Aufl. M. zahlr. Abb. M. 2.
3. Kommentar. 4. Aufl. 2 Hefte. steif ge je M. 1.20. Zus. in 1 Bd. geb. M. 2. Inhaltsübersicht (nur direkt) M. —

Die fetten Ziffern verstehen sich für gebundene Exemplar

Homer. II: Ilias. Von O. Henke.
1. Text. 3. Aufl. 2 Bdchn.: B. 1—13. — B. 14—24. Mit 3 Karten. je *M* 2.— B. 1—24 in 1 Band *M* 4.—
2. Hilfsheft. 2. Aufl. Mit zahlr. Abb. *M* 2.—
3. Kommentar. 2 Hefte. steif geh.
1. Heft. 3. Aufl. *M* 1.60.
2. Heft. 3. Aufl. *M* 1.20.
Zusammen in 1 Bd. 3. Aufl. geb. *M* 2.40.

Lucian (Auswahl), siehe: Philosophen.

Lysias, Ausgewählte Reden. Von M. Fickelscherer. I. Teil. Text. *M* —.80.
*II. Teil Erklärungen. 0 80.

Marcus Aurelius (Auswahl), siehe: Philosophen.

[Philosophen.] Auswahl a. d. griech. Phil.
I. Teil: Auswahl aus Plato. Von O. Weißenfels.
Ausgabe A. Text. 2. Aufl. v. Grünwald. *M* 1.80. Kommentar. *M* 1.60.
Ausgabe B (ohne Apologie, Kriton und Protagoras). Text. *M* 1.40. Kommentar. *M* 1.40.
II. Teil: Auswahl aus Aristoteles und den nachfolgenden Philosophen (Aristoteles, Epiktet, Marcus Aurelius, Epikur, Theophrast, Plutarch, Lucian). Text. *M* 1.20. Kommentar. *M* 1.20.

Platons Apologie u. Kriton nebst Abschn. a. d. Phaidon u. Symposion. Von F. Rösiger.
1. Text. 2. Aufl. steif geh. *M* —.80.
2. Hilfsheft. *M* 1.— / **3. Kommentar.** steif geh. *M* —.80. } 2/3. Erklärungen. *M* 1.60.

[——] **Auswahl,** siehe: Philosophen.

Plutarch (Auswahl), siehe: Philosophen.

Sophokles' Tragödien. Von C. Conradt.
1. Text: I. Antigone. 2. Auflage. Mit Titelbild. *M* —.70. **II. König Ödipus.** 2. Aufl. *M* —.80. **III. Aias.** *M* —.80. Text I u. II zus.-geb. *M* 1.10.
2. Hilfsheft. 2. Aufl. *M* —.70.

Sophokles' Tragödien. Von C. Conradt.
3. Kommentar: I. Antigone. 2. Aufl. *M* —.70. **II. König Ödipus.** 2. Aufl. *M* —.70. **III. Aias.** *M* —.80.
2/3. Erklärungen (Hilfsheft u. Kommentar I u. II zus.-geb). *M* 1.60.

Theophrast (Auswahl), s.: Philosophen.

Thukydides i. Ausw. Von E. Lange.
1. Text. 2. Aufl. Mit Titelbild u. 3 Karten. *M* 2.40.
2. Hilfsh. Mit Abb. i. Text. *M* —.70. / **3. Komment.** *M* 1.60. } 2/3. Erklärungen. *M* 2.—
Ausgabe in 2 Teilen:
I. B. I—V. a. Text. *M* 1.40. b Kommentar. *M* 1.—
II. B VI—VIII. a. Text. 2. Aufl *M* 1.10. b. Kommentar. *M* 1.—
III. Zeittafel, Namenverz. u. Karten, z. beid. Teil. 2. Aufl. *M* —.50.
|| **Text B.** Mit Einleit. 2. Aufl. *M* 2.80.
Dazu Kommentar. *M* 1.60.

Xenophon, Anabasis i. Ausw. Von G. Sorof.
1. Text. 6. Aufl. Mit Karte u. Plänen im Text. *M* 1.80.
2. Hilfsheft. 3. Aufl. Mit Abbildungen. *M* —.80. / **3. Komment.** 5. Aufl. *M* 1.50. } 2/3. Erklärungen. 2. Aufl. *M* 1.80.
|| **Text B.** Mit Einleit. 6. Aufl. *M* 2.—
Dazu Kommentar. 5. Aufl. *M* 1.50.
Wörterbuch. *M* 1.20.

—— **Hellenika in Auswahl.** Von G. Sorof.
***1. Text.** 4. Aufl. Mit Karte u. Plänen im Text. *M* 1.80.
2/3. Kommentar. Mit Einleitung. 2. Aufl. *M* 1.—

—— **Memorabilien in Auswahl.** Von F. Rösiger.
1. Text. *M* 1.—
3. Kommentar. steif geh. *M* —.80.

b) Lateinische Schriftsteller.

Caesar, Gallischer Krieg. Von F. Fügner.
1. Text. 7. Aufl. Mit 3 Karten und 11 Abb. *M* 1.80.
***2. Hilfsheft.** 6. Aufl. Mit Abb. im Text. *M* 1.20. / **3. Komment.** 6. Aufl. *M* 1.60. } 2/3. Erklärungen. *M* 2.40.
Auch in 2 Heften. 1. Heft (Buch 1—4). 2. Heft (Buch 5—7). je *M* —.80.
|| **Text B.** M. Einleitg. 7. Aufl. *M* 2.—
Dazu Kommentar. 5. Aufl *M* 1.60.

—— —— **Auswahl** von F. Fügner und W. Haynel.
1. Text ***(B)***. *Mit Einleitung* u. 3 Karten. ***M* 1.80.**
***2. Kommentar** *von H. Michs.* *M* 1.60.

Caesar, Bürgerkrieg. Von F. Fügner.
1. Text. 2. Aufl. Mit 8 Abb. u. 2 Karten. *M* 1.60.
2. Hilfsheft: siehe Gall. Krieg.
3. Kommentar. *M* 1.20.

[——] Wörterbuch zu Caesars Komm. über den gall. Krieg u. den Bürgerkrieg. 5. Aufl. *M* —.60.

Ciceros Catilinar. Reden u. Rede de imperio. Von C. Stegmann.
1. Text. 5. Auflage. Mit Titelbild und 1 Karte. *M* 1.10.
2. Hilfsheft. 3. Aufl. *M* 1.20. / ***3. Kommentar.** 5. Aufl. *M* —.90. } 2/3. Erklärungen. *M* 1.80.
|| **Text B.** M. Einleit 5. Aufl. *M* 1.35.
Dazu Kommentar. 4. Aufl. *M* —.90.

Ciceros Rede für S. Roscius und Rede für Archias. Von H. Hänsel.
1. Text. 2. Aufl. ℳ —.80.
2/3. Kommentar. Mit Einleitung. 2. Aufl. ℳ —.60.
— **Reden für Q. Ligarius und für den König Deiotarus.** Von C. Stegmann.
1. Text. ℳ —.60.
3. Kommentar. Mit Einleitung. ℳ —.60.
— **Cato maior de senectute.** Von O. Weißenfels.
1. Text. 2. Aufl. v. P. Wessner. ℳ —.60.
3. Kommentar. steif geh. ℳ —.50.
— **Philosoph. Schriften in Auswahl.** Von O. Weißenfels.
*1. Text. 3. Aufl. ℳ 1.60.
*2. Hilfsh. 2. Aufl. ℳ —.60. } 2/3. Erklärungen.
*3. Komment. 2. Aufl. ℳ 1.— } *2. Aufl. ℳ 1.60.
— **Verrinen.** Buch IV u. V. Von C. Bardt.
1. Text. ℳ 1.20.
3. Kommentar. ℳ 1.40.
[—] **Ausgew. Briefe aus Ciceronischer Zeit.** Von C. Bardt.
1. Text. 3. Aufl. Mit 1 Karte. ℳ 1.80.
2. Hilfsheft. steif geh. ℳ —.60.
3. Kommentar (verkürzte Ausg.). ℳ 2.40.
Kommentar (erweiterte Ausgabe). Mit Einleitung.
I. Heft: Brief 1—61. ℳ 1.80 2.20.
II. Heft: Brief 62—114. ℳ 1.60 2.—
Horatius, Gedichte. Von G. Schimmelpfeng.
1. Text. 3. Aufl. Mit Karte u. Plan. ℳ 2.—
3. Kommentar. 2. Aufl. ℳ 1.80.
Livius, Römische Geschichte im Auszuge. Von F. Fügner.
I. Der zweite punische Krieg.
*1. Text. 4. Aufl. Mit 4 Karten. ℳ 2.—
2. Hilfsheft. 2. Aufl. Mit zahlr. Abbild. und Karte. (Zu I u. II). ℳ 2.—
3. Kommentar. 2 Hefte.
I. Heft: Buch 21—22. 3. Aufl. ℳ 1.20.
II. Heft: Buch 23—30. 2. Aufl. ℳ 1.40.
II. Auswahl aus der 1. Dekade.
1. Text. 2. Aufl. ℳ 1.60.
2. Hilfsheft. 2. Aufl. (zu I u. II). ℳ 2.—
3. Komment. Buch 1—10. 2. Aufl. ℳ 1.60.
Verkürzte Auswahl aus der 1. u. 3. Dekade.
1. Text. 2. Aufl. ℳ 2.20.
2. Hilfsheft. 2. Aufl. ℳ 2.—
3. Kommentar. I. Heft. Buch 1—10. ℳ 1.40.
II. Heft. Buch 21—30. ℳ 1.60.
*Auswahl von F. Fügner u. J. Teufer. Text, Kommentar. [In Vorb.]

Nepos' Lebensbeschreibungen in Ausw Von F. Fügner.
*1. Text. 6. Aufl. M. 3 Karten. ℳ 1.—
*2. Hilfsheft. 6. Aufl. Mit Abbild. i. Text. ℳ 1.— } 2/3. Erklärunge ℳ 1.40.
*3. Komment. 5. Aufl. ca. ℳ —.90. [U. d. Pr.]
Ovids Metamorphosen in Auswahl. V M. Fickelscherer.
1. Text. 6. Auflage. ℳ 1.20.
2. Hilfsheft. 3. Aufl. M. Abbild. im Text. ℳ 1.20. } 2/3. Erklärunge ℳ 2.20.
3. Komment. 5. Aufl. ℳ 1.40.
Wörterbuch. 4. Aufl. steif geh. ℳ —.
|| Text B. M. Einleitg. 5. Aufl. ℳ 1.35.
Dazu Kommentar. 5. Aufl. ℳ 1.40.
Sallusts Catilinar. Verschwörung. V C. Stegmann.
1. Text. 3. Aufl. Mit Karte. ℳ —.8
2/3. Erklärungen. 2. Aufl. ℳ —.60.
— **Jugurthin. Krieg.** Von C. Stegman
Text. Mit Karte. ℳ —.80.
Kommentar. ℳ 1.—
Tacitus' Annalen i. Ausw. u. d. Batave aufstand unt. Civilis. Von C. Stegman
1. Text. Mit 4 Karten u. 1 Stammtaf 2. Aufl. ℳ 2.40.
2. Hilfsheft. ℳ 1.80. } 2/3. Erklärunge ℳ 2.80.
3. Komment. 2. Aufl. ℳ 1.40.
Ausgabe in 2 Teilen:
I. Ann. B. 1—6. a) Text. 2. A ℳ 1.20. b) Kommentar. 2. A ℳ 1.—
II. Ann. B. 11—16. Historien B. IV/V. a. Text. 2. Aufl. ℳ 1.—. b. Kommentar. ℳ —.80.
III. Zeittafel, Namenverz. u. Kart., z. bei Teilen. ℳ —.80.
— **Agricola.** Von O. Altenburg.
1. Text. ℳ —.60.
2/3. Erklärungen. steif geh. ℳ —.
— **Germania.** Von O. Altenburg.
1. Text. 2. Aufl. Mit Karte. ℳ —.
2/3. Erklärungen. steif geh. ℳ —.
Vergils Aeneide i. Ausw. Von M. Fickelscherer.
1. Text mit Einleitung. 4. Aufl. Karte. ℳ 1.40.
*3. Kommentar. 4. Aufl. ℳ 1.80.

Die fetten Ziffern verstehen sich für gebundene Exemp

B. Zu den griechischen und lateinischen Schriftstellern

Auswahl.

1. Zu den griechischen Schriftstellern.

Aeschylus.
Dindorf, Guil., lexicon Aeschyleum. Lex.-8. 1873. M. 16.—
Richter, P., zur Dramaturgie des Ä. gr. 8. 1892. M. 6 50.
Westphal, R., Proleg. zu Ä.' Tragödien. gr. 8. 1869. M. 5.—

Aristarchus.
Ludwich, A., Ars Homer. Textkritik. 2 Teile. gr. 8. 1884/85. M. 28.—

Aristophanes.
Müller-Strübing, Ar. u. d. histor. Kritik. gr. 8. 1873. M. 16.—
Roemer, A., Studien z. Ar. u. den alten Erklärern dess. I. Teil. gr. 8. 1902. M. 8.—
Zacher, K., die Handschriften u. Klassen der Aristophanesscholien. gr. 8. 1889. M. 6.—

Aristoteles.
Heitz, E., die verlorenen Schriften des Ar. gr. 8. 1865. M. 6.—

Bucolici.
Hiller, E., Beiträge z. Textgesch. d. gr. Bukoliker. gr. 8. 1888. M. 3.20.

Demosthenes.
Fox, W., die Kranzrede d. D., m. Rücksicht a. d. Anklage d. Äschines analysiert u. gewürdigt. gr. 8. 1880. M. 5.60.
Preuß, S., index Demosthenicus. gr. 8. 1892. M. 10.—
Schaefer, A., D. und seine Zeit. 2 Ausg. 3 Bände. gr. 8. 1885—1887. M. 30.—

Etymologica.
Reitzenstein, R., Geschichte d. griech. E. gr. 8 1896. M. 18 —

Herondas.
Crusius, O., Unters. z. d. Mimiamben d. H. gr. 8. 1892. M. 6.—

Hesiodus.
Dimitrijević, M. R., studia Hesiodea. gr. 8. 1900. M. 6.—
Steitz, Aug., die Werke und Tage d. H. nach ihrer Komposition. gr. 8 1869. M. 4.—

Homerus.
Autenrieth, G., Wörterbuch zu den Homer. Gedichten. 11. Aufl., von Kaegi. gr. 8. 1908. M. 3.60.
Finsler, G., Homer. gr. 8. 1908. M. 6.— 7.—
Frohwein, E., verbum Homericum. gr. 8. 1881. M. 3.60.
Gehring, A., index Hom. Lex.-8. 1891. M. 16.—
Gladstone, W. E., Homerische Studien, *frei bearbeitet* von A. Schuster. gr. 8. *1863*. M. 9.—

Homerus.
Kammer, E., die Einheit der Odyssee gr. 8. 1873. M. 16.—
La Roche, J., die Homerische Textkri[tik] im Altertum. gr. 8. 1866 M. 10.—
Lexicon Homericum, ed. H. Ebeli[ng] 2 voll. Lex.-8. 1874/1885. Vol. I. M. 42. Vol. II. M. 18.—
Ludwich, A., die Homervulgata als vo[r]alexandrinisch erwiesen. gr. 8. 189[8] M. 6.—
Noack, F., Homerische Paläste. gr. 1903. M. 2.80 3.80.
Nutzhorn, F., die Entstehungsw. d. Ho[m.] Gedichte. gr 8. 1869. M. 5.—
Volkmann, R., die Wolfschen Prolegomen[a] gr. 8. 1874. M. 8.—

Isocrates.
Preuß, S., index Isocrateus. gr 8. 190[4] M. 8.—

Lucian.
Helm, R, L. und Menipp. gr. 8. 190[6] M. 10.— 13.—

Oratores.
Blaß, Fr., die attische Beredsamkeit. 3 Ab[t.] 2. Aufl. gr. 8. I. 1887. M. 14.— 16. II. 1892. M. 14 — 16.— III 1. 18[93] M. 16.— 18.— III 2. 1898. M. 12. M. 14.—

Pindarus.
Rumpel, J., lexicon Pindaricum. gr. 1883. M. 12.—

Photios.
Reitzenstein, R., der Anfang des Lexiko[ns] des Photios. Mit 2 Tafeln in Lichtdruc[k] gr. 8. 1907. M. 7.— 9.50.

Plato.
Finsler, G., Platon und die aristotelisc[he] Poetik. gr. 8. 1900. M. 6.—
Immisch, O., philologische Studien zu [P.] 1. Heft. Axiochus. gr. 8. 1896. M. 3. II. Heft. De recens. Platon. praesidi[is] atque rationibus. gr. 8. 1903. M. 3.6[0]
Raeder, H., Pl.s philosophische Entwick[lung] gr. 8. 1905 M. 8.— 10.—
Ritter, C., Pl. Gesetze. Darstellung d[es] Inhalts. 8. 1896. M. 3 20. Komment[ar] zum griech. Text. M. 10.—
Schmidt, H., kritischer Kommentar [z.] P. Theätet. gr. 8. 1877. M. 4.—
—— exegetischer Komment. z. P. Theät. gr. 8. 1880. M. 3.20.
Wohlrab, M., vier Vorträge über [P.] 1879. M. 1.60.

Die **fetten** Ziffern verstehen sich für **gebundene** Exemp[lare]

Poetae comici.
Zielinski, Th., Gliederung der altattisch. Komödie. gr. 8. 1885. *M* 10.—

Sophocles.
Pluß, Th., S.' Elektra. Eine Auslegung. gr. 8. 1891. *M* 3.—

Theocritus.
Rumpel, J., lexicon Theocriteum. gr. 8. 1879. *M* 8.—

Thucydides.
Herbst, L., zu Th. Erklär Wiederherstellungen. I. Rei bis IV. gr. 8. 1892. *M* 2.50 Buch V—VIII. gr. 8. 189
Stahl, I. M., quaestiones gram Th. pertinentes. Auctas e iterum edidit St. gr. 8. 18

2. Zu den lateinischen Schriftstellern.

Caesar.
Eberling, H., Schulwörterbuch zu Caesar. 6. Aufl. gr. 8. 1907. *M* 1.80.
*Klotz, A., Caesarstudien. Nebst einer Analyse der Strabonischen Beschreibung von Gallien und Britannien. gr. 8. 1910. *M* 6.— 7.20.
Menge et Preuß, lexicon Caesarianum. Lex.-8. 1885/90. *M* 18 —

Cicero.
Schmidt, O. E., der Briefwechsel des C. gr. 8. 1893. *M* 12.—
Zielinski, Th., Cicero im Wandel der Jahrhunderte. 8. 2. Aufl. 1907. *M* 7.— 8.—

Horatius.
Friedrichs, J. G., Q. Horatius Flaccus. Phil. Unters. gr. 8. 1894. *M* 6.—
Keller, O., Epilegomena zu H. 3 Teile. gr. 8. (je *M* 8 —) *M* 24.— I. Teil. 1879. II. u. III. Teil. 1880.
Müller, L., Q. Horatius Flaccus. 8. 1880. *M* 2.40.
Pluß, Th., Horazstudien. Alte und neue Aufsätze über Horazische Lyrik. gr. 8. 1882. *M* 6.—
Stemplinger, Ed., das Fortleben der H.schen Lyrik seit der Renaissance. gr. 8. 1906. *M* 8.— 9.—

Iuris consulti.
Kalb, W., Roms Juristen nach ihrer Sprache. gr. 8. 1890. *M* 4.—

Lucilius.
Müller, L., Leben u. Werke des C. Lucilius. gr. 8. 1876. *M* 1.20.

Ovidius.
Siebelis-Polle, Wörterbuch zu morphosen. 5. Aufl. gr. 8. 1898. *M*
Stange, O., kleines Wörterbuch z morphosen. gr. 8. 1899. *M*
Tolkiehn, J., quaest. ad Heroid gr. 8. 1888. *M* 2.80.

Plautus.
Lexicon Plautinum conscripsi Lodge. gr. 8. Vol. I. Fasc. 1-
Ritschl, Fr., prolegomena de emendationis Plautinae. gr. 8. 1
Sudhaus, S., der Aufbau d nischen Cantica. gr. 8. 1909.

Tacitus.
Draeger, A., über Syntax und 3. Aufl. gr. 8. 1882. *M* 2
Gerber et Greef, lexicon Tacite 1877—1903. *M* 64.—

Vergilius.
*Birt, Th., Jugendverse und He Vergils. 1910. *M* 3.60 4.20
Comparetti, V. im Mittelalt 1875. *M* 6.—
Heinze, R., Vergils epische Tech gr. 8. 1908. *M* 12.— 14.—
Pluß, V. und die epische Ku 1884. *M* 8.—
Skutsch, F., aus V.s Frühzeit *M* 4.— 4.60.
—— Gallus u. V. (A. V.s Frühzeit gr. 8. 1906. *M* 5.— 5.60.
Sonntag, M., V. als bukolisch gr. 8. 1891. *M* 5.-
Weidner, A., Kommentar zu V Bd. I u. II. gr. 8. 1869. *M*

C. Wichtige Handbücher und neuere Erscheinungen a dem Gebiete der klassischen Philologie.

Die mit einem * bezeichneten Werke sind Neuerscheinungen seit Anfang 1910.

Die auf einzelne Schriftsteller (oder Literaturgattungen) bezüglich Schriften s. o. S. 14 ff.

Archiv für Papyrusforschung und verwandte Gebiete, hrsg. von U. Wilcken. Jährlich 4 Hefte. ℳ 24.—

Archiv für Religionswissenschaft. Nach A. Dieterich herausg. von Richard Wünsch. Jährl. 4 Hefte. ℳ 18.—

Neue Jahrbücher für das klassische Altertum, Geschichte und deutsche Literatur und für Pädagogik. Hrsg. von J. Ilberg und B. Gerth. Preis für den Jahrgang von 10 Heften ℳ 30.—

Byzantinische Zeitschrift. Begründet von Karl Krumbacher. Unter Mitwirkung vieler Fachgenossen herausgegeben von A. Heisenberg und P. Marc. Preis für den Band von jährlich 4 Heften ℳ 20.—

—— —— Generalregister zu Band I—XII, 1892—1903. gr. 8. 1909 ℳ 24.—

Die griechische und lateinische Literatur und Sprache. Bearbeitet von U. v. Wilamowitz-Moellendorff, K. Krumbacher, J. Wackernagel, Fr. Leo, E. Norden, Fr. Skutsch. 2. Aufl. (Die Kultur der Gegenwart. Ihre Entwicklung und ihre Ziele. Herausg. von Prof. Paul Hinneberg. Teil I, Abt. 8.) ℳ 10.—, geb. ℳ 12.—

Ausfeld, A., der griechische Alexanderroman. Nach des Verfassers Tode herausgegeben von W. Kroll. ℳ 8.— 10.—

Bardt, C., zur Technik des Übersetzens lateinischer Prosa. ℳ —.60.

Baumgarten, F., F. Poland und R. Wagner, die hellenische Kultur. 2. Auflage. Mit 7 Tafeln u. 1 Karte in Mehrfarbendruck, 2 Doppeltafeln in Schwarzdruck, 2 Karten und gegen 400 Abbildungen ℳ 10.— 12.—

Benseler, G. E., und K. Schenkl, griechisch-deutsches und deutsch-griechisches Schulwörterbuch. 2 Teile.
*I. Teil. Griechisch-deutsches Schulwörterbuch. 13. Aufl., bearb. von A. Kaegi. ℳ 6.75 8.— II. Teil. Deutsch-griechisches Schulwörterbuch. 6. Auflage, bearb. von K. Schenkl. ℳ 9.— 10.50.

Birt, Th., die Buchrolle in der Kunst. Archäol.-antiquar. Untersuchungen zum antiken Buchwesen. Mit 190 Abbildungen. ℳ 12.— 15.—

Blaß, F., die attische Beredsamkeit. 3 Abt. 2. Aufl. ℳ 56.— 64.—

Blümner, H., *Technologie* und Terminologie *der Gewerbe* und *Künste* bei Griechen und *Römern. 4 Bde.* Mit zahlr. Abb. ℳ 50.40.

Böckh, A., und Ludolf Dissen, Briefwech siehe Hoffmann, M.

Bone, Karl, πείρατα τέχνης. Über Les und Erklären von Dichtwerken. S geh. ℳ 2 40.

Brauchitsch, G. v., die Panathenäisch Preisamphoren. Mit 37 Abbildungen u 1 Lichtdrucktafel. ℳ 6.— 7.—

Brunn, H., kleine Schriften Herausg. v H. Brunn u. H. Bulle. Mit zahlreich Abbildungen. 3 Bände. I. Band. ℳ 10. ℳ 13.— II. Band. ℳ 20.— 23. III. Band. ℳ 14.— 17.—

Cantor, M., Vorlesungen über Geschic der Mathematik. I. Band. Von den ältes Zeiten bis 120 n. Chr. Mit 114 Fig. 1 lithogr. Tafel. 3. Aufl. ℳ 24.— 2(

Cumont, F., die Mysterien des Mithra. Beitrag z. Religionsgeschichte der römi Kaiserzeit. Autor. deutsche Ausgabe G. Gehrich. Mit 9 Abbild. im Text auf 2 Tafeln sowie 1 Karte. ℳ 5.— 5.(

*—— die orientalischen Religionen römischen Heidentum. Autor. deuts Ausgabe von G. Gehrich. ℳ 5.— 6

Diels, H., Elementum. Eine Vorarbeit z griech. u. latein. Thesaurus. ℳ 3 —

Dieterich, A., Nekyia. Beitr. zur Erkläru d. neuentdeckten Petrusapokalypse. ℳ 6

*—— eine Mithrasliturgie. 2. Aufl. beso von R. Wünsch. ℳ 6.— 7.—

—— Mutter Erde. Ein Versuch über Vol religion. ℳ 3.20 3.80.

Domaszewski, A. v., Abhandlungen römischen Religion. ℳ 6 — 7.—

Dziatzko, K., Untersuchungen über a gewählte Kapitel des antiken Buchwese ℳ 6.—

Eger, O., zum ägyptischen Grundbu wesen in römischer Zeit. ℳ 7.— 8.—

Fimmen, D., Zeit und Dauer der kretis mykenischen Kultur. Mit 1 synchronis schen Tabelle. ℳ 3.—

Gardthausen, V., Augustus und seine Ze 2 Teile.
I. Teil. I. Band. ℳ 10.— II. Band. ℳ 12. III. Band. ℳ 8.— Zusammengeb. ℳ 32. II. Teil. (Anmerk.) I. Band. ℳ 6.— II. B ℳ 9.— III. Band. ℳ 7.— Zusamn geb. ℳ 24.—

—— Griechische Paläographie. Mit 12 Ta und vielen Illustrationen. ℳ 18.40.

Geffcken, J., das griechische Drama. A Sophokles, Euripides. Mit einem ℳ 1.60 2.20.

***Die fetten* Ziffern verstehen sich für *gebundene* Exem**

Gelzer, H., ausgewählte kleine Schriften. Mit einem Porträt Gelzers. ℳ 5.— 6.—

*Gercke, A., u. Ed. Norden, Einleitung in die Altertumswissenschaft. Unter Mitwirkung von G. Beloch, E. Bethe, E. Bickel, J. L. Heiberg, B. Keil, E. Kornemann, P. Kretschmer, C. F. Lehmann-Haupt, K. J. Neumann, E. Pernice, P. Wendland, S. Wide, Fr. Winter herausg. von A. Gercke und Ed. Norden. 3 Bände.
I. Band: Methodik. Sprache. Metrik. Griechische Literatur. Römische Literatur. ℳ 13.— 15.—
II. Band: Privataltertümer. Kunst. Religion und Mythologie. Philosophie. Exakte Wissenschaften u. Medizin. ℳ 9.— 10.50.
III. Band: Griechische Geschichte. Hellenistisch-römische Geschichte. Geschichte der römischen Kaiserzeit. Griechische Staatsaltertümer. Römische Staatsaltertümer. Epigraphie, Papyrologie, Paläographie. ca. ℳ 8 —, ca. ℳ 9.50. [U. d. Pr.]
Alle 3 Bde. auf einmal bezog ca. ℳ 25.— ca. ℳ 30.—

Gilbert, G., Handbuch der griech. Staatsaltertümer. 2 Bände. ℳ 13.60.
I. Band. Der Staat d. Lakedaimonier u. d. Athener. 2. Aufl. ℳ 8.— II. Band. ℳ 5.60.
—— O., Geschichte und Topographie der Stadt Rom im Altertum. 3 Abt. ℳ 24.—
I. Abteil. ℳ 6.— II. Abteil. ℳ 8.— III. Abteil. ℳ 10.—
—— die meteorologischen Theorien des griechischen Altertums. Mit 12 Figuren im Text. ℳ 20.— 22.50.

Grammatik, historische, der lateinischen Sprache. Unter Mitwirkung von H. Blase, A. Dittmar, J. Golling, G. Herbig, C. F. W. Müller, J. H. Schmalz, Fr Stolz, J. Thüssing und A. Weinold hrsg. von G. Landgraf. In mehreren Bänden. gr. 8.
I. Band. Von Fr. Stolz. I. Hälfte: Einleitung und Lautlehre. II. Hälfte: Stammbildungslehre. 1894. 1895. je ℳ 7.—
III. Band. Syntax des einfachen Satzes. I. Heft: Einleitung, Literatur, Tempora und Modi, Genera Verbi. 1903. ℳ 8.— [Fortsetzung u. d. Pr.]
Supplement: Müller, C. F. W., Syntax des Nominativs und Akkusativs im Lateinischen. ℳ 6.—

Gudeman, A., Grundriß der Geschichte der klass. Philologie. 2. Aufl. ℳ 4.40 5.—
*—— imagines philologorum. 160 Bildnisse klass. Philologen v. d. Renaissance bis zur Gegenwart. ℳ 3.20 4.—

Hagen, H., gradus ad criticen. Für philologische Seminarien und zum Selbstgebrauch. ℳ 2.80.

Heinichen, Fr. A., *lateinisch*-deutsches und *deutsch-latein.* Schulwörterbuch. 2 Teile.
I. Teil. Lateinisch-deutsches Schulwörterbuch. 8. Aufl., bearbeitet von [...] W. Reeb. ℳ 6.75 8.— II. [...] lateinisches Schulwörterbuch. [...] arbeitet von C. Wagener. ℳ [...]

Helbig, W., Führer durch die [...] Sammlungen der klassischen A[...] in Rom. 2 Bände. 2. Aufl. [...]
[Die Bände sind nur zusammen k[...]
—— —— auf extradünnes Papier ge[...] m. Schreibpapier durchschossen, [...] gebrauch für Fachgelehrte. ℳ [...]

Herkenrath, E., der Enoplios. E[...] trag zur griechisch. Metrik. ℳ 6[...]

Herzog, E., Geschichte und System d[...] Staatsverfassung. 2 Bände. ℳ [...]

Hoffmann, M., August Boeckh. [...] beschreibung und Auswahl aus [...] wissenschaftlichen Briefwechsel. [...] Preis. ℳ 7.— 9.—
—— Briefwechsel zwischen August [...] und Ludolf Dissen, Pindar und [...] betreffend. ℳ 5.— 6.—

Ihm, M., Palaeographia Latina. [...] codicum Latinorum phototypice [...] scholarum maxime in usum ed. [...] In Mappe ℳ 5.—

Ilberg, J., u. M. Wellmann, zwei V[...] zur Geschichte d. antiken Medizin. [...]

Imhoof-Blumer, F., Porträtköpfe v. r[...] Münzen der Republik und der Ka[...] Für den Schulgebrauch herausge[...] 4 Lichtdrucktafeln. 2. Aufl. kart. [...]
—— Porträtköpfe auf antiken Münzen [...] nischer und hellenisierter Völker [...] Zeittafeln der Dynastien des A[...] nach ihren Münzen. Mit 206 Bil[...] in Lichtdruck. kart. ℳ 10.—
—— und O. Keller, Tier- und Pflanze[...] auf antiken Münzen u. Gemmen. 2[...] drucktafeln mit 1352 Abbild. u. 17[...] erläuterndem Text. ℳ 24.—

Kaerst, J., Geschichte des hellenis[...] Zeitalters. In 3 Bänden.
I. Band. Die Grundlegung des H[...] mus. ℳ 12.— 14.—
II. Band. 1. Hälfte. Das Wesen de[...] nismus. ℳ 12.— 14.—
—— die antike Idee der Ökumene [...] politisch. u. kulturell. Bedeutung. [...]

Keller, O., lateinische Volksetymolo[...] Verwandtes. ℳ 10.—

Klotz, Reinh., Handbuch der latei[...] Stilistik. Nach des Verf. Tode hera[...] von Rich. Klotz. ℳ 4.80.
—— Rich., Grundzüge altröm. Metrik. [...]

Krumbacher, K., die Photographie i[...] der Geisteswissenschaften. Mit 15 [...] ℳ 3.60.
—— populäre Aufsätze. ℳ 6.— 7.[...]

Lehmann, K., die Angriffe der drei [...] auf Italien. Drei quellenkritische [...] geschichtliche Untersuch. Mit 4 [...] 5 Plänen und 6 Abbild. ℳ 10.[...]

Lehrs, K., populäre Aufsätze aus dem Altertum, vorzugsweise zur Ethik und Religion der Griechen. 2. Aufl. ℳ 11.—

Leo, Fr., die griechisch-römische Biographie nach ihrer literarischen Form. ℳ 7.—

Lexikon, ausführliches, der griechischen und römischen Mythologie. Im Verein mit vielen Gelehrten hrsg. von W. H. Roscher. Mit zahlreichen Abbildungen. 3 Bände. I. Band. (A—H.) ℳ 34.— II. Band. (I—M.) ℳ 38.— III. Band. (N—P.) ℳ 44.— IV. Band. 59.—63. Lieferung. (Q—Sibylla) Jede Lieferung ℳ 2.— (Fortsetzung unter der Presse.) Supplemente:
I. Bruchmann, epitheta deorum quae apud poetas Graecos leguntur. ℳ 10.—
II. Carter, epitheta deorum. ℳ 7.—
III. Berger, mythische Kosmographie der Griechen. ℳ 1.80.

Fr. Lübker's Reallexikon des klass. Altertums für Gymnasien. 7., verb. Auflage, herausgegeben von M. Erler. Mit zahlreichen Abbildungen. ℳ 14.— **16.50.**

***Fr. Lübkers Reallexikon des klass. Altertums.** Vollständ. Neubearb. [8. Aufl.] Hrsg. v. J. Geffcken u. E. Ziebarth. [U. d. Pr.]

Ludwich, A., Aristarchs Homerische Textkritik nach den Fragmenten des Didymos dargestellt und beurteilt. Nebst Beilagen. 2 Teile. ℳ 28.— [I. Teil. ℳ 12.— II. Teil. ℳ 16.—]

Masqueray, P., Abriß der griechisch. Metrik. Aus dem Französischen übersetzt von Br. Preßler. ℳ 4.40 **5.—**

Mau, G., die Religionsphilosophie Kaiser Julians in seinen Reden auf König Helios und die Göttermutter. Mit einer Übersetzung der beiden Reden. ℳ 6.— **7.—**

Mayser, E., Grammatik der griechischen Papyri aus der Ptolemäerzeit. Mit Einschluß der gleichzeitigen Ostraka und der in Ägypten verfaßten Inschriften. Laut- und Wortlehre. ℳ 14.— **17.—**

Meillet, A., Einführung in die vergleichende Grammatik der indogermanischen Sprachen. ℳ 7.— **8.—**

Misch, G., Geschichte der Autobiographie. I. Band: Das Altertum. ℳ 8.— **10.—**

Mitteis, L., Reichsrecht und Volksrecht in den östlichen Provinzen des römischen Kaiserreichs. ℳ 14.—

—— zur Geschichte der Erbpacht im Altertum. *AGWph.* XX. ℳ 2.—

—— aus den griechischen Papyrusurkunden. ℳ 1.20.

Mommsen, A., Feste der Stadt Athen im Altertum, geordnet nach attischem Kalender. Umarbeitung der 1864 erschienenen Heortologie. ℳ 16.—

Nilsson, M. P., *griechische* Feste von *religiöser Bedeutung* mit Ausschluß der *attischen.* ℳ 12.— **15.—**

Noack, F., Ovalhaus und Palast in Ein Beitrag zur Frühgeschichte des Ha ℳ 2.40 **3.20.**

—— homerische Paläste. Eine Studie den Denkmälern und zum Epos. 2 Tafeln u. 14 Abb. ℳ 2.80 **3.80.**

Norden, Ed., die antike Kunstprosa VI. Jahrhundert v. Chr. bis in die Zeit Renaissance. 2. Abdruck. 2 Bände. (zeln jed. Bd. ℳ 14.— **16.—**) ℳ 28.— **3**

Otto, W., Priester und Tempel im h nistisch. Ägypten. 2 Bde. je ℳ 14.— **1**

***Griechische Papyri** im Museum des O hess. Geschichtsvereins zu Gießen. Verein mit O. Eger hrsg. u. erklärt E. Kornemann u. P. M. Meyer. B Heft 1: Urkunden Nr. 1—35. ℳ 7 Heft 2: Urkunden Nr. 36—57. ℳ 8.

Partsch, I., Griechisches Bürgschaftsr 2 Teile. I. Teil. Das Recht des altgri schen Gemeindestaats. ℳ 14.— **17.**

Peter, H., die geschichtliche Literatur ü die römische Kaiserzeit bis Theodosiu und ihre Quellen. 2 Bände. je ℳ 12

—— der Brief in der römischen Litera Literaturgeschichtliche Untersuchunge Zusammenfassungen. ℳ 6.—

Poland, F., Geschichte des griechisc Vereinswesens. *JG* XXXVIII. ℳ 24.

***Reitzenstein, R.,** hellenistische Myste religionen, ihre Grundlagen und kungen. ℳ 4 — **4.80.**

—— hellenistische Wundererzählun ℳ 5.— **7.—**

Ribbeck, O., Friedrich Wilhelm Ritschl. Beitrag zur Geschichte der Philolo 2 Bände. ℳ 19.20.

—— Reden und Vorträge. ℳ 6.— **8.**

Riese, A., das rheinische Germanien in antiken Literatur. ℳ 14.—

Roßbach, A., und R. Westphal, Theorie musischen Künste der Hellenen. (3. Auflage der Roßbach-Westphalsc Metrik.) 3 Bände. ℳ 36.—
I. Band. Griechische Rhythmik von We phal. ℳ 7.20. II. Band. Griechis Harmonik und Melopöie von Westph ℳ 6.80. III. Band. I. Abt. Allgeme Theorie der griechisch. Metrik von We phal und Gleditsch. ℳ 8.— II. Griechische Metrik mit besonderer Rü sicht auf die Strophengattungen und übrigen melischen Metra von Roßba und Westphal. ℳ 14.—

***Rostowzew, M.,** Studien zur Geschichte römischen Kolonates. Erstes Beiheft z „Archiv für Papyrusforschung". ℳ 14 (f. Abonn. des „Arch. f. Papyrusf." ℳ 11.

Schaefer, A., Demosthenes und seine Z 2., rev. Ausgabe. 3 Bände. ℳ 30.—

Schmidt, J. H. H., Synonymik der grie Sprache. 4 Bände. ℳ 54.—

—— Handbuch der lateinischen und g schen Synonymik. ℳ 12.—

Die **fetten** Ziffern verstehen sich für **gebundene** Exem

Schmitz, W., Commentarii notarum Tironianarum ed. W. S. Mit 132 Tafeln. In Mappe *M.* 40.—

Schneider, A., das alte Rom, Entwicklung seines Grundrisses und Geschichte seiner Bauten. Auf 12 Karten und 14 Tafeln dargestellt. *M.* 16.—

—— die 12 Pläne auf festem Papier apart. *M.* 6.—

Schroeder, O., Vorarbeiten zur griech. Versgeschichte. *M.* 5.— 6.—

Schwartz, E., Charakterköpfe aus d. antiken Literatur. 1. Reihe. 1. Hesiod und Pindar, 2. Thukydides und Euripides, 3. Sokrates und Plato, 4. Polybios und Poseidonios, 5. Cicero. 3. Aufl. *M.* 2.20 2.80.

—— —— 2. Reihe. 1. Diogenes der Hund u. Krates der Kyniker, 2. Epikur, 3. Theokrit, 4. Eratosthenes, 5. Paulus. *M.* 2.20 2.80.

Sittl, K., die Gebärden der Griechen und Römer. Mit zahlreich. Abbild. *M.* 10.—

Sitzler, J., Abriß der griechischen Literaturgeschichte. I. Band: Bis zum Tode Alexanders des Großen. *M.* 4.—

Stählin, O., Editionstechnik. Ratschläge f. d. Anlage textkritischer Ausgaben. *M.* 1.60

Stemplinger, Ed., das Fortleben der horazischen Lyrik seit der Renaiss. *M.* 8.— 9.—

***Stengel**, P., Opferbräuche der Griechen. Mit 6 Abbildungen. *M.* 6.— 7.—

Stoll, H., die Sagen des klassischen Altertums. 6. Aufl. Neu bearb. von H. Lamer 2 Bände. Mit 79 Abb. je *M.* 3.60, in 1 Band *M.* 6.—

—— die Götter des klassischen Altertums. 8. Aufl. Neu bearb. von H. Lamer. Mit 92 Abbildungen. *M.* 4.50.

Studniczka, F., die Siegesgöttin. Entwurf der Geschichte einer antiken Idealgestalt. Mit 12 Tafeln. *M.* 2.—

Susemihl, F., Geschichte der griechischen Literatur in der Alexandrinerzeit. 2 Bände. I. Bd. *M.* 16.— 18.— II. Bd. *M.* 14.— 16.—

***Süß**, W., Ethos, Studien zur älteren griechischen Rhetorik. *M.* 8.— 10.50.

***Teuffel**, W. S., Geschichte der römischen Literatur. 6. Aufl., von E. Klostermann, W. Kroll, R. Leonhard, F. Skutsch und P. Wessner. 3 Bände. Bd. II *M.* 6.— 7.— [Band I u. III in Vorbereitung.]

—— Studien und Charakteristiken zur griechischen und römischen Literaturgeschichte. 2. Auflage. Mit einem Lebensabriß des Verfassers. *M.* 12.—

Thesaurus linguae Latinae editus auctoritate et consilio academiarum quinque Germanicarum Berolinensis, Gottingensis, Lipsiensis, Monacensis, Vindobonensis. 1900—1909. Vol. I. *M.* 74.— 82.— Vol. II. *M.* *82.— 90.—* Vol. III. fasc. 1. *M. 7.60.* **fasc. 2—7 je M. 7.20.* *Vol. IV, *M.* 58.— 66.—. *Vol. V. fasc. 1 *M.* 7. fasc. 2 *M.* 7.20.

***Thesaurus linguae Latinae. Supplemen** Nomina propria latina. fasc. I—II *M.* 7.20.

—— —— Index librorum scriptorum tionum ex quibus exempla adferun *M.* 7.20.

Einbanddecke *M.* 5.—

Thiersch, H., Pharos, Antike, Islam Occident. Mit 9 Tafeln, 2 Beilagen 455 Abbildungen. *M.* 48.— 56.—

Troels-Lund, Himmelsbild und Weltanschau im Wandel der Zeiten. Deutsch von L. Bl 2. Auflage. *M.* 5.—

Usener, H., Vorträge u. Aufsätze. *M.* 5.— 6

—— der heilige Tychon. (Sonderbare Heili Texte u. Untersuchungen I.) *M.* 5.— 6

Vahlen, I., opuscula academica. 2 p Pars I. Prooemia indicibus lecti praemissa I—XXXIII ab a. MDCCCL ad. a. MDCCCLXXXXI. *M.* 12.— 14. Pars II. Prooemia indicibus lection praemissa XXXIV—LXIII ab a. MDCCCLXXXXII ad. a. MDCCCC *M.* 14.— 16.50.

Vaniček, Al., etymologisches Wörterbuch lateinischen Sprache. 2. Aufl. *M.* 6.

—— griechisch-lateinisches etymologis Wörterbuch. 2 Bände. *M.* 24.— [I. Band. *M.* 10.— II. Band. *M.* 14

Verhandlungen der 19.—50. Versamml deutscher Philologen und Schulm (Einzeln käuflich.)

Volkmann, R., Geschichte und Kritik Wolfschen Prolegomena zu Homer. *M.*

—— die Rhetorik der Griechen und Rö in systemat. Übersicht dargestellt. 2., besserte Auflage. *M.* 12.—

Wachsmuth, C., die Stadt Athen im Alter I. Band. Mit 2 Karten *M.* 20.— II. B 1. Abteil. *M.* 12.— [2. Abteil. in Vor

Weber, W., Untersuchungen zur Geschic des Kaisers Hadrianus. *M.* 8.— 9.—

Welcker, G., der Seelenvogel in der al Literatur und Kunst. Eine mythologis archäologische Untersuchung. Mit 103 bildungen im Text. *M.* 28.—

Weise, O., Charakteristik der la Sprache. 4. Auflage. *M.* 3.— 3.60

Willers, H., Geschichte der römisc Kupferprägung vom Bundesgenossenk bis auf Kaiser Claudius. Mit 33 Abbild. Text u. 18 Lichtdrucktafeln. *M.* 12.— 1

Wislicenus, W. F., astronom. Chronolo Ein Hilfsbuch für Historiker, Archäolo und Astronomen. *M.* 5.—

Ziebarth, E., aus dem griechischen Sch wesen. Eudemos von Milet und V wandtes. *M.* 4.— 5.—

Lightning Source UK Ltd.
Milton Keynes UK
UKHW010629091218
333661UK00004B/302/P

9 780332 681801